Glenn Meade

Pajęczyna kłamstw

Z angielskiego przełożył

Krzysztof Mazurek

WYDAWNICTWO
SONIA DRAGA

Tytuł oryginału:
WEB OF DECEIT

Redakcja: Olga Rutkowska, Marcin Grabski
Korekta: Anna Rzędowska
Projekt okładki: Wydawnictwo Sonia Draga
ISBN: 83-89779-14-5

Dystrybucja:
Firma Księgarska Jacek Olesiejuk
ul. Kolejowa 15/17, 01-217 Warszawa
tel./fax (22) 631-4832, 632-9155
e-mail: hurt@olesiejuk.pl   www.olesiejuk.pl
Wydawnictwo L&L / Dział Handlowy
ul. Kościuszki 38/3, 80-445 Gdańsk
tel. (58) 520-3557, fax (58) 344-1338

Sprzedaż wysyłkowa:
www.merlin.pl
ul. Staszica 25, 05-500 Piaseczno, tel. (22) 716-7502, 716-7503

WYDAWNICTWO SONIA DRAGA SP. Z O. O.
Pl. Grunwaldzki 8-10, 40-950 Katowice
tel. (32) 782-6477, fax (32) 253-7728
e-mail: info@soniadraga.pl
www.soniadraga.pl

Katowice 2004. Wydanie I
Druk: Łódzkie Zakłady Graficzne, ul. Dowborczyków 18, Łódź

Dla moich najukochańszych „Waltonów" – Toma,
Diany i Elaine

Część I

1

W Nowym Jorku była trzecia nad ranem. Jennifer March otworzyła oczy, budząc się w ciemnościach, szóstym zmysłem wyczuła bowiem w sypialni czyjąś obecność.

Na zewnątrz szalała burza, błyskawice przecinały nocne niebo widmowym światłem, a z chmur spadały strugi ulewnego deszczu. Bała się już, kiedy otwierała oczy. Nagle zdała sobie sprawę z dwóch rzeczy – z huku burzy i przerażającego uczucia, że ktoś jest w pokoju. Na czoło wystąpiły jej krople potu, oddech miała krótki, przerywany. Gdy odrzucała kołdrę i wstawała z łóżka, zobaczyła nad sobą postać mężczyzny ubranego od stóp do głów na czarno.

– Nie ruszaj się! – warknął.

Mimo ostrzeżenia, w odruchu paniki, Jennifer ruszyła do walki, ale on uderzył ją w twarz, aż zapiekło.

– Leż spokojnie!

Rozbłysk pioruna zalał sypialnię niebieską poświatą. Kątem oka spojrzała na twarz napastnika.

Był bez twarzy. Na głowie miał czarną kominiarkę – przez otwory widać było złośliwy wyraz oczu i ust. Wyglądał naprawdę przerażająco. W dłoni osłoniętej skórzaną rękawiczką trzymał rzeźnicki nóż. Jennifer chciała krzyknąć, ale drugą dłonią zamknął jej usta. Płakała, skulona ze strachu. Podczas szarpaniny koszula nocna podwinęła się powyżej kolan Jennifer, odsłaniając jej nogi. Mężczyzna ostrożnie odłożył nóż na nocny stolik. Jennifer nagle poczuła dotyk jego ręki na skórze, ręki brutalnie rozchylającej jej uda.

– Leż spokojnie, bo ci poderżnę gardło!

Jennifer March była śmiertelnie przerażona. Mężczyzna rozpiął spodnie, ukląkł i próbował wejść w nią siłą. Ból był okropny – jeszcze nigdy nie odczuwała takiego przerażenia. W tym, co robił, było coś tak odrażającego i zwierzęcego, że Jennifer zesztywniała ze strachu i bała się ruszyć. Burza szalała za oknem, a on jęczał z rozkoszy, skupiony tylko na tym, co czuje.

Nagle było po wszystkim. Mężczyzna usiadł, zdjął rękę z jej ust, ale Jennifer była w takim szoku, że nie potrafiła wydobyć z siebie głosu. Gdy podniósł nóż ze stolika nocnego, zobaczyła błysk pomazanego krwią stalowego ostrza. Jennifer łkała.

– Co... Co chcesz zrobić?

– Zabić cię.

Jennifer March krzyknęła...

2

Obudziła się z tym krzykiem na ustach, przyciskając kurczowo poduszkę do piersi. Tym razem nie zrywała się w koszmarnym śnie, ale budziła się naprawdę. Przerażona, łapała wielkimi haustami powietrze. Jennifer March wypuściła z rąk poduszkę i odrzuciła kołdrę. Włączyła lampkę na stoliku nocnym, wygramoliła się z łóżka i podeszła do okna. Zmusiła się, żeby uspokoić oddech, nagle zdając sobie sprawę z natrętnego plusku za otwartym oknem. Deszcz. Nieubłagany, zacinający, ulewny deszcz bijący o szyby w ciemnościach nocy pośród burzy.

Wyjrzała na zewnątrz, ale nic nie widziała – nie było srebrzystej poświaty księżyca, która ją uspokoi, tylko mroczny, lodowaty deszcz zacinający w okna, niesiony podmuchami wiatru. Niebo rozświetlił rozbłysk pioruna, a po chwili w oddali przetoczył się głuchy dźwięk grzmotu. Nowy Jork spał, całe Wschodnie Wybrzeże było skąpane w ciemności i burzy, ale ona była rozbudzona, czuła, że ogarnia ją niepokój, który przyspiesza bicie serca i wywołuje lęk. Jak zawsze – ten sam sen nawiedził ją podczas burzy. I jak zawsze był tak realistyczny, że całkowicie wytrącił ją z równowagi.

Niczym lunatyczka przeszła do przedpokoju, zrobiła krok przez próg łazienki, sięgnęła dłonią po wiszący na wieszaku ręcznik i wytarła pot z twarzy. Znalazła drogę do kuchni, włączyła światełko pod kuchennym okapem, wyjęła z lodówki butelkę zimnej wody, napełniła wysoką szklankę i wrzuciła do środka kilka brzęczących kostek lodu. Upiła spory łyk, połapała z powrotem do sypialni i usiadła na łóżku. Oparła się plecami o ścianę i przytknęła zimną od lodu szklankę do czoła. Spojrzała na fosforyzujące zielono cyfry budzika na stoliku nocnym obok łóżka: *3:05*.

Niemal nie zastanawiając się, co robi, sięgnęła do szuflady

stolika po tabletki nasenne, otworzyła plastikową fiolkę, włożyła dwie do ust i popiła niewielką ilością wody. Nie lubiła tych tabletek, ale wiedziała, że musi je teraz wziąć. Chciała spać i już nie śnić o żadnych okropieństwach.

Niewielkie mieszkanie w Long Beach na Long Island miało jedną sypialnię, ładny salon, niedużą kuchnię i maleńką łazienkę. W pogodny dzień widok rozciągał się aż do Cove End i widziała dom rodziców – opuszczony i zapomniany przez Boga i ludzi – posiadłość w stylu kolonialnym, w szarościach i bieli, z własną przystanią od strony zatoki. Przeniosła się tutaj, mając nadzieję, że zacznie wszystko od nowa. Nie mogła już dłużej mieszkać w starym domu, bo ją straszył, tyle miała wspomnień związanych z tamtym miejscem, ale tak naprawdę niczego od nowa nie zaczęła. Czuła się jak zwierzę we wnykach, złapana w pułapkę przeszłości. Nocą wracały koszmary. Nawiedzały ją wspomnienia. Wiedziała, dlaczego tak jest. Niekiedy pozostawały jej tylko marzenia. Miała jedynie wspomnienia o wspólnym, utraconym życiu z rodzicami, o ich uświęconym wspólnym bytowaniu.

Wciąż jednak pojawiały się niepokojące sny, które napełniały ją przerażeniem i smutkiem – dziś w nocy złapały ją w pajęczą sieć, z której nie potrafiła się wyplątać. Wiedziała, że musi usłyszeć ludzki głos, musi się przekonać, że nie jest całkiem sama, że coś ją łączy z drugim człowiekiem.

Jeszcze raz zerknęła na fosforyzującą tarczę budzika na stoliku obok łóżka: 3:06. Wiedziała, że na całym świecie jest tylko jedna osoba, z którą może w środku nocy porozmawiać o tym, co ją dręczy, i do której zawsze może zadzwonić. Podniosła słuchawkę, przysunęła do siebie telefon, naciskając jeden po drugim podświetlone klawisze. Dziesięć kilometrów dalej, w Elmont na Long Island, telefon zadzwonił kilka razy, zanim ktoś podniósł słuchawkę, a ona usłyszała rozespany głos.

– Halo...?

– To ja.

– Jennifer? Co się dzieje? Wszystko w porządku?

Mark Ryan był już w pełni rozbudzony. Wyczuwała niepokój w jego głosie.

– Przepraszam cię, Mark. Wiem, że długo się nie odzywałam, ale nie mam nikogo innego, do kogo mogłabym zadzwonić.

– W porządku, Jennifer. Nie przejmuj się.

– Zbudziłam cię.

– To nic. Dopiero niedawno się położyłem – zaśmiał się cicho. – Zazwyczaj śpię jak kamień i nie obudziłby mnie nawet wystrzał armatni, ale pewnie jeszcze nie całkiem zasnąłem.

Usłyszała szelest pościeli, pewnie siadał na łóżku. Po uderzeniu pioruna za oknem omal nie zerwała się na równe nogi. Usłyszała głos Marka w telefonie:

– Wygląda na to, że masz ciężką noc.

– Okropną.

– Pewnie miałaś zły sen. Dlatego dzwonisz, Jennifer? Męczyły cię jakieś sny?

– Wciąż ten sam. Widziałam go w pokoju. To wszystko było tak realne, jak zawsze we śnie, w którym ten mężczyzna się pojawia, a moja wyobraźnia tylko podsyca koszmar – głos się jej załamał. – Czasami czuję się tak, jakby coś we mnie pękło, jakby coś się we mnie nieodwołalnie załamało. Dzisiaj też tak jest, Mark. Nadal strasznie mi ich brakuje, czuję się bez nich zagubiona. Kiedyś myślałam, że czas zaleczy wszystkie rany. Ale nie jest wcale lepiej. Minęły już dwa lata, a wydaje mi się nieraz, jakby to było wczoraj.

Mark słuchał, a później powiedział cicho:

– Czasami wszyscy mamy takie chwile. Wiem, że nie jest ci łatwo, Jennifer. Kiedy nadchodzi rocznica jakiegoś zdarzenia, bywamy przewrażliwieni, zwłaszcza jeśli jest to rocznica tragicznych wydarzeń. Musisz sobie jednak powiedzieć, że ten mężczyzna już nie wróci. Nigdy. Proszę, musisz to zrozumieć.

Słyszała jego słowa, czuła, że nie jest na nie zupełnie obojętna, patrzyła na strugi deszczu za oknem. Dom i ogród targanego burzą i ulewą Cove End tonął w zimnej, mrocznej ciemności. Kiedyś ten dom był ciepły i przyjazny, mieszkało w nim tyle dobrych wspomnień, ale to już przeszłość.

– Jesteś tam, Jennifer?

– Tak, jestem.

– Twojej mamie na pewno by się te twoje humory nie podobały. Nie chciałaby bólu i smutku, nie chciałaby widzieć cię do tego stopnia wytrąconą z równowagi, nawet w dzisiejszą rocznicę. Chciałbym, żebyś się teraz położyła, zamknęła oczy i po prostu spróbowała zasnąć. Zrobisz to dla mnie, Jen?

– Wzięłam tabletki. Czuję, że ogarnia mnie błoga senność.

– Ile wzięłaś?

– Dwie.

Usłyszała westchnienie ulgi.

– Więc nic ci nie będzie. Teraz właśnie ich potrzebujesz. Już wszystko dobrze? Tabletki nasenne zaczynają działać?

– Chyba tak.

– A może bym do ciebie jutro zadzwonił? Albo ty przekręć do mnie, jak będziesz miała ochotę pogadać. Albo zatelefonuj, kiedy po prostu poczujesz się lepiej, dobrze?

– W porządku.

– Dobranoc, Jen. Spróbuj się przespać – usłyszała w jego głosie nutę rozbawienia, jakby celowo chciał ją rozśmieszyć i rozpędzić strachy. – Jeśli byłbym tam z tobą i pozwoliłabyś mi na to, ukołysałbym cię do snu.

– Wiem. Dobranoc. I... dziękuję, że ze mną pogadałeś. Dziękuję, że jesteś.

– A od czego są przyjaciele? Znamy się nie od dziś. Teraz musisz dobrze odpocząć. Niedługo się zobaczymy.

Ostatnie słowa, które usłyszała, brzmiały: „Śpij dobrze", a później Mark odłożył słuchawkę.

Teraz zapanowała cisza, słychać było tylko jedwabisty szum deszczu obmywającego szyby i stłumiony huk pioruna gdzieś w oddali. Jennifer March w końcu położyła słuchawkę na widełki telefonu, przekręciła się na bok, złożyła jak dziecko dłonie pod głową i przypatrywała się załzawionymi oczami ciemnym rzekom i strumieniom deszczu obmywającego okno, aż tabletki zaczęły działać i zmorzył ją sen. Błąkając się jak narkoman po ziemi niczyjej między jawą a snem, wiedziała, że tak naprawdę nikt nie jest w stanie jej pomóc. Nikt jej nie pomoże, dopóki sama nie postanowi sobie pomóc. Kiedyś, pewnego dnia, będzie się musiała nauczyć, jak obłaskawiać demony, które nawiedzają jej duszę.

W głębi serca czuła, że to zadanie jest niewykonalne, ale przynajmniej teraz człowieka w masce już tu nie było, a koszmar gdzieś wyparował. Przynajmniej tyle. Później przyszedł sen, za którym tak tęskniła, i okrył ją zasłoną zapomnienia. Powieki Jen opadały, a ona zanurzała się w ciemnościach nocy wyglądającej świtania.

3

Nadia modliła się, żeby już było po wszystkim. Jeśli przetrwa kilka następnych minut, będzie żyła. Jeżeli nie – już jest martwa.

Pełna obaw, niespokojnym gestem przytuliła niemowlę do piersi, a za rączkę mocno trzymała swoją dwuletnią córeczkę. Lotnisko wypełniały tłumy pasażerów, panował zgiełk. Pierwszy raz była na nowojorskim JFK i bała się, chociaż ci ludzie mówili jej, czego ma się spodziewać. Czuła krople potu na twarzy, strużki potu lały się jej po plecach pod wełnianą sukienką.

Miała dwadzieścia trzy lata, niebieskie oczy o łagodnym wejrzeniu i niewinną twarz – dlatego właśnie ją wybrali. Jej córeczka Tamara była podobna do matki, miała śliczną okrągłą buzię i duże, niewinne oczy, a Nadia kochała ją nad życie.

Życie w Moskwie nie należało do łatwych. Trudno związać koniec z końcem, mieszkając w tym ośmiomilionowym molochu. Maleńki pokoik na czwartym piętrze w starej kamienicy kosztował ją pięćdziesiąt tysięcy rubli miesięcznie, nie było ciepłej wody, w piwnicach szczury, na korytarzach karaluchy.

Nadia Fiedowa pragnęła czegoś lepszego dla swojej córki. Dziewczynka nie skończy tak, jak jej matka, nie będzie pracowała w nocnym klubie, który jest tylko przykrywką dla burdelu, nie dopuści do tego, żeby za garść rubli wykorzystywali ją pijani, brutalni faceci. Będzie spała w czystej pościeli, będzie miała ciepłą wodę w łazience i ładne mieszkanie w dobrej dzielnicy, będzie się bawiła z grzecznymi dziećmi. Tego właśnie Nadia pragnęła dla swojej córeczki. Spojrzała w dół na Tamarę. Teraz, kiedy minęły już atrakcje ośmiogodzinnego lotu z Moskwy do Nowego Jorku, dziecko było zmęczone, miało zmierzwione włosy, tarło rączkami oczy.

– Będę mogła niedługo pójść spać, mamusiu?

– Tak, już niedługo, Tamaroczka, już niedługo.

Nadia ukołysała niemowlę owinięte w niebieski kocyk i podniosła wzrok, przyglądając się stanowisku oficera imigracyjnego. Teraz przed nią była już tylko jedna osoba, a ona czekała zalękniona przed żółtą linią wymalowaną na podłodze.

„Spróbuj się nie bać" – mówiła sobie w myślach.

Jej paszport był doskonale podrobiony, nie do wykrycia, w dokumencie wpisano imiona dzieci, a z tyłu wbito wizę amerykańską. Nagle nadeszła jej kolej, a oficer imigracyjny w granatowym mundurze poprosił ja gestem, aby podeszła. Zrobiła kilka kroków i podała mu paszport i kartę zgłoszeniową, którą wypełniła w samolocie.

Mężczyzna przejrzał paszport i podniósł wzrok na jej twarz. Potem przesunął paszport nad jakimś czytnikiem komputerowym, jeszcze raz się jej przyglądnął i wyciągnął rękę.

– Bilety proszę.

Nadia podała mu bilety. Urzędnik przejrzał je dokładnie i znowu na nią popatrzył.

– Zostaje pani w Nowym Jorku czternaście dni?

– *Da*. Tak.

– Pod tym adresem?

– Tak.

– To pani dzieci?

– Tak.

Urzędnik podniósł się nieco i spojrzał na Tamarę znad wysokiego blatu, a później puścił do niej oko. Tamara uśmiechnęła się do niego i zawstydzona chwyciła brzeg sukienki mamy.

– Śliczna dziewczynka – powiedział mężczyzna.

– Tak – odparła Nadia i uśmiechnęła się nerwowo. Mężczyzna był miły, a myślała, że będzie gorzej. Rzucił przelotnie okiem na otulone kocykiem niemowlę w ramionach Nadii, następnie zszywaczem przymocował część karty zgłoszeniowej do jednej ze stron w paszporcie, podstemplował i zwrócił jej dokument wraz z biletami.

– Dziękuję pani. Życzę miłego pobytu w Nowym Jorku.

Nadia wiedziała, że to jeszcze nie koniec. Podniosła swoją walizkę z pasa, który przywiózł bagaże z samolotu, zapłaciła za wózek bagażowy i podeszła do stanowiska celników, popychając wózek wolną ręką. Niemowlę trzymała na ramieniu, a Tamara przytrzymywała się rączką wózka.

Nadia strasznie się bała, serce waliło jej jak młotem. Ukołysała zakutane w becik i koc dziecko i szepnęła:

– Śpij, Aleksiej, śpij, maleńki.

Dziesięć metrów przed sobą ujrzała stanowiska celników, przy których stało kilka umundurowanych postaci. Automatycznie otwierane drzwi prowadziły do głównej hali przylotów. „Tak blisko do wolności. Tak blisko do tego wszystkiego, czego pragnie dla Tamary" – pomyślała. Powtarzała sobie wciąż, że wszystko będzie dobrze, ale czuła, że całe ciało ją pali, jakby miała gorączkę. Mężczyźni mówili, że czasami celnicy zatrzymują pasażerów, a czasami pozwalają przejść. „Przede wszystkim na nich nie patrz, nie próbuj zwrócić na siebie ich uwagi, postaraj się nie robić wrażenia przestraszonej albo podejrzanej. Ci ludzie są specjalnie szkoleni i potrafią zwietrzyć strach tak, jak pies myśliwski zwietrzy uciekającego lisa. Zachowuj się jak normalna pasażerka, jakbyś nie miała nic do ukrycia".

Nadia próbowała o tym wszystkim pamiętać, ale nie było to łatwe, gdy pchała przed sobą wózek i trzymała na ramieniu niemowlę. Podchodząc do stanowiska celników, zauważyła, że większość pasażerów przechodzi obok swobodnie, a celnikom nie chce się nikogo zatrzymywać. Nadia dostrzegła, że jeden z nich na nią patrzy, i próbowała nie dopuścić do kontaktu wzrokowego, udając, że zajmuje się maleństwem, kołysząc niemowlę w ramionach i szepcząc głośno:

– Śpij, Aleksiej.

Mężczyzna nie zatrzymał jej i poczuła ulgę. Kiedy podeszła do drzwi prowadzących do hali przylotów, inny celnik nagle oparł rękę na jej wózku.

– Czy to pani bagaż?

Serce Nadii waliło tak mocno, że niemal wyrwało się z piersi.

– *Da*, mój... To mój bagaż.

„Staraj się nie okazywać nerwowości".

– Proszę tu podejść.

„Jeśli cię zatrzymają, rób, co każą. Zachowuj się spokojnie, jakbyś nie miała się czego obawiać".

Ale Nadia straszliwie się bała. Popchnęła wózek do stanowiska, przy którym stali celnicy. Kolana trzęsły się jej jak galareta. Mężczyzna podniósł z wózka jej walizkę, położył na stalowy stół i powiedział:

– Proszę otworzyć walizkę.

Nadia nieudolnie próbowała otworzyć walizkę, nie wypuszczając dziecka z ramion. Czuła, że oblewa ja gorący rumieniec, zgadując, że mężczyzna zauważył jej zdenerwowanie. W końcu znalazła kluczyk. Wciąż trzymając dziecko w ramionach, zaczęła otwierać zamek w walizce drżącą dłonią, ale celnik zwrócił się do niej uprzejmie:

– Pani pozwoli, ja to zrobię.

Otworzył jej walizkę i przeszukał rzeczy. Tanie ubrania i bielizna dla niej, dla Tamary i dla malucha. Niewielkie pudełeczko zapakowane jak prezent i związane wstążeczką spoczywało pośród ubrań i ono właśnie zwróciło uwagę celnika. Odłożył je na bok, szybko i sprawnie przeszukał resztę jej rzeczy. Kiedy skończył grzebać w walizce, podniósł ozdobnie opakowane pudełko.

– Co jest w środku, proszę pani?

– Prezent. Dla mojej kuzynki.

– Co to za prezent?

– Apaszka.

Mężczyzna potrząsnął pudełkiem. Nic w środku nie grzechotało. Przyglądał się dokładnie Nadii, spojrzał na niemowlę w jej ramionach, potem w dół, na Tamarę. W końcu znów skierował wzrok na Nadię.

– Którym lotem pani przyleciała?

Nadia wymawiała powoli słowa:

– Lot 3572. Z Moskwy. Dopiero co przyleciałyśmy.

Ukołysała dziecko, próbując opanować nerwowość.

Mężczyzna zmarszczył trochę brwi i zapytał:

– Z dzieckiem wszystko w porządku?

Nadia skinęła głową.

– To był długi lot. Mały chyba nie czuje się zbyt dobrze.

Mężczyzna spojrzał na pudełko trzymane w ręce, jak gdyby próbując postanowić, co ma dalej robić, a następnie powiedział:

– Proszę za mną, do środka.

– Ale moje dziecko. Chyba potrzebuje lekarza...

– To potrwa tylko chwilę.

Mężczyzna popchnął wózek, kierując go do drzwi pomieszczenia kontroli. Za chwilę znalazła się przy nich druga umundurowana osoba. Tym razem celniczka. Niewysoka, ładna, ciemnowłosa, w jej żyłach na pewno płynęła meksykańska krew. Z plakietki przypiętej do klapy na jej lewej piersi wynikało, że ma na nazwisko Rita Hernandez. Nadia poczuła falę mdłości. W ciasnym pomieszczeniu było duszno. Nie wypuszczała z dłoni rączki Tamary, która rozglądała się wokół z szeroko otwartymi oczami, zdumiona, że ci ludzie chcą rozmawiać z jej mamą.

Mężczyzna położył pudełko na stole, a celniczka stanęła obok.

– Niestety, chyba będę musiał to otworzyć. Czy wyraża pani zgodę?

– Co, proszę?

– Czy mogę odpakować prezent?

Nadia skinęła głową, próbując nie drżeć na całym ciele.

– Tak, może pan to otworzyć.

Celniczka przyglądała się, co robi jej kolega, który ostrożnie rozwiązał różową wstążeczkę, odwinął papier i otworzył pudełko. Znalazł tanią, wzorzystą nylonową apaszkę zapakowaną w kolorowy papier. Przeszukał dokładnie pudełko, ale oprócz apaszki niczego w nim nie było. Wyglądał na rozdrażnionego, twarz mu poczerwieniała, jak gdyby zdenerwowało go to, że niczego nie znalazł albo popełnił jakiś błąd.

– Czy mogę prosić pani paszport?

Nadia sięgnęła niezdarnie do torebki i znalazła swój paszport, podając dokument, prawie go upuściła, ale celnik złapał dokument. Przeglądał strony.

– To pani dzieci?

– Tak, są wpisane w paszporcie.

– Wiem, że są wpisane, ale czy to pani dzieci?

– Tak.

– W jakim wieku jest młodsze?

– Ma trzy tygodnie.

Celnik przyglądał się zawiniątku w ramionach Nadii. Nadia odezwała się cicho.

– On nie czuje się najlepiej. To był długi lot...

– Już pani mówiła. Nie będziemy pani dłużej zatrzymywać.

Celnik wyszedł zza stołu, żeby podać jej paszport. Spojrzał na niemowlę owinięte szczelnie w błękitny bawełniany kocyk. Miało zamknięte oczy i wyraz szczęścia na twarzy.

Celnik zawahał się, ale podszept instynktu kazał mu wyciągnąć rękę i dotknąć policzka niemowlęcia. Zbladł, na jego twarzy widać było szok, kiedy podniósł wzrok na Nadię. Jego oczy mówiły jej coś, o czym już wiedziała.

– Proszę pani, to dziecko nie żyje.

Komisariat 113 w nowojorskiej dzielnicy Queens mieści się w ponurym, ceglanym budynku przy Baisley Boulevard. Rejon komisariatu to rozległa dzielnica Queens oraz jedno z najbardziej ruchliwych lotnisk świata – JFK International.

Jennifer March zaparkowała niebieskiego forda w pobliżu komisariatu i weszła główną bramą. Podoficer dyżurny i kilku mundurowych załatwiało sprawy ludzi stojących w kolejce, ale sierżant siedzący za biurkiem odruchowo podniósł wzrok, gdy zobaczył zbliżającą się do niego młodą, atrakcyjną kobietę niosącą skórzaną aktówkę. Nie miała jeszcze trzydziestu lat – ładna, ciemnowłosa, ubrana w schludną granatową garsonkę, która dyskretnie podkreślała jej kształty. Sierżant spojrzał na nią z niemą wymówką – było widać, że nie jest zadowolony z tej wizyty.

– Znowu ma pani do nas jakąś sprawę, mecenas March?

– Wracam tu chyba tylko dlatego, żeby jeszcze raz usłyszeć pańskie serdeczne powitanie, sierżancie. Czy jest Mark Ryan?

– Widziałem, jak wchodził do swojego pokoju.

– Dziękuję.

Podoficer mruknął coś pod nosem, a Jennifer poszła do pokoju na końcu korytarza i zapukała do drzwi. Ze środka odezwał się głos:

– Możesz wejść, chyba że jesteś brzydka jak noc.

Przekroczyła próg niewielkiego pokoju zagraconego najróżniejszymi sprzętami, pomalowanego na przygnębiający szary kolor. Biurko było zasłane papierami i dokumentami, a przy komputerze siedział policjant ubrany po cywilnemu, wpisując notatki ze stosu papierów i popijając małymi łykami kawę z plastikowego kubka. Uśmiechnął się do niej promiennym, chłopięcym uśmiechem.

– Pierwszy raz w tym tygodniu usiadłem do raportów. Cześć, Jenny!

Detektyw Mark Ryan miał trzydzieści kilka lat, ciemne włosy, sympatyczny głos, nienaganne maniery i roziskrzone uśmiechem, zielone oczy. Wstał zza biurka i pocałował Jennifer w policzek.

– Co tu robisz?

– Nie było nikogo innego pod ręką, więc dostałam polecenie zajęcia się sprawą Nadii Fiedowej.

– Będziesz jej obrońcą?

– Za to mi płacą w Okręgowym Biurze Adwokackim, a dziewczyna ma prawo do adwokata, Mark. Mam trochę czasu przed pierwszym posiedzeniem dziś po południu, na którym będą przedstawiać jej sprawę, pomyślałam więc, że z nią porozmawiam. Nie znam jeszcze wszystkich szczegółów, dlatego miałam nadzieję, że będziesz mógł mnie oświecić.

– Oczywiście, Jenny, nie ma żadnego problemu, a tak w ogóle, to bardzo się cieszę, że cię widzę – w uśmiechu Ryana był cień troski. – Jak tam samopoczucie po wczorajszej nocy?

Jennifer położyła mu dłoń na ramieniu.

– Dobrze, Mark. Dziękuję, że mnie wysłuchałeś, naprawdę. Byłeś jedyną osobą, do której mogłam zadzwonić. Jednym z nielicznych ludzi na świecie, którzy mnie rozumieją.

Ryan skinął głową.

– Od czego są przyjaciele? Masz ochotę na kawę, zanim zaczniemy?

– Dziękuję, ale mam jeszcze później jedno spotkanie, więc może od razu przejdźmy do rzeczy.

– Twój szef zawsze tak ciśnie swoich podwładnych?

Jennifer wyjęła z teczki notes i pióro i uśmiechnęła się do niego, obrzucając wzrokiem zasłane papierami biurko.

– Przyganiał kocioł garnkowi. Widzę, że sam jesteś mocno zapracowany.

Ryan zrobił zbolałą minę.

– Nic mi o tym nie mów. A przy okazji, jeśli się zastanawiasz, jak to się stało, że twoja klientka siedzi tutaj, a nie w areszcie federalnym na Brooklynie, to już odpowiadam. Mają tam za dużo aresztantów i żadnych wolnych miejsc w celach dla kobiet, więc poproszono mnie, żebym na jakiś czas osadził ją w areszcie komisariatu.

– Wszystko się zgadza.

Mark usiadł na brzegu biurka i gestem wskazał jej fotel przed sobą.

– Proszę, usiądź.

Jennifer usiadła. Ryan odstawił kubek z kawą.

– Dzisiaj rano pracowałem na lotnisku Kennedy'ego ze specjalną grupą zadaniową z Agencji Antynarkotykowej, kiedy na cle zatrzymano tę dziewczynę. Przyleciała Aerofłotem z Moskwy, z trzymiesięcznym martwym chłopcem w ramionach.

– I?

– Ciało niemowlęcia zostało rozcięte od klatki piersiowej w dół i zaszyte. Kiedy anatomopatolog robił sekcję, znalazł dwa i pół kilograma heroiny zaszytej w brzuchu dziecka.

Jennifer zbladła. Mark Ryan spojrzał na nią.

– Dobrze się czujesz?

– Tak, już dobrze.

– Może jednak chciałabyś szklankę wody albo coś do picia?

– Nie, już wszystko w porządku. Od kiedy dziecko nie żyje?

– Od jakichś szesnastu godzin, lekarz mógł się pomylić o godzinę w tę czy w tamtą. Lot trwa ponad osiem godzin. Trzeba do tego dodać jeszcze godzinę po zejściu z pokładu na lotnisku JFK i jakieś trzy przed sekcją. A to oznacza, że niemowlę nie żyło już od czterech godzin, zanim ta kobieta wyleciała z Moskwy.

– Czy dziecko zostało zamordowane?

– Anatomopatolog podejrzewa, że niemowlę zmarło najprawdopodobniej z przyczyn naturalnych, ale nie mamy jeszcze pełnego raportu. Usunięto wszystkie organy wewnętrzne, dokładne określenie przyczyny zgonu może być więc trudne.

Jennifer wciąż była blada i z niedowierzaniem kręciła głową.

– Myślałam, że już wszystko w życiu widziałam, ale to jest chyba najbardziej plugawa i przerażająca rzecz, o której usłyszałam.

Ryan powiedział stłumionym głosem:

– Wiem, że to się wydaje niewiarygodne i nieludzkie. Ale mamy tutaj na co dzień do czynienia z tymi szumowinami. Z przemytnikami narkotyków. Słyszałem, że tak robią na Dalekim Wschodzie, ale nigdy jeszcze nie widziałem tego na własne oczy. Zdobywają ciało martwego niemowlęcia w kostnicy albo gdzie indziej i – zanim przemycą narkotyki – usuwają narządy wewnętrzne, zanurzają ciało w formalinie, żeby je lepiej zakonserwować, a później zaszywają w środku towar. Kobieta podczas lotu trzymała dziecko w ramionach i prawie w ogóle nie wypuszczała niemowlęcia z rąk. – Ryan przerwał, a po chwili dodał przygnębionym tonem: – Ludzie, którzy to organizują, jeżeli w ogóle można ich nazwać ludźmi, nie mają żadnych wyrzutów sumienia ani zasad moralnych. Jenny, na świecie naprawdę istnieją ludzie z gruntu źli – znów się zawahał i spojrzał na nią. – Ale przecież ty wiesz o tym najlepiej.

Jennifer czuła, że robiło jej się niedobrze.

– A ta młoda kobieta?

– Ma dwadzieścia trzy lata, obywatelstwo rosyjskie. Okazało się, że paszport jest podrobiony. Został skradziony i spreparowany przez zawodowca, fałszywa jest również amerykańska wiza. Dobra robota, naprawdę. Udało jej się przejść przez kontrolę paszportową bez żadnych problemów.

Jennifer zapisała coś w notesie i spojrzała na niego.

– Coś jeszcze?

– Miała ze sobą jeszcze jedno dziecko. Dziewczynkę w wieku dwóch lat. Jest teraz pod opieką psychologa w izbie dziecka.

– Czy to martwe dziecko było jej?

– Nie. Twierdzi, że dostała je w Moskwie od mężczyzny i kobiety, których nigdy w życiu wcześniej nie widziała.

– A ta mała?

– Mówi, że to jej córka. Ma na imię Tamara.

– Jak się czuje?

– Córka?

– Matka, córka. Obie.

Ryan wzruszył ramionami.

– Mała nie wie, o co chodzi, jest zagubiona i chce do mamy. Matka się boi i nie wie, co robić. Wie, że czeka ją długi wyrok. Muszę powiedzieć, że w takich chwilach żałuję, że zostałem gliną.

– Ile jej zapłacili?

– Mówi, że dziesięć tysięcy dolarów.

– Co ci jeszcze powiedziała?

– Niewiele. Tak naprawdę nie chce z nikim rozmawiać i prosi o obrońcę. Wygląda na to, że czegoś się bardzo boi.

– Uważasz, że była świadomą wspólniczką przestępstwa?

Ryan wzruszył ramionami i westchnął:

– Nie wiem. Instynkt mi podpowiada, że ktoś jej groził i zmusił ją do tego, ale kto to może wiedzieć? A teraz kobieta po prostu nic nie mówi.

– Czy ktoś jej odczytał jej prawa?

– Za kogo mnie masz, Jenny? – Ryan się uśmiechnął. – Przecież znamy się od dziecka.

Jennifer odłożyła notes, podniosła głowę i spytała cicho:

– Co z nią będzie, Mark?

– Ty powinnaś wiedzieć. Nie jest obywatelką amerykańską, nie będzie mogła zatem wyjść za kaucją. Czy jest winna czy nie, miała przy sobie narkotyki, a więc mówimy tutaj o przestępstwie federalnym. Podróżowała ze sfałszowanym paszportem i wizą, przemycała w ciele martwego dziecka pięć funtów najczystszej heroiny. W moim przekonaniu skończy się pewnie dziesięcioletnią odsiadką w Danbury, a i to, jeśli będzie miała szczęście. Ale bezsprzecznie będzie proces i wyrok. Chyba, że zacznie mówić, choć podejrzewam, że będzie siedziała cicho. Może coś powie tobie, bo będziesz jej obrońcą, ale nic nie powie policji.

– A córka?

– Zostanie odesłana do Moskwy. Do krewnych, jeżeli ma jakichś krewnych. W najgorszym wypadku do jakiegoś potwornego domu dziecka.

– Mówi po angielsku?

– Matka? Całkiem dobrze i jest dość inteligentna, więc nie powinnaś potrzebować tłumacza. Ale jeśli będziesz chciała, to ci go załatwię.

Jennifer pokręciła głową i zebrała swoje rzeczy.

Drzwi do pokoju przesłuchań zatrzasnęły się za nią z hukiem. Jennifer spojrzała na młodą kobietę, która powoli wstawała zza drewnianego stołu. Zupełnie nie wyglądała na dwadzieścia trzy lata, bardziej na osiemnaście, miała jasną karnację i duże, niewinne oczy. Błękitna, wełniana sukienka, w którą była ubrana, była tania i znoszona, tu i ówdzie pocerowana, a dziewczyna miała twarz naznaczoną cierpieniem i nieszczęściem, oczy opuchnięte i czerwone od płaczu.

Jennifer poczuła rosnącą falę współczucia, ale chęć pocieszenia Nadii Fiedowej ochłodziła świadomość, że zaledwie kilka godzin temu ta młoda kobieta nosiła na rękach martwe niemowlę wypchane heroiną. Jennifer nie wiedziała, do jakiego stopnia świadomie ta kobieta brała udział w przestępstwie, ale z natury współczuła ludziom i wierzyła, że Nadia nie jest cyniczną wspólniczką zbrodni.

– Nazywam się Jennifer March. Pracuję w Okręgowym Biurze Adwokackim i zostałam wyznaczona z urzędu jako pani adwokat. Rozumie pani, co mówię, Nadiu?

Dziewczyna drżała na całym ciele, ściskając dłoń Jennifer.

– Da. Chyba tak. Tak. Mówili mi, że będzie ze mną rozmawiał jakiś adwokat.

– Dobrze się czujesz?

Do oczu kobiety napłynęły łzy.

– Chcę zobaczyć moją córeczkę.

– Może uda się to później załatwić, ale teraz musimy porozmawiać. Usiądź, proszę, Nadiu.

Jennifer odsunęła swoje krzesło od stołu, a dziewczyna usiadła na wprost niej.

– Nie mam pani czym zapłacić.

– Biuro pokryje koszty postępowania. Reprezentujemy w sądzie osoby oskarżone o przestępstwa federalne, których nie stać na adwokata. Biuro nie pobiera żadnych opłat. W Stanach Zjednoczonych każdy człowiek, nawet jeśli jest nielegalnym imigrantem z innego kraju i nie ma żadnych środków do życia, ma prawo do adwokata. Czy rozumiesz, co powiedziałam, Nadiu?

Dziewczyna w milczeniu skinęła głową.

– Złapano cię z dużą ilością heroiny. I z nieżywym dzieckiem, które być może zostało zamordowane po to, by tę heroinę przemycić. To bardzo poważne zarzuty, więc może zacznijmy od tego, że po prostu powiesz mi prawdę. Powiesz mi, jak to było, od samego początku.

Nadia Fiedowa otworzyła usta, żeby zacząć mówić, ale nagle zawahała się, jakby zmieniła zdanie.

Jennifer spróbowała jeszcze raz.

– Musisz mi uwierzyć, Nadiu. Musisz uwierzyć, że jestem po twojej stronie. Proszę, zrozum to. W najbliższym czasie zostaną ci przedstawione zarzuty w związku z przestępstwem federalnym, a tylko ja mogę ci pomóc. Ale zanim się do tego wezmę, musisz mi powiedzieć, co się naprawdę stało.

Nadia Fiedowa przygryzła wargi, a potem otarła oczy.

– Pracuję w Moskwie, w nocnym klubie. Skończyłam studia, mam dyplom z ekonomii, ale w Rosji życie jest bardzo ciężkie i nie mogłam dostać innej pracy. Takich dwóch facetów przychodzi czasem do klubu. Zawsze mają kupę pieniędzy. I zawsze patrzą, jak tańczę. Przyglądają mi się. Potem, jednego wieczoru, jeden z nich przychodzi do mnie i pyta: „A może byś chciała zarobić sobie dziesięć tysięcy dolarów?". A ja na to: „Jak?". Powiedzieli mi, że muszę coś zawieźć do Nowego Jorku. Dadzą mi i mojej córeczce rosyjski paszport. W paszportach będą wizy amerykańskie. Zapytałam, co mam przewieźć, a oni mi powiedzieli, że to coś ważnego. Dziesięć tysięcy dolarów to dużo pieniędzy, a mając wizę amerykańską, może będę mogła zostać w Stanach i nie wracać do Moskwy. Więc mówię im: „Dlaczego nie".

Jennifer zachęciła ją łagodnym głosem:

– Mów dalej.

– Kilka dni później jeden znowu przyszedł. Mówi, że muszę wziąć ze sobą martwe niemowlę – głos Nadii Fiedowej się załamał, a po policzkach popłynęły łzy. – Dziecko będzie wpisane do mojego paszportu. W jego ciele będą narkotyki. Bałam się i zapytałam tego gościa, skąd wezmą dziecko, a on na to, że to nie mój interes. Nie podobało mi się, że w ciele małego dziecka będą przemycać narkotyki. To było... z gruntu złe, więc powiedziałam mu, że nie, że tego nie zrobię. Wtedy mnie pobił. Straszyli, że zrobią krzywdę mojemu dziecku, że zabiją moją córeczkę, jeżeli nie uczynię tego, co mi każą. Ale jeżeli wykonam ich polecenie, dostanę pieniądze i włos mi z głowy nie spadnie. Dlatego zrobiłam, co mi kazali.

– A co miałaś zrobić z tym nieżywym niemowlęciem, jak już dolecisz do Nowego Jorku?

– Ktoś miał na mnie czekać w hotelu przy lotnisku, kiedy wyjdę z hali przylotów. Powiedzieli mi, że go nie rozpoznam, ale on mnie rozpozna. Miał odebrać ode mnie dziecko i zapłacić mi. Potem miałam zatrzymać paszport i mogłam pójść, dokąd zechcę.

Jennifer przysunęła bliżej krzesło i spojrzała kobiecie prosto w twarz.

– Mówisz mi całą prawdę, Nadiu?

Nadia przeżegnała się dwa razy.

– Przysięgam, że tak, na życie mojej córeczki.

– Dlaczego po prostu nie powiedziałaś celnikom na lotnisku, że ktoś cię zmusił do przemytu narkotyków?

– Bo ci ludzie nastraszyli mnie, że znajdą mnie i córkę i że nas zabiją, jeżeli pójdę na policję albo komuś o tym opowiem.

– Jak się nazywali?

Nadia Fiedowa wzruszyła ramionami.

– Nie wiem. A jeśli nawet bym wiedziała, to nie mogłabym pani powiedzieć.

– Dlaczego? Boisz się?

– Tak, boję się. Ci faceci powiedzieli, że nawet jeżeli będę w więzieniu, to mnie znajdą i zabiją, jak sypnę. Zabiją mnie i moją małą – Nadia otarła oczy. – Ci mężczyźni są... nieprzejednani. Są źli. Krzywdzą ludzi, śmieją się, patrząc na ich cierpienie. Wiem, że nie żartowali. Powiedzieli mi, że nikt mnie nie złapie, że będzie łatwo zrobić to, co każą, bo z dwójką dzieci nie wyglądam na przemytnika narkotyków. Ale mówili, że jeżeli ktoś mnie złapie, to już nie żyję. Jeżeli powiem coś o nich policji – jak wyglądają i jak ich rozpoznać – to mam wyrok.

– Dlaczego w ogóle się na to zgodziłaś, Nadiu? Przecież wiedziałaś, że łamiesz prawo.

Nadia Fiedowa zawahała się przez chwilę i przygryzła wargę.

– Zrobiłam to dla mojej córeczki.

– Co to znaczy?

– Pani jest Amerykanką. Żyje pani w zamożnym kraju. Nie wie pani, co to bieda. Co to znaczy nie mieć pieniędzy i nadziei. Nie mieć w ogóle żadnego życia, tylko cierpieć nędzę i ból. Nie chciałam, żeby moja córeczka była biedna i przechodziła to, co ja. Chciałam, żeby żyła godnie, żeby jej było dobrze tutaj, w Ameryce. A teraz już jej nigdy nie zobaczę.

Nadia Fiedowa zakryła twarz dłońmi i załkała. Jennifer wstała, przeszła na drugą stronę stołu i objęła ją ramieniem, przytuliła, próbowała pocieszyć, ale na smutek i rozpacz Nadii nie było żadnego lekarstwa.

Mark Ryan czekał na nią w korytarzu.

– No, i? Jak poszło?

– To wieszak. Mark, tę dziewczynę wykorzystano.

– Zawsze tak jest z płotkami. Zleceniodawcom przeważnie wszystko uchodzi na sucho. Od początku wydawało mi się, że tę dziewczynę tylko wykorzystano do przerzutu. Za każdym razem wykorzystują jakieś płotki, które zgadzają się na przemyt albo dla pieniędzy, albo dlatego, że są zastraszane. Albo jedno i drugie. Myślisz, że coś mi powie?

– Wątpię. Jest śmiertelnie przerażona.

– Wcale się nie dziwię. Podejrzewam, że ktoś, kto ją w to wszystko wpuścił, nastraszył ją, że jej poderżną gardło w więzieniu, jeśli otworzy usta i kogoś sypnie – Ryan spojrzał na twarz Jennifer March i zobaczył łzy w kącikach oczu. – W porządku, Jennifer? Widzę, że jesteś bardzo tym wszystkim poruszona.

– Za chwilę dojdę do siebie. Nie mogę przestać myśleć o tym martwym niemowlęciu i o tym, że życie młodej kobiety i jej dziecka będzie zrujnowane.

Ryan położył dłoń na ramieniu Jennifer.

– Słuchaj, nie przejmuj się tak. Pamiętaj o pierwszej zasadzie, żeby się nie angażować emocjonalnie.

– A jej córeczka?

– Zobaczę, co się da załatwić.

– Obiecujesz?

– Oczywiście.

– Dziękuję, Mark.

– A z innej beczki, powiedz, jak ci leci?

– OK.

– Jak tam Bobby?

– U niego wszystko w porządku.

– Byłem kilka razy w Cauldwell, żeby się z nim zobaczyć. Ale minęło już kilka miesięcy. Myślę, że jestem mu winien odwiedziny.

– Na pewno się ucieszy.

Ryan zawahał się przez chwilę.

– Może to nie najlepszy moment, ale miałabyś czas w tym tygodniu pójść ze mną na kolację?

– Nie gniewaj się, Mark, ale akurat teraz jestem zawalona robotą. Może innym razem?

Ryan poczuł, że oblewa się rumieńcem, ale dzielnie się uśmiechnął.

– Oczywiście, kiedy tylko będziesz miała czas. Wiesz, co bym zrobił na twoim miejscu? Pojechałbym do domu i spróbował o tym zapomnieć. Ta dziewczyna w niebieskiej sukience będzie dostatecznie długo o tym myślała. Wystarczy za nas wszystkich.

Jennifer zeszła do damskiej toalety na parterze. Musiała wziąć się w garść. Po sześciu miesiącach na stanowisku asystentki sędziego federalnego rozpoczęła pracę w brooklyńskim oddziale Okręgowego Biura Adwokackiego. Kochała tę pracę, chociaż niekiedy musiała wysłuchiwać różnych straszliwych opowieści, takich jak historia z Nadią. Potrafiła się wczuć w jej sytuację – wiedziała, jak to jest, kiedy człowieka ktoś skrzywdzi i kiedy trzeba tę krzywdę przeżywać i odcierpieć. Wiedziała, jak to jest, kiedy życie człowieka zniszczą niepomni na nic, z gruntu źli ludzie. Wiedziała bardzo dobrze – wciąż nosiła blizny po ciężkich przejściach, żyła ze wspomnieniami, które nigdy jej nie opuszczały, rozumiała więc, co musi przeżywać ta kobieta.

Wiedziała, przez co przechodzą wszyscy jej znękani życiem klienci, i właśnie dlatego Jennifer była tak dobra w tym, co robiła. Dla niej praca to coś więcej niż tylko sposób na wypełnianie upływających godzin – było to jej prawdziwe powołanie, a z pewnością nie chodziło o pieniądze. Zarabiała mniej więcej jedną czwartą tego, co jej koledzy ze studiów zatrudnieni w renomowanych firmach prawniczych. Jej jednak zależało na wszystkich niesprawiedliwie oskarżanych na tym świecie, marzyła o tym, że któregoś dnia zostanie znanym obrońcą w sprawach karnych.

Przejrzała się w lustrze. Interesująca, żywa twarz. Ciemne, kasztanowe włosy i kremowa, biała karnacja. Regularne rysy twarzy, delikatne kości, duże, ładnie wykrojone usta, zdradzające osobę wrażliwą i zmysłową, i inteligentne, niebieskie oczy. Miała dobrą figurę, zaokrągloną wszędzie tam, gdzie należy, i ładne długie nogi, wiedziała też, że podoba się mężczyznom. W całej jej postaci była jednak aura pewnej wyniosłości, którą wyczuwała nawet sama Jennifer. Wiedziała, że to coś na kształt zbroi chroniącej ją przed światem, którą nosi od dnia śmierci matki.

Nie narzekała na brak znajomych, prowadziła nie najgorsze życie towarzyskie, które polegało głównie na chodzeniu do klubu sportowego i spotykaniu się na kawie lub kolacji z kolegami i koleżankami ze studiów, ale miała tylko kilku prawdziwych przyjaciół. Wynajmowała niewielkie mieszkanie i jeździła pięcioletnim fordem. Zbliżała się do trzydziestki, była niezamężna, z nikim nie związana i w nikim nie zakochana.

Pomyślała: „Może po prostu jeszcze nie spotkałam właściwego mężczyzny?"

A jednak wiedziała, że chodzi o coś znacznie więcej – dowodem był jej związek z Markiem Ryanem, jeśli w ogóle potrzeba było na cokolwiek dowodów. Znała go od dziecka, mieszkał wówczas po drugiej stronie ulicy, choć w tamtych czasach ich znajomość ograniczała się do tego, że od czasu do czasu mówili sobie „cześć". Był od niej pięć lat starszy i zawsze bardzo go lubiła, a mimo to właśnie odrzuciła jego zaproszenie na kolację. Mark był rozwiedziony, dobry w tym, co robił zawodowo, czarujący, miał poczucie humoru, a przede wszystkim był cierpliwy i rozsądny. Nie widzieli się długo od czasu, gdy oboje byli nastolatkami, a spotkali się dopiero trzy lata temu, kiedy ona jeszcze studiowała, a Mark razem z grupą innych dochodzeniowców z policji nowojorskiej zjawił się na wydziale prawa Uniwersytetu Columbia z zajęciami i wykładami dotyczącymi procedur policyjnych. Później wypili razem kawę w uniwersyteckiej kawiarence i Jennifer dowiedziała się, że Mark jest w trakcie skomplikowanego rozwodu. W tych czasach robił wrażenie człowieka zagubionego i bardzo skrzywdzonego przez życie, przedwcześnie zgorzkniałego, ale choć tamtego dnia na Uniwersytecie Columbia żadne z nich nie zainteresowało się drugim i nie zainicjowało flirtu, oboje poczuli, że to może być początek długiej znajomości. Znajomość z czasem przerodziła się w przyjaźń i chociaż jadali razem kolację przynajmniej raz w miesiącu i niemal co tydzień rozmawiali ze sobą przez telefon, nie było w tym nic więcej – nie było seksu, nie było bliskości i intymności. Mark był prawdziwym, najlepszym przyjacielem, może najprawdziwszym ze wszystkich, jakich miała, ale mimo że go lubiła i nawet wydawał się jej pociągający, wiedziała, że jej lęk przed zbliżeniem się do mężczyzn jest zbyt silny.

Przypomniała sobie wydarzenia sprzed dwóch miesięcy, kiedy poszli na umówioną kolację do restauracji Spaglio's, a potem w jej mieszkaniu Mark ją pocałował. Czuła przyjemność fizycznej bliskości, ale kiedy pocałunki stały się zbyt namiętne, a Mark próbował rozpiąć jej bluzkę, spanikowała i poprosiła, żeby przestał.

Patrząc na swoje odbicie w lustrze, myślała: „Może to chodzi o mnie, może jestem oziębła".

Już dwa lata nie była na normalnej randce. Oprócz spotkań z Markiem dwukrotnie w ciągu ostatnich sześciu miesięcy umawiała się z innymi mężczyznami i za każdym razem kończyło się tak samo – facet próbował wsadzać jej rękę w majtki, a Jennifer usprawiedliwiała się i przepraszała, kończąc związek, zanim się w ogóle zaczął. Kiedy pojawiał się temat seksu, coś w jej wnętrzu się zamykało.

Jeżeli miałaby być ze sobą szczera, musiałaby przyznać, że sferę seksu już sobie odpuściła. Pewne sprawy były głęboko zakorzenione, inne były jak przyzwyczajenie, którego nie można złamać i od którego nie można się oderwać; wiedziała, że choćby nie wiem ilu psychoterapeutów z nią rozmawiało, żaden nie wyleczy jej problemu. Psychoterapia była bezużyteczna. Większość terapeutów miała chyba jeszcze więcej problemów i własnych nierozwiązanych zaszłości niż ich pacjenci. A ona rozumiała, że jej problem ma ścisły związek z urazem, którego doznała w dniu śmierci swojej matki, i że nigdy nie będzie mogła zapomnieć tego koszmaru. Poza tym dzisiaj była rocznica jej śmierci i Jennifer nie chciała zostawiać jej samej.

Cmentarz Calverton na Long Island był tego popołudnia rozświetlony słońcem i zupełnie pusty. Jennifer zaparkowała forda i poszła na grób swojej matki, trzymając w ręce bukiet róż. Inskrypcja wygrawerowana na białej marmurowej płycie zawsze powodowała skurcz i drżenie jej serca.

Anna March, ukochana żona Paula Marcha,
urodzona 1951, zmarła 2001
RIP

To się zdarzyło dokładnie dwa lata temu i nie było dnia, w którym nie nachodziłyby ją wspomnienia, w którym nie przeżywałaby po raz kolejny koszmaru śmierci matki i zniknięcia ojca. Nie było chwili, w której nie chciałaby, żeby oboje wrócili. Rodzice byli dla niej wszystkim. Ojciec był człowiekiem bardzo kochającym i łagodnym. A matka kwintesencją tego, czego może pragnąć córka – piękna, inteligencji i serdeczności.

Grób był zawsze posprzątany i czysty, a ona co najmniej raz w tygodniu przywoziła świeże kwiaty. Stojąc w łagodnym wiosennym słońcu, Jennifer patrzyła na płytę z marmuru. Zwyczajny biały kamień ukrywał tyle tajemnic, a napis mówił tak mało. Przeszłość jej rodziców kryła dużo więcej faktów, niż mogłaby opowiedzieć jakakolwiek inskrypcja na grobie.

Jennifer położyła kwiaty, cofnęła się o krok; pozwalając, żeby wspomnienia wróciły jak straszny film, przeżywała wszystko jeszcze raz na nowo...

4

Przez pierwsze pięć lat życia Jennifer rzadko oglądała ojca. Stale podróżował w interesach – był to w Paryżu, to w Londynie, Zurychu, Rzymie, w egzotycznych miastach i obcych krajach, o których Jennifer nigdy przedtem nie słyszała. Bardzo za nim wtedy tęskniła.

Paul March pracował w banku jako specjalista do spraw inwestycji, był wysokim, szczupłym, przystojnym mężczyzną o ciemnych oczach i ciepłym uśmiechu. Jennifer uwielbiała, gdy unosił ją w górę w mocnych ramionach, miała poczucie bezgranicznego bezpieczeństwa, kiedy trzymał ją za rękę albo po prostu się do niej uśmiechał. Uwielbiała jego zapach, mieszaninę dezodorantu i silnie pachnącego mydła, połączony – z czego zdała sobie sprawę znacznie później – z bardzo swoistą, męską nutą.

Kiedy Jennifer miała dwanaście lat, jej ojciec zaczął pracować w małym prywatnym banku inwestycyjnym Prime International Securities w Nowym Jorku. Zawsze był ambitny, chciał odnosić sukcesy zawodowe. Chociaż z jego pracą były związane podróże, późne powroty i pobyty z dala od domu, zawsze pamiętał o tym, żeby wysłać swojej jedynej córce pocztówkę z każdego nowego dziwnego i cudownego miejsca, jakie odwiedzał.

To jest Paryż, Jennifer. Prawda, że ładny?

Wczoraj wieczorem jadłem kolację przy fontannie Di Trevi. Rzym to piękne miasto. Jutro lecę do Szwajcarii i stamtąd też wyślę Ci kartkę.

Kupiłem Ci prezent w Londynie. Na pewno Ci się spodoba, mój skarbie.

Kiedy z mamą przeczytały wszystko, co napisał, Jennifer nie pozwalała wyrzucać kartek, chciała je zatrzymać, były dla niej jak bezcenny skarb. Chowała je w podniszczonym, starym tekturowym pudełku na buty, a choć pocztówki nie rekompensowały jej tych wszystkich dni i tygodni, które ojciec spędzał poza domem, była pewna – bo to wynikało ze słów na tych zwyczajnych kartkach pocztowych – że ojciec o niej myśli i ta pewność trochę łagodziła żal, że go nie ma.

Kilkuletnia Jennifer lubiła się zakradać się do jego gabinetu i wdrapywać się na fotel, bo w ten sposób czuła, że jest bliżej ojca. Wysiadywała w fotelu całymi godzinami, ściskając w ramionach coś, co do niego należało – jakiś sweter, koszulę albo kapcie. Przeglądała kolorowe kartki pocztowe, z utęsknieniem wypatrując chwil, kiedy wróci. A potem nadchodził ten dzień, gdy widziała tatę idącego ścieżką. Zawsze się uśmiechał, miał otwarte ramiona, czekał, aż do niego pobiegnie. I zawsze przywoził jej prezenty – czekoladę ze Szwajcarii, szmacianą lalkę z Francji, kolorową drewnianą marionetkę z Włoch. Prezenty były śliczne, jednak ciepło i poczucie bezpieczeństwa, które Jennifer odczuwała w ramionach ojca, znaczyło dla niej znacznie więcej.

W miarę jak Paul March osiągał coraz większe sukcesy w pracy i awansował, rodzice przenieśli się do przepięknego, starego, ale odnowionego domu na Long Beach, stojącego nad samą wodą, z własną prywatną przystanią. Chociaż ojciec Jennifer świetnie zarabiał, a przez całe jej dzieciństwo wiedli wygodne życie, rodzice żyli bardzo skromnie. Matka pracowała jako sekretarka w biurze radcy prawnego, ale gdy urodziła Jennifer, zrezygnowała z pracy, żeby zająć się córką. Jennifer kochała matkę. Miała szlachetną twarz, wysokie kości policzkowe i miękkie włosy w kolorze słomy. Była ciepła, opiekuńcza i spontaniczna, macierzyństwo przychodziło jej bardzo łatwo i tak, jak kochała męża, kochała bardzo mocno swoją córkę.

Jennifer pamiętała o tych wszystkich drobiazgach, które świadczyły o matczynej miłości. O zwyczaju pieczenia dla niej ciasteczek za każdym razem, gdy padał deszcz. Albo o tym, jak po szkole zabierała ją na szalone wycieczki – na przykład do muzeum przyrodniczego na Manhattanie, a później na rolki do Central Parku. Całe życie miłość matki będzie stanowiła źródło pewności siebie Jennifer, będzie jej pomagać w rozwiązywaniu rozmaitych problemów dzieciństwa i wieku dojrzewania. Chociaż jej uczucie do matki było bardzo mocne, Jennifer czuła się bliższa ojcu. Może ze względu na częstą nieobecność wydawał się jej bardziej tajemniczy, dzięki czemu jeszcze mocniej go kochała.

Chociaż Paul March był stale poza domem, zawsze starał się spędzić kilka dni urlopu z żoną i córką. Czasami matka Jennifer wyruszała w podróż z mężem, a Jennifer zostawała z opiekunką, ale żeby jej to wynagrodzić, rodzice zabierali ją na długie, letnie wakacje. Podróżowali po całej Ameryce i Meksyku, jeździli do Europy i Jennifer na własne oczy oglądała wszystkie te cudowne miejsca, które znała z pocztówek od ojca – Rzym, Londyn, Zurych, Paryż.

Zawsze będzie pamiętać wspólny spacer pewnego letniego poranka po wysadzanych kocimi łbami uliczkach Paryża, obrazy, dźwięki i zapachy tego dziwnego, cudownego miasta, które do dziś dźwięczą jej w uszach, a potem, tego samego dnia po południu, przejażdżkę statkiem po Sekwanie, spacer po ogrodach pałacowych. Gdy rodzice zabrali ją z powrotem do hotelu, wszyscy byli wyczerpani, a Jennifer zasnęła wtulona w ich ramiona. Do największych przyjemności, jakie pamięta z okresu dzieciństwa, należało spanie w jednym łóżku z mamą i tatą, poczucie ciepła, bliskości, wygody, miłości i akceptacji.

Kiedy skończyła trzynaście lat, urodził się jej brat, Robert, i musiała nauczyć się znosić fakt, że już nie jest w samym centrum uwagi. Jennifer jednak zbytnio to nie przeszkadzało, ponieważ Bobby był radosnym chłopcem z szopą kręconych blond włosów, który cały czas śmiał się i gaworzył. Uwielbiał, jak siostra bierze go na ręce i bawi się z nim. Bolało ją tylko i czuła się niepewnie w momentach, kiedy ojciec brał Bobby'ego na ręce tak samo jak kiedyś ją, ale musiała to ścierpieć. Uwielbiał Bobby'ego, a Jennifer była o niego bardzo zazdrosna – dopiero później mama wyjaśniła jej, że brat to niespodziewany cud po latach starań, żeby mieć jeszcze jedno dziecko, że wszyscy ojcowie tęsknią za synem, ale to wcale nie znaczy, że ojciec mniej kocha Jennifer. Było to coś, z czym musiała żyć, chociaż czuła, że jakaś cząstka miłości ojca została jej odebrana.

W miarę jak dorastała, zaczęła sobie zdawać sprawę, że w ich życiu brakuje czegoś istotnego – dostrzegła, że w domu nie ma żadnych fotografii z przeszłości ojca. Jej matka miała rodziców, ciotki, wujków i kuzynów, którzy przyjeżdżali do nich z wizytą, ale ojciec Jennifer nie miał nikogo.

Paul March nigdy też nie wspominał o swoich krewnych, nie mówił też nic o pracy. Było to tak, jak gdyby nie miał przeszłości.

Odkryła jednak, że ma przeszłość, a odkrycie to wiązało się ze straszliwą tajemnicą.

Znalazła tę skrzynię na strychu, gdy ojciec był w Europie, podróżując w interesach. Miała czternaście lat i zaczęła się już powoli zmieniać w dość atrakcyjną młodą kobietę – miała długie nogi i była świadoma innych zachodzących w sobie zmian – jednak aparat na zębach, niezgrabne ruchy i zmieniające się ciało sprawiały, że Jennifer czuła się brzydka, niechętnie spoglądała w lustro i nie znosiła swojego odbicia.

Tego dnia matka musiała wyjechać coś załatwić i zostawiła ją samą w domu. Jennifer się nudziło i weszła na samą górę, aż na strych – w tej części domu bywała bardzo rzadko. Staromodna drewniana skrzynia była wciśnięta gdzieś w róg strychu. Miała solidny zamek, ale Jennifer przypomniała sobie, że ojciec trzyma w gabinecie pęk kluczy. Była ciekawa, co jest w skrzyni, zeszła więc na dół i odszukała klucze. Jeden z nich pasował do zamka. Otworzyła wieko skrzyni i znalazła teczkę z dokumentami.

Najpierw uznała je za stare papiery z pracy ojca, ale kiedy zaczęła przeglądać kartki, zdała sobie sprawę, że to coś zupełnie innego. Wiele lat później miała zrozumieć, że to kopie zeznań świadków, oświadczenia, które składały na policji ofiary jednego człowieka.

Joseph Delgado zniszczył moje życie. Zaszlachtował mojego syna...

Joseph Delgado kradł pieniądze z mojej firmy... To złodziej, któremu nie wolno ufać...

Joseph Delgado jest zabójcą, który zasługuje na śmierć za to, co zrobił...

Joseph Delgado to niebezpieczny młody mężczyzna, którego powinno się na całe życie wsadzić za kraty...

W skrzyni było wiele takich zeznań i oświadczeń.

Kim był Joseph Delgado?

Wśród dokumentów w skrzyni było coś, co wyglądało jak czarno-biała fotografia z miejsca zbrodni. Okropne zdjęcie zamordowanego mężczyzny leżącego w jakiejś zaśmieconej alejce, nóż wbity w klatkę piersiową, twarz wykrzywiona w śmiertelnym grymasie. To wszystko było przerażające, Jennifer nie potrafiła tego pojąć i nie mogła na to już więcej patrzeć.

Kiedy zaczęła zamykać skrzynię, zauważyła między dokumentami inne zdjęcie. Podniosła je, przyjrzała się dokładniej i poczuła, że buzia otwiera się jej ze zdumienia. Była zaszokowana.

Było to zdjęcie ciemnowłosego młodego mężczyzny w uniformie więźnia. Ktoś czarnym długopisem dopisał pod zdjęciem nazwisko: „Joseph Delgado".

To była niewiarygodnie znajoma twarz.

Była to twarz jej ojca.

To odkrycie przeraziło Jennifer. Delgado był niewątpliwie człowiekiem owładniętym przez zło. Ale jej ojciec nie był zły. Nie wiedziała, co myśleć. Kiedy wrócił z podróży służbowej, Jennifer zapytała go:

– Kto to jest Joseph Delgado?

Paul March nagle zbladł.

– Skąd... Skąd znasz to nazwisko?

Jennifer przyznała się, że otworzyła skrzynię na strychu.

– Ten... Ten mężczyzna na fotografii wygląda zupełnie jak ty, tatusiu.

Wtedy pierwszy raz zobaczyła ojca rozgniewanego, miał inny wyraz oczu – dziwny i niepokojący. Uderzył Jennifer otwartą dłonią w twarz. Szok spowodowany tym wydarzeniem sprawił, że zareagowała bardzo powoli, nawet nie miała czasu zapłakać, bo jej ojciec wypadł jak burza z pokoju. Potem płakała, całym ciałem Jennifer wstrząsało łkanie, nie mogła się opanować. Mama przyszła, żeby ją pocieszyć.

– Dlaczego... Dlaczego tatuś się tak rozzłościł, mamusiu? Dlaczego mnie uderzył?

– Nie powinnaś grzebać w rzeczach taty, Jennifer – powiedziała cicho jej matka. – Nie wolno ci już nigdy więcej wtrącać się w prywatne sprawy ojca.

– Ale ja tylko...

– Nigdy, Jennifer.

Dopiero po wielu latach Jennifer miała pójść raz jeszcze na strych i wtykać nos w prywatne sprawy ojca. Następnym razem, gdy do tego doszło, cała rzecz zdarzyła się zupełnie przypadkiem, ale tajemnice, które miała w końcu odkryć, były jeszcze bardziej niewiarygodne.

Była już wtedy dorosłą kobietą. Po trzech latach studiów na wydziale sztuki i po dwóch nudnych latach pracy w galerii malarstwa na Manhattanie, w końcu w wieku dwudziestu czterech lat postanowiła zacząć studiować prawo. Uzyskała stypendium na uniwersytecie nowojorskim i chociaż musiała ciężko pracować, była szczególnie dumna z tego, że jej ojciec jest zadowolony, że wybrała studia prawnicze.

On sam wciąż pracował w Prime Investments, a jego kariera miała się coraz lepiej. Rok później firmę wykupił prywatny inwestor z zagranicy, niebawem ojca awansowano na wiceprezesa banku – miał w swojej pieczy sprawy najważniejszych klientów. Zarabiał jeszcze więcej pieniędzy, na jego barkach ciążyła zaś coraz większa odpowiedzialność. Zrobił się humorzasty, odsunął się od rodziny, wydawało się, że jest z siebie niezadowolony i nieszczęśliwy, a Jennifer nie mogła zrozumieć, dlaczego.

Pewnego dnia przechodziła obok jego gabinetu. Wysokie okna wychodziły na ogród, a z tarasu za nimi było widać morze i małą prywatną przystań, dokąd ojciec często zabierał Bobby'ego na spacer. Latem godzinami siadywali razem na przystani, łowiąc ryby, i rozmawiali aż do zachodu słońca. Tego dnia jednak zobaczyła, że okna ogrodowe są otwarte, ojciec siedzi sam na tarasie na swoim ulubionym leżaku, a twarz ma schowaną w dłoniach. Kiedy spojrzał w górę, patrzył pustym wzrokiem prosto w morze, i Jennifer pomyślała, że nigdy nie widziała go tak zatroskanego. W jego oczach czaił się lęk i niepokój.

Przechodząc przez jego gabinet, żeby wyjść na taras, minęła biurko z drewna jabłoni i zobaczyła stojącą na nim szarą metalową kasetkę. Wieko było otwarte, kasetka pusta, ale obok na stole leżał żółty notes i czarna dyskietka komputerowa. Zatrzymała się na chwilę i zobaczyła słowa „Sieć pajęcza" napisane w notesie, a pod spodem kilka nieczytelnych akapitów pismem ojca.

Wtedy nagle ją zauważył, wstał z leżaka i wpadł jak furiat do środka.

– Grzebiesz w moich papierach, Jennifer?

– Nie, ja... Tylko wpadłam zobaczyć, czy u ciebie wszystko w porządku, tato.

Ojciec wziął do ręki notes i dyskietkę, włożył je do kasetki i odezwał się niezwykle jak na niego ostrym i nieprzyjemnym tonem:

– To są prywatne dokumenty i proszę cię, nie wtrącaj się do tego.

– Ale ja tylko...

– Nigdy tego nie rób, nie wsadzaj nosa w nie swoje sprawy.

Wyciągnął srebrny kluczyk z portfela i zamknął kasetkę. Twarz miał poczerwieniałą od gniewu, był to ten sam gniew, którego Jennifer się przestraszyła, kiedy miała czternaście lat i zapytała go o fotografię ukrytą na strychu. Teraz jednak była dorosła, ale ojciec wciąż traktował ją jak niegrzeczne dziecko, a ona nie mogła tego zrozumieć.

– Czy... wszystko w porządku, tato? Wydaje mi się, że jesteś czymś mocno poruszony.

Włożył srebrny kluczyk do portfela i zaprowadził ją do drzwi.

– Wiesz co, chciałbym być teraz chwilę sam. Mam dużo roboty.

– Tato, nie miałam zamiaru...

– Porozmawiamy o tym innym razem. A teraz proszę cię, wyjdź, Jennifer.

Kiedy ojciec wyprowadzał ją z gabinetu, ostatnie słowa, które od niego usłyszała, zanim zamknął drzwi, brzmiały:

– I nigdy nie wtykaj nosa w nie swoje sprawy.

– Ale ja naprawdę...

– Nigdy, Jennifer.

Już nie będzie miała okazji. Miesiąc później jej matkę brutalnie zamordowano, a ojciec zniknął.

Zawsze będzie pamiętać tę noc. Matka zaprosiła ją na weekend i Jennifer chętnie zgodziła się zostać. Tego samego wieczoru ojciec poleciał do Szwajcarii w interesach. Maleńkie mieszkanie na Manhattanie, z jedną sypialnią, w którym w ciągu tygodnia Jennifer mieszkała z inną studentką prawa, było klaustrofobicznie ciasne i zagracone, zawsze więc cieszyła się z luksusu spania we własnym łóżku i korzystania z wyśmienitej kuchni matki.

Tamtej nocy jednak, po kolacji, kiedy poszła spać, zerwała się straszna burza. Szalała w ciemności za oknami jej sypialni, światła na dworze zapalały się i gasły, wiatr uderzał o szyby, deszcz walił wielkimi kroplami w okna. Pewnie obudził ją hałas, bo kiedy otworzyła oczy, już czegoś się bała i nagle uświadomiła sobie dwie rzeczy – wycie wiatru i burzy oraz przedziwne uczucie czyjejś obecności w domu.

Jennifer była niespokojna i próbowała zapalić lampkę nocną. Nic. Domyśliła się, że nie ma prądu z powodu burzy. Wyszła z łóżka, założyła szlafrok i otworzyła drzwi do sypialni. Pokój jej rodziców był na końcu holu, zaraz obok pokoju Bobby'ego. Kiedy wyszła z sypialni, poczuła zimny powiew powietrza i cała się zatrzęsła. Próbowała zapalić światła na półpiętrze. Nie działały. Potem zobaczyła otwarte okno, zasłony podnosiły się i opadały w podmuchach silnego wiatru. Zastanawiała się, dlaczego to okno jest otwarte – przecież zwykle jest zamknięte? Pomyślała: „Na pewno otworzył je powiew wiatru". Jennifer ruszyła, by je zamknąć, ale silny podmuch niemal zwalił ją z nóg. Kiedy w końcu udało się zatrzasnąć okiennice, światła w holu zapaliły się na chwilę, a później zgasły. Przestraszona Jennifer zawołała:

– Mamo?

Nie usłyszała odpowiedzi. Otworzyła drzwi do sypialni rodziców i weszła do środka. W pokoju panowała cisza. Jennifer była śmiertelnie przerażona. Dlaczego jej matka nie odpowiada?

Przez sekundę lub dwie lampa na suficie sypialni zamigotała, potem rozbłysk wyładowania elektrycznego rozświetlił świat za zlewanymi deszczem oknami. W elektrycznym rozbłysku pioruna zauważyła, że sypialnia jest w nieładzie. Ktoś powyciągał i powywracał szuflady, na całej podłodze były rozrzucone ubrania. Na białym dywanie i na ścianach widziała rozbryzgi i plamy krwi.

Zastygła w przerażeniu. Jeszcze jeden rozbłysk pioruna oświetlił pokój, siła jego huku niemal ją podrzuciła. Nagle zobaczyła ciała. Matka leżała w poprzek łóżka, klatkę piersiową miała w okrutnych ranach, pościel była pomazana obsceniczną czerwienią. Bobby leżał na podłodze niedaleko łóżka i wyglądał jak porzucona marionetka, a krew ciekła mu z przestrzelonej szyi.

Przez krótką chwilę Jennifer wydawało się, że przeżywa jakiś straszny koszmar, że śni, ale kiedy zamrugała powiekami i jeszcze raz spojrzała na tę przerażającą scenę, wiedziała, że to nie jest sen.

Kiedy otworzyła usta, żeby krzyknąć, jakaś ręka zdławiła jej okrzyk...

To był mężczyzna. Bardzo silny. Jennifer była przerażona, ale się opierała, on zaś przeciągnął ją przez całe półpiętro do jej sypialni. Próbowała walczyć, lecz uderzył ją pięścią w twarz, a kiedy upadła, zakneblował jej usta. Lampka przy stoliku nocnym zamigotała i Jennifer kątem oka spojrzała na jego twarz.

Był bez twarzy. Na głowie miał czarną kominiarkę, przez otwory widać było złośliwy wyraz oczu i ust. Wyglądał naprawdę przerażająco. Trzymał w dłoni czerwony od krwi nóż rzeźnicki.

– Leż spokojnie, suko, a nic ci się nie stanie – powiedział chrapliwym głosem.

Mężczyzna położył nóż na stoliku nocnym. Jennifer zobaczyła pistolet zatknięty za pasek od spodni. Krzyczała zakneblowana, zwijała się ze strachu, a jej koszula nocna podwinęła się aż na uda. Nagle poczuła dotyk dłoni na skórze.

– Nie ruszaj się, bo ci poderżnę gardło!

Jennifer była śmiertelnie przerażona i łkała, kiedy mężczyzna siłą rozchylał jej nogi. Tak nie bała się jeszcze w całym swoim życiu i nie śmiała się poruszyć. Ale kiedy burza szalała za oknami, a lampka nocna znów na chwilę się zapaliła, Jennifer zobaczyła kątem oka zakrwawiony nóż na stoliku nocnym. Widok krwi jej matki potwornie ją rozwścieczył i pchnął do działania. Po omacku szukała dłonią noża, potem zacisnęła palce na rękojeści i zagłębiła ostrze w karku mężczyzny.

Jego ciało skurczyło się w konwulsji, wrzasnął, otworzył szeroko oczy w szparach maski, a potem dłoń powędrowała do szyi, żeby wyciągnąć nóż. Jennifer zorientowała się, że może go już odepchnąć, zsunęła się na podłogę, a potem pobiegła w kierunku drzwi sypialni. Pędziła po schodach, następnie do drzwi frontowych, prosto w burzę, wydzierając knebel z ust. Woda spadała prosto z nieba, deszcz zacinał i bił jak biczem jej skórę, niebo eksplodowało światłem, ale ona biegła dalej, łkając i łapiąc oddech.

Boże... Boże, proszę, pomóż mi!

Dom mieszkających najbliżej sąsiadów był jakieś sześćdziesiąt metrów na ukos po drugiej stronie ulicy. Jennifer już widziała biały prostokąt drzwi w ulewnym deszczu, dostrzegła w ciemności werandę. Serce waliło jej jak młotem, gdy obejrzała się za siebie i zobaczyła zamaskowanego mężczyznę biegnącego tuż za nią. Zakrwawiony nóż trzymał w jednej dłoni, drugą przyciskał do rany.

O, Boże... Nie!

Czterdzieści metrów do drzwi.

Trzydzieści.

Koszula nocna łopotała wokół jej nóg, zwalniając tempo biegu.

Dwadzieścia metrów.

Ostre jak szpilki krople deszczu biły Jennifer w oczy, słyszała za sobą odgłos kroków biegnącego mężczyzny, ale nie miała odwagi obejrzeć się za siebie.

On mnie zabije!

Dziesięć.

Jennifer wbiegła na schody werandy.

Waliła pięściami w drzwi i krzyczała:

– PROSZĘ, POMÓŻCIE MI...! PROSZĘ, NIECH KTOŚ MI POMOŻE...! ON MNIE ZABIJE... PROSZĘ...

A potem zmysły odmówiły jej posłuszeństwa i zemdlała.

Kiedy się ocknęła, leżała w łóżku szpitalnym w izolatce. Ktoś zostawił otwarte okno. Wiał łagodny wiatr, firanki podnosiły się i opadały w jego podmuchach. Do sali wszedł mężczyzna w wieku około pięćdziesięciu kilku lat. Wyglądał dystyngowanie, miał przystojną twarz i srebrnosiwe włosy, a jedyna rzecz, która psuła ten nieskazitelny obraz, to fakt, że lekko utykał. Jenny zobaczyła kątem oka umundurowanego policjanta stojącego na straży przed jej salą, zanim mężczyzna zamknął za sobą drzwi. Spytał cicho:

– Jak się czujesz, Jennifer?

Wciąż była w szoku, nie mogła opanować drżenia.

– Ja... Ja nie wiem.

– Jennifer, nie mam pojęcia, co ci powiedzieć.

Widać było, że mężczyzna był głęboko poruszony. Wydawało się, że nie potrafi znaleźć słów, w jego oczach dostrzegła łzy.

– Nazywam się Jack Kelso. Jestem przyjacielem twojego ojca. Może kiedyś o mnie wspominał?

– Nie... Chyba nie. Jest pan jego kolegą z pracy?

– Nie. Ale jesteśmy dobrymi znajomymi i przepraszam, że przychodzę tutaj w tak trudnym momencie. Poczułem, że naprawdę muszę, gdy tylko usłyszałem o tym, co się zdarzyło. Twoja mama... była... Była fantastyczną... Była cudowną osobą.

Jennifer powiedziała głucho:

– Moja mama nie żyje, prawda?

Kelso przytaknął:

– Tak, Jennifer, nie żyje.

– A Bobby?

Kelso westchnął i odpowiedział z wyrazem zakłopotania na twarzy:

– Bobby żyje. Jest na intensywnej terapii w szpitalu Schneidera.

– Co z nim? Co z Bobbym?

Kelso zawahał się, jakby nie wiedział, czy ma to powiedzieć, czy nie.

– Stan Bobby'ego jest stabilny, będzie żył. Ale kula naruszyła mu kręgosłup, ma też uszkodzony mózg. Lekarz mówił, że będzie miał problemy z chodzeniem i może z mówieniem, ale... on żyje, Jennifer.

O, Boże.

– Spójrz na mnie. On żyje, Jennifer. I teraz tylko to się liczy.

Była jak ogłuszona i w tym stanie przychodziło jej na myśl tylko jedno pytanie.

– Dlaczego? Dlaczego ktoś chciałby zabić moją matkę i zastrzelić Bobby'ego?

Kelso pokręcił głową.

– Nie wiem, Jennifer. Może potrafiłabyś pomóc jakoś policji. Bobby teraz nie może mówić. Jest zbyt wstrząśnięty. Może nie będzie nigdy chciał o tym pamiętać. To się czasami zdarza, zwłaszcza gdy bardzo młody człowiek pada ofiarą zbrodni, która wywołuje uraz psychiczny. Policja twierdzi, że ten, kto się włamał do domu, być może skradł biżuterię należącą do twojej mamy. Myślą, że mogła się obudzić i przestraszyć zabójcę, że Bobby próbował interweniować i dlatego ktoś do nich strzelał.

– Ten... Ten mężczyzna. Mnie też próbował zabić.

Kelso kiwnął głową i wziął ją delikatnie za rękę.

– Proszę, nie martw się, on nie wróci. Policja chce ci dać ochronę, będziesz miała umundurowanego, uzbrojonego funkcjonariusza przed salą przez dwadzieścia cztery godziny na dobę. Czy jest może coś, co mogłabyś powiedzieć policji, żeby pomóc rozwiązać zagadkę tej straszliwej zbrodni?

Jennifer potrząsnęła przecząco głową. Później powie policji wszystko, co pamięta, ale teraz jest strasznie skołowana.

– Ja... Ja chcę iść do domu.

A potem zdała sobie sprawę, że już nie ma domu – nie po tym, co się tam stało.

– Jak tylko wydobrzejesz, wyjdziesz ze szpitala, przyrzekam.

– Ja... Chcę, żeby tu był tato. Kiedy on wraca?

– Niedługo. Niedługo wróci, jestem pewien.

Zobaczyła wtedy grymas na twarzy Kelso, rozpoznała kłamstwo i zapytała:

– Co się z nim stało? Dlaczego nie dzwoni? Powiedział mu pan o mamie?

Kelso stał i wyglądał tak, jakby nie wiedział, co powiedzieć.

– Policja wciąż próbuje go zlokalizować, Jennifer.

– Jest w Zurychu, w Szwajcarii.

– Tak, to wiemy – Kelso skierował się do drzwi. – Musisz wydobrzeć, więc spróbuj odpoczywać. Przyjdę jeszcze później i porozmawiamy.

Jennifer spytała:

– Coś jest nie tak, prawda? Coś źle z moim ojcem. Co się z nim stało?

Kelso potrząsnął głową.

– Nie mam pojęcia, Jennifer.

– Co to znaczy?

Kelso westchnął.

– Z tego, co wiemy, szwajcarska policja sprawdziła wszystkie hotele w Zurychu, ale bez rezultatu. Teraz nie można z całą pewnością stwierdzić, czy w ogóle dojechał do Szwajcarii, a Szwajcarzy nie mają pojęcia, gdzie on może być. Dowiedziałem się jednak, że Interpol robi wszystko, żeby go znaleźć.

– Co chce mi pan powiedzieć?

– On zniknął, Jennifer. Twój ojciec po prostu zniknął.

Po wyjściu Kelso Jennifer patrzyła tępo w ścianę. Nie obchodziło ją, czy będzie żyć, czy umrze. Myślała tylko o tym, że jej matka nie żyje, jej brat może już nigdy nie chodzić i nie mówić, że jej ojciec zniknął, a dojmujący smutek, który ją ogarnął, rozbił ją wewnętrznie na milion maleńkich kawałków. To, co przeszła w zetknięciu z zabójcą, było straszne, a lekarz policyjny, który ją później badał, tylko pogłębił jej uraz. Ból był niczym w porównaniu z utratą matki, z okrucieństwem, które wyrządzono Bobby'emu, i z niepewnością i poczuciem zagubienia po zniknięciu ojca.

Poczuła się nagle całkiem sama, była rozgoryczona, a tych uczuć nie dało się przepędzić. Już nigdy nie usłyszy głosu matki, nigdy jej nie zobaczy. Jakiś czas potem przyszła pielęgniarka i lekarz. Dali jej szklankę wody i żółte proszki nasenne. Po chwili środek uspokajający zaczął działać.

Policjant z dochodzeniówki pojechał z nią samochodem, żeby mogła zabrać rzeczy i zamknąć dom na Long Beach. Działo się to sześć miesięcy po morderstwie, a ona wciąż czuła się bardzo niepewnie. Nie było wiadomo, gdzie jest ojciec, policja poinformowała ją, że Interpol nie wie, jak trafić na ślad Paula Marcha ani w Zurychu, ani gdzie indziej. Tak jak powiedział Kelso, ojciec po prostu zniknął.

Oznajmiła policjantowi, że chce być sama i przejrzeć swoje rzeczy. Poza tym były tam rzeczy osobiste rodziców, które chciała zabrać ze sobą na pamiątkę.

– Niech się pani nie gniewa, ale chyba byłoby lepiej, gdybym został. Jest pani wciąż wytrącona z równowagi.

Popatrzyła na niego chłodno.

– To mój dom. Niech pan zrobi, o co proszę.

Dostrzegł upór w jej oczach i nie chcąc jej zdenerwować, zgodził się, choć niechętnie.

– Będę przed domem, w samochodzie. Proszę zawołać, jeśli będzie mnie pani potrzebowała.

Kiedy wyszedł, przeszła jak w transie przez wszystkie pomieszczenia. Kiedyś były to pokoje szczęśliwe, wypełnione śmiechem i radością, a teraz stały puste i wiało z nich chłodem. Wydarzyło się tu coś tak strasznego, że ten dom już nigdy więcej nie będzie mógł być jej domem, przynajmniej dopóki w jej życiu nie będzie ojca. Nie mogła się przemóc, żeby wejść do sypialni rodziców – to byłoby zbyt bolesne. Zamaskowany mężczyzna nie wrócił, ale żył w jej koszmarach i wracał we śnie co noc.

Usiadła na fotelu w gabinecie ojca i przejrzała wszystkie stare pocztówki, które jej wysyłał, kiedy była małą dziewczynką. Chciała znów zapłakać, ale wyschły już wszystkie łzy. Zauważyła, że kilka szuflad było otwieranych i nadal są na wpół przymknięte, że w szafach na ubrania panuje nieład, a ktoś niedawno musiał przeszukiwać dom. Domyśliła się, że to musiała być policja. Otworzyła okno wychodzące na ogród i wyjrzała na przystań, na garaż przy pomoście na nabrzeżu i usłyszała cichy odgłos morza. Jej ojciec niedawno pozwolił sobie na mały luksus – niedrogą, kupioną z drugiej ręki motorówkę, którą wypływał w morze łowić ryby. Teraz stała bezczynnie w drewnianym garażu przy pomoście, pokryta pajęczynami.

Nalała sobie szklaneczkę szkockiej ojca i zapaliła jego papierosa. Rodzice nie pochwaliliby takiego zachowania, ale teraz nie

.

było nikogo, kto mógłby ją zganić. Czuła się tak, jakby to, co robi, nic nie znaczyło. Ze szklanką w dłoni zeszła na drewniany pomost i usiadła niedaleko drewnianego domku. Trafiła akurat na odpływ i jej stopy kiwały się nad mokrym piaskiem, metalowa drabinka schodziła w dół, do wody. Była wiosna, popołudnie było wciąż chłodne, a rześka atlantycka bryza uderzała o szczyty spienionych fal daleko w morzu. Pomost to miejsce, do którego lubił przychodzić ojciec, kiedy chciał być sam. Niekiedy w letnie noce, leżąc w swoim łóżku, Jennifer słyszała głuche echo jego kroków na tych deskach, kiedy chodził tam i z powrotem, zastanawiając się nad tym czy innym problemem. A kiedy była kilkunastoletnią dziewczynką, często sadzał ją i Bobby'ego na samym końcu pomostu. Siedząc, kiwali nogami, a ojciec pokazywał im gwiazdy.

– Widzicie tę gwiazdę, Jennifer i Bobby? To jest Syriusz. A tamta, trochę dalej, nazywa się Koza.

Później mama wołała go z kuchni, a on szedł z powrotem do domu, ale najpierw mrugał do Jennifer i mówił z uśmiechem na ustach:

– Zaraz będę z powrotem, kochanie. Zajmij się swoim małym braciszkiem.

Zamknęła oczy i płakała – nigdy już nie usłyszy powracających kroków na pomoście. Tęskniła za głosem swojego ojca, tęskniła za jego obecnością. Tęskniła za wszystkim, co było z nim związane. Teraz przede wszystkim chciała, żeby tu był. Potrzebowała go. Ale go nie było. Cały czas wracało pytanie bez odpowiedzi: – *Dlaczego?* Dlaczego ktoś tak brutalnie zamordował jej matkę i zostawił Bobby'ego, żeby umarł. Dlaczego jej ojciec zniknął i gdzie teraz jest?

Nic z tego nie rozumiała. Kelso powiedział, że według policji było to morderstwo dokonane na tle rabunkowym – ktoś zabrał z toaletki mamy kilka niezbyt drogich pierścionków, co wskazywałoby na kradzież. Jednak kilka dni po morderstwie do Jennifer przyszli do szpitala dwaj policjanci z wydziału zabójstw. Chcieli jeszcze raz posłuchać tego, co Jennifer ma do powiedzenia. Chcieli wiedzieć, czy ojciec był w depresji, czy brał leki uspokajające albo czy kiedykolwiek bił matkę.

Odpowiedziała „nie" na każde z tych pytań. Potem zrobiło się jej niedobrze, kiedy słyszała, co policjanci mówią w korytarzu za drzwiami sali szpitalnej. Mówili o jej ojcu tak, jak gdyby to on mógł być odpowiedzialny za to, co się stało, jak gdyby sam popełnił tę zbrodnię albo komuś zapłacił, żeby jej dokonano. Jennifer jednak nie mogła w to uwierzyć, nie wierzyła w to ani przez chwilę. Jej ojciec nie dopuściłby do tego, żeby ktoś próbował ją zgwałcić i pozbawić życia, strzelać do Bobby'ego i zabić jej matkę, nie mógłby przecież zapłacić komuś za popełnienie tych strasznych czynów. Sama taka myśl była odrażająca.

Wróciła do gabinetu i odruchowo zaczęła otwierać szuflady w biurku ojca. Były tam zapłacone rachunki, ryzy papieru maszynowego, ale ani śladu kasetki zawierającej żółty notes. Nie mogła jej nigdzie znaleźć, a myśląc o gniewie ojca, przypomniała sobie również inny incydent – kiedy odkryła skrzynię na strychu i wypowiedziała głośno nazwisko Joseph Delgado. Była całkiem skołowana. Czy to się naprawdę wydarzyło? Minęło już tyle czasu. A może sobie to wszystko wyobraziła?

Od papierosa kręciło się jej w głowie, po szkockiej chciała wymiotować, a pytania i wspomnienia przywołały falę smutku. Poszła do łazienki i wzięła zimny prysznic, lodowata woda chłodziła jej skórę. Ubrana i spakowana, zabrawszy wszystkie albumy z fotografiami, które należały do niej i do rodziców, wróciła do gabinetu ojca i zobaczyła pęk kluczy leżący w zapomnieniu na jednej z półek. Z wahaniem wzięła do ręki klucze i weszła na schody prowadzące na strych. Kiedy otworzyła skrzynię, okazało się, że jest pusta.

Teraz Jennifer stała na cmentarzu i patrzyła na grób matki. Dwa lata temu była jedyną osobą z rodziny, która uczestniczyła w pogrzebie. Ceremonia była cicha – kilkoro sąsiadów, nieliczni krewni matki, grupa kolegów z pracy ojca, których nigdy wcześniej nie miała okazji poznać, i Kelso. Nawet wtedy, tydzień po śmierci matki, jej ojciec nie wrócił. Ani słowa, ani linijki tekstu wyjaśnienia, ani jednego telefonu. Nic.

Bobby był zbyt chory, żeby się zjawić na pogrzebie, a pierwszy raz, kiedy pozwolono jej go odwiedzić, wyglądał na bezradnego, będąc przykutym do wózka inwalidzkiego, z rurkami wetkniętymi w nos. Na jego piętnastoletniej twarzy malował się wyraz zagubienia i niepewności. Kelso miał rację – Bobby nie chodził i nie mówił. Kula, która roztrzaskała mu kręgosłup, skazała go na inwalidztwo i odebrała mu głos. Miał władzę w rękach, a psycholog policyjny próbował już wcześniej skłonić go do spisania tego, co się zdarzyło w noc morderstwa, za pomocą słów i obrazków, ale Bobby był w zbyt wielkim szoku, przeżycie okazało się za silne. Nie był w stanie zidentyfikować włamywacza. Znalazł brutalnie zamordowaną matkę i to zdarzenie odcisnęło głęboki ślad na jego psychice, a za każdym razem, kiedy psycholog próbował kierować rozmowę na ten temat, Bobby wycofywał się głębiej w siebie. Nie chciał rozmawiać ani o rodzicach, ani o morderstwie. Wyglądało na to, że chce po prostu wymazać całe wydarzenie z pamięci.

Jennifer uważała, że choćby mocno się starała, nie znajdzie wyjścia z tej sytuacji i w żaden sposób nie będzie w stanie tego wszystkiego opanować. Nie mogła znieść myśli, że będzie mieszkała sama w domu rodziców, ale nie potrafiła się zdecydować na sprzedaż posesji, płaciła więc miejscowemu ogrodnikowi za koszenie trawy, wyrywanie chwastów w ogrodzie, drobne naprawy, a dom stał pusty. Tymczasem ona wynajęła mieszkanie na Long Beach, bo wciąż czuła niewyjaśnioną potrzebę pozostawania blisko miejsca, w którym spędziła szczęśliwe dzieciństwo, a może marzyła o tym, że pewnego dnia jej ojciec wróci do domu i razem z Bobbym spróbują odbudować życie rozbite na strzępy.

Długo nie chciała z nikim rozmawiać, na czym ucierpiały przyjaźnie i znajomości ze studiów. Zaczęła kontrolować przychodzące rozmowy i oddzwaniała tylko wtedy, kiedy wiedziała, że rozmówców nie będzie w domu i że będzie musiała rozmawiać tylko z automatyczną sekretarką. Znajomi nie byli w stanie się do niej przedrzeć. Jeden po drugim zaczęli się odsuwać, zostawiali ją w spokoju, uznając to za jedyny sposób, żeby jej pomóc. Nauczyła się trzymać wszystkich na dystans, nikomu nie pozwalała się przebić przez szklany mur.

Czasami odwiedzał ją Jack Kelso, a rozmawiając, próbował pomóc Jennifer uporać się z cierpieniem. Często odwiedzał też

Bobby'ego w szpitalu. Wiedziała już trochę o Kelso, choć bardzo mało, a on sam nigdy do końca nie wyjaśnił, jak poznał jej ojca; mówił tylko, że pracowali w tej samej firmie. Stopniowo wizyty robiły się coraz rzadsze. Po roku wspomnienia o ojcu sprawiały jej tylko ból. Zawsze miała nadzieję, że któregoś dnia ktoś jej wyjaśni, dlaczego ten koszmar w ogóle się wydarzył, i że jej ojciec wróci do domu.

Przez kilka miesięcy po śmierci matki sporadycznie kontaktowała się z nią policja, ale tylko po to, żeby oznajmić, że śledztwo nie porusza się naprzód. Czy przypomniała sobie coś jeszcze, cokolwiek, jakiś szczegół, choćby nieistotny? Opowiedziała im o dniu, kiedy znalazła dokumenty w skrzyni na strychu, opowiedziała im o mrożącym krew w żyłach zdjęciu, wymieniła nazwisko mężczyzny w więziennym uniformie, który wyglądał jak jej ojciec – Joseph Delgado.

– Przyjrzymy się tej sprawie – obiecał jeden ze śledczych. – Zobaczymy, co z tego wyniknie.

Mimo wysiłków, kiedy następnym razem przyszli do Jennifer, przyznali, że nie posunęli się ani o krok.

– To nazwisko nic nam nie mówi. Zupełnie nic nie znaleźliśmy. Jest pani pewna, że tak właśnie brzmiało?

– Tak, jestem pewna.

– Zgłosimy się, gdy czegoś się dowiemy.

Mijały miesiące, a policjanci nie wracali. Były noce, gdy śniła, że złapią człowieka, który zabił jej matkę i zniszczył życie Bobby'emu, ona zaś będzie prokuratorem oskarżającym zamaskowanego mężczyznę w sądzie i wyśle go na krzesło elektryczne. Sen był absurdalny – stan Nowy Jork już nie skazywał morderców na śmierć na krześle elektrycznym – ale poruszona tą myślą wyobraźnia podsuwała jej obrazy zemsty. Będzie patrzeć, jak wije się niczym robak i błaga o litość, a gryzący dym sączy się spod maski; kiedy jego ciało zapłonie, aż w końcu przestępca zginie, a żal i gniew, które ona nosi głęboko w sercu, w końcu miną. Innym razem śniła, że kiedy już będzie po procesie, zamaskowanego człowieka złapią i uśmiercą, zobaczy ojca, który idzie ścieżką tak, jak go widziała, kiedy była małą dziewczynką, i uśmiecha się

52

do niej tak samo, jak się kiedyś uśmiechał, czekając z otwartymi ramionami aż do niego pobiegnie.

To jednak były tylko sny.

W wieku dwudziestu ośmiu lat Jennifer skończyła wydział prawa na Uniwersytecie Columbia – udało jej się wypracować taką średnią, żeby jakoś obronić dyplom. Na ostatnim roku harowała w pocie czoła, bezwzględnie odcinając się od wszystkiego i wszystkich, nawet od tak cennej przyjaźni, jak ta z Markiem, i próbowała się skupić wyłącznie na studiach. Wiedziała, że to jest również część mechanizmu obronnego, że musi się odseparować od świata i poświęcić pracy, aby łatwiej pogrzebać wspomnienia i zepchnąć smutek w niepamięć. Cały wolny czas, jaki miała, choć było go niewiele, poświęcała na dorywcze prace, dzięki czemu mogła opłacić rachunki i kupować jedzenie, dorabiając do sumy, którą dostała w spadku, bo większość z tych pieniędzy zainwestowała w fundusz powierniczy, dzięki czemu Bobby miał opiekę w Cauldwell. Po czterech latach dramatycznej walki z własną słabością w końcu jej się udało, a marzenie o ukończeniu prawa się spełniło.

Ale innych marzeń nie udało się Jennifer zrealizować. Policja nie ujęła mężczyzny, który zamordował jej matkę i postrzelił Bobby'ego, a ojciec nie wrócił do domu.

5

Rzymianie wierzyli, że duchy zmarłych mieszkają niedaleko własnych grobów. Chuck McCaul gdzieś o tym czytał, ale w życiu by nie uwierzył, że jakiś duch czeka na niego na szczycie Alp.

Zaczął padać deszcz, a dwudziestojednoletni McCaul jechał stromym górskim traktem w wynajętym samochodzie. Kiedy dojechał do końca drogi, zahamował i wysiadł. Był wysportowanym i muskularnym mężczyzną, miał na głowie gęstą czuprynę jasnych włosów i zdrowy wygląd człowieka, który doskonale się czuje pod gołym niebem.

Gdzieś nad nim wznosiły się postrzępione szczyty Alp. Interesował go Wasenhorn, góra wysokości ponad trzech tysięcy metrów, która wznosiła się majestatycznie pod niebo jak skamieniały dinozaur, wyłaniała się ogromna z lodowatej mgły nad chmurami. McCaul otworzył bagażnik i zaczął przygotowywać sprzęt wspinaczkowy. Wyjął nylonowe liny, składany czekan, raki i mały plecak. Plastikowy kask powiesił na pasku od spodni i przerzucił zwój liny przez ramię. Na tej wysokości – ponad dwa tysiące metrów – było chłodno nawet wiosną, a wierzchołki Alp pokrywał śnieg. Nie planował dziś długiej wspinaczki, ot, zwykły rekonesans, ale to będzie bardzo ciężki spacerek i być może będą mu potrzebne liny, gdyby miał się natknąć na jakieś przeszkody.

Zachodnie zbocze Wasenhornu leżało jeszcze na terytorium szwajcarskim, wschodnie zbocze schodziło w dół po włoskiej stronie granicy i tam udawał się McCaul, jakieś dwie godziny stąd piechotą. Na szczycie góry był spory lodowiec, potężny jęzor zmrożonego śniegu, przez który będzie musiał przejść, ale kiedy już tam wejdzie, czekają go zapierające dech w piersiach widoki.

W pogodny dzień można było zobaczyć ostre szczyty gór, głębokie doliny, przez które osiemnaście wieków temu Hannibal prowadził zastępy piechoty i jazdy na słoniach, gdy maszerował podbić Rzym; widać było też przełęcz Simplon, gdzie Napoleon kazał wysadzić w powietrze miliony ton skały, aby jego armia mogła przedostać się na wschód i tam rozpocząć kampanię włoską. Dalej rozciągały się Włochy, a góry opadały w dół ku ciepłemu jezioru Maggiore, ku pięknym zamkom na skałach, romantycznym wioskom i klasztorom, których widoku nie da się porównać z niczym na świecie.

Zamknął samochód, zarzucił plecak i spojrzał na zegarek: *9:52*.

Chociaż McCaul był odpowiednio ubrany, czuł chłód przenikający aż do kości. Dotarł do lodowca i teraz patrzył w dolinę, próbując uspokoić bicie serca, a przy każdym oddechu widział przed sobą chmurkę pary.

Poniżej leżał głęboki, długi żleb o mocno wyżłobionych ścianach, wyryty w zboczu górskim w epoce lodowcowej, kiedy skały i kamienie rzeźbiły w ziemi dzikie kształty, dając świadectwo przerażającej siły natury. W samym środku żlebu widział zamarznięty lód. Masę błękitnego lodu pokrytego śniegiem, ciągnącą się blisko dwieście pięćdziesiąt metrów, aż na drugą stronę żlebu.

Słońce świeciło teraz z góry, a połączenie intensywnego światła odbijającego się od śniegu i wysokość, na jakiej się znajdował, sprawiło, że McCaul poczuł lekki ból głowy. Założył okulary ochronne i kask, zanim ruszył w dalszą drogę. Do butów przypiął raki, żeby się nie ześlizgnąć. Lód wydawał się pod stopami twardy i solidny. Ruszył powoli i ostrożnie. Wokół niego były teraz tylko biały chłód i cisza, przerywana odgłosami jego ciężkiego oddechu i trzaskaniem łamiącej się pod stopami cienkiej zewnętrznej skorupy lodu. Pół godziny później był już tylko pięćdziesiąt metrów od przeciwległej krawędzi lodowca i postanowił zrobić krótką przerwę na odpoczynek.

Widok stąd był niesamowity. Gdzieś daleko leżały Włochy, widział ostre szczyty i malownicze alpejskie wioski z domami pokrytymi czerwoną dachówką, uczepione górskich zboczy, jak gdyby nic sobie nie robiły z prawa ciężkości. Już była wiosna i lód w górskich lodowcach topił się i przesuwał, zasilając setki rzek i wodospadów, które z hukiem toczyły się do podnóża Alp. Przejście przez lodowiec o tej porze roku nie było bezpieczne, takie ryzyko mógł podjąć tylko doświadczony alpinista, który dobrze zna trasę.

McCaul aż tak doświadczony nie był, chociaż znał trasę i był tutaj raz pod koniec września kilka lat temu na wycieczce z grupą młodzieży. Ale teraz, na wiosnę, góry były znacznie bardziej niebezpieczne.

Widział przed sobą kilka wąskich pęknięć w śniegu. Te szczeliny to śmiertelne pułapki, głębokie uskoki w lodzie, które otwierały się pod wpływem temperatury i ciśnienia powietrza. Niektóre sięgały tylko kilka metrów w głąb, inne aż do samego dna lodowca – te mogły mieć nawet ponad sto metrów, były to istne przepaści. Jeśli człowiek wpadnie w takie cholerstwo, to może się już z niego nie wydostać. McCaul dostrzegł trzy szczeliny – jedna za drugą – każda szeroka na metr, a między nimi może pięć metrów lodu. Przez wszystkie musiał przebrnąć. Mógłby przeskoczyć przez wszystkie trzy, jedna po drugiej. *Wielka mi rzecz.*

McCaul zbadał ostrożnie czekanem stan zmrożonego śniegu wokół siebie. Wydawało się, że jest dosyć twardy. Pierwsza szczelina była zaledwie kilka kroków od niego. Odsunął się trochę do tyłu, żeby wziąć rozpęd. Raki dawały mu dobrą przyczepność, z łatwością nabierze szybkości, żeby przeskoczyć na drugą stronę.

Był w trakcie rozbiegu, zrobił już trzy długie kroki, kiedy stało się coś zupełnie niespodziewanego.

Biegnąc, miał pewne oparcie dla obu nóg na lodzie, a sekundę później obute stopy kopały powietrze, kiedy zapadał się pod nim grunt, jakby go porwała lawina.

Jezus Maria...!

McCaul wrzasnął, stracił równowagę i spadł na dno szczeliny.

Gdy otworzył oczy, leżał na plecach. Było przejmująco zimno. Szczękały mu zęby, czuł się oszołomiony, jak pijany. Całe ciało miał poobijane, jakby ktoś w niego walił kijem bejsbolowym, w głowie mu pulsowało, ale wciąż miał na sobie kask i dzięki temu prawdopodobnie ocalił życie. Nie wiedział, jak głęboka jest ta szczelina – tuż nad sobą widział jej brzeg – poszarpaną, oślepiającą linię błękitnego nieba. Trudno było ocenić odległość, ale wyliczył, że do powierzchni jest siedem do ośmiu metrów.

Jasna cholera!

Powoli poruszał nogami i rękami. Chyba nic sobie nie złamał, ale wszystko potwornie go bolało. Leżał na kupce śniegu, którą utworzyła maleńka lawina, kiedy pod jego stopami runął lód pokrywający szczelinę, i domyślił się, że śnieg złagodził upadek. Przez pierwsze kilka minut po odzyskaniu świadomości był po prostu zadowolony, że żyje, ale teraz zaczęła go ogarniać panika.

Poczuł, że pot występuje mu na czoło i serce wali jak oszalałe. Wiedział, że jeżeli tu zostanie, zamarznie na śmierć. Spojrzał w górę, na otwór w śniegu, i zobaczył błękitne niebo. Wciąż miał owiniętą wokół ramienia linę zjazdową. Może uda mu się wspiąć z powrotem, może nawet bez liny i haków, zapierając się plecami i nogami o ściany szczeliny.

Kiedy jego oczy przyzwyczaiły się do półmroku, McCaul zobaczył, że szczelina jest delikatnie oświetlona. Ściany z solidnego błękitnego lodu działały jak lustro, odbijając refleksy światła z góry, z nieba i lodu. Tu i ówdzie były maleńkie nisze ciemności, ale wydawało się, że szczelina nie ma końca i rozciąga się poszarpaną linią z lewej i z prawej strony. Przygotowując się do wspinaczki, poruszał nogami, chcąc rozgrzać mięśnie, gdy nagle, wewnątrz szczeliny na ścianie na wprost, kątem oka zobaczył ciemny przedmiot. Nie sposób było dojrzeć, co to jest – kształt był trochę rozmyty – ale chyba widział coś prostokątnego zatopionego w lodzie.

McCaul zmarszczył brwi i przesunął się bliżej. Widział tylko jakiś ciemny kształt. Zaciekawiony, zdjął plecak i wyjął czekan. Wydawało mu się, że przedmiot tkwiący w lodzie znajduje się niezbyt głęboko. Zaczął kuć w ścianie, odłupując kawałki zamarzniętej wody. Uderzył w coś miękkiego. Kiedy zmarzniętymi palcami oderwał ostatnie kawałki lodu, zobaczył, że to plecak. Co plecak robił na dnie szczeliny? Wyglądało na to, że jest w dobrym stanie. Materiał był zamarznięty na kość, a tył plecaka przykleił się do lodu. McCaul chwycił go mocno dłońmi, pociągnął kilka razy, aż plecak oderwał się od lodu jak od taśmy klejącej.

Cholera, ale ciężki.

Przestań myśleć o plecaku, Chuck. Zostaw go i zmywaj się stąd jak najszybciej.

Bolały go wszystkie kości, czuł drżenie w kolanach. Wspinaczka na górę będzie ciężka. Zaparł się o ścianę, dostrzegając, że jego własny plecak łagodzi napór lodu na kręgosłup, następnie wyciągnął przed siebie jedną nogę, zaparł się mocno o lód, potem drugą i przygotował się do wspinaczki. Powoli, krok za krokiem, zaczął się piąć w górę. Pokonał zaledwie kilka metrów, kiedy zobaczył coś, co go przeraziło. Zamarł, coś go ścisnęło za gardło – jeszcze chwila, a z wrażenia ześliznąłby się z powrotem. Musiał zaprzeć się mocno butami o ścianę, żeby nie zlecieć.

Jezus Maria...!

Patrzył przed siebie w śmiertelnym przerażeniu.

Oblepiona szczelnie przezroczystą skorupą, jak arktyczna zjawa, wprost z lodu patrzyła na niego twarz mężczyzny.

6

Granica szwajcarsko-włoska

Helikopter typu Agusta schodził powoli wprost z deszczowej chmury na wysokości trzystu metrów. Zatoczył jeszcze jeden okrąg w powietrzu, zanim usiadł na trawie.

Kiedy ucichły odgłosy silnika i rotora, z fotela pasażera wygramolił się bez entuzjazmu Victor Caruso. Był niewysokim mężczyzną tuż po pięćdziesiątce, z nadwagą, miał sumiaste wąsy i przenikliwe, szare oczy. Odrzucił na wpół wypalonego papierosa i w tym samym momencie wiatr spryskał mu twarz strugą deszczu.

– Fantastyczny początek dnia – zawołał do pilota.

– Mogło być gorzej, panie kapitanie.

– Jakoś trudno mi w to uwierzyć – stwierdził Caruso ponuro. – A na pewno nie wtedy, gdy wyrywają człowieka z łóżka o piątej rano.

Owijając się szczelnie kołnierzem płaszcza przeciwdeszczowego, Caruso zobaczył zaparkowane niedaleko dwa biało-niebieskie fiaty. Sześciu mundurowych z miejscowego komisariatu *carabinieri* w Varzo stało na deszczu, gadając i paląc papierosy. Caruso spojrzał na góry. Niewiele było widać. Był brzydki poranek, a góry schowały się za zasłoną ciężkich, szarych chmur.

Policjant w mundurze sierżanta z krótkofalówką w dłoni wyłonił się z grupy i podszedł do niego. Wysoki, postawny, trzymał w zębach grube cygaro, które rzucił w trawę, zanim zasalutował.

Caruso skinął głową.

– Sierżant Barti to pan, tak?

Barti wyciągnął dłoń:

– Dzień dobry, panie kapitanie. Dziękuję, że pan przyjechał.

Caruso podniósł wzrok na szare chmury.

– Niech pan mi powie, co w nim takiego dobrego? Jeszcze wczoraj siedziałem sobie w Turynie, zajmowałem się swoimi sprawami, cieszyłem się na pierwszy wolny dzień w tym miesiącu, kiedy jakiś idiota z kwatery głównej zadzwonił i powiedział, że posyłają mnie helikopterem na północ, na jakieś zadupie.

Barti uśmiechnął się.

– Niech pan się nie gniewa, że zepsuliśmy panu dzień, ale potrzebujemy pomocy specjalisty. Zna pan te okolice, panie kapitanie?

Caruso zrobił niechętną minę, przyglądając się wznoszącym się pod niebo występom skalnym.

– Lepiej, niż powinienem. Mój ojciec urodził się tutaj, a ja kiedyś służyłem tu pół roku. Na dowód, że mówię prawdę, mogę panu pokazać odciski na stopach, które do dzisiaj nie chcą zejść.

Padała lekka mżawka. Caruso zapalił kolejnego papierosa, osłaniając go dłońmi i kciukiem zamknął zapalniczkę.

– To gdzie jest ten nasz sztywny?

Barti wskazał głową na góry.

– Tam, jakieś półtorej godziny stąd, większą część drogi trzeba przejść piechotą. Za niski pułap chmur, żeby dolecieć helikopterem.

Caruso podniósł oczy we włoskim geście pretensji.

– To samo usłyszałem od pilota. Nie możemy podjechać samochodem?

– Niestety, to jest aż w Alpe Veglia. Potem musimy iść piechotą aż na lodowiec. Zna pan Alpe Veglia, kapitanie?

Caruso skinął głową i westchnął. Alpe Veglia to olbrzymi obszar parku narodowego we włoskich Alpach, całkowicie zamknięty dla ruchu, mogą się po nim poruszać jedynie pojazdy z napędem na cztery koła, należące do służby ochrony parku. Ale nawet dżip nie pokona kamienistych i stromych szlaków prowadzących aż do Szwajcarii.

– Fantastycznie. Kto tam teraz jest?

– Dwóch moich ludzi. Jeden jest stąd i zna lodowiec jak własną kieszeń. I anatomopatolog z Turynu, oficer nazwiskiem Rima.

– Vito Rima?

– Zna go pan?

Caruso skinął głową.

– Nazywają go Vito Sęp. Zawsze można liczyć na to, że tam, gdzie krąży Vito, znajdzie się jakieś ciało. Więc niech pan mi przedstawi sytuację.

– Odgrodziliśmy ten teren. Wprawdzie nie ma to wielkiego znaczenia, bo tam i tak jest cicho jak w krypcie. – Barti wskazał kciukiem na czekających obok policjantów. – Ci tutaj zaczekają na nas, bo na razie nie są potrzebni. Nie musimy wszyscy na górze marznąć na kość.

Caruso znowu westchnął. Ostatnią rzeczą, której teraz pragnął, była wycieczka w Alpy podczas takiej gównianej pogody. Tuż nad ich głowami wisiała nabrzmiała od deszczu, ciemnoszara chmura, powietrze było wilgotne i zimne. Odwrócił się i zobaczył niepewny wyraz twarzy Bartiego.

– O co chodzi, sierżancie? Czym pan się martwi?

Barti zmarszczył brwi.

– Cała ta sprawa jest bardzo dziwaczna, łagodnie mówiąc. Mieszkam tu już od dwudziestu lat i niczego takiego jeszcze nie widziałem.

Caruso pstryknął palcem i odrzucił papierosa, a potem skinął głową w kierunku fiata.

– Dobra, jedziemy. Może mi pan wszystko opowiedzieć po drodze.

W samochodzie było tylko trochę cieplej niż na zewnątrz. Caruso palcem starł parę z przedniej szyby, zrobił taki gest, jakby miał zapalić następnego papierosa, zmienił jednak zdanie. We Włoszech istnieją dwie główne formacje policyjne – paramilitarne oddziały *carabinieri*, w których służył Caruso, i cywilna policja. Miasta i miasteczka są obszarem działania policji, a obszary wiejskie zazwyczaj podlegają karabinierom, chociaż w rzeczywistości terytoria te często się na siebie nakładają. Caruso pracował w kwaterze głównej w Turynie, w wydziale zabójstw. Miejscowy komisariat w Varzo, któremu podlegał teren, gdzie znaleziono ciało, poprosił Turyn o wsparcie, a Caruso wylosował najkrótszą słomkę. Z drugiej strony – nie tak często prowadzi się śledztwo w sprawie ciała zamrożonego na kość w lodowcu.

Spojrzał na sierżanta.

– To niech pan powie, co jest grane.

– Wczoraj po południu dostaliśmy wiadomość telefoniczną od szwajcarskiej policji w Brig. Młody amerykański alpinista, który zatrzymał się w hotelu Berghof po drugiej stronie granicy, w Simplon, złożył doniesienie, że odnalazł w górach ciało. Z tego, co mówił, wynikało, że ciało jest zamarznięte i leży na samym dnie głębokiej szczeliny na lodowcu Waserhorn. Chłopak szedł po lodzie, nagle wpadł do szczeliny i odkrył ciało.

– Powiedział pan „chłopak". Ile ma lat?

– Dwadzieścia jeden – Barti uśmiechnął się do siebie. – Z mojej perspektywy to jeszcze chłopak. Nazywa się Chuck McCaul.

– A co ten Chuck robił na lodowcu?

– To turysta. Przyjechał tu pochodzić po górach i się powspinać. Okazuje się również, że niedaleko ciała znalazł zamrożony w lodzie plecak.

Caruso podniósł oczy.

– Znaleźliście coś w tym plecaku?

– Amerykanin zostawił go w szczelinie – był w szoku po znalezieniu ciała. Pomyślałem, że najlepiej będzie go nie ruszać, aż przyjedzie pan Rima.

– Mądrze. Niech pan mówi dalej.

– Szwajcarska policja wysłała ekipę na Waserhorn. Okazało się, że ciało jest po naszej stronie granicy. I właśnie wtedy skontaktowali się z nami.

Barti przerwał na chwilę, gdy fiat podskoczył na wyboju. Przód samochodu podniósł się trochę w górę, a potem znów auto jechało po równym terenie. Caruso wytężył wzrok, próbując coś dojrzeć przez zasłonę deszczu. Okolica była dzika, wokół żywej duszy. Odwrócił się do Bartiego, który zaczął mówić dalej.

– Wysłałem tam patrol, żeby zobaczyli, co się dzieje. Ciało jest zamknięte w bryle lodowej kilka metrów od dna szczeliny.

– Kobieta czy mężczyzna?

Barti wzruszył ramionami.

– Myślimy, że to mężczyzna. Ale trudno się zorientować po rysach twarzy za warstwą lodu. Trudno coś powiedzieć z absolutną pewnością.

– Jest pan pewien, że sztywniak znajduje się po naszej stronie granicy?

Barti skinął głową.

– Absolutnie. Sprawdzałem dwa razy na mapach. Szwajcarzy mają szczęście, że to nie jest ich sprawa i że my musimy się teraz grzebać w tym gównie.

– Dlaczego?

Barti spojrzał na niego.

– Jest coś bardzo dziwnego w tym ciele.

Caruso już chciał coś powiedzieć, ale zawahał się, kiedy Barti zatrzymał fiata. Przed nimi zaczynała się wąska i kamienna górska ścieżka wydeptywana od lat tysiącami nóg, pokryta świeżym śniegiem. Fiat już dalej nie pojedzie, a Caruso zobaczył ślady stóp tam, gdzie pozostali policjanci poszli pod górę. Chmury i mgła trochę się przerzedziły, mżawka niemal ustąpiła, a przed nimi rozciągał się niewiarygodny widok. Strzelające w górę szczyty, postrzępione i pokryte śniegiem, wyglądały niemal jak na wyciągnięcie ręki. Była to część masywu alpejskiego tworzącego naturalną granicę między Szwajcarią a Włochami. Dalej wyrastał wspaniały masyw Matterhornu i majestatyczny Eiger.

Caruso ujrzał wąską górską ścieżkę biegnącą zakosami w kierunku szczytów i wiedział, że jest to jeden ze starożytnych szlaków, którymi poganiacze pędzili muły przez Alpy; historia tych tras – wydeptanych i wijących się jak pajęcza sieć – sięga czasów średniowiecza, gdy przemytnicy szmuglowali tędy kontrabandę.

Spojrzał przez ramię na sierżanta.

– Nie powiedział mi pan, co takiego dziwnego jest w tym ciele.

Barti zaciągnął hamulec ręczny.

– Najlepiej niech pan je sobie sam obejrzy.

7

Nad jedną ze szczelin stało dwóch młodych kaprali. Obaj mieli na sobie grube kurtki i buty wspinaczkowe, a dodatkowym elementem wyposażenia był mały piecyk gazowy, na którym robili sobie kawę. Strzępy chmur wirowały wokół szczytu Waserhornu w zimnym, wiosennym słońcu tak, że Caruso poczuł brutalną, nieokiełznaną siłę natury kryjącą się w postrzępionych górskich graniach i szczytach.

Lodowiec przedstawiał niesamowity widok. Był błękitny i wyglądał jak szeroka, zamarznięta rzeka. Tu i ówdzie można było dostrzec głębokie szczeliny w miejscach, gdzie lodowiec otwierał się wąskimi uskokami. Obok jednej z nich w lód wbite były haki, do nich przyczepione karabinki i liny wspinaczkowe, które znikały za krawędzią lodowego urwiska. Szli już ponad godzinę ostrym tempem, żeby dojść do miejsca odnalezienia ciała, a teraz świeciło słońce i deszcz przestał padać. Wspinaczka była niełatwa, Caruso często tracił oddech, nogi go bolały, stopy miał otarte i opuchnięte, ale nie był jeszcze na tyle zmęczony, by nie zauważyć przepięknego widoku.

– Gdzie jest Rima? – zapytał, ciężko dysząc.

Barti wzruszył ramionami.

– Chyba na dole, w szczelinie. Bada ciało.

– Niech się pan zorientuje, co się dzieje.

Caruso wciąż ciężko oddychał, próbując dojść do siebie. Sierżant podszedł do dwóch młodych kaprali. Niedaleko rozbito mały namiot turystyczny, a w śniegu za pomocą krótkich aluminiowych tyczek oznaczono przepisowy kwadrat i rozciągnięto żółtą taśmę ostrzegawczą. Barti wrócił z jednym z policjantów.

– To jest kapral Fausto.

Młody człowiek zasalutował.

– Panie kapitanie.

– Proszę mi powiedzieć, co się dzieje.

Kapral wskazał dłonią na szczelinę.

– Jak pan widzi, ogrodziliśmy teren. Anatomopatolog jest jeszcze na dole.

– Sierżant powiedział mi, że zna pan tę okolicę jak własną kieszeń.

Kapral uśmiechnął się.

– Kiedyś pracowałem tu jako przewodnik.

– Dobrze zna pan lodowiec?

– Chodziłem tędy wiele razy. To popularny szlak turystyczny.

– Kto tędy wędruje?

– Przede wszystkim turyści. Włosi, Szwajcarzy. Jest znany wspinaczom i zwykłym turystom, którzy lubią chodzić po lodzie.

– Czy to nie jest niebezpieczne?

– Nie, jeżeli zna się teren albo idzie się z przewodnikiem.

Caruso zwrócił się do Bartiego.

– Chciałbym teraz zobaczyć ciało.

Kapral poprowadził ich do krawędzi szczeliny, tam, gdzie między postrzępionymi lodowymi ścianami zwisały liny. Caruso zajrzał w dół do błękitnej komory lodowej, która robiła się coraz ciemniejsza, im dalej się patrzyło w głąb. Nie można było zobaczyć dna, bo w szczelinie znajdowało się poziome załamanie. Barti powiedział:

– Zjazd jest dość łatwy.

– Trzymam pana za słowo. Niech pan prowadzi.

Barti założył uprząż wspinaczkową, wpiął się w linę i zaczął zjeżdżać na dół. Caruso poszedł w jego ślady.

Chłód w szczelinie przenikał do kości. Zjeżdżając, Caruso odpychał się nogami od zamarzniętych ścian. Zobaczył promień bardzo jasnego światła gdzieś w dole, a po chwili Barti chwytał go w pasie.

– Dobra, jesteśmy na dnie. Chodźmy.

Caruso wypiął się z liny i zdjął uprząż, stanąwszy mocno stopami na twardym lodzie. Za zakrętem, parę metrów dalej, kilka silnych reflektorów oświetlało podłogę komory. U stóp bardzo szczupłego mężczyzny, którego oddech jak mgiełka unosił się pośród chłodu szczeliny, stała otwarta czarna torba lekarska. Anatomopatolog miał siwą kozią bródkę, na nosie grube szkła w metalowej oprawce, był ubrany w puchową arktyczną kurtkę i grube wełniane rękawice.

– Nareszcie ktoś postanowił tu do mnie przyjść – powiedział z pretensją. – Już się zaczynałem bać, że jestem chory na jakąś chorobę zakaźną.

– Co tam, Rima?

– Zimno jak w grobowcu. Pracowałem już w różnych bezsensownych miejscach, ale to jest chyba najgorsze ze wszystkich.

Caruso rozejrzał się po lodowej podłodze komory.

– Sprawdziłeś teren?

Rima skinął potakująco głową.

– Zbadałem dokładnie teren na przestrzeni dziesięciu metrów po obu stronach ciała. Dalej nie mogłem iść, bo ściany zaczynają się zwężać.

– I co?

– Niestety, nic, oprócz plecaka, który znalazł ten Amerykanin.

– Gdzie jest plecak?

– Tam.

Rima wskazał głową duży przezroczysty worek plastikowy oparty o ścianę, a Caruso go podniósł. Plastik był zimny jak lód i częściowo zamglony. Wewnątrz był płócienny plecak. Na pierwszy rzut oka bardzo ciężki, wydawało się, że jest w dobrym stanie, miał metalowe zapięcie.

– Nie otwierałeś go?

– Próbowałem, ale jest zmrożony na kość, dlatego pomyślałem, że lepiej będzie poczekać do przyjazdu oficera prowadzącego śledztwo – Rima uśmiechnął się do niego. – Widzę, że to ty.

Caruso odłożył plecak.

– Dobra, przypatrzmy się temu panu. Myślisz, że to wypadek?

– Trudno powiedzieć, dopóki go nie rozmrozimy – Rima wskazał kciukiem za siebie. – Sam zobacz. Jest tam.

Rima podniósł latarkę i przeszli pięć metrów po dnie rozpadliny lodowej. Caruso zobaczył, że na wprost ściany po lewej stronie stoi składane płócienne krzesełko o aluminiowej ramie. Po swojej lewej stronie zauważył mały kwadrat wycięty w lodzie niedaleko podłogi rozpadliny. Ukląkł i przyjrzał się wszystkiemu dokładnie.

– Tu właśnie Amerykanin znalazł plecak – wyjaśnił Rima. – Ciało jest jakiś metr nad twoją głową, leży prawie poziomo, nachylone lekko pod kątem w górę. Musisz stanąć na krzesełku, żeby je zobaczyć.

Caruso stanął na chwiejącym się krzesełku i poświecił latarką na ścianę lodu. Wtedy przeżył moment czystego przerażenia. Z lodu rzucała mu groteskowe spojrzenie twarz mężczyzny.

Jezus Maria.

– Ciarki chodzą człowiekowi po plecach, co? Lód daje efekt głębokiego zamrożenia. Na moje oko ciało jest idealnie zachowane.

Caruso czuł, że cały drży, patrząc z bliska na denata. Zwrócił się do Bartiego.

– Wciąż mi pan nie powiedział, co pan w tym widzi dziwnego?

– Sprawdziłem nasze dane o osobach zaginionych, o wszystkich, których zaginięcie zgłoszono w tej części Alp. Wszystkich odnaleziono i rozpoznano, żywych albo martwych. Szwajcarzy mówią to samo.

– Jak daleko wstecz pan sprawdzał?

– Dwadzieścia lat, Szwajcarzy również. A władze po obu stronach granicy mają kartoteki z dokładnymi danymi wszystkich, którzy zaginęli w tym rejonie gór. Jest więc dość dziwne, że znaleźliśmy ciało, a nikt nie wiedział o tym, że ten człowiek zaginął.

Caruso zauważył, że na zamrożonej głowie dobrze widać nos i usta, uszy i policzki, kosmyki ciemnych włosów przyklejone do czoła. Oświecił latarką twarz mężczyzny i znów doznał niepokojącego uczucia. Skóra była alabastrowo biała, a oczy szeroko otwarte.

– Jak sądzisz, ile czasu ciało jest w lodzie?

– Naprawdę nie potrafię nic powiedzieć, dopóki go nie wytniemy i nie położę denata na stół – powiedział Rima. – Ale na pewno dość długo. Wiesz coś o lodowcach, kapitanie?

Caruso pokręcił głową.

– Mniej więcej tyle, ile o kobiecie po trzydziestu latach małżeństwa.

Rima się uśmiechnął i wskazał dłonią w górę na otwartą przestrzeń szczeliny, skąd świeciło cienkim promieniem przenikliwe białe światło, odbijając się od błękitnych ścian.

– Od góry do dna jest osiem metrów, a ciało jest nieco ponad dwa metry nad dnem szczeliny. Stan lodu w lodowcu zależy od tego, ile w danym sezonie spadnie deszczu i śniegu i do jakiego stopnia zostanie odbudowany. Rok po roku śnieg zamienia się w twardy jak skała lód i jęzor rozbudowuje się w górę. Również jednak rok po roku topi się, a stopiona woda spływa w doliny – wyjaśnił Rima. – Na tej głębokości ciało mogło leżeć bardzo długo. Możliwe, że całe lata.

– Wierzę ci na słowo. Skończyłeś już?

Rima potarł zziębnięte dłonie.

– Prawie. Następnym krokiem będzie wycięcie naszego przyjaciela z lodu. Użyjemy piły łańcuchowej.

– Muszę porozmawiać z tym Amerykaninem. Gdzie on jest?

– Mój człowiek właśnie go odbiera ze szwajcarskiego hotelu – wyjaśnił Barti. – Tak to załatwiłem, że będzie mógł pan korzystać z jednego z pokoi w naszym komisariacie.

– Dobrze. Czy zrobiono już dokumentację fotograficzną?

– Tak, mamy już wszystko, czego nam trzeba.

Caruso jeszcze raz spojrzał na zmumifikowaną lodem twarz, otrząsnął się i zszedł z krzesełka.

– W porządku, już się dość napatrzyłem. Wracamy na górę.

Z okien pokoju w komisariacie karabinierów w Varzo było widać maleńki placyk. Caruso usiadł przy biurku obok okna, gdzie miał dużo światła, i wziął do ręki plastikowy worek na dowody. Założył gumowe rękawiczki i wyciągnął z niego ciężki plecak. Lód zdążył się już roztopić, a materiał był mokry i nasiąknięty wodą.

Ciekawość nie dawała mu spokoju już podczas jazdy na komisariat, a teraz czuł mrowienie w dłoniach i stopach. Wyciągnął z kieszeni scyzoryk i spróbował siłą otworzyć zatrzask. Nic z tego. Podniósł słuchawkę wewnętrznego telefonu i zadzwonił do dyżurnego.

– Macie tam duży śrubokręt?

– Słucham?

– Mówi Caruso. Potrzebny mi śrubokręt. Solidny.

– Zobaczę, co mi się uda znaleźć, panie kapitanie.

Pięć minut później ktoś zastukał do drzwi i do pokoju wszedł kapral z olbrzymim, groźnie wyglądającym śrubokrętem.

– To wystarczy, panie kapitanie?

– Jeśli nie wystarczy, to wysadzę zatrzask dynamitem. Dziękuję, możecie iść.

Caruso tym razem posłużył się nożem i śrubokrętem równocześnie, ściskając plecak między nogami i podważając zamknięcie. Kosztowało go to sporo wysiłku, ale przy trzeciej próbie zatrzask puścił. Podniósł klapę plecaka i poczuł silny zapach wilgotnego płótna.

Zajrzał do środka i zobaczył różne części garderoby: płaszcz, garnitur, koszulę i krawat, a także skórzane buty. Na samym dnie stosu ubrań leżał automatyczny pistolet typu Browning i coś, co wyglądało na cienkie, czarne, skórzane etui. Pistolet był w dobrym stanie, niemal bez śladu rdzy. Caruso wyciągnął etui i położył je na biurku, a potem wsunął ostrze scyzoryka w mechanizm zabezpieczenia spustu i ułożył broń obok etui. Przyglądając się zawartości plecaka, próbował pozbierać myśli.

W końcu podniósł etui. Bardzo ostrożnie wsunął ostrze scyzoryka między jego górną a dolną część i rozkleił je. Ku jego zdziwieniu okazało się, że to nie etui, lecz okładka na paszport. Ale kiedy zaczął rozdzielać strony, rozległo się pukanie do drzwi i kapral wsunął głowę do pokoju.

– *Signore* McCaul przyszedł, panie kapitanie.

– Dajcie mi pięć minut, a potem go przyprowadźcie.

Caruso przycupnął na krawędzi biurka i patrzył na siedzącego na wprost niego młodego Amerykanina. Chuck McCaul był wysportowany, miał szlachetne rysy i wyglądał na dobrze wychowanego młodzieńca. Nie spuszczał oczu z zawartości plecaka leżącej na biurku.

– Znalazł pan to w tym plecaku, proszę pana?

– *Si.*

– Mogę zerknąć?

– Tak. Możesz popatrzeć. Ale nie dotykaj.

McCaul szczególnie zainteresował się pistoletem.

– Jezu, ale odjazd.

– Proszę?

McCaul uśmiechnął się pod nosem.

– Chciałem powiedzieć, proszę pana, że to niezwykłe. Cała ta cholerna przygoda. Ciało zamrożone w lodowcu. Broń i dokumenty. Wszystko bardzo dziwne.

Caruso skinął głową.

– Tak. Na pewno. A kto wie, co się okaże, kiedy zbadamy ciało. Musi pan jednak wybaczyć mi moją angielszczyznę, *signore.* Nieczęsto mam okazję mówić po angielsku. Proszę mi powiedzieć, jak pan odnalazł ciało?

– Ale już mówiłem sierżantowi Barti.

– Proszę teraz mnie opowiedzieć.

McCaul zrelacjonował wszystko od początku do końca. Caruso wysłuchał go, a później zapytał:

– Pewnie był pan przestraszony, prawda?

– Z całym szacunkiem, proszę pana, ale mało się nie zesrałem w gacie.

– Ma pan szczęście, że udało się panu wydostać stamtąd i ujść z życiem. Czy znalazł pan coś oprócz plecaka?

– Nie, proszę pana.

– Jest pan pewien?

– Mój ojciec jest prywatnym detektywem. Nie kłamię, kiedy policja zadaje pytania na temat dowodów przestępstwa.

Caruso skinął głową. Był pewien, że młody człowiek mówi prawdę.

– Przepraszam, że zabrałem panu tyle czasu, ale chciałem porozmawiać osobiście. A teraz już nie będę pana zatrzymywał. Kiedy pan wyjeżdża ze Szwajcarii?

– Wylatuję do Stanów dopiero za cztery dni. Czy to wszystko, panie kapitanie?

– *Si*. To wszystko.

McCaul wstał.

– Czy mógłbym zadać jedno pytanie?

– Oczywiście.

– Co jest w tym wszystkim grane?

Caruso zmarszczył brwi i spojrzał na podłogę, a potem znów na młodzieńca.

– *Scusi*, ale nie rozumiem.

McCaul się uśmiechnął.

– To znaczy, co to za historia? Kim jest ten gość w lodzie?

– Nie mogę potwierdzić jego tożsamości, dopóki nie zbadamy ciała. Ale według paszportu, który przy nim znaleźliśmy, to Amerykanin nazwiskiem Paul March.

8

Nowy Jork

Leroy Murphy, postawny, mierzący dwa metry mężczyzna, pochylił umięśniony tułów nad wózkiem inwalidzkim i delikatnie zdjął słuchawki odtwarzacza płyt CD firmy Sony z uszu Bobby'ego. Znajdowali się w oranżerii domu opieki Cauldwell, drzwi były otwarte, a do rozgrzanego pomieszczenia wpadał powiew chłodnej bryzy. Siedzieli tam we trójkę – Jennifer, Bobby i pielęgniarz Leroy, ubrany w szpitalny kitel z krótkimi rękawami. Biały materiał napinał się niebezpiecznie na jego potężnych ramionach, kiedy Murphy pochylał się nad wózkiem inwalidzkim, a jego czarna jak węgiel skóra kontrastowała ze śnieżną bielą bawełny.

Bobby siedział na wózku, głowę miał przechyloną na jedną stronę, a po brodzie ściekała mu strużką ślina. Jennifer pochyliła się nad nim i wytarła twarz chusteczką higieniczną. Po chwili wyjęła z torebki grzebień i zaczesała włosy Bobby'ego, potargane przez wiatr.

– Już dobrze, już wystarczająco się o niego zatroszczyliśmy. Chyba jest gotów na rock and rolla. Bobby, teraz będzie konkurs. Oderwij się trochę od Michaela Jacksona. Bobby lubi Michaela. Prawda, bracie?

Bobby skinął głową, a Leroy się uśmiechnął.

– Bobby jest tu naszym honorowym czarnym bratem. Wie więcej o muzyce niż niejeden ekspert. Prawda, Bobby? A teraz pokażemy Jenny, co potrafisz, dobra?

Bobby uśmiechnął się krzywo i jeszcze raz skinął głową. Leroy otworzył notes i położył go na kolanach Bobby'ego, a potem włożył mu do ręki długopis.

– No, to jedziemy, bracie. Piosenka ma tytuł *Closer than close*. Podaj mi wykonawcę i rok.

Bobby uchwycił mocno długopis, ściskając go między kciukiem a palcem wskazującym, i napisał przez całą stronę notatnika: „Rosie Gaines".

– Teraz powiedz mi, kiedy, bracie. Tylko mnie nie zawiedź.

Bobby napisał: „1997".

– Tak jest, bracie. Teraz uwaga, idzie coś trudnego. Coolio miał przebój, który w tym samym roku był aż cztery tygodnie na liście przebojów. Podaj mi tytuł tej piosenki. Zaskocz swoją siostrę Jenny.

Bobby przez chwilę się wahał, miał twarz wykrzywioną w grymasie koncentracji, wreszcie napisał coś w notesie i uśmiechnął się triumfalnie. Leroy sprawdził odpowiedź i uderzył się otwartą dłonią w potężne, umięśnione udo.

– Bracie, z ciebie jest chodzące archiwum, wiesz? Masz pamięć lepszą od profesora uniwersytetu.

Potargał dłonią włosy Bobby'ego. Wstał gotów do wyjścia, spojrzał przez pokój na Jennifer, a jego szeroką, sympatyczną twarz rozciągnął uśmiech od ucha do ucha.

– Twój brat nigdy mnie nie zawodzi. Nigdy. Mógłby wygrywać w jakimś dużym teleturnieju. Samochody. Wakacje. Kupę dolarów. Ja będę jego menedżerem.

Jennifer dotknęła ręki pielęgniarza, czując pod palcami łagodną siłę tego człowieka.

– Dziękuję, Leroy.

– Zawsze do usług.

W oranżerii było bardzo cicho, pomieszczenie rozświetlało słońce, a przystrzyżona trawa za szklaną ścianą ciągnęła się daleko, aż do gęstwiny sosen i do stawu. Powiew bryzy wtargnął do środka, prześliznął się po hiszpańskiej terakocie i znowu potargał włosy Bobby'ego. Jennifer pochyliła się i poprawiła mu fryzurę.

– No, braciszku, jak leci?

Bobby skinął głową i zakołysał się na wózku w przód i w tył. Miał siedemnaście lat, ale wyglądał jak czternastoletni chłopiec, z gęstymi, ciemnymi włosami i jasną, mlecznobiałą cerą. Zawsze był nieśmiały, jeszcze jako dziecko, chociaż bywały chwile, gdy wybuchał złością, która wynikała raczej z frustracji niż ze złego nastroju. Jennifer często myślała o tym, jak mogłoby być, gdyby jego życie nie potoczyło się tak, jak się potoczyło. Teraz uczyłby się w liceum, miał dziewczynę i wiódł zwyczajne życie. Musiała jednak odpychać od siebie te myśli. Bobby żył i to było najważniejsze, mieli siebie nawzajem, chociaż dzisiaj Bobby wydawał się krążyć myślami gdzieś daleko.

– Tęsknisz za mną?

Bobby skinął głową.

– Leroy mówi, że ostatnio coś nie za dobrze z jedzeniem. Wszystko w porządku?

Widać było, że Bobby czuje się niezręcznie. Odwrócił głowę i wyprężył się na wózku, jakby mu coś nie dawało spokoju.

– Co się dzieje, Bobby?

Chłopiec wziął notes i położył go na kolanie. W ubiegłym roku nauczył się języka migowego i z konieczności musiała się go nauczyć również Jennifer, bo Bobby zazwyczaj odpowiadał gestami, ale kiedy był zdenerwowany albo zły, nie wiadomo dlaczego wolał odpowiadać, pisząc w notesie. Gra w przypominanie sobie tytułów piosenek, w którą bawił się z Leroyem, miała zająć czymś jego umysł, bo Bobby miał fantastyczną pamięć i zawsze uwielbiał muzykę. Jennifer pamiętała, jak raczkując, podchodził do radia, włączał je i drżał z podniecenia, słysząc dźwięki płynące z głośnika. Jednak jego pamięć nie ogarniała tej nocy, kiedy zginęła ich matka, nie potrafił sobie przypomnieć szczegółów morderstwa. Jennifer często się zastanawiała, czy był to jego świadomy wybór, czy też obwody w mózgu, które miały coś wspólnego z pamięcią o tym wypadku, po prostu się wyłączyły, a może kula, która wdarła się do jego czaszki, naruszyła jakiś obszar mózgu.

Specjaliści, którzy go badali i leczyli, nie byli w stanie odpowiedzieć na to pytanie, ona sama także nie znała odpowiedzi. Niekiedy jednak myślała, że w wypadku Bobby'ego chodzi o to, że za bardzo się boi przypomnieć sobie to, co się wydarzyło, gdy zabito ich matkę i kiedy zniknął ojciec.

Za każdym razem, gdy próbowała zacząć rozmowę na ten temat, Bobby się odwracał, udawał, że nie słyszy, albo po prostu mówił, żeby go zostawiła w spokoju. Dotąd jeszcze nigdy się nie otworzył i nie porozmawiał z nią o nocy, która zniszczyła życie ich obojga. Wiedziała, że sprawia mu to wielki ból, że jej brat ma nie-zabliźnione rany na ciele i duszy, ale wiedziała również, że dopóki nie zaczną o tym rozmawiać, żadne z nich nie ruszy z miejsca.

Bobby nabazgrał coś długopisem w notesie. Teraz siedział na wózku, patrząc w przestrzeń. Wyglądał na rozkojarzonego. Jennifer podniosła notes. Na kartce zobaczyła dwa słowa: *„Grób mamy"*.

– Chciałbyś pojechać na cmentarz, tak?

Bobby skinął głową.

– Naprawdę, Bobby?

Bobby ponownie skinął głową. Jennifer zdała sobie sprawę, że ani razu nie wspomniał, że dziś przypada rocznica jej śmierci i dlatego chciał iść na cmentarz. To chyba byłoby zbyt wiele. Odłożyła notes.

– Wiesz, że to cię tylko wyprowadzi z równowagi. Ale jeżeli chcesz, mogę zajrzeć tu jutro i pojedziemy tam razem.

Bobby nigdy nie lubił cmentarza i widoku grobu. Po powrocie przez kilka dni nie mógł dojść do siebie. Ostatnim razem, kiedy go wzięła na cmentarz, miał atak padaczkowy tuż po przejechaniu za bramę. To była kolejna pozostałość po strzelaninie – Bobby cierpiał na łagodne ataki padaczki. Lekarze mówili Jennifer, że to całkiem normalne u ludzi, którzy mieli uraz głowy.

Domyślała się jednak, że Bobby martwi się czymś jeszcze oprócz rocznicy, i próbowała nakierować rozmowę na ten temat, wiedząc, że właśnie o to chodzi. I rzeczywiście, wyciągnął rękę do Jennifer, żeby mu oddała notes. Czasami denerwowało go, że tak nieporadnie idzie mu porozumiewanie się ze światem zewnętrznym – dzisiaj był właśnie taki dzień. Kosmyki ciemnych włosów miał przyklejone do spoconego czoła, na twarzy wystąpiły cienkie strużki potu. Zacisnął usta, brwi miał ściągnięte, kiedy znów pisał coś w skupieniu na kartce. Skończył i rzucił jej notes prawie ze złością.

Jennifer przeczytała to, co napisał. *„Chcę się stąd wydostać. Tu wszyscy są bardzo mili, ale to przecież nie moja rodzina"*. Spojrzała na Bobby'ego.

– Chyba wiem, do czego zmierzasz.

Bobby westchnął ciężko i tym razem odpowiedział jej językiem migowym – zrozumiała, co ma na myśli, kiedy wskazał na siebie, później bezpośrednio na nią i skrzyżował palce. Kiedy parę sekund później skończył mówić, wiedziała dokładnie, o co mu chodzi. „*Chcę, żebyśmy byli razem. Chcę z tobą mieszkać. Na stałe*".

– Bobby, już to przerabialiśmy. Wiesz, że cię kocham, wiesz, że chcę być z tobą. Przyjeżdżasz do mnie prawie na wszystkie weekendy, ale w tygodniu jestem zajęta pracą. Czasami nie wracam do domu aż do późna. A co się stanie, jeśli będziesz potrzebował pielęgniarki? Na przykład upadniesz, jak mnie nie będzie w domu, i konieczna będzie pomoc?

Próbowali już kilkakrotnie. Ostatnim razem dom opieki w Cauldwell zgodził się, żeby Bobby mieszkał z nią na próbę przez dwa miesiące. Płaciła pielęgniarce, która opiekowała się nim w jej mieszkaniu. Był to spory wydatek, ale kobieta dbała, żeby jadł, pilnowała higieny i robiła to, co było potrzebne, kiedy Jennifer pracowała. Pewnego dnia dostała telefon od pielęgniarki. Zdarzył się wypadek, a ona i Bobby byli w szpitalu St. Vincent's.

Okazało się, że pielęgniarka poszła na zakupy do sklepu spożywczego, a Bobby sam zjechał windą na parter. Kobieta stała w kolejce do kasy, kiedy zobaczyła, jak Bobby przemyka obok okna sklepowego na wózku inwalidzkim, popychając koła obiema rękami. Kiedy za nim pobiegła, Bobby przyspieszył. Kilkadziesiąt metrów dalej skończyło się to wypadnięciem z wózka i niemal przejechaniem przez samochód dostawczy, który w ostatniej chwili zahamował, ale Bobby rozbił sobie głowę o krawężnik.

Po tej eskapadzie lekarze założyli mu piętnaście szwów. Tłumaczył się, że mu się nudziło. Jennifer wiedziała, że prawdziwa odpowiedź jest prostsza – jej brat po prostu chciał poczuć smak wolności. Bobby obiecał, że tego więcej nie zrobi, ale miesiąc później uciekł z mieszkania i nie było go cztery godziny. Policja znalazła go w parku, siedział tam uszczęśliwiony i patrzył jak kilka ślicznych dziewczyn w jego wieku jeździ na rolkach.

Pielęgniarka zrezygnowała. Nie chciała być odpowiedzialna za kolejne wypadki, nie chciała, żeby Bobby zrobił sobie krzywdę próbując uciec z mieszkania. Powiedziała również, że Bobby jest „trudnym chłopcem".

– A czy myśli pani, że jemu jest z tym wszystkim łatwo? – spytała ją Jennifer. Niektórzy ludzie dostrzegali tylko to, czego Bobby'emu brakowało, a nie to, czym mógł się pochwalić. Niespecjalnie lubiła tę pielęgniarkę, ale było jej przykro, że odchodzi. Znalazła zastępstwo, ale wydarzył się kolejny wypadek: Bobby upił się butelką wódki, którą znalazł w mieszkaniu, próbował znów uciec i spadł ze schodów w holu. Co gorsza, po pijanemu zaczął się dostawiać do pielęgniarki, ładnej młodej Meksykanki. Dziewczyna przedstawiła to tak, jak gdyby Bobby ją napastował, co mijało się z prawdą. Czasami po prostu nie mógł znieść faktu, że jest unieruchomiony, ale był chłopcem zbyt łagodnym, aby zrobić coś tak gwałtownego. Kiedy Jennifer zapytała, dlaczego próbował dotknąć piersi dziewczyny, spłonił się i napisał w notesie: *„Po prostu chciałem zobaczyć, jak to jest"*.

Później cała ta sprawa wywoływała już tylko uśmiech na ustach Jennifer, ale przecież tak łatwo zapomnieć, że jej brat wciąż ma takie same potrzeby i pragnienia, jak każdy młody człowiek w jego wieku. Po tym incydencie jednak trudno było odwracać oczy i nie dostrzegać faktów. Agencja pielęgniarek odmówiła przysłania nowej opiekunki, a w Cauldwell zaproponowano, żeby Bobby wrócił. Teraz Jennifer patrzyła, jak jej brat chwyta notes i pisze coś zdenerwowany. *„Może już czas, żebyś sobie uwiła gniazdko"* – Jennifer przeczytała te słowa i chciało jej się śmiać.

– Chyba nie mówisz poważnie.

Bobby energicznie potaknął i równocześnie napisał: *„Zdecydowanie tak"*.

– Uważasz, że to by rozwiązało nasze problemy, myślisz, że mogłabym wtedy zostać w domu, mieć rodzinę i pomagać się tobą opiekować?

Kolejne skinięcie głową, a Bobby uśmiechał się od ucha do ucha, potwierdzając to, co mówi, gestem wyciągniętego w górę kciuka.

Jennifer uśmiechnęła się do niego.

– Zobaczymy, co da się zrobić. Nie mówię o uwiciu gniazdka, ale o pielęgniarce dla ciebie. Na razie niech jednak Cauldwell będzie najlepszym rozwiązaniem, dobrze?

Bobby skrzywił się, a Jennifer spytała:

– Czy Cauldwell nie jest najlepsze?

Bobby gwałtownie pokręcił głową. Jennifer dobrze wiedziała, że od czasu, kiedy oddała brata z powrotem do Cauldwell, ich relacje mocno się pogorszyły. Znacznie częściej się kłócili, a Jennifer miała wrażenie, że Bobby się od niej odwraca, jakby czuł, że siostra go zdradziła. Już nie chciał jej przytulać, unikał czułych gestów z jej strony.

– Dlaczego nie jest dobre?

Tym razem Bobby wyglądał na rozwścieczonego, pisząc odpowiedź drukowanymi literami: „*SAMOTNY*".

Jennifer odczytała to słowo, spojrzała na brata i zobaczyła w kąciku jego oka łzę. Zabolało ją to, bo nic nie można było na to poradzić, nie teraz, a jej ból był tym mocniejszy. Ona też czuła się samotna. Bobby tego nie rozumiał. Wydawało mu się, że siostra ma wszystko to, czego on nie ma, a jednak była w takim samym potrzasku. Jedyną drogą ucieczki z tego więzienia była rozmowa o tym, co się wtedy wydarzyło. Ale Bobby nie potrafił o tym rozmawiać.

Pochyliła się i próbowała go objąć, wiedząc, że istnieją setki powodów jego frustracji, ale Bobby odsunął się od niej, co zabolało ją jeszcze bardziej. Po chwili usłyszała czyjeś kroki na korytarzu i rozejrzała się.

Tuż obok stał Leroy.

– Przepraszam, że ci przeszkadzam, Jenny, ale masz gościa.

Była zaskoczona widokiem Marka Ryana czekającego na korytarzu.

– Cześć, Jennifer.

– Nie spodziewałam się ciebie.

– Pomyślałem sobie, że podjadę i zobaczę się z Bobbym. Leroy powiedział, że tu jesteś.

– Bardzo się ucieszy. Czy coś się stało?

– U mnie? Nie, nic.

Jennifer zauważyła napięcie wokół oczu i ust Marka.

– Na pewno?

Wzruszył ramionami.

– Wiesz, właściwie są dwie sprawy.

– Chcesz mi o tym opowiedzieć?

– Wygląda na to, że prokuratura federalna będzie nalegać na maksymalny wymiar kary dla Nadii Fiedowej.

– To przecież tylko dziecko, Mark. Nie możesz przekonać pani prokurator?

– Próbowałem. Przykro mi, Jennifer. Chciałbym żeby było inaczej, ale, niestety, jest, jak jest.

Jennifer poczuła przypływ gniewu.

– Młoda kobieta traci prawa do opieki nad swoją dwuletnią córką i dostaje wyrok. Będzie siedzieć w więzieniu, tracąc najlepsze lata życia. Ludzie, którzy ją zmusili do tego przestępstwa, stracą tylko dwa i pół kilograma heroiny, odchodzą wolno, żeby za kilka dni powtórzyć to samo.

– Ja nie jestem autorem kodeksu karnego, Jennifer. Po prostu wykonuję swoją robotę. A jak Bobby?

– Ma teraz gorszy okres.

– Co się dzieje?

– Nie jestem pewna, ale czasem wydaje mi się, że nie mamy już tak dobrego kontaktu, jak kiedyś. Ale to jest zupełnie inna historia, Mark. Opowiem ci o tym, kiedyś, ale nie teraz.

– Dobra – Mark uciekał wzrokiem, był niepewny, jak gdyby coś nie dawało mu spokoju.

– Mówiłeś, że są dwie sprawy – przypomniała mu Jennifer.

– Co?

– Mówiłeś, że masz mi jeszcze coś do powiedzenia.

Mark był blady. Stali przy drzwiach prowadzących do nasłonecznionych ogrodów i stawu, a on wskazał je gestem.

– Może byśmy porozmawiali na zewnątrz.

Poszli spacerkiem w kierunku stawu. Mark milczał. Kiedy usiedli na ławce, powiedział:

– Jennifer, nie przyjechałem tu tylko po to, żeby zobaczyć się z Bobbym.

– Co to znaczy?

– Tak naprawdę chciałem się zobaczyć z tobą.

Wyjął kopertę, wyciągnął z niej kartkę papieru i podał Jennifer.

Zorientowała się, że jest to raport Interpolu. W Alpach, niedaleko granicy włosko-szwajcarskiej, znaleziono ciało Amerykanina zamrożone w lodowcu.

I wtedy ujrzała nazwisko.

Była jak ogłuszona, siedziała w milczeniu na ławce, trzymając kartkę w dłoni. Nie mogła uwierzyć w to, co właśnie przeczytała. Jak przez sen, w końcu spojrzała na Marka.

– Czy to... To rzeczywiście prawda?

Mark skinął głową.

– Cały dzień próbowałem cię złapać, ale miałaś rozładowaną baterię w telefonie komórkowym. W biurze dowiedziałem się, że wzięłaś wolne popołudnie i że nie wiedzą, gdzie jesteś. Pomyślałem, że pewnie przyjechałaś tutaj.

Wyciągnął do niej rękę, a potem przerwał w pół gestu, jak gdyby się bał, że Jennifer go odtrąci.

– Jesteś zdenerwowana.

Jennifer zbladła.

– Akurat teraz jestem zbyt... zaszokowana, żeby się denerwować. Jeżeli rzeczywiście odnaleziono ciało mojego ojca...

– Znaleziono go, Jennifer. Jakiś alpinista znalazł przy nim paszport – Mark przerwał na chwilę, potem powiedział cicho. – Podobno ciało jest bardzo dobrze zakonserwowane przez lód i znajdowało się w nim już od dłuższego czasu.

– Jak... Jak on zginął?

– Nie wiem, Jennifer. Tego nie było w raporcie.

– A co robił w Alpach?

– Tego również nie wiem.

Jennifer poczuła, że ogarnia ją drżenie. Odwróciła wzrok w kierunku stawu, a po chwili znów spojrzała na Marka.

– Kto cię do mnie przysłał?

– Zadzwonił do mnie znajomy z policji w Long Beach. Widział kopię raportu, który Interpol przysłał do wydziału dochodzeniowego. Zaproponowałem, że ja ci o tym powiem. Pomyślałem, że lepiej zniesiesz tę wiadomość, jeżeli przekaże ci ją ktoś, kogo znasz. Ale dam ci numer telefonu do nich i możesz sama to potwierdzić.

Jennifer czuła wielki zamęt w głowie, ogarniał ją ból. Zawsze miała nadzieję, że ojciec jeszcze żyje. Ale teraz, kiedy w końcu poznała prawdę, coś się zapadło w jej duszy.

– Mogę zobaczyć ciało?

Mark skinął głową.

– Sądzę, że będziesz musiała go formalnie zidentyfikować. Sprawdziłem w Interpolu i okazało się, że region, w którym odkryto ciało, leży na samej granicy szwajcarsko-włoskiej. Komisariat karabinierów, któremu podlega śledztwo, znajduje się w mieście Varzo. Sprawę prowadzi kapitan Caruso. Najlepiej by było, gdybyś poleciała do Szwajcarii, a następnie pojechała samochodem na granicę włoską. Mogłabyś mieć to wszystko z głowy w ciągu paru dni.

Jennifer odchyliła się na oparcie ławki. Mark spytał:

– Dobrze się czujesz?

– Po głowie wciąż mi się plącze kilka pytań.

– Jakich pytań?

– Jak to się stało, że ciało mojego ojca znaleziono w lodowcu? Co... Co się z nim stało?

Mark potrząsnął głową.

– To rzeczywiście dosyć dziwne. Ale wiem tyle, ile już ci powiedziałem. Może ten Caruso powie ci coś więcej. – Zawahał się i spojrzał na zegarek. – Muszę wracać, ale jeżeli pozwolisz, chciałbym się zobaczyć z Bobbym, zanim wyjadę.

– Zawsze cieszy się, kiedy przychodzisz, Mark. Ale proszę, nie mów mu o tym. Na razie. To może go bardzo zdenerwować.

Mark skinął potakująco.

– Wszystko w porządku?

– Poradzę sobie.

Mark wstał i spojrzał jej w twarz. Patrzył na nią przez dłuższy czas, a potem zadał jej pytanie:

– Mogę ci powiedzieć o jednej bardzo starej tajemnicy? O czymś, czego nigdy ci przedtem nie mówiłem?

– Co takiego?

– Kiedy byliśmy jeszcze dziećmi, z sypialni widziałem twoje okno. Obserwowałem cię, jak siadywałaś przy toaletce wieczorami, przed pójściem spać. Szczotkowałaś włosy przy włączonej lampie – Mark uśmiechnął się czule. – Mój ojciec szczotkował mamie włosy co wieczór, przez prawie trzydzieści lat, aż do śmierci. Mawiał, że są dwie rzeczy, które mężczyzna może zrobić, żeby okazać kobiecie, że ją kocha. Jedna to szczotkować jej włosy, a druga, to wysłuchać tego, co ją martwi. A tamtej nocy, gdy przybiegłaś do domu moich rodziców i mój ojciec znalazł cię na werandzie, pomyślałem, że może..., może się lepiej poznamy, a nawet zaprzyjaźnimy. Myślałem, że będziesz mogła mi opowiadać o tym wszystkim, co cię martwi, że będę mógł ci pomagać tak, jak będę umiał...

– Już mi pomogłeś, Mark... I jesteś przyjacielem bliskim mojemu sercu.

– No, tak, ale potem zamknęłaś się w sobie i nie widzieliśmy się bardzo, bardzo długo.

– Z nikim się nie widywałam bardzo, bardzo długo.

Mark się zawahał.

– Chyba próbuję ci powiedzieć, że tak jak tamtej nocy, jeżeli będziesz czuła potrzebę oparcia się na męskim ramieniu, będziesz chciała z kimś pogadać, możesz do mnie zadzwonić o każdej porze.

Jennifer wróciła do mieszkania, ale wciąż jej się kotłowało w głowie. Zadzwoniła do wydziału dochodzeniowego policji w Long Beach – musiała to jeszcze raz usłyszeć, chciała być absolutnie pewna. Nie wątpiła w to, co mówił Mark, ale jadąc z powrotem do miasta, była w tak ciężkim szoku, że zastanawiała się, czy czasem cała ta rozmowa jej się nie przyśniła.

Policjant, który odebrał telefon, potwierdził wszystko, co wiedziała od Marka, i powiedział, że wydział zwróci się do niej z oficjalnym wezwaniem. Postanowiła odnaleźć zdjęcia ojca. Trzymała je w albumie w wielkim, starym, tekturowym pudełku w szafie w sypialni. Wyjęła album i długo przyglądała się fotografiom. Paul March był wysokim, uśmiechniętym mężczyzną o kruczo-czarnych włosach. Między jego zdjęciami znajdowały się również fotografie Jennifer z ojcem, matką i Bobbym, które ktoś zrobił, kiedy byli razem na wakacjach w Europie – w Paryżu, Londynie i Zurychu. Na samym dnie pudełka znalazła stare pocztówki, które jej przysyłał, kiedy była dziewczynką, wszystkie starannie związane sznurkiem. Zawsze stanowiły bezcenną pamiątkę, ale wiedziała, że jeżeli teraz zaczęłaby je oglądać, poczułaby się jeszcze gorzej. Odstawiła pudełko, a łzy napłynęły jej do oczu.

Opanowała się, ściągnęła z półki atlas i znalazła mapę górskich regionów między Szwajcarią a Włochami. Odszukała Varzo, maleńką kropeczkę tuż przy granicy włoskiej. Nie mogła uwierzyć, że stanie twarzą w twarz z zachowanym w lodzie ciałem ojca, bo przecież zaginął ponad dwa lata temu. Kiedy pomyślała, że będzie musiała przekazać tę wiadomość bratu, ciarki przeszły jej po plecach, ale postanowiła, że jeszcze teraz tego nie zrobi. To go może zbytnio zdenerwować, a ona nie chciała wyprowadzać Bobby'ego z równowagi. Kiedy już będzie po wszystkim, wyjaśni mu najdelikatniej, jak będzie umiała.

Przerzuciła żółte strony książki telefonicznej i zadzwoniła do biura podróży. Tak jak mówił Mark, poradzono jej polecieć do Zurychu (było sporo regularnych lotów z lotniska Kennedy'ego albo z Newark), następnie wsiąść do pociągu lub wynająć samochód i pojechać na południe, na granicę włoską – to kilka godzin drogi. Kiedy już wszystko załatwiła, zadzwoniła do Margaret Neil, sekretarki i administratorki Okręgowego Biura Adwokackiego na Brooklynie.

– Jennifer, co słychać, kochanie?

– Margaret, będę potrzebowała urlopu. Wiem, że cię nie uprzedzałam, ale to coś naprawdę pilnego. Muszę lecieć na kilka dni do Europy.

Walczyła z pokusą wyjaśnienia jej powodów tego wyjazdu.

– No, proszę, niektórzy to mają szczęście. Właściwie nie mamy teraz zbyt wiele roboty. Ale sprawdzę. Od kiedy chcesz iść na urlop?

– Jeżeli to nie za wcześnie, to od pojutrza. Powiedzmy na pięć dni.

Niecałą minutę później Margaret jeszcze raz podniosła słuchawkę.

– Kochanie? Nie ma sprawy. Od pojutrza może być.

9

Tuż przed północą Mark Ryan skończył dyżur i pojechał do domu. Było ciemno, gdy wjeżdżał na podjazd przed bliźniakiem w Elmont. Kilka latarni ulicznych nie świeciło, jednak wchodząc po schodach do drzwi frontowych, kątem oka dostrzegł ciemnego buicka zaparkowanego pięćdziesiąt metrów dalej, u wylotu ulicy. Zauważył ten samochód, przejeżdżając obok niego chwilę wcześniej. Wydawało mu się, że w środku siedzą dwie osoby, ale ze względu na słabą widoczność Mark nie był pewien, czy się nie myli, a poza tym był dość zmęczony. Gdy przekręcał klucz w zamku i wchodził do holu, pomyślał, że właściwie nic go to nie obchodzi.

Dom był wygodny, choć od razu było widać, że mieszka w nim samotny mężczyzna. Po rozwodzie Mark spłacił Ellen, a od czasu kiedy odeszła, z trudem udawało mu się utrzymywać porządek. Pochłaniała go praca, która trzymała go przy życiu po rozwodzie, z kolei na komisariacie miał tyle nadgodzin, że brakowało czasu na sprzątanie i gotowanie. Ellen też nie grzeszyła zamiłowaniem do czystości. Sprzątanie nie było jej mocną stroną, ale i on nie przywiązywał do tego zbyt wielkiej wagi.

Koniecznie trzeba tu zrobić porządek, stół w jadalni był zasłany gazetami, w zlewie kuchennym piętrzył się stos brudnych naczyń. To śmieszne u faceta, który dwa razy dziennie bierze prysznic i dba o higienę osobistą – napominał się po raz kolejny. Chyba będzie musiał zatrudnić sprzątaczkę, aby dwa razy w tygodniu ogarnęła tę stajnię Augiasza.

Wszedł do kuchni, zagotował wody na kawę, otworzył drzwi lodówki i zajrzał do środka. Trochę żółtego sera, kilka puszek piwa i coli, pomidor, pół kartonika mleka i to wszystko. Jak zwykle Mark był tak zajęty pracą, że zapomniał pójść na zakupy. Znalazł też kilka kromek razowca, które jeszcze dało się zjeść, zrobił więc kanapkę z serem i poszedł do frontowego pokoju, czekając, aż woda się zagotuje.

Nie chciało mu się oglądać telewizji, siedział więc nachylony nad stolikiem i jadł kanapkę. *Ładne mi życie rodzinne.* Po rozwodzie rodzice tłumaczyli mu, że musi sobie znaleźć drugą żonę, jednak Mark odpowiadał, że pierwsza w zupełności mu wystarczyła.

Jego ojciec, uśmiechając się szelmowsko, droczył się:

– Wiesz, nie możesz być wiecznym kawalerem, będziesz nieszczęśliwy.

– Spokojnie – odpowiadał rozbawiony Mark. – Jeszcze nie skończyłem przeprowadzać rozmów kwalifikacyjnych.

Mieli jednak rację. Za rok będzie miał trzydzieści pięć lat, a w jego życiu nie ma nikogo szczególnego. Niekiedy spotykał się z dziewczynami, które pracowały w komisariacie, ale to były przypadkowe randki. Ta jedyna jeszcze się nie pojawiła w jego życiu. Kiedyś był przekonany, że jest nią Ellen, ale – dobry Boże – jakże się mylił. Drobna, ognista brunetka o niesamowitej osobowości pracowała jako sekretarka w prestiżowej firmie prawniczej na Manhattanie. Trzy miesiące po pierwszej randce byli już po ślubie.

Duży błąd.

Kilka miesięcy później wrócił wcześniej do domu z nocnej zmiany, około pierwszej w nocy, czując, że łapie go jakaś grypa, i zastał Ellen na kanapie z jakimś facetem – na tej samej kanapie, po którą specjalnie pojechał do domu handlowego Macy's, na tej, która kosztowała go dwutygodniową wypłatę i którą Ellen tak się zachwycała.

Widział, jak oboje pospiesznie się ubierają, a on stał w progu, trzęsąc się z wściekłości, miał łzy w oczach, walczył z przemożną chęcią wyciągnięcia służbowego Glocka i zastrzelenia faceta, gdy nagle sobie zdał sprawę, że zna tę twarz. To był ten śliski, ugrzeczniony, bardzo drogi prawnik z biura Ellen, z którego usług korzystali, żeby przenieść własność nieruchomości, kupując dom. Ten, który nosił garnitury od Armaniego i bez przerwy się uśmiechał, mówił, że Ellen jest jego dobrą znajomą i że chętnie przygotuje dokumenty w ramach przyjacielskiej przysługi.

Ładna mi przysługa.

Okazało się, że to jej były narzeczony i że znów zaczęła się z nim spotykać. Tej nocy Mark przyłożył prawnikowi tak mocno, że wybił mu dwa przednie zęby. Najpierw zrzucił go ze schodów, a potem dokopał mu na chodniku, poszedł na górę i stanął przed Ellen. Siedziała w fotelu. Płacząc, wyznała, że spotyka się z Chadem Tate od czterech miesięcy.

– Nasze małżeństwo, Mark, to był wielki błąd. Nic się nie układa, a ja chcę się z tobą rozwieść. Chad poprosił mnie o rękę.

Mark wyszedł wtedy z domu, kupił litr szkockiej w nocnym sklepie, pojechał samochodem aż na nabrzeże Jamaica Bay, zaparkował i siedząc w środku, powoli się upijał. Kiedy ze zmęczenia nie mógł już utrzymać powiek, poddał się i zasnął. Obudził go policjant na motocyklu, który stukał w szybę samochodu. Słońce już wstało, na nabrzeżu nie było nikogo oprócz niego i stada mew. Gdy Mark odkręcił szybę, gliniarz poczuł woń alkohol i poprosił go o prawo jazdy.

– Co pan tu robi o tej porze?

Mark podał mu dokumenty i po raz pierwszy w życiu po prostu stracił panowanie nad emocjami. Czuł się tak, jak gdyby coś w nim pękło – łkał i opowiadał zupełnie obcemu człowiekowi, co się stało z jego małżeństwem.

– Nie zazdroszczę ci, kolego – gliniarz oddał mu jego prawo jazdy. – A może byś sobie wyświadczył przysługę? Zamknij samochód, jedź do domu i prześpij to wszystko, a potem znajdź sobie dobrego adwokata.

Mark jednak nie chciał szukać adwokata. Próbował wszystko jakoś naprawić, posklejać, a małżeństwo toczyło się siłą rozpędu jeszcze dwa miesiące. Oboje rzucali na siebie oskarżenia i obelgi, szybko się więc okazało, że nie ma to sensu. Ostrzeliwali się ciężką amunicją, chociaż tak naprawdę wojna już dawno się skończyła. Ellen wyszła z domu pewnego jesiennego weekendu i nie wróciła, a Mark wystąpił o rozwód.

Musisz zapomnieć o Ellen, to już pieśń przeszłości. Za dużo łez straciłeś z powodu tej kobiety i już więcej nad nią i nad sobą nie możesz płakać.

A jednak czasami, gdy wracał do domu, po prostu tęsknił za

głosem kobiety, za tym, żeby mieć z kim pogadać, żeby poczuć na karku i plecach czyjeś dłonie masujące napięte mięśnie, tak jak to robiła Ellen. Dzisiaj akurat trafił się taki wieczór. Kilka ostatnich dni było istnym horrorem. Myśl o nieżywym niemowlęciu na lotnisku Kennedy'ego doskwierała mu równie mocno, jak sprawa Jennifer; zupełnie nie mógł się pozbierać.

Lubił Jennifer – była kobietą, w której mógłby się zakochać. Pamiętał ją jeszcze jako dziewczynkę, ale wtedy był cztery lata od niej starszy i w tamtych czasach nie zwracał na nią uwagi. Długo się nie spotykali, aż pewnego dnia, trzy lata temu, miał pogadankę dla studentów prawa na Uniwersytecie Columbia, zobaczył ją wśród słuchaczy i zaprosił na kawę. Przez rok spotykali się nieregularnie, chodzili na kolację, obiad albo na drinka, a ich przyjaźń stawała się coraz silniejsza. Właśnie tego wówczas pragnął i nic ponad to, bo rozwód przyniósł wiele goryczy i rozczarowań, które jak zatrute groty tkwiły głęboko w jego sercu, a nowy związek to ostatnia rzecz, na jaką miał ochotę. Ale jeśli miałby być ze sobą szczery, nie chciał gasić iskierki nadziei, że może kiedyś ta przyjaźń przerodzi się w coś więcej. Jednak zabójstwo matki i usiłowanie gwałtu całkowicie zmieniło życie Jennifer.

Wiedział, że dziewczyna jest całkowicie zdruzgotana z powodu śmierci matki i zniknięcia ojca, że nie może się pozbierać po napadzie szaleńca. W noc, gdy popełniono morderstwo, przybiegła do domu jego rodziców. Ojciec usłyszał walenie w drzwi, wstał, zszedł na dół i na werandzie znalazł nieprzytomną Jennifer. Umierał na raka, ale w głębi serca do końca był gliniarzem i wyczuł, że dzieje się coś poważnego. Zostawił Jennifer pod opieką żony, wziął pistolet i ruszył przez trawnik w kierunku domu Marchów. Znalazł zasztyletowaną matkę Jennifer i małego Bobby'ego z ranami postrzałowymi, nikogo innego jednak w domu nie było – przestępca zdołał zbiec.

Mark usłyszał o tej zbrodni następnego ranka, ale dopiero po czterech dniach wolno mu było spotkać się z Jennifer, bo z nikim nie chciała rozmawiać. Później całkowicie zamknęła się w sobie. Zmieniła się, gdy zaczęła pracować w Okręgowym Biurze Adwokackim. Znów zaczęli się od czasu do czasu spotykać na kolacji, Mark próbował nawet zbliżyć się do niej fizycznie, ale na tym polu zupełnie nic mu się z Jennifer nie wiodło – choć nadal byli dobrymi przyjaciółmi. Biorąc pod uwagę fakt, że musi sporo wody upłynąć, zanim dziewczyna otrząśnie się z urazu psychicznego po usiłowaniu gwałtu, Mark rozumiał, że będzie musiał tę sytuację po prostu zaakceptować – być może podjął próbę nie w porę albo zwyczajnie nie był w jej typie.

Usłyszał, że woda wrze, i wstał, zostawiając niedokończoną kanapkę na stoliku.

Może zadziałał jego instynkt gliniarza, ale złapał się na tym, że wciąż się zastanawia, co na ulicy robi buick. Zgasił światła we frontowym pokoju, podszedł do okna i uchylił firankę. Buick wciąż stał tam, gdzie zobaczył go wcześniej. *Może to policja? Może na kogoś czekają?* Elmont to jedna z lepszych dzielnic, ale w dzisiejszych czasach niczego nie można być pewnym.

Już miał odejść od firanki, kiedy dostrzegł wielkiego czarnego pontiaca podjeżdżającego pod jego dom. Otworzyły się drzwi od strony kierowcy i z samochodu wysiadł jakiś mężczyzna. W świetle lampy ulicznej Mark zobaczył, że ma około sześćdziesiątki, jest wysoki, opalony, a siwe włosy sprawiają, że wygląda bardzo dostojnie.

Po chwili z buicka po drugiej stronie ulicy wysiedli dwaj mężczyźni. Dobrze ubrani, w garniturach, obaj wyglądali na mniej więcej trzydzieści parę lat. Podeszli do siwowłosego mężczyzny z pontiaca i wszyscy trzej ruszyli w kierunku frontowych drzwi domu. Mark zmarszczył brwi, odsuwając się od okna. Zastanawiał się, co, u diabła, ci faceci robią w pobliżu jego domu kwadrans po północy. Dzwonek. Zostawił światło na ganku, a teraz podszedł do drzwi i wyjrzał przez wizjer. Wszyscy trzej stali przed drzwiami, a starszy siwowłosy w środku. Wyglądali przyzwoicie, ale każdy gliniarz robi sobie w pracy mnóstwo wrogów, a Mark nie chciał niczym ryzykować. Wyciągnął z kabury na biodrze automatycznego Glocka, kiedy jeszcze raz zadzwoniono do drzwi.

– Kto tam? – zawołał, trzymając w pogotowiu pistolet i jeszcze raz patrząc ukradkiem przez wizjer. W soczewce głowa siwowłosego mężczyzny wyglądała jak balon.

– Panie Ryan? Nazywam się Jack Kelso. Czy moglibyśmy porozmawiać?

Mark zacisnął palce na rękojeści pistoletu.

– Panie Kelso, jest już po północy, a według mnie to za późno na wspólne czytanie „Biblii" z pana znajomymi. Więc gadaj pan, coście za jedni i czego chcecie.

– Trudno rozmawiać przez zamknięte drzwi, panie Ryan. Czy możemy wejść?

– Nie znam pana – odparł Mark. – I wciąż mi pan jeszcze nie powiedział, o co panu chodzi.

Zajrzał przez wizjer i zobaczył, że siwy mężczyzna wkłada rękę do kieszeni. Mark momentalnie zamarł. Kelso jednak nie wyciągnął broni, tylko legitymację, którą przytknął do wizjera. Mark cicho gwizdnął, kiedy zobaczył dokument, i opuścił broń.

– Panie Ryan. Jestem z CIA.

Mark otworzył drzwi. Dwaj młodsi faceci byli w trzyczęściowych garniturach i eleganckich koszulach. Mark domyślił się, że są również z CIA, tak jak Kelso.

– Przepraszamy za najście o tak późnej porze – usprawiedliwił się Kelso. – Chciałbym jednak o czymś z panem porozmawiać. To dość pilna sprawa.

Kelso podał mu swoją legitymację, a Mark starannie ja obejrzał. Niebieskie logo Centralnej Agencji Wywiadowczej widniało z boku legitymacji, a na nim wytłoczony amerykański orzeł. Z drugiej strony znajdowało się zdjęcie Kelso, był na nim kilka lat młodszy, włosy miał trochę ciemniejsze. Dobrze wygląda na fotografiach – zdecydowanie zarysowana szczęka, jasnoniebieskie oczy – niemal jak gwiazda filmowa. Kelso kiwnął głową, wskazując swoich współtowarzyszy.

– To agenci Doug Grimes i Nick Fellows.

Obaj również wyciągnęli legitymacje. Mark obejrzał je dokładnie i odsunął się od drzwi.

– W takim razie zapraszam do środka.

Zamknął drzwi wejściowe i zaprowadził ich do frontowego pokoju. Kelso utykał, przy każdym kroku lekko ciągnąc za sobą lewą nogę. Zobaczył kanapkę na stoliku przed telewizorem i powiedział:

– Przepraszam, jeśli przeszkodziliśmy panu w kolacji.

– Trudno. Mogę zaproponować kawy?

Kelso odparł uprzejmie:

– Bardzo chętnie. Dziękujemy.

– Proszę usiąść.

Mark zrobił cztery kubki kawy rozpuszczalnej, postawił je na tacy i zaniósł do pokoju. Kelso siedział w fotelu, dwaj pozostali agenci na kanapie. Agent Grimes wyglądał na człowieka poważnego, miał około trzydziestki, czarne włosy zaczesane do tyłu i głęboko osadzone oczy. Z kolei agent Fellows przypominał absolwenta liceum – twarz dziecka, sympatyczny wyraz oczu, miękkie dłonie i chłopięca fryzura. Mark domyślał się jednak, że i on dawał sobie doskonale radę w akcji. Obaj emanowali spokojną pewnością siebie, wynikającą ze świadomości, że ma się w kieszeni legitymację Centralnej Agencji Wywiadowczej. Mark poczęstował wszystkich kawą i usiadł w fotelu.

– Proszę mówić, o co chodzi?

– Chciałbym z panem porozmawiać o Jennifer March – odparł Kelso.

Mark zmarszczył czoło.

– Jennifer? Czy myśli pan o tej sprawie z narkotykami na lotnisku Kennedy'ego?

Kelso pokręcił głową.

– Nie, nie chodzi o żadną sprawę narkotykową.

– W takim razie o co?

Kelso, trzymając kubek kawy na kolanach, wsypał łyżeczkę cukru i zamieszał.

– Jak długo zna pan Jennifer March, panie Ryan?

Mark uśmiechnął się pod nosem.

– To dość osobiste pytanie.

– Byłbym wdzięczny, gdyby pan zechciał na nie odpowiedzieć.

– Wychowywaliśmy się w tej samej dzielnicy. Poznałem ją jako nastolatek, a to będzie już piętnaście lub nawet więcej lat temu.

– Czy ona uważa pana za dobrego znajomego?

– Chyba można tak powiedzieć.

– Czy panu ufa?

– Oczywiście – Mark się zawahał. – Drogi panie, po co te wszystkie pytania?

Kelso rzucił spojrzenie na Grimesa i Fellowsa, a potem znów na Marka.

– Sądzę, że już pan wie, że odnaleziono zwłoki jej ojca. Jeśli się nie mylę, to pan ją o tym poinformował. Mam rację?

Mark zmarszczył czoło.

– A więc o to tu chodzi?

– Tak, o to.

Mark odstawił kubek z kawą.

– Oczywiście, że powiedziałem o tym Jennifer. Ale nie rozumiem, co to ma wspólnego z...

Kelso podniósł w górę dłoń i odstawił nietkniętą kawę na stolik.

– Zanim ta rozmowa potoczy się dalej, panie Ryan, chciałbym panu coś wyjaśnić. To, o czym będziemy mówić, jest ściśle tajne. Jest to właściwie sprawa bardzo delikatna, związana z bezpieczeństwem narodowym. Jeżeli pan zdradzi tajemnicę, postaram się pana za to wsadzić do pierdla, obiecuję solennie. Zatem chciałbym, żeby ani słowo, które padnie w tej rozmowie, nie zostało powtórzone nikomu i nigdy. Czy może mi pan to przyrzec?

Kelso mówił lekko aroganckim tonem i Mark nie zapałał do niego sympatią.

– Niech pan wyjaśni, o co tu, do diabła, chodzi?

– Zadałem panu pytanie, Ryan – powiedział Kelso stanowczym tonem – I proszę mi wybaczyć nieparlamentarne słownictwo. Muszę jednak uświadomić panu, że to sprawa bardzo poważna i chciałbym od pana uzyskać uczciwą odpowiedź. Czy zgadza się pan na moje warunki?

Mark spojrzał na Kelso, a następnie na młodych agentów. Patrzyli na niego w milczeniu. Sprawy CIA zazwyczaj były poważne. I wyglądało na to, że ci faceci mają uczciwe zamiary, zwłaszcza Kelso. Mark wzruszył ramionami.

– W porządku. Ma pan moje słowo. A więc, o co w tym wszystkim chodzi?

Kelso odchrząknął.

– Centralna Agencja Wywiadowcza i ojczyzna potrzebują pańskiej pomocy.

Mark z trudem powstrzymał się od śmiechu.

– Czy to jakiś kawał? Maguire z wydziału zabójstw chce mnie wpuścić w maliny?

Kelso odpowiedział ponurym tonem:

– To nie żaden kawał, panie Ryan. Trudno mi nawet w kilku słowach wyjaśnić, do jakiego stopnia ta sprawa jest poważna. Na skali od zera do dziesięciu prawdopodobnie wykroczyłaby daleko poza dziesiątkę. Podkreślam, że to jest naprawdę poważne.

– Dlaczego ja miałbym pomagać?

Kelso pochylił się do przodu na fotelu.

– Jennifer March ma zamiar pojechać do Europy, żeby zidentyfikować ciało swojego ojca.

– No, i?

– Wie pan, że jej ojciec zniknął dwa lata temu. I rozumiem, że znając Jennifer tak długo, jest pan świadom i innych tragicznych okoliczności tego zniknięcia.

Mark skinął głową.

– No, więc?

– Gdy zamordowano jego żonę, a on sam zniknął, Paul March wypełniał ściśle tajną misję i pomagał w dochodzeniu CIA.

Mark zmarszczył brwi.

– Jennifer nigdy mi o tym nie mówiła.

– Jennifer nie wiedziała.

– Jeśli się nie mylę, pracował w bankowości. Zajmował się inwestycjami.

– To prawda, ale był również tajnym agentem CIA.

– Zaraz, zaraz. Mówi pan, że jej ojciec był jakimś szpiegiem?

Kelso potrząsnął głową.

– Myślę, że im mniej tu o tym powiemy, tym lepiej. Mogę jednak zdradzić panu tyle, że uczestniczył w ściśle tajnej operacji międzynarodowej. Operacji dla nas niezwykle ważnej i bardzo ryzykownej. W grę wchodzi zagrożenie bezpieczeństwa narodowego i z tego powodu nie mogę się wdawać w szczegóły.

– Chce pan przez to powiedzieć, że ojciec Jennifer nie zamordował swojej żony?

– Szczerze mówiąc, panie Ryan, tego nie mogę być na sto procent pewien.

Mark był zupełnie skołowany.

– Nie rozumiem.

Tym razem odezwał się agent Grimes.

– Nie musi pan tego rozumieć, panie Ryan. Proszę tylko przyjąć do wiadomości, że życie wielu ludzi może być zagrożone z powodu odnalezienia zwłok Paula Marcha.

– Czyje życie? Zagrożenie z czyjej strony?

Grimes nie odpowiedział. Mark spojrzał na Kelso, który westchnął ciężko.

– Nie mogę panu udzielić tych odpowiedzi, panie Ryan. Musi mi pan po prostu uwierzyć, że to, co panu mówimy, to prawda. I podkreślam raz jeszcze, że to sprawa wielkiej wagi.

– Wciąż pan to powtarza, panie Kelso. Ale w zasadzie nic pan mi nie mówi, a każe mi pan sobie bezgranicznie ufać.

– Ma pan rację, rzeczywiście. Ale jeżeli zależy panu na Jennifer, to informuję pana, że będzie potrzebowała pańskiej pomocy. I my też.

– Jakiej pomocy?

– Chciałbym, żeby pan wziął trochę wolnego. Tydzień, może więcej, jeśli to się okaże konieczne. Chciałbym, żeby pan pojechał do Europy i pilnował Jennifer.

– To znaczy, mam ją śledzić?

– Właśnie. Byłoby lepiej, gdyby pan mógł ją przekonać, żeby pozwoliła sobie towarzyszyć, ale jeśli to się okaże niemożliwe, chcielibyśmy, żeby pan ją śledził w sposób niezauważony.

– Dlaczego?

– Chciałbym, żeby pan ją chronił. Żeby był pan jej aniołem stróżem. Jeśli napyta sobie biedy, pan będzie przy niej, żeby ją obronić. Jest pan osobą, którą ona zna i której ufa. A kiedy ludzie mają poważne kłopoty, chcą się otaczać przyjaciółmi. Chcą mieć przy sobie kogoś, kogo znają.

– Kłopoty? Jennifer? Skąd taka myśl?

– Ponieważ, panie Ryan, według wszelkiego prawdopodobieństwa, ktoś będzie próbował ją zabić.

10

Mark siedział w fotelu, był wstrząśnięty i próbował ogarnąć myślą to, co usłyszał. *Ktoś będzie próbował ją zabić.*

Spojrzał na Kelso i zadał dwa pytania, które przyszły mu do głowy.

– Dlaczego? Kto?

Kelso potrząsnął przecząco głową.

– Nie mogę panu tego powiedzieć. Ale niech mi pan wierzy, Jennifer znajdzie się w poważnym niebezpieczeństwie. Nie mówię tu o jakichś spekulacjach, ale o faktach.

Mark myślał nad tym przez chwilę, po czym zapytał:

– Kim pan właściwie jest, panie Kelso? Czym pan się zajmuje w CIA?

– Jestem zastępcą dyrektora do spraw operacji specjalnych.

– Jakich operacji specjalnych?

Kelso znów potrząsnął głową.

– O tym wiedzą tylko ci, którzy muszą o tym wiedzieć, panie Ryan. Teraz ta wiedza nie jest panu potrzebna.

– Cóż... Jeśli pan nic mi nie powie, cała wasza trójka może w tej chwili wstać i wyjść.

– Zależy panu na Jennifer?

– Nie odpowiedział mi pan.

Kelso ani drgnął.

– Czy panu na niej zależy?

Mark spojrzał na Grimesa i Fellowsa. Siedzieli bez ruchu na kanapie, woleli, żeby ich szef prowadził rozmowę.

– Nic pan mi nie chce powiedzieć. Uważam nasze spotkanie za skończone. Dobranoc, panie Kelso.

Kelso westchnął i nagle wstał.

– Dobrze, jak pan chce.

Jeszcze zmienisz zdanie, pomyślał Mark.

Grimes i Fellows wstali. Kelso rzekł:

– Jak wspominałem, tej rozmowy nie było. Niech pan o tym nie zapomina.

Kiedy Kelso i jego ludzie szli w kierunku drzwi, Mark już wiedział, że się mylił. Kelso dobrze wiedział, jakie karty ma w ręku. Wiedział, że Markowi zależy na Jennifer. To był as w jego talii.

Mark odezwał się pierwszy.

– Moglibyśmy rozmawiać dalej, jeśliby pan powiedział mi choć trochę więcej. Na razie nie mówi mi pan zupełnie nic oprócz tego, że życie Jennifer może być w niebezpieczeństwie. Niech pan mi powie coś konkretnego.

Kelso, wychodząc, obejrzał się za siebie.

– Naprawdę, niech pan mi wierzy, Ryan, że nie mogę. To wszystko, co mogę panu uczciwie powiedzieć. Co do reszty, będzie pan mi musiał po prostu zaufać. Dobranoc, dziękuję, że poświęcił nam pan swój czas.

Położył rękę na drzwiach i nacisnął klamkę.

– Niech pan zaczeka, na chwilę.

Kelso odwrócił się.

– Ta cała sprawa... Czy rzeczywiście to jest aż tak wielka tajemnica?

– Tak.

Mark spojrzał na Kelso.

– Wie pan, że mi na niej zależy. Ale skąd pan to wie, tego nie mogę się nawet domyślić.

Kelso nie odpowiedział. Zawahał się, a potem spytał:

– Pomoże nam pan? Pomoże pan Jennifer?

– Pod jednym warunkiem. Niech pan mi da tylko jakąś wskazówkę, coś, co mi pomoże zobaczyć światełko w tunelu. Jak wiem, CIA zazwyczaj nie sięga poza swoje szeregi ani nie podejmuje aż tak poważnych kroków, żeby chronić swoich obywateli. Chyba, że to ktoś bardzo wybitny.

Zanim odpowiedział, Kelso spojrzał na Grimesa i Fellowsa.

– Zdradzam się i może mówię za dużo, ale panu powiem. Zwłaszcza jeżeli to ma pomóc zmienić pana decyzję. Jennifer może być kluczem do odnalezienia dyskietki komputerowej, na której nam zależy, a która zaginęła wraz z jej ojcem. Dyskietka zawiera niezwykle ważne informacje, pomocne w pewnym śledztwie prowadzonym przez CIA. Dlatego musimy podejmować wszelkie kroki, żeby ją ochraniać.

– Czy Jennifer wie o istnieniu tej dyskietki?

– Sądzę, że nie.

– Więc jak może być kluczem do jej odnalezienia?

– To jedynie spekulacje i moje domysły – odparł Kelso. – Dyskietka znikła, kiedy jej ojciec zapadł się pod ziemię. Jeżeli Jennifer odkryje, co się z nim stało, czemu zakończył życie właśnie w Alpach, będziemy mieli wskazówkę, jak zlokalizować dyskietkę. Niestety, nie tylko my będziemy chcieli ją odnaleźć, są i inni, którzy niemal na pewno będą chcieli ją zdobyć.

– Wciąż jeszcze nic nie wiem. Co jest na tej dyskietce?

Kelso westchnął ciężko i wzruszył ramionami.

– Niech pan wybaczy, panie Ryan, mam związane ręce.

– W takim razie, gdzie może być dyskietka?

– Nie wiemy. Młody amerykański alpinista, Chuck McCaul, który znalazł ciało, zauważył również obok zwłok plecak. Mam nadzieję, że jego zawartość może wskazać miejsce położenia dyskietki albo znajdziemy coś przy zwłokach, co nam da jakąś wskazówkę. Na razie będziemy musieli trzymać kciuki i czekać, co się stanie.

– Wygląda na to, że posługujecie się Jennifer, żeby uzyskać to, na czym wam zależy.

– Ma pan prawo do swojego zdania, ale nie do końca bym się z panem zgodził – oczy Kelso niczego nie zdradzały, ale jego twarz przybrała nagle proszący wyraz i Mark czuł, że zaczyna się nad nim litować. – Pomoże nam pan, Ryan? Nawet jeśli zrobi pan to tylko dla Jennifer?

– Uważam, że źle pan rozumie moją relację z Jennifer. Jesteśmy przyjaciółmi, oczywiście, ale na tym koniec. Poza tym jest coś jeszcze, czego nie rozumiem. Dlaczego nie może pan do śledzenia Jennifer zatrudnić własnych ludzi? Dlaczego mam to robić ja?

– Nie chcę, żeby Jennifer zaczęła się domyślać, że CIA ją obserwuje. A ci, którzy będą próbowali jej zrobić coś złego, na pewno na kilometr wyczują agenta CIA. To z kolei jest ryzykowne zarówno dla Jennifer, jak i dla moich ludzi. Pan, z drugiej strony, jest po prostu policjantem. Nie chcę, żeby pan to źle zrozumiał. Chcę powiedzieć, że jest pan jej prawdziwym przyjacielem, nawet może i najbliższym, jakiego ma, kimś, komu zależy na jej bezpieczeństwie. Jest pan również doświadczonym i przeszkolonym oficerem policji, którego talenty mogę w tej sytuacji wykorzystać. Może pan być blisko, żeby ją chronić i obserwować jej ruchy. Jednocześnie moi ludzie będą tuż za panem, na tyle daleko, żeby nie wzbudzać podejrzeń, ale na tyle blisko, żeby można było ich szybko ściągnąć, jeżeli będzie pan potrzebował pomocy.

– To znaczy, że i ja mogę oberwać?

Przez twarz Kelso przemknął cień uśmiechu.

– Zrobimy, co w naszej mocy, żeby nic się panu nie stało. Poza tym słyszałem, że jest pan dobry i jestem pewien, że da pan sobie radę. W przeciwnym razie nigdy bym pana w to nie wciągał.

– Wciąż niczego nowego się nie dowiedziałem i nie otrzymałem odpowiedzi na zadane pytanie.

Kelso odchrząknął.

– Muszę być z panem szczery i powiedzieć, że na pewno jest tutaj i dla pana pewien element ryzyka.

– Ale gdybym wiedział, przeciw komu staję, byłoby mi łatwiej.

– Powiedzmy na razie, że ludzie, którzy mogą panu zagrozić, są prawdopodobnie bardziej bezwzględni niż ktokolwiek, z kim miał pan do czynienia w służbie policyjnej. To wszystko, co mogę w tej sprawie dodać.

Mark się zawahał.

– Zadam panu to pytanie raz jeszcze. Pomoże nam pan, Ryan?

– Nie wiem. Być może. Jestem jednak zajęty, mam śledztwa i sprawy, które prowadzę. Nie jestem pewien, czy mój przełożony...

– Niech pan mu powie, że potrzebny panu urlop. Że jest pan chory. Niech pan mu powie to, co trzeba. Jeżeli rzeczywiście pojawią się problemy z uzyskaniem zgody, niech pan mi szepnie słówko, a ja zobaczę, czy da się dyskretnie pociągnąć za jakieś sznurki. Ale oczywiście niech pan nie mówi swoim przełożonym nic o mojej prośbie, o tym, że za całą sprawą stoi CIA, ani o tym, co pan będzie robił. Niech pan nie mówi nic swoim kolegom, nawet swojemu psu.

– Nie mam psa.

– Ale psa ma pański sąsiad. Labradora, który się wabi Douglas. Nawet Douglasowi niech pan nic nie wspomina. Ani karaluchom w ścianach, ani myszy pod podłogą.

– To ja mam myszy?

Kelso uśmiechnął się blado.

– Obawiam się, że tak. I naprawdę nie znoszę wygłaszania gróźb, panie Ryan, a jeszcze bardziej nienawidzę ich powtarzania. Ale jeżeli pan komuś o tym opowie, osobiście dopilnuję, żeby pan przez resztę życia wypisywał mandaty za złe parkowanie. W najciemniejszych zaułkach najgorszej dzielnicy. I to, jeżeli będzie pan miał szczęście.

– Już się pan wyraził dosyć jasno.

Kelso popatrzył wprost na Marka.

– A więc?

– Zobaczę, co da się zrobić.

Kelso wypuścił z ust powietrze.

– To nie jest zdecydowane „tak", którego się spodziewałem.

– Mówiłem panu, że mam sprawy i śledztwa, które prowadzę. Komisariat ma za małą obsadę. Będę potrzebował kilku dni, żeby to wszystko sobie uporządkować.

– Ale zgadza się pan?

– Zgadzam się ze względu na Jennifer.

Kelso odetchnął z ulgą.

– Dziękuję panu, Ryan. Naprawdę dziękuję panu za pomoc.

– Nie kłamie pan, że grozi jej aż takie niebezpieczeństwo?

– Nie kłamię, Ryan – odpowiedział Kelso stanowczo. – I chciałbym, żeby pan to dobrze zrozumiał.

– Będę miał przy sobie broń?

– Oczywiście.

– Powiedział pan, że byłoby lepiej, gdyby mi się udało przekonać Jennifer, żebym mógł z nią jechać. Czy to znaczy, że chce pan, abym ją spytał wprost?

Kelso skinął głową.

– Ale niech pan to zrobi taktownie i nie nalega. Nie chcę, żeby nabrała podejrzeń i żeby pan jej zdradził prawdziwy powód. Niech pan po prostu zacznie rozmowę na ten temat. Niech pan jej powie, że może potrzebować wsparcia moralnego i emocjonalnego, kiedy pojedzie zidentyfikować ciało, a pan chciałby z nią pojechać jako przyjaciel. Jeżeli powie „nie", to tak czy inaczej ruszy pan za nią. A to nie powinno stanowić problemu, bo przecież pracował pan kiedyś jako tajniak, prawda?

– Tak.

– Umie pan dyskretnie trzymać się z boku. Najprostsze przebranie często czyni cuda, przecież pan na pewno wie.

– A jeżeli Jennifer mnie zobaczy? Jeżeli nagle pojawię się w Europie, będzie to wyglądało dość podejrzanie.

– Zajmiemy się tym, jak już przyjdzie pora. Ale prawdopodobnie najlepszą taktyką będzie jej powiedzieć, że się pan o nią martwił. Że wziął pan wolne z pracy i postanowił pan pojechać do Europy i być przy niej w tych najgorszych chwilach. Może pan jej powiedzieć, co panu tylko przyjdzie do głowy, byle nie prawdę. Niech uwierzy, że jest pan przyjacielem, który chce pomóc, bo panu na niej zależy. A jeżeli już dojdzie do tego, że pana zauważy, niech pan przy niej zostanie.

– Sądzi pan, że naprawdę może mi uwierzyć?

– Na tym etapie prawdopodobnie jest to kwestia bez znaczenia. Będzie pan działał na otwartym terenie, mając wolną rękę. Jak pan będzie ją obserwował i ochraniał, to już pańska sprawa. Chciałbym się wyrazić bardzo jasno – będzie pan tam tylko po to, żeby ją chronić.

– Można by tę całą sprawę uprościć, gdyby jej pan wyjaśnił, że może być w niebezpieczeństwie.

Kelso pokręcił głową.

– To niemożliwe, Ryan. Chodzi o to, że ani Jennifer, ani nikt inny nie może się domyślić, że w całą sprawę zamieszana jest CIA. Jeżeli by się tak stało, prawdopodobnie wystawialibyśmy Jennifer na jeszcze gorsze niebezpieczeństwo i cała nadzieja odnalezienia dyskietki by przepadła.

– Więc niech mi pan powie, co dokładnie mam robić?

Kelso sięgnął do kieszeni, wyciągnął kopertę i wręczył ją Markowi.

– Co to jest?

– Bilety lotnicze na pana nazwisko. To bilety otwarte klasą biznes.

– Musiał pan na sto procent wierzyć, że się zgodzę?

– Nie, po prostu się przygotowałem na wypadek, gdyby pan podjął taką decyzję – odparł Kelso. – Numer mojego telefonu komórkowego jest w kopercie. Niech pan do mnie zadzwoni, kiedy pan już będzie po rozmowie. I proszę spróbować przekonać Jennifer, żeby się zgodziła na pańskie towarzystwo, bo tak będzie po prostu łatwiej. W kopercie są też pieniądze na wydatki – pięć tysięcy dolarów w gotówce. I karta VISA na pańskie nazwisko. Niech pan ją tylko podpisze na odwrocie i niech pan się nie martwi o to, ile pan wydaje. Karta będzie ważna na całym świecie, nie ma limitu. Ale oczywiście będę wdzięczny za paragony i rachunki, żeby w księgowości firmy nie dostali zawału.

Mark spojrzał na kopertę.

– Wygląda na to, że wszystko pan zaplanował, do ostatniego szczegółu.

– Był pan kiedyś w Szwajcarii, panie Ryan?

– W marzeniach.

– To piękny kraj. Na pewno się panu spodoba.

Szwajcaria, 17:00

Chuck McCaul stanął na galerii widokowej na przełęczy Furka i pomyślał: „Jest czadowo!"

Alpy w późnopopołudniowym świetle wyglądały fantastycznie. Tuż przed nim, za biegnącym ostro w górę granitowym zboczem, horyzont wypełniały pokryte śniegiem poszarpane szczyty, które delikatnie barwiły gasnące promienie słońca. Niebo stanęło w ogniu róży i purpury.

Niżej zobaczył audi, pnące się z trudem stromą, krętą drogą od strony przełęczy.

Chuck przyjechał wynajętym renault i zaparkował niedaleko stąd. Tuż przy galerii widokowej był sklepik z pamiątkami dla turystów, którzy przybywali tutaj tłumnie w sezonie letnim, ale teraz okna zakrywały ciężkie okiennice pozamykane na kłódki. Nie było żywego ducha – tylko McCaul. Za sklepem rozciągał się lodowiec Furka, olbrzymi przestwór błękitnej zmrożonej wody. W lodowcu były wywiercone otwory na buty, żeby turyści mogli za kilka franków przejść parę kroków w głąb i zrobić sobie zdjęcie z dwoma idiotami przebranymi za pingwiny. To już jest kretyństwo, stwierdził McCaul, bo w Szwajcarii pingwiny można zobaczyć wyłącznie w ogrodzie zoologicznym.

Wszystko tu było opustoszałe, chłód przenikał do kości, ale Chuck lubił takie miejsca i teraz nabierał powietrza głęboko w piersi. Trzy kilometry niżej, na końcu wijącej się górskiej drogi, stał hotel Przełęcz Furka, masywny, stary, granitowy budynek, który wyglądał jak koszary. Zbudowano go w ubiegłym wieku, kiedy modne było wznoszenie hoteli i sanatoriów w okolicach oferujących dużo czystego, suchego powietrza. O tej porze roku nie było w nim gości, a na drodze i przełęczy nie było śladu życia – ani turysty, ani samochodu, poza nadjeżdżającym audi.

W końcu udało mu się pokonać ostatni, męczący, skalisty zakręt i samochód przystanął tuż obok wozu McCaula. Wysiadł z niego mężczyzna ubrany w zielono-granatową, pikowaną kurtkę, z aparatem Nikon przewieszonym przez ramię. Uśmiechał się, podchodząc z wyciągniętą ręką.

– Pan McCaul? Nazywam się Emil Hartz, jestem fotoreporterem z *Zurich Express*. Rzeczywiście, mamy dzisiaj chłodny wieczór. Teraz żałuję, że nie umówiliśmy się w jakimś cieplejszym miejscu.

Hartz mówił doskonałą angielszczyzną, chociaż „w" wymawiał jak „v". McCaul wzruszył ramionami.

– To pan chciał zrobić zdjęcia gdzieś blisko szczeliny.

– Właśnie, i myślałem, że to będzie idealne miejsce, ale jest dosyć chłodno.

– Powinien pan tu przyjechać w środku zimy – zauważył McCaul. – W styczniu jest tu tak zimno, że nawet polarnym niedźwiedziom zamarzają jaja.

Mężczyzna uśmiechnął się szeroko. Był wysoki, nosił okulary, miał gęste, czarne włosy, które przy bliższym przyjrzeniu się wyglądały jak źle dopasowana peruka.

McCaul zapytał:

– Więc co właściwie mam robić?

Hartz uśmiechnął się.

– Wiedząc, że na lodowiec nie można wejść, pomyślałem sobie, że zrobię panu kilka zdjęć tutaj, na lodzie, że to wystarczy. Czytelnicy i tak się nie zorientują.

Dłonią wskazał miejsce, gdzie zaczynał się lodowiec. Biały wodospad zmrożonego lodu spadał w dół nad krawędzią przerażającej przepaści. Pionowa ściana opadała na samo dno doliny Furka, spadek wynosił około trzystu metrów.

– Niech pan się nie obrazi, ale tu jest, cholera, niebezpiecznie. A ja nie przywiozłem ze sobą żadnego sprzętu wspinaczkowego.

Hartz się uśmiechnął.

– Proszę się nie martwić. Zrobimy tak, że nie będzie pan narażony na niebezpieczeństwo. Chciałbym jednak dać czytelnikom jakieś dramatyczne ujęcie, coś w stylu: „Amerykański alpinista, Chuck McCaul, który odkrył zwłoki zamrożone w lodowcu”. Zdjęcie będzie idealne, jeżeli będziemy mieli w tle lód.

McCaul namyślał się przez chwilę i jeszcze raz wzruszył ramionami.

– W porządku. Kiedy pan dzwonił do hotelu, mówił pan, że będzie jakieś honorarium. Ile pan miał na myśli?

Hartz uśmiechnął się i wyjął notes.

– O tym możemy porozmawiać później. Niech mi pan powie, czy zauważył pan coś niezwykłego, kiedy pan znalazł tego mężczyznę?

– Był nieżywy.

Hartz uśmiechnął się niechętnie.

– Chciałem zapytać, czy zauważył pan coś niezwykłego w samych zwłokach?

– Nie, nic nie widziałem. Zwłoki były w lodzie.

– Czy policja znalazła coś przy ciele? Jakieś papiery czy dokumenty?

– Naprawdę nie wiem. Wiem tylko, że ten facet się nazywa Paul March. Myślę, że musieli poczekać, aż odtaje, żeby mogli sprawdzić, co ma w kieszeniach i w ubraniu. Ale ja znalazłem plecak, też w szczelinie, zaraz obok.

Hartz nagle się ożywił.

– Niech pan mówi dalej.

– W plecaku było etui z dokumentami i pistolet.

– Naprawdę? – Hartz zmarszczył czoło i zaczął coś pisać. – Co było w tym etui?

– Paszport na nazwisko tego faceta, Paul March.

– Nie było nic więcej?

– W plecaku było trochę ubrań. Ale ten gliniarz, który prowadzi śledztwo, kapitan Caruso, powie panu więcej.

– Czy zauważył pan coś jeszcze w samych zwłokach?

– Nie. Za dobrze nie widziałem przez warstwę lodu.

– To tylko na potrzeby moich notatek, panie McCaul. Ile ma pan lat?

– Dwadzieścia jeden.

– Skąd pan pochodzi?

– Z Nowego Jorku.

– I jeszcze pański adres w Stanach, żebym mógł panu posłać egzemplarz gazety z artykułem.

McCaul podał mu adres. Hartz uśmiechnął się i powiedział:

– Byłem wiele razy w Nowym Jorku. Wspaniałe miasto. Mieszka pan tam z rodziną?

– Tylko z moim starym.

– Też jest alpinistą?

– Nie, jest prywatnym detektywem.

– Rzeczywiście? To interesujące. – Hartz skończył pisać i schował notes. – No, to teraz możemy machnąć kilka zdjęć.

McCaul poszedł za nim w kierunku szczeliny znajdującej się niedaleko krawędzi lodowego urwiska. Hartz zaczął ustawiać Nikona i sprawdzać światłomierz. Słońce szybko zachodziło, różowe światło obmywało góry, jakby na horyzoncie zlewały się miliony małych ognisk. McCaulowi nie podobało się, że stoi tak blisko przepaści. Od czasu wypadku zmienił poglądy. Prawdę mówiąc, od czasu wypadku srał w gacie i w ogóle bał się wspinaczki. Pięć metrów dalej lodowy wodospad spadał w dół w przepaść, wprost na dno doliny. *Facet, to niebezpieczne. Potkniesz się tam i już masz przewalone.*

Stwierdził, że dalej nie pójdzie.

– Tak będzie dobrze?

– Doskonale. Niech pan tylko pokazuje palcem w kierunku szczeliny – Hartz zrobił kilka zdjęć. – Teraz niech pan się odsunie, tylko trochę, panie McCaul. Niech pan spróbuje się uśmiechnąć, bardzo proszę, nie od ucha do ucha, niech pan próbuje być lekko rozbawiony.

Lekko rozbawiony? Jak można być, kurwa, lekko rozbawionym, kiedy się ma za sobą trzystumetrową przepaść? McCaul rzucił okiem w dół, na przełęcz Furka, i powiedział nerwowo:

– To chyba już wystarczająco blisko, proszę pana.

– Dobrze, dobrze. Teraz niech pan już nie pokazuje palcem, tylko patrzy w obiektyw. Proszę tak stać i się nie ruszać.

McCaul stał nieruchomo w miejscu. Pierwszy raz w życiu ktoś mu robił zdjęcie do gazety. Powie o tym jutro swojemu staremu przez telefon, ale się ojczulek zdziwi.

Hartz zrobił jeszcze kilka zdjęć, później podszedł do niego i powiedział:

– Tak, chyba już wystarczy, mam wszystko, co chciałem. Informacje, które pan mi podał, bardzo mi się przydadzą.

– A co z honorarium, o którym rozmawialiśmy?

Zanim Hartz odpowiedział, popatrzył długo i przeciągle, jakby z namysłem, w kierunku pustej doliny, a potem znów w górę i uśmiechnął się.

– Obawiam się, że nie będzie żadnego honorarium.

McCaul był zdziwiony.

– Ja... Nie rozumiem.

– Jestem pewien, że pan nie rozumie, bo to jest dość skomplikowane. A pan jest ograniczonym młodym człowiekiem, bo trzeba być kretynem, żeby zgodzić się na spotkanie z kimś zupełnie nieznajomym w takim odludnym miejscu, prawda?

McCaul zauważył, że Hartz już nie wymawiał „v". Miał teraz dosyć neutralny akcent. I zauważył coś innego, nagły chłód w jego spojrzeniu. Coś docierało do mózgu McCaula, kiedy mówił nerwowo.

– Pan... Pan nie jest reporterem, prawda?

– Zdecydowanie nie.

McCaul zrobił się szary na twarzy.

– Co się tu, kurwa, w ogóle dzieje, człowieku?

Dłoń Hartza wykonała błyskawiczny ruch. Wystarczyło lekkie pchnięcie i McCaul stracił równowagę. Upadł na plecy i ześliznął się po lodzie w kierunku przepaści, jego krzyk rozlegał się echem po górach, kiedy znikał za krawędzią i spadał jak kamień, daremnie próbując chwycić powietrze.

Hartz uśmiechnął się.

– Trzeba było uważać.

11

Właśnie minęło południe, kiedy Jennifer parkowała samochód przed domem Marka. Zobaczyła jego auto na podjeździe, podeszła kamiennym chodnikiem do drzwi i zadzwoniła. Kiedy Mark otworzył, miał mokre włosy i tylko ręcznik kąpielowy owinięty wokół pasa, jakby dopiero co wyszedł spod prysznica. Wyglądał na trochę zakłopotanego, ale był zadowolony, że przyszła.

– Jesteś trochę wcześnie. Wejdź.

Zaprowadził ją do frontowego pokoju i Jennifer zobaczyła, że panuje tam straszny bałagan. Mark uśmiechnął się, kiedy zrozumiał, że to zauważyła.

– Daję słowo, że nie zawsze tak to wygląda.

– Nie?

– Niekiedy jest jeszcze gorzej.

Jennifer zaśmiała się, a Mark spytał:

– Może kawy?

– Wciąż się zastanawiam, dlaczego wczoraj wieczorem zadzwoniłeś i chciałeś się ze mną zobaczyć?

– Może ty byś zrobiła kawę, a ja się ubiorę, a potem porozmawiamy, dobrze?

– W porządku.

Spoglądała na Marka, gdy wychodził z pokoju, i słyszała, jak idzie po schodach. Był średniego wzrostu, muskularny, proporcjonalnie zbudowany, miał silne nogi i szerokie ramiona. Patrząc na niego, poczuła, że coś się w niej drgnęło, coś, do czego nie chciała się przyznać. Niewiele wiedziała o rozpadzie jego małżeństwa, bo nie był typem człowieka, który mówi o swoim życiu osobistym, ale miała świadomość, że rzucił się po rozwodzie w wir pracy. Zadzwonił tego dnia rano i prosił ją, żeby wpadła, bo chce o czymś pomówić.

Wciąż się zastanawiała, o czym będzie ta rozmowa, i jednocześnie rozglądała się po pokoju. Na półkach było mnóstwo książek, w większości związanych z pracą w policji, w narożniku wieża stereofoniczna Sony, taśmy i płyty CD. Głównie muzyka klasyczna i operowa – przypomniała sobie, że kiedyś jej mówił, że jego ojciec uwielbiał tego słuchać.

W kuchni było dość czysto, ale w zlewie zauważyła stos naczyń, a na parapecie paprotkę, która wyglądała tak, jakby zaraz miała umrzeć z odwodnienia. Umyła trochę naczyń, podlała roślinkę i skończyła robić kawę, kiedy wrócił Mark, ubrany w dżinsy, biały podkoszulek i adidasy.

– Może przejdziemy do pokoju, Jenny?

Usiadła na kanapie, a Mark na wprost niej, w fotelu. Wypiła łyk kawy i postawiła kubek na stoliku.

– Cieszę cię, że możemy się spotkać, zanim wyjadę, bo chciałabym cię prosić o przysługę.

Wydawał się zdziwiony.

– Naprawdę?

– Chciałabym zostawić twój numer telefonu w Cauldwell, jeżeli z Bobbym byłyby jakieś problemy. Będę miała przy sobie komórkę, więc możesz do mnie zadzwonić, kiedy będę w Europie, o każdej porze, jeśli będzie trzeba.

Widziała, że Mark wyraźnie poczerwieniał. Przez moment się wahał.

– Oczywiście...

– Nie będzie z tym problemu?

– Nie... Jakoś to zorganizuję.

– Jeszcze mi nie powiedziałeś, dlaczego do mnie dzwoniłeś.

– Jesteś już gotowa do podróży, masz bilety?

– Lecę jutro do Zurychu z lotniska w Newark. Wynajęłam samochód i chcę pojechać do Varzo. Dlaczego?

– O tym właśnie chciałem z tobą porozmawiać, Jenny. Tak sobie myślałem, czy może miałabyś ochotę podróżować w miłym towarzystwie?

– Chcesz powiedzieć, że wybierasz się ze mną do Europy?

– Oczywiście.

– Ale dlaczego, na Boga, miałbyś jechać?

Mark wzruszył ramionami.

– Identyfikacja ciała twojego ojca to przygnębiające doświadczenie, dlatego pomyślałem, że może będziesz chciała oprzeć się na jakimś silnym ramieniu. Zapewne przyda ci się też wsparcie emocjonalne. Okazało się, że mogę wziąć trochę wolnego i zarezerwować bilet na samolot. Co ty na to?

Jennifer aż się oparła w fotelu, zdziwiona.

– To bardzo miło z twojej strony i dziękuję, że to proponujesz. Ale będę ci jeszcze bardziej wdzięczna, jeżeli zajmiesz się Bobbym, kiedy mnie nie będzie. Rozumiesz, Mark? Poza tym nie chcę cię ciągnąć aż do Europy.

– Mógłbym znaleźć kogoś w zastępstwie, jeżeli Bobby będzie potrzebował pomocy.

– Kogo?

Mark wzruszył ramionami.

– Kumpli, kolegów z pracy. To nie będzie żaden problem.

– Ale to może być problem dla Bobby'ego. Nie lubi być z ludźmi, których nie zna.

– Przemyśl to, Jennifer – nalegał Mark. Zawsze używał jej pełnego imienia, kiedy chciał podkreślić, że to, co mówi, jest ważne. – Będziesz w dalekim kraju i to na pewno nie będzie dla ciebie łatwe. Nie będziesz chciała być sama.

Przyglądała się dokładnie jego twarzy.

– Powiedz mi, dlaczego nagle ogarnia mnie uczucie, że się zacząłeś o mnie bać?

– Bać? – Mark energicznie pokręcił głową i prawie by się roześmiał, ale coś w tonie jego głosu podpowiadało Jennifer, że nie jest taki pewny siebie, na jakiego chce wyglądać. – Nie boję się o ciebie, tylko się martwię. Po prostu pomyślałem, że przydałaby ci się w tej podróży przyjazna dusza. Ile ja się tego w pracy w policji naoglądałem. Będziesz zestresowana, jeszcze zanim wejdziesz do kostnicy. Wszystkie wspomnienia o twoim ojcu nagle powrócą i może być ci ciężko sobie z tym wszystkim poradzić.

– Może i masz rację, ale poradzę sobie sama, uwierz mi.

– Na pewno nie chcesz, żebym z tobą pojechał?

– Po prostu uważam, że to jest coś, co powinnam zrobić sama.

Mark westchnął ciężko.

– W takim razie poddaję się, nie mogę cię przecież zmuszać, żebyś zmieniła zdanie.

Jennifer przyglądała mu się badawczo. Mark bawił się łyżeczką do kawy, ale kiedy spojrzała mu prosto w oczy, szybko odwrócił wzrok. Spytała:

– Czy coś jeszcze cię gnębi?

– Nic, oprócz tego, że chcę ci pomóc.

– Na pewno?

– Na pewno. I naprawdę szczerze mówiłem, że chcę z tobą pojechać. Jedno twoje słowo, Jenny, a zaraz wszystko zorganizuję. To dla mnie żaden problem.

Jennifer odmówiła.

– Musiałabym cię prosić o zbyt wiele. Dziękuję, że się deklarujesz, ale naprawdę muszę to zrobić sama. – Wstała. – Teraz lepiej już pójdę. Muszę odebrać bilety i zacząć się pakować.

Mark, odprowadzając ją do drzwi, nie krył rozczarowania.

– A jak długo cię nie będzie?

– Nie jestem pewna. Trzy, może cztery dni, ale powrotny bilet mam otwarty. Prawdopodobnie będę musiała załatwić przewiezienie tutaj ciała drogą lotniczą.

– O której jutro wylatujesz?

– O dwudziestej pierwszej piętnaście. Planowo jestem w Zurychu jutro przed południem. Możesz mnie odwieźć na lotnisko, jeśli chcesz.

Mark oblał się rumieńcem.

– Właśnie sobie przypomniałem, że coś mam jutro do załatwienia. Mogę ci zadać pytanie, Jenny?

– O co chodzi?

– Czy domyślasz się w ogóle, co twój ojciec mógł robić w tej części Szwajcarii? Czy miał jakieś interesy, które musiał tam załatwić, a może chodziło o jakąś prywatną sprawę?

– Nie, nie mam pojęcia. Dlaczego?

– Pytam ot, tak. Po prostu dużo o tym myślałem – Mark pokręcił głową i formułował zdania tak delikatnie, jak potrafił. – Ale musiał być powód, dla którego tam pojechał. To wszystko wydaje mi się takie dziwne. Jego ciało zamrożone w lodowcu.

– Ja też nie mogę dojść do siebie po tym wszystkim. Ty powinieneś najlepiej o tym wiedzieć. Na pewno wszystko jest w porządku?

– Na sto procent – pocałował ją w policzek. – Powodzenia.

– Jeszcze raz dziękuję, że chciałeś ze mną pojechać. Zadzwonią do ciebie z Cauldwell, jeżeli będą jakiś kłopoty.

Jennifer wyszła na chodnik. Kiedy wsiadała do samochodu, Mark wciąż stał przy drzwiach. Pomachał do niej ręką, ale widać było, że wciąż czymś się martwi. Odjeżdżając, Jennifer odwróciła się przez ramię i spojrzała na niego, czując przez skórę, że nie do końca wszystko jej powiedział, ale nie miała bladego pojęcia, o co Markowi chodziło.

Do Long Beach pojechała już po obiedzie. Zamiast wrócić do mieszkania, postanowiła wybrać się na przejażdżkę do Cove End. Już trzy miesiące minęły, odkąd ostatni raz sprawdzała, co tam słychać, winna więc była domowi odwiedziny.

Zaparkowała przy bocznym wejściu, ale nie miała ochoty wchodzić do środka. Później zawsze była wyprowadzona z równowagi, dlatego obeszła dom dookoła, obok kuchni, potem wzdłuż ogrodu, ścieżką do pomostu. Kiedy doszła do drewnianego garażu przy pomoście, odwróciła się i spojrzała na dom. Trzeba przystrzyc trawę, oderwał się kawałek rynny, ale poza tym był w dobrym stanie. Teraz, gdy wiedziała, że ojciec nie wróci, będzie musiała wkrótce podjąć decyzję, czy go sprzedać. „Tu jest za dużo duchów" – pomyślała.

Morze było spokojne. Podeszła do drewnianego domku przy pomoście i poruszyła kilka razy kłódką, żeby się upewnić, że drzwi są dobrze zamknięte. Okno było pokryte kurzem i pajęczynami, ale kiedy zajrzała do środka, zobaczyła błękitno-kremową motorówkę ojca, kilka rdzewiejących beczek po oleju napędowym, półki z narzędziami i częściami zapasowymi. Poczuła ukłucie bólu, kiedy się odwróciła i poszła usiąść na drewnianym pomoście.

Widzicie te gwiazdę, Jennifer i Bobby? To jest Syriusz. A tamta, trochę dalej, nazywa się Koza. Nie wiadomo dlaczego przypomniała sobie dudnienie stóp ojca idącego po pomoście, zamknęła oczy i przygryzła wargę. Musi teraz pogodzić się z faktem, że ojciec nigdy nie wróci. Nigdy. To słowo było takie ostateczne. Ale, Boże, wciąż tak za nim tęskni.

Zdała sobie również sprawę i z tego, że jeśli chce coś zrobić ze swoim życiem, będzie musiała powiedzieć Bobby'emu o śmierci ojca i skłonić brata, żeby się trochę otworzył. To bardzo trudne wyzwanie, ale wiedziała, że musi je podjąć. Mogło jednak zaczekać, aż nie zidentyfikuje ciała ojca. Otworzyła oczy i zadrżała. Wstała z pomostu i w końcu podjęła decyzję. Tu i teraz. Kiedy tylko wróci z Europy, wystawi dom w Cove End na sprzedaż i w końcu spróbuje nadać bardziej zdecydowany kierunek swojemu życiu.

Po pięciu szklaneczkach Jamesona na trzy palce i trzech Budweiserach Lou Garuda był już solidnie naprany i bardziej potrzebna mu była chyba karetka pogotowia niż taksówka do domu.

Garuda był mężczyzną średniego wzrostu, w połowie Latynosem, miał charakterystyczną urodę południowca. Gładko zaczesane do tyłu, kasztanowe włosy spływały mu na ramiona, wyglądał jak gwiazda rock and rolla. Miał reputację kobieciarza – koledzy z komisariatu policji w Long Beach żartowali sobie, że Garuda nosi spodnie z rozporkiem na rzepy, bo musi mieć panienkę co najmniej sześć razy dziennie.

W tawernie przy plaży od piątej do siódmej wszystkie drinki serwowano za pół ceny, a to wystarczyło, żeby wprawić Garudę w stan niebiańskiej szczęśliwości. Dopełnieniem jego szczęścia były trzy striptizerki tańczące na barze w takt przebojów rockowych. Ciemnoskóra portorykańska piękność i dwie blondynki prężyły jedwabiste ciała przed mężczyznami, którzy wpadli do tawerny na popołudniowego drinka, młodymi i w średnim wieku, pragnącymi czegoś więcej, niż tylko taniego piwa. Za ten przywilej gotowi byli zapłacić, wsuwając parę banknotów dolarowych za podwiązki dziewczyn.

Lou już odpływał po ośmiu drinkach, a ciemnoskóra Portorykanka tańczyła tuż nad nim, uśmiechając się raz po raz, kręcąc uwodzicielsko tyłkiem i imponującym biustem, próbując złapać wzrokiem jego spojrzenie i nakłonić go do rozstania się z resztą dolarów. Na krawędzi baru stały małe miseczki z orzeszkami i przegryzkami, Garuda sięgnął ręką po kolejną porcję darmowego jedzenia i wepchnął sobie kilka orzeszków do ust.

Zbliżał się do czterdziestki, przez ostatnie kilka lat sporo pił, co częściowo wyjaśniało fakt, dlaczego nie jest już śledczym, ale siedzi za biurkiem na komisariacie policji w Long Beach i przewraca papiery jako oficer odpowiedzialny za kontakty z lokalną społecznością. Ta robota nudziła go nieprzytomnie. Nie zauważył, że za jego plecami stoi Ryan, ale poczuł delikatne klepnięcie w ramię.

– Cześć, Lou. Kiedyśmy się ostatnio widzieli? Jak leci?

Odwrócił się i zobaczył za sobą uśmiechającego się szelmowsko Ryana. Znali się długo. W czasach, gdy Garuda służył w policji nowojorskiej, byli partnerami z patrolu przez prawie rok. Nie można powiedzieć, że byli bliskimi przyjaciółmi, raczej znajomymi, ale Ryan to w porządku gość, jako partner był godny zaufania i nigdy się nie migał od roboty. Był człowiekiem, na którego można liczyć.

– Leci tak, jak leci – uśmiechnął się szeroko Garuda. – Ale za co pijemy: oto jest pytanie! Pijemy za podboje i za piękne, nagie kobiety. Więc w końcu znalazłeś tę budę, stary?

– Pewnie, że znalazłem – Ryan pochylił się nad nim, uniósł szklankę Garudy i powąchał. – Jameson, zgadłem?

– Proszę, oto gość, który się zna na gorzałce.

– Znam się tylko dlatego, że whisky zabiła mojego starego, a na raka wątroby umiera się nieciekawie – Ryan odstawił szklankę. – Spasuj trochę, Lou. Martwisz mnie.

– Tylko mi tu nie rób wykładów, drogi kolego. Mam na to przeciwciała i jestem całkowicie odporny.

Garuda rozejrzał się po barze. Dziewczyny tańczyły do melodii *Satisfaction* Rolling Stonesów, muzyka była trochę za głośna, a tancerka z Portoryko przeniosła teraz wzrok na Ryana, patrząc na niego wielkimi, brązowymi oczami i mając nadzieję, że jej coś kapnie. Ale Garuda wiedział, że z Marka nic nie wyciągnie.

– Chcesz usiąść z tyłu czy przy stoliku? A może chcesz tu zostać i popatrzeć, jak dziewczynki pokazują cipki za parę dolców? Mnie jest wszystko jedno.

Ryan zaśmiał się.

– Tu za głośno grają. Chodźmy gdzieś do tyłu.

Ryan poprowadził ich do pustego stolika z tyłu knajpy. Garuda zapytał:

– A może po piwku?

– Ja nie, prowadzę samochód.

– Ja też, ale co tam.

– Lou, jeżeli złapię cię na tym, że wsiadasz w tym stanie do samochodu, sam cię zaaresztuję.

– Przecież żartuję. Wypiłem parę drinków. Biorę taksówkę.

– Porządny chłop.

– Twój ojciec często tak mówił.

– Co mówił?

– Porządny chłop. Tylko miał irlandzki akcent. Za cholerę nic z tego nie rozumiałem.

– Był z hrabstwa Cork.

– Nieważne. Brakuje mi go. Najporządniejszy i największy gość w mundurze zastępcy komisarza – Garuda uśmiechnął się . – Metr dziewięćdziesiąt pięć bez butów i zastanawia mnie, dlaczego jego synek jest takim kurduplem.

Ryan się nie obraził, tylko się uśmiechnął.

– Jestem średniego wzrostu, więc nie rań moich uczuć.

– Znalazłeś już sobie babę po tym rozwodzie?

– Właściwie nie.

– Nikogo miłego i sympatycznego?

– Niby ktoś jest.

– Czemu tylko niby?

Ryan wzruszył ramionami.

– Długo by opowiadać.

– Naprawdę?

– No, pewnie. Ale powiedz, co taki gość jak ja ma robić?

– Staraj się być niezastąpiony. Kobiety lubią takich facetów.

I spróbuj słuchać. Masz ją jak w banku. Słuchaj i słuchaj. Faceci są przekonani, że najważniejszy organ męski znajduje się między nogami, ale to nieprawda. Najważniejszym męskim organem jest ucho. Dobry kochanek przede wszystkim wsłuchuje się w kobietę. To wiem na sto procent.

– Lou, spróbuję zapamiętać te twoje złote rady.

Podeszła kelnerka i Ryan zamówił colę. Lou oświadczył, że wypije strzemiennego i zamówił podwójnego Jamesona. Ryan wtrącił się stanowczo:

– Poprosimy panią o małą whisky – tu spojrzał na Garudę, zanim ten miał czas zaoponować. – Lou, chodzi mi o sprawę Marcha. Dwa lata temu. Pamiętasz?

– Pamiętam wszystkie moje śledztwa, czy jestem trzeźwy, czy naprany. A dlaczego nie dużą?

– Podziękujesz mi jutro rano.

Garuda potarł oczy, ciężko po pijacku westchnął i uświadomił sobie, że rzeczywiście sporo już wypił.

– Może masz rację. Mówisz o Jennifer March, która mieszkała po drugiej stronie ulicy, a jej ojciec zniknął w niewyjaśnionych okolicznościach. Matkę zamordowano, a młodszy brat skończył na wózku inwalidzkim. O tym chciałeś ze mną pogadać?

– Tak, właśnie o tym.

– Co chcesz wiedzieć?

– Wszystko, co pamiętasz. Zwłaszcza to, co najważniejsze.

– Myślałem, że wiesz już wszystko o tej sprawie, bo cały czas dookoła niej węszyłeś. Pamiętam, że bez przerwy zadawałeś pytania. Moich kumpli z patrolu mało nie doprowadziłeś do szaleństwa.

– Pewnie, bo przecież znałem Jennifer, a morderstwa dokonano po drugiej stronie ulicy, na wprost domu moich starych. Ale to nie było moje śledztwo, Lou, a ci twoi partnerzy z wydziału zabójstw nie lubią, jak ktoś z zewnątrz wtyka nos w ich dochodzenie. Trzymali karty przy orderach, więc jestem pewien, że wszystkiego nie wiem. Ale przecież ty też pracowałeś nad tą sprawą.

– Parę miesięcy, potem mnie przenieśli za biurko.

– Nie o to chodzi, chciałbym się wszystkiego dowiedzieć z pierwszej ręki. Chyba że masz coś przeciwko temu?

– Nie, absolutnie. Ta sprawa jest zimna jak pocałunek dziwki spod latarni. To stara historia, Mark.

Wróciła kelnerka z zamówionymi drinkami. Garuda wypił haust whisky i spojrzał na Ryana, który popijał colę.

– Dobra, zaczynamy od początku. Dochodzeniówka zjawiła się na miejscu jakieś piętnaście minut po gliniarzach z miejscowego posterunku. Zaraz po tym, jak zadzwonił do nich twój stary. Musiała być jakaś pierwsza w nocy. Znaleźliśmy ciało żony w dużej sypialni, ją i kilkunastoletniego syna. Została ugodzona nożem dwa razy w klatkę piersiową i raz w gardło. Chłopak dostał postrzał w plecy, ale kula poszła pod takim dziwnym kątem, że wyszła z tyłu czaszki i po drodze roztrzaskała część kręgosłupa. Matka nie żyła, ale jakimś cudem dzieciak jeszcze oddychał. Córka była w mieszkaniu twojego starego, w ciężkim szoku.

– To już wiem. Mów dalej.

– Sprawdziliśmy dom. Nie było śladów włamania. Ten, kto wykonał tę mokrą robotę, albo miał klucz do domu, albo był naprawdę dobry, to musiał być profesjonalista. Dziewczyna powiedziała, że zauważyła wcześniej otwarte okno na górze, ale nie znaleziono ani odcisków palców, ani śladów na framudze. Oczywiście okno mógł ktoś otworzyć celowo. Poza tym dziewczyna była pewna, że napastnikiem był jakiś facet. I wiesz, że nie znaleźliśmy jej starego. Po prostu zniknął jak kamfora.

– Twoi koledzy doszli do wniosku, że to wszystko zaaranżował jej ojciec?

– Może.

– Dlaczego może?

Garuda wziął garść orzeszków z miseczki stojącej na stole.

– Myślałem, że znasz fakty, tak jak ja. Facet pojechał do Szwajcarii w podróż służbową, poleciał American Airlines. Sprawdziliśmy w liniach lotniczych i rzeczywiście – Paul March był na pokładzie samolotu, ale po wylądowaniu w Zurychu po prostu zniknął. Wsadziliśmy szpilkę w dupę szwajcarskim żandarmom i sprawdzali każdy hotel w Zurychu. W Europie jest tak, że jak się meldujesz w hotelu, musisz pokazać paszport i tak dalej, wypełnić kartę meldunkową. To jest obowiązek, każdy gość musi to zrobić. Szwajcarska policja przewertowała jedną po drugiej wszystkie karty meldunkowe i nie znalazła Marcha. Zostały nam tylko rozważania typu „co by było, gdyby". Co by było, gdyby March zlecił zamordowanie rodziny, a potem czmychnął?

– A motyw?

Garuda napił się whisky.

– I tu mnie masz. To był nasz największy problem. Nie chodziło o pieniądze ani o żadną babę na boku, w każdym razie my nic o tym nie wiedzieliśmy. Polisa ubezpieczeniowa na życie Marcha nie opiewała na wysoką kwotę. A wszystko i tak szło na rzecz dzieci. Poza tym facet miał być kochającym mężem i ojcem i tak dalej, rozumiesz.

– Chcesz przez to powiedzieć, że nikt nie wskazał żadnego motywu?

– Właśnie. Doszliśmy tylko do tego, że może żona albo dzieci coś o nim wiedziały, że może w jego życiu była jakaś mroczna tajemnica. Coś, co mogło mu zagrażać albo go jakoś kompromitować. Może chciał zmienić tożsamość i zacząć gdzie indziej nowe życie, bez rodziny, ale postanowił zatrzeć ważne ślady, zanim powie „do widzenia" swojemu obecnemu życiu. Tak czy inaczej, to wszystko mogło znaczyć, że March mógł zlecić zabójstwo żony i dzieci. Problem tylko w tym, że po dwóch miesiącach ciężkiej pracy nad tą sprawą nie znaleźliśmy żadnego motywu. Nie chodzi o to, że nie było motywu, ale że nie mogliśmy go znaleźć. Mieliśmy niewiele śladów, a te, które odgrzebaliśmy, zaprowadziły w ślepy zaułek.

– Nie było innych podejrzanych oprócz Marcha?

Garuda pokręcił głową.

– Nie, podejrzanych też nie znaleźliśmy. Nikt w sąsiedztwie nie widział tamtej nocy żadnych obcych, ani przed, ani po morderstwie. W domu nie było żadnych śladów, tylko odciski palców członków rodziny. I jeszcze jeden ważny element – w noc morderstwa szalała straszna burza. Lotnisko było zamknięte przez cztery godziny, a wszystkie loty z Nowego Jorku i do Nowego Jorku opóźnione. March miałby czas, żeby się odprawić na lotnisku, pojechać z powrotem do domu, załatwić mokrą robotę, a później wrócić na lotnisko. Taka możliwość też wchodziła w grę.

– Naprawdę uważasz, że March chciałby zgwałcić i zabić własną córkę?

– Słuchaj, Mark, przecież jesteś gliniarzem. Wiesz równie dobrze jak ja, że na świecie jest mnóstwo świrów, chorych, pokręconych i wariatów. Mężowie zabijają dzieci i żony, matki mordują synów i córki z różnych tajemniczych powodów. I nie tylko dlatego, że są chorzy psychicznie. Ludzie zabijają dla pieniędzy, często żeby zgarnąć kasę z ubezpieczenia na życie. Zabijają z zazdrości, po to, żeby ukryć inną zbrodnię albo zatrzeć ślady, zanim znikną i zaczną gdzieś od nowa. Ale przecież to był twój sąsiad z drugiej strony ulicy. Ty mi powiedz, jak było.

– Prawie go nie znałem. Kiedy byłem dzieckiem, jego w zasadzie nigdy nie było w domu. Od czasu do czasu mówił mi „cześć". Wyglądał na normalnego ojca rodziny, nic więcej nie potrafię powiedzieć.

– Dobra, spójrzmy na to w ten sposób. Usiłowanie gwałtu pomogłoby ukryć morderstwo, jeśli rozumiesz, co mam na myśli. Przecież nikt by nie uwierzył, że ojciec chce dokonać seksualnej napaści na swoją córkę w trakcie popełniania przestępstwa. Podejrzenie padłoby na jakiegoś psychola włamującego się do domu albo na jakiegoś włamywacza, który już kiedyś napastował seksualnie kobiety na miejscu zbrodni. Intuicja mi podpowiada, że wynajął płatnego mordercę. Może rzeczywiście chciał lecieć do Zurychu, zanim to się stanie, a potem wrócić i udawać niewiniątko. Ale opóźnienie na lotnisku pokrzyżowało mu plany, przestraszył się i zniknął w Europie. Może się ukrywa pod nowym nazwiskiem.

– To czyste spekulacje.

– Mówię ci, nic więcej nie mieliśmy, tylko spekulacje. Głównie dlatego, że ten March był jakiś dziwny. Mówiłem ci o tajemnicy, którą facet być może chciał ukryć. Nie wymyśliliśmy tego ot, tak sobie.

Ryan zmarszczył czoło.

– Co masz na myśli?

– Nie słyszałeś o tym, jak węszyłeś wokół tej sprawy?

– O czym?

– Przede wszystkim March nie miał żadnej przeszłości. Nic,

czego mogliśmy się dogrzebać. Żadnych powiązań rodzinnych, braci, sióstr czy krewnych, których moglibyśmy zlokalizować. Próbowaliśmy w FBI, pośród osób zaginionych, w Interpolu, wszędzie. Nikt nic o nim nie miał. Wyskoczył jak diabeł z pudełka i równie nagle zniknął. Wiesz, że kiedy mamy do czynienia z osobą zaginioną, zazwyczaj robimy trzy rzeczy. Sprawdzamy jej przeszłość, sprawdzamy znajomych, przyjaciół i wrogów, sprawdzamy rachunki bankowe. I tutaj rzecz dziwna. March nie miał żadnych bliskich przyjaciół, nawet wrogów, przynajmniej nam nie udało się tego stwierdzić. Oczywiście, że miał pieniądze na kilku rachunkach, ale nic znaczącego i w ogóle ich nie wybierał z kont. I posłuchaj, jego przeszłość sięgała tylko rok przed poznaniem żony. Jakiś adres w małym miasteczku w Arizonie, później się okazało, że to pokój w tanim motelu. Tutaj zaczyna się pierwszy ślad i od razu tajemnica. Jak gdyby ten Paul March był jakimś, kurwa, kosmitą, który dopiero co przyleciał z Marsa. Jennifer twierdziła, że kiedyś, jak była dzieckiem, znalazła zdjęcie człowieka w więziennym uniformie, który przypominał jej ojca. Znalazła fotografię na strychu, a z nazwiska podpisanego pod zdjęciem wynikało, że to Joseph Delgado. Sprawdziliśmy to nazwisko, przeszukaliśmy wszystkie bazy danych wszystkich więzień w Stanach Zjednoczonych. Żadne nazwisko w archiwum nie miało związku z osobą Paula Marcha.

– O tym nie wiedziałem – powiedział Ryan.

– Wierz mi, w związku ze sprawą tego gościa wypłynęło mnóstwo dziwnych rzeczy, które w ogóle nie mają sensu. Mówię ci, żadnej rodziny, żadnych krewnych, żadnej przeszłości.

– A firma, w której był zatrudniony?

– Prime International Securities to mały bank inwestycyjny na Manhattanie, bardzo dyskretny i niezwykle szanowany. March pracował tam od szesnastu lat, a rok przed zaginięciem mianowano go wiceprezesem. W firmie mieli tylko akta dotyczące historii zatrudnienia, z których nie dowiedzieliśmy się niczego nowego. Poszperaliśmy trochę w jego gabinecie i popytaliśmy kolegów z pracy. Jednak nie było nawet cienia dowodu na to, że kiedykolwiek popełniał jakieś przekręty finansowe albo wyprowadził pieniądze z firmy, był po prostu wzorowym pracownikiem. Nie znaleźliśmy absolutnie niczego i niczego więcej się o nim nie dowiedzieliśmy. Także tego, dlaczego zniknął. Większość ludzi, którzy z nim pracowali, nic o nim nie wiedziała, poza tym, że był ambitnym pracoholikiem trzymającym się na uboczu – Garuda rozsiadł się na krześle. – To wszystko, co mogę ci o nim powiedzieć.

Pociągał whisky ze szklaneczki, a Mark patrzył w swoją colę. W końcu powiedział:

– Chciałbym cię prosić o jeszcze jedną przysługę. Czy ten twój kumpel jeszcze pracuje w CIA?

Garuda skinął głową.

– To w zasadzie kumpel mojego starego, ale tak, chyba wciąż siedzi w Langley. Dlaczego?

– Utrzymujesz z nim kontakt?

– Od czasu do czasu, ale już od paru ładnych lat z nim nie rozmawiałem.

– Chciałbym kogoś sprawdzić. Nazywa się Jack Kelso. Ale to by trzeba przeprowadzić dyskretnie. Bardzo dyskretnie. Zobaczysz, co by się dało w tej sprawie zrobić?

– Kto to jest?

– Jakiś zastępca dyrektora od operacji specjalnych, chociaż nie wiem, co to znaczy. Nie wiem, który wydział i jaka sekcja.

– Na kiedy potrzebujesz informacji o tym gościu?

– Na przedwczoraj.

Garuda wzruszył ramionami.

– OK. Zadzwonię, jak wrócę do domu, i zobaczymy, co z tego wyniknie.

Ryan uśmiechnął się.

– A wrócisz jakoś do domu?

– Słuchaj, bywało gorzej, ale zawsze udawało mi się dotrzeć na próg.

– Dzięki, Lou – Ryan skończył colę. – A może cię podwieźć do domu?

Garuda potrząsnął przecząco głową.

– Czy mogę cię zapytać, dlaczego chciałeś pogadać o sprawie Marcha?

– Jeden kumpel z dochodzeniówki powiedział mi wczoraj, że odnaleziono ciało tego gościa.

– Czyje?

– Paula Marcha.

Garuda odstawił szklankę na stół, kompletnie zaskoczony.

– Gdzie?

– W Europie. W Alpach między Szwajcarią a Włochami. Już od dłuższego czasu nie żyje. Zamarzł w lodowcu.

– Chcesz powiedzieć, że zamarzł w lodowcu w jakichś, kurwa, górach?

Mark skinął głową.

– Robisz mnie w balona?

– Nie, Lou, wierz mi, że nie.

Garuda złożył usta, jakby chciał gwizdnąć.

– Cholera, teraz to mi zabiłeś ćwieka.

12

Mark dotarł do domu kilka minut po jedenastej wieczorem.
Dziesięć minut później już pakował walizkę, gdy usłyszał dzwonek
do drzwi. Poszedł na dół, spojrzał przez wizjer i otworzył. Na progu
stał Kelso, tym razem bez towarzystwa. W ręku miał aktówkę.

– Dobry wieczór, panie Ryan. Mogę wejść?

– Czemu nie, teraz jest pan u mnie prawie jak domownik.

Kelso nie zareagował na żart. Mark wpuścił go do środka
i zamknął drzwi.

– Przepraszam, że nie mogłem się z panem spotkać wcześniej,
ale miałem ciężki dzień – powiedział Kelso.

– Tak jak mówiłem przez telefon, próbowałem przekonać
Jennifer, ale nie dałem rady.

– Szkoda, to by wiele ułatwiło. W każdym razie, pozwoliłem
sobie potwierdzić rezerwację na jutrzejszy lot do Zurychu liniami
American Airlines. Jutro o piętnastej przyjadą po pana agenci
Grimes i Fellows i pojedziecie na lotnisko Kennedy'ego. Wszyscy
trzej polecicie tym samym lotem, ponad trzy godziny przed
odlotem Jennifer z lotniska Newark liniami Swiss Airlines. A to
znaczy, że będziecie na lotnisku w Zurychu na długo przed nią
i powinno wam wystarczyć czasu, żeby się zorganizować.

– Co będzie, jak już dolecimy do Zurychu?

– Biuro podróży Jennifer zarezerwowało jej samochód, który
odbiera z lotniska. Myślę, że ma zamiar pojechać na granicę do
Varzo i na miejscu zidentyfikować ciało ojca. Naturalnie zarezer-
wowaliśmy też i samochód na pana nazwisko, ale u Avisa.

– Mówiła mi, że nie wie dokładnie, na jak długo wyjeżdża, że
bilet powrotny ma otwarty.

– Nie podała też, na jak długo wynajmuje samochód, będziemy
więc musieli trochę improwizować.

Kelso klepnął dłonią w aktówkę.

– A teraz, jeśli można, mam tu kilka ważnych rzeczy i chciałbym je z panem omówić.

Mark zaprowadził go do stolika przed telewizorem, a Kelso kciukiem otworzył zamek aktówki.

W środku na miękkiej szarej piance leżał telefon komórkowy, ładowarka i kilka zapasowych baterii, krótkofalówka Sony i coś, co na pierwszy rzut oka wyglądało jak małe podręczne urządzenie elektroniczne wielkości pilota do telewizora, ale z krótką, chowaną anteną. Mark zauważył również miniaturową lornetkę Zeiss i kilka map w plastikowym etui.

– Sądzę, że zna pan ten rodzaj wyposażenia obserwacyjnego – stwierdził Kelso. – A propos, to jest zdjęcie samochodu, który wynajęła Jennifer. Niech pan zwróci uwagę na tablicę rejestracyjną. Nie chcę, żeby pan jechał za niewłaściwym autem.

Kelso podał Markowi zdjęcie białej toyoty z napędem na cztery koła, której szwajcarską tablicę rejestracyjną wyraźnie było widać na fotografii.

– Skąd pan wie, że to jest wóz, którym będzie jeździła?

Kelso wziął do ręki urządzenie z maleńką anteną.

– Lepiej o to nie pytać. Ale w jej dżipie założymy pluskwę, zwykły przekaźnik elektroniczny, a to jest odbiornik. Podaje namiar magnetyczny jak kompas, dzięki czemu będzie pan mógł z daleka śledzić toyotę. Jeżeli pan ją w którymś momencie straci z pola widzenia, musi pan jechać w kierunku tej strzałki. A gdy będzie pan śledził Jennifer w ciemności, niech pan pamięta, że lornetka Zeiss ma noktowizor.

– O wszystkim pan pomyślał.

– Staram się. – Kelso podniósł etui z mapami. – Mapy i atlas drogowy Szwajcarii oraz północnych Włoch. Trasy, które Jennifer najprawdopodobniej wybierze, jadąc do Varzo, są tu zaznaczone, więc proszę je dokładnie przestudiować, bo będzie pan na obcym terytorium. Dołączyłem jeszcze mapę lotniska Kloten w Zurychu – Kelso rozłożył planszę na stole. – Widzi pan, że oznaczyłem na kolorowo tę drogę wyjazdową obok stacji benzynowej. To około czterysta metrów od parkingu Avisa, a Jennifer musi tędy przejeżdżać w drodze z lotniska. To jedyny wyjazd, więc jak już się pan zorganizuje po przylocie, proponuję, żeby pan się tam przyczaił i czekał na nią.

Kelso położył na dłoni krótkofalówkę Sony.

– Mój człowiek zgłosi się do pana przez to urządzenie i da znać, że Jennifer szykuje się do wyjazdu z lotniska. Poczeka pan, aż przejedzie obok pana, a następnie, utrzymując bezpieczną odległość, pojedzie pan za jej toyotą. Jakieś pytania?

– Co się stanie, jeśli sprzęt nawali albo ją zgubię?

– Sprzęt jest sprawdzony, panie Ryan, więc to się nie powinno wydarzyć. Ale jeśli się jednak zdarzy albo zgubi pan Jennifer, to niech pan natychmiast dzwoni do mnie lub do któregoś z moich ludzi. Mój numer jest wpisany na pierwszym miejscu w spisie telefonów komórki, którą pan dostaje, wystarczy tylko nacisnąć przycisk. Swoich ludzi będę trzymał w bezpiecznej odległości i dyskretnie gdzieś za panem, w razie gdyby pan potrzebował pomocy – Kelso uniósł brew. – Czy to, co powiedziałem, jest zrozumiałe?

– Chyba tak.

Kelso był wyraźnie poirytowany.

– Albo tak, albo nie. Jeśli chce pan, żebym coś jeszcze raz powtórzył, bardzo chętnie to zrobię. Ale nie chcę żadnych „chyba tak" i przede wszystkim nie chcę żadnych błędów. Nie wtedy, gdy w grę może wchodzić życie Jennifer.

Tym razem w głosie Kelso zabrzmiała mocniejsza, bardziej agresywna nuta, ale Mark puścił to mimo uszu.

– Rozumiem.

Kelso włożył wszystko z powrotem do teczki.

– Radzę, żeby posługiwał się pan telefonem komórkowym, który panu daję, i raczej nie korzystał w podróży ze swojego. Może to spowodować niepotrzebne komplikacje, a poza tym ma pan kompletny zestaw komunikacyjny i nie trzeba do niego już nic dodawać.

– Jeśli pan tak twierdzi.

– Jest jeszcze jedna rzecz, o której powinien pan wiedzieć. Jennifer nie powinna się znaleźć w jakimś większym niebezpieczeństwie do momentu identyfikacji ciała ojca.

– Skąd taka myśl?

– Powiedzmy, że to instynkt zawodowy – odparł enigmatycznie Kelso i z trzaskiem zamknął teczkę. – Ostrzegam, musi pan być szczególnie ostrożny właśnie od tego momentu.

– Mówił pan, że będę miał broń.

– Koperta na nazwisko Charles Vincent Jones będzie na pana czekała w informacji na lotnisku w Zurychu – wyjaśnił Kelso. – W kopercie znajdzie pan kwit na bagaż i kluczyk. W przechowalni bagażu proszę oddać kwit, a dostanie pan zamkniętą torbę. Znajdzie pan w niej pistolet automatyczny typu Glock i trzy magazynki z amunicją.

– Naprawdę pan sądzi, że broń będzie mi potrzebna?

– Mówiłem panu, że to nie przelewki. Jeszcze jakieś pytania?

– Mnóstwo, ale wiem, że nie mam szans, żeby pan na nie odpowiedział. Chociaż może spróbuje pan odpowiedzieć na jedno. Co się stanie, jeśli będę musiał strzelać i zostanę aresztowany?

– Mam nadzieję, że do tego nie dojdzie. Ale niech mi pan wierzy, CIA nie zostawi pana na lodzie. To nie leży w naszym interesie.

– Czy mógłby mi pan dać to na piśmie?

Kelso uznał jego żądanie za dowcip i uśmiechnął się pod wąsem.

– Nic na piśmie, panie Ryan.

– A wsparcie?

– Grimes i Fellows będą na pokładzie samolotu, a potem nie odstąpią pana na krok. Nie zobaczy ich pan po przyjeździe do Zurychu, ale jeżeli będzie pan ich potrzebował, proszę ich wezwać przez radio. To dobrzy, godni zaufania agenci. Ja będę w zasięgu telefonu, może pan mnie złapać na komórce albo przez Grimesa lub Fellowsa. Jeżeli sprawy się skomplikują, mogę być na miejscu w ciągu kilku minut.

– Jak to możliwe?

Kelso położył aktówkę na stoliku.

– Powiedzmy po prostu, że będę tuż za wami i na razie niech to wystarczy. Niech się pan nie martwi o kontrolę na cle. Przejdzie pan całkiem spokojnie.

– Będę musiał panu uwierzyć na słowo.

– Rozumiem, że jest pan już spakowany i gotów do podróży?

– Prawie.

– Ma pan jeszcze jakieś pytania?

– Na razie chyba nie.

– Następnym razem spotkamy się więc prawdopodobnie w Europie. Chciałbym raz jeszcze powtórzyć, że jestem panu bardzo wdzięczny za pomoc.

– Robię to tylko dla Jennifer – odparł Mark. – Ale wie pan co? Wciąż nie wiem, w co się wdaję, i to mi nie daje spokoju.

Kelso nie odpowiedział, tylko wyciągnął dłoń w geście pożegnania.

– Dobranoc, panie Ryan. Niech pan się dobrze wyśpi. Czuję przez skórę, że sen będzie panu potrzebny. I życzę przyjemnego lotu.

13

Mark już zasypiał, kiedy zadzwonił telefon. Zapalił lampkę nocną, podniósł słuchawkę i usłyszał głos Lou Garudy.

– Mark? Nie śpisz?

– Już nie. Co jest, Lou?

– Chodzi o tego faceta, Kelso. Sprawdziłem go, jak mnie prosiłeś. Wieczorem dzwoniłem do tego kumpla mojego starego w Wirginii. Jest na emeryturze i, jak się okazuje, nie pracuje już w CIA, ale chwilę gadaliśmy o tym i owym, a potem od niechcenia rzuciłem to nazwisko z agencji, mówiąc, że gdzieś o nim słyszałem, o tym Kelso.

– To mów.

– Mój człowiek już od paru lat pyka z fajeczki i hoduje gołębie, ale kiedyś słyszał o Kelso. Okazuje się, że to jakaś gruba ryba i na pewno nie można sobie z nim pogrywać, chyba że chcesz zostać przerobiony na karmę dla psów.

– Co jeszcze?

– Mój znajomy mówi, że ten Kelso to gość, którego bardzo w firmie poważają. Pracuje tylko nad najważniejszymi sprawami, bezpieczeństwo narodowe i takie tam.

– Próbowałeś się dowiedzieć, w jakiej sekcji służy Kelso?

– Wtedy właśnie gość przestał gadać, a ja nie nalegałem, żeby nie miał wrażenia, że zbytnio mnie to interesuje. Mój znajomy tylko mi powiedział, że Kelso już kilka lat temu przenieśli do wydziału zajmującego się projektami specjalnymi. Nie powiedział mi, co znaczą te projekty specjalne – Garuda zachichotał. – Wiesz co, to chyba może być wszystko, co sobie wymyślisz. Może Kelso nawet odwala mokrą robotę albo coś w tym guście, jak najprawdziwszy James Bond.

– No, tak. Coś jeszcze?

– A co byś jeszcze chciał? Nazwisko faceta, który mu sprzedał ubezpieczenie na życie? Wiem tylko tyle i nic więcej.

– Dziękuję, Lou. Słuchaj, muszę cię prosić o jeszcze jedną przysługę.

– No, to wal.

– Młodszy brat Jennifer March, Bobby, jest w domu opieki Cauldwell. Chciałbym, żeby ktoś tam wpadł za kilka dni i zobaczył, czy wszystko jest z nim w porządku, czy mały czegoś nie potrzebuje. Mógłbyś to dla mnie zrobić?

– Oczywiście. A mogę wiedzieć, po co?

– Obiecałem Jennifer, że będę go pilnował, jak ona wyjedzie z kraju, ale okazuje się, że mnie też nie będzie.

– A dokąd jedziesz?

– Nie mogę tego zdradzać.

– Jak mam się z tobą kontaktować?

– Ty nie będziesz mógł, ale ja do ciebie zadzwonię – Mark postanowił nie podawać Garudzie numeru swojej komórki na wypadek, gdyby ktoś podsłuchiwał jego rozmowy.

Zapadła cisza, a po chwili Garuda spytał spokojnym tonem:

– Mark?

– No?

– Nie wiem, w co ty się, kurwa, ładujesz, ale posłuchaj mojej rady – czego byś tam nie robił, a zwłaszcza jeżeli dotyczy to CIA, oglądaj się za siebie, przyjacielu. OK? Ci goście są naprawdę niebezpieczni. Są przekonani, że sami stanowią dla siebie prawo, że mogą zrobić, co im tylko do łba strzeli.

– Dobra.

– Poważnie, Mark. Tych facetów z Langley nic nie powstrzyma. Mogą ci zrobić wszystko. Założyć podsłuch na telefonie, sprawdzać wyciągi bankowe, a nawet, kurwa, podsłuchiwać cię przez ścianę, jeżeli będą mieli taką fantazję. Kto wie, co tam naprawdę się dzieje w tym Langley. Kumpel mojego starego opowiadał mi kiedyś o różnych brudnych interesach CIA i gdybyś to usłyszał, to by ci się proste włosy skręciły w loki. Więc uważaj na siebie, rozumiesz?

– Zapamiętam sobie.

– Słodkich snów, *amigo*.

Lou Garuda i Angelina leżeli nadzy na łóżku. Angelina była ładną, ciemnoskórą kobietą, dziesięć lat młodszą od policjanta. Lubiła starszych mężczyzn. Była pół Amerykanką i pół Kolumbijką, a poznali się kilka miesięcy wcześniej. Seks z Angeliną był zazwyczaj absolutnie rewelacyjny, ale dziś w nocy Garuda miał pewien problem.

– Zachowujesz się zupełnie jak nie ty, kotku. Co się stało? – spytała cicho. – Chcesz, żebym się jeszcze z tobą pobawiła? Może ci trochę pomóc?

Lou myślami był gdzie indziej.

– Nie, mam twardy orzech do zgryzienia.

– Nic twardego tu nie widzę – droczyła się z nim.

– Chodzi o to, co mnie gnębi, Angelino. Chodzi o jedną sprawę. Coś dziwnego, czego nie mogę rozgryźć.

– Chcesz mi o tym powiedzieć?

– Dwa lata temu poparzyłem sobie palce na śledztwie, które skończyło się fiaskiem. Facet znika jak kamfora. Tej samej nocy ktoś się włamuje do jego domu, morduje jego żonę, poważnie rani kilkunastoletniego syna, próbuje zgwałcić i zabić dorosłą córkę. Nie ma żadnego motywu morderstwa, a gość, który zniknął, już się nie pojawił. Teraz słyszę, że jego ciało ktoś znalazł w lodowcu w Alpach. Sprawdziłem raport Interpolu i okazuje się, że gość nie żyje już od dłuższego czasu.

– To rzeczywiście dziwne.

– Sama widzisz, koteczku – Garuda zapalił papierosa i ze złością wciągnął dym w płuca.

– Co to za facet?

– Pracował w firmie Prime International Securities. To mały bank inwestycyjny na Manhattanie, bardzo szacowna instytucja.

– A co on tam robił?

– Był wiceprezesem. Kusi mnie, żeby pogadać z jego córką, tą laleczką, którą włamywacz próbował zgwałcić. Pogadać nieoficjalnie, ale chyba nie będzie chciała ze mną rozmawiać. Instynkt mi podpowiada, że warto pójść tym śladem.

– Jak zawsze masz rację, kochanie – Angelina objęła go i zaczęła pieścić. – Ale na razie, koteczku, może byś tak zgasił tego papierosa i we mnie rozpalił ogień...?

Część II

14

Zurych, Szwajcaria

Jenny podeszła do pracownika firmy wynajmującej samochody, siedzącego za szybą na lotnisku Kloten w Zurychu.
Mężczyzna podniósł głowę i uśmiechnął się do niej.

– *Guten Tag. Kann ich Ihnen helfen?*

– *Guten Tag.* Mam zarezerwowany samochód.

– Oczywiście, proszę pani. Pani nazwisko?

– Jennifer March.

Pracownik firmy wynajmującej samochody sprawdził coś
w dokumentach i uśmiechnął się do niej.

– Czy ma pani zamiar długo zabawić w Szwajcarii, *Frau* March?

Nie podała pani, na jak długo samochód będzie potrzebny.

– Jeszcze nie jestem tego pewna. Trzy lub cztery dni, może
dłużej. Jadę do Włoch.

– Ależ oczywiście, jak pani sobie życzy. Dzisiaj, niestety, nie
dysponujemy dużą liczbą samochodów, ale załatwiliśmy dla pani
specjalnie auto z napędem na cztery koła, w cenie promocyjnej.
Samochód nie pochodzi z naszego parku maszyn, ale na pewno
będzie pani z niego bardzo zadowolona. Czy to pani odpowiada?

– Chyba tak. Muszę się dostać do Varzo, tuż za granicą włoską, a potem na Wasenhorn. Ile czasu zajmie mi droga? – Jennifer
już wcześniej postanowiła zobaczyć miejsce, gdzie znaleziono
ciało jej ojca.

Mężczyzna wyjął mapę i pokazał jej trasę.

– To nie jest daleko. Szwajcaria to stosunkowo mały kraj.
Z lotniska nie powinno być dalej niż trzy lub cztery godziny.
Może pani zatrzymać tę mapę.

Wypełnił dokumenty, przyjął jej kartę kredytową i poprosił

o pokwitowanie odbioru toyoty. Kiedy skończył omawiać szczegóły, wręczył jej kluczyki.

– Życzę miłego pobytu w Szwajcarii, *Frau* March.

Odchodząc od stanowiska, Jennifer nie zauważyła, że mężczyzna, który ją obsługiwał, obserwuje, jak się oddala, a następnie sięga po telefon.

Mark wylądował w Zurychu tuż przed ósmą rano. Spał w samolocie tylko kilka godzin i po ośmiogodzinnym locie nad Atlantykiem czuł się wyczerpany. Odebrał bagaż, przeszedł przez odprawę celną, ale nikt go nie zatrzymywał, i w końcu znalazł stanowisko informacji w sali przylotów.

Widział podczas lotu Fellowsa i Grimesa, ale żaden z nich nie podszedł do niego, a kiedy samolot wylądował, obaj gdzieś szybko znikli. Koperta na nazwisko Charles Vincent Jones czekała na niego w informacji. W środku był kwit bagażowy i kluczyk, Mark poszedł więc do przechowalni bagażu. Oddał kwit i otrzymał małą płócienną torbę z solidnym metalowym zamkiem.

Znalazł męską toaletę i zamknął się w kabinie. W torbie znalazł automatycznego Glocka kaliber dziewięć milimetrów i trzy magazynki z amunicją, jak obiecał mu Kelso. Kiedy wyszedł z toalety, sprawdził tablicę przylotów i okazało się, że jest dopiero ósma czterdzieści pięć. Samolot Jennifer miał wylądować o dziesiątej pięćdziesiąt pięć, a kiedy przejdzie przez odprawę i skończy załatwiać sprawę samochodu, będzie już południe. Spakował kilka kompletów ubrań, żeby nie rzucać się w oczy, ale uzmysłowił sobie, że potrzebuje kapelusza.

Poszedł do jednego ze sklepów dla turystów i przymierzył oliwkowozielony, szwajcarski kapelusz myśliwski. Na jego głowie wyglądał dość absurdalnie, kiedy przeglądał się w nim w lustrze, ale niskie rondo częściowo zakrywało mu twarz. Miał przeciwdeszczowy, dwustronny płaszcz do kolan, który kupił w Nowym Jorku, a kiedy założył płaszcz i kapelusz, nie mógł się nie uśmiechnąć. Gdyby Jennifer mogłaby go teraz zobaczyć, na pewno uśmiałaby się do łez. Podszedł do kasy.

– Ile kosztuje kapelusz?

– *Wieviel? Ein hundert funfzig Frak.* Sto pięćdziesiąt franków.
Mark szybko przeliczył walutę w pamięci.
– Ponad sto dolarów za kapelusz? – zdziwił się.
Właściciel sklepu odpowiedział niechętnie:
– To jest Szwajcaria, *mein Herr.* To doskonałej jakości nakrycie
głowy.
Mark pomyślał: „Do diabła, to pieniądze Wuja Sama". Wręczył
sprzedawcy kartę kredytową:
– Biorę go.
Dwie minuty później, wychodząc z terminalu w kapeluszu na
głowie i w płaszczu przeciwdeszczowym, zobaczył swoje odbicie
w oknie wystawowym. Czuł się trochę śmiesznie, ale wyglądał jak
zupełnie nie on. Spojrzał na zegarek – była dziewiąta piętnaście.
Miał mnóstwo czasu, żeby zjeść śniadanie, zanim znajdzie biuro
wynajmu samochodów Avis.

Na jego nazwisko zarezerwowano czarnego opla omegę. Podał
kartę kredytową i wypełnił formularze, a później znalazł parking.
Opel z przyciemnianymi szybami nie był pierwszej młodości. Mark
położył bagaże na tylnym siedzeniu. Padało, kiedy wyjeżdżał z terminalu, jechał główną ulicą prowadzącą do obwodnicy Zurychu.
Mapę miał rozłożoną na siedzeniu i kilka minut później zobaczył
boczną drogę tuż za stacją benzynową, po chwili zaparkował na niej.
Był już w Europie dwa razy na wakacjach. Pierwszy raz na sześcio-
tygodniowej wycieczce pieszej wokół Niemiec i Francji, kiedy miał
osiemnaście lat. Mieszkał wówczas w hotelach młodzieżowych,
w małych, zapchlonych hotelikach na prowincji, ale był przeszczę-
śliwy. Za drugim razem był w Paryżu na pięciodniowej wycieczce;
to był jego miesiąc miodowy z Ellen, który kosztował ich fortunę.
Jednak teraz Europa wyglądała w jego oczach zupełnie inaczej.
Wyciągnął z aktówki odbiornik Sony i monitor do śledzenia samochodu Jennifer, włączył oba urządzenia i położył na
siedzeniu pasażera. Na monitorze strzałka wskazywała lotnisko,
a wskaźnik mocy sygnału pokazywał, że sygnał jest bardzo silny.
Zauważył również, że mikronadajnik umieszczony w samochodzie Jennifer się nie porusza.

Mark domyślił się, że jej dżip jest wciąż zaparkowany na lotnisku, czeka, żeby go odebrała, i wyłączył monitor. Gdy dwie godziny później siedział w samochodzie, ucząc się trasy, odbiornik zapiszczał.

– Ryan, jesteś tam?

Mark niemal podskoczył w miejscu. Nie był pewien, czyj to głos – Grimesa czy Fellowsa.

– Tak, jestem. Słyszę cię głośno i wyraźnie.

– Dobrze. Mówi Grimes. Wszystko gotowe?

– Chyba tak.

– Bądź więc czujny, cel nadjeżdża. Powodzenia.

– Dziękuję.

Mark włączył monitor namierzający auto i zobaczył, że strzałka zmienia położenie. Samochód Jennifer był w ruchu. Serce zabiło mu mocniej, kiedy pięć minut później zobaczył przejeżdżającą obok białą toyotę, Jennifer siedziała za kierownicą, patrzyła wprost przed siebie i nie spuszczała oczu z drogi. Miał dziwne uczucie, widząc jak przemyka obok niego, nieświadoma, że ją obserwuje. Czuł, jak wypełnia go poczucie winy, ale gdy wytłumaczył sobie, że robi to wszystko, żeby ją chronić, od razu mu przeszło.

Problem polega tylko na tym, że nie wiem, przed kim.

Mark włączył silnik opla, wyjechał z bocznej drogi i ruszył za toyotą.

Jennifer była zachwycona Szwajcarią, którą uważała za jeden z najpiękniejszych krajów świata. Raz, jeszcze jako dziecko, była w Zurychu z rodzicami i nie mogła się nadziwić niewiarygodnej scenerii, ośnieżonym szczytom Alp, głębokim górskim jeziorom w kolorze akwamaryny i stromym ścianom dolin. Była zmęczona po podróży samolotem, ale nie chciała tracić czasu na nocowanie w Zurychu. Nie mogła się już doczekać, kiedy będzie na granicy włoskiej, bo bardzo chciała dojechać przed zmrokiem.

Jeszcze raz spojrzała na mapę, zanim wyjechała z autostrady prowadzącej z lotniska, i ruszyła na południe. Godzinę później dotarła do Lucerny, ładnego miasta nad jeziorem, skręciła w drogę E2 prowadzącą na wschód wzdłuż jeziora, a potem znów na południe drogą E35 i tam zaczęła się ostra wspinaczka w górę, w samym sercu Alp, przez głębokie, zarośnięte sosnami doliny, przez bezimienne wioski z drewnianymi budynkami i uśpionymi zameczkami, wzdłuż pagórków ozdobionych ślicznymi domkami. Widziała pasące się krowy, które na szyjach miały powieszone dźwięczące dzwoneczki.

I nagle wspinała się w górę serpentynami dróg prowadzących do górskiej przełęczy Furka. Na tej wysokości wszędzie wokół był śnieg i lód, a widoki zapierał dech w piersiach. Kiedy zjeżdżała z przełęczy Furka, dojechała do Brig. Kilkusetletni kurort narciarski był starożytną bramą wjazdową do Włoch. Górował nad nim piękny pałac Stockalper, ozdobiony wieżą z kopulastym hełmem. Przejechała przez centrum miasta i ruszyła dalej na południe, w kierunku przełęczy Simplon i granicy włoskiej.

Jazda samochodem wyczerpywała psychicznie. Na niektórych górskich drogach nie było barierek, a trasa kończyła się często przepaścią sięgającą setki metrów w dół. Jennifer, ponieważ nie znała dobrze tej drogi, musiała bardzo ostrożnie prowadzić samochód. W końcu postanowiła zatrzymać się w alpejskiej gospodzie na obiad. Był tam taras ze stolikami dla turystów. Jennifer zamówiła kubek parującej czarnej kawy, solidną bułkę z serem i wyszła na taras. Było bardzo zimno, a ona stała, oglądając oszałamiającą scenerię gór, łańcuch białych szczytów – wszędzie, gdzie okiem sięgnąć. Widziała granicę włoską gdzieś tam, w dole, w dolinie za przełęczą Simplon.

Jakiś starszy pan w alpejskim kapeluszu z piórkiem, który wyglądał na turystę, wyszedł na taras podziwiać widok. Uśmiechnął się do niej.

– *Sehr shön, nicht war? Sind Sie Auslander?*

Jennifer znała tylko kilka słów po niemiecku i francusku, tyle, aby dać sobie radę w najprostszych sytuacjach.

– *Ja. Aus Amerika.*

– Naprawdę z Ameryki? – rumiana twarz mężczyzny rozciągnęła się w uśmiechu.

Jennifer rozglądała się, podziwiając górskie szczyty dookoła.

– Czy mógłby mi pan powiedzieć, który to Wasenhorn?

– *Naturlich* – wskazał dłonią wznoszący się wysoko, poszarpany górski szczyt, który widzieli po lewej stronie. Wokół jego lodowatego wierzchołka krążył delikatny, mglisty obłok. – Tam jest Wasenhorn. Ma pani zamiar się tam wspiąć, młoda damo?

– Chyba nie.

– Bardzo mądrze. Słyszałem niedawno, że znaleźli ciało na lodowcu. Biedny *Schwein* leżał zamrożony w lodzie przez całe lata.

Mark miał trudności z koncentracją. Poziom adrenaliny był ciągle wysoki – górskie drogi Szwajcarii to trudny orzech do zgryzienia, a on wciąż odczuwał wyczerpanie po podróży samolotem. Co gorsza, było mu niedobrze z powodu sporej wysokości. Nie przysypiał tylko dzięki temu, że było zimno – opuścił szybę od strony kierowcy. Lodowate powietrze, które wpadało do samochodu, pomagało mu nie zasnąć.

Musiał cały czas patrzeć na drogę i jednocześnie obserwować toyotę Jennifer. Po dwóch godzinach biały dżip stał się w jego oczach niewyraźną plamą, ale jak dotąd udawało mu się utrzymywać bezpieczną odległość. Ruch nie był duży i Mark nie zauważył jeszcze śledzącego go innego samochodu. Grimes i Fellows byli cholernie dobrzy, musiał to przyznać. Nagle tuż przed sobą zobaczył, jak Jennifer skręca i parkuje obok przydrożnej gospody, a on zjechał z drogi jakieś sto metrów za nią. Pojawiła się piętnaście minut później, wsiadła do toyoty i ruszyła dalej. Mark uruchomił silnik opla i pojechał za nią.

Słońce już wyszło zza chmur, kiedy Jennifer wjeżdżała na włoską stronę Alp, do małego przygranicznego miasteczka Iselle. Przez granicę przejechała bez żadnych problemów, włoski celnik w oliwkowym mundurze ledwo rzucił okiem na jej paszport, a dziesięć minut później dotarła do Varzo. Było to małe, śpiące miasteczko, typowo włoskie. Bez trudu odnalazła komisariat karabinierów. Mieścił się w starej dwupiętrowej willi o ścianach w kolorze musztardy, wychodzącej na mały, brukowany ryneczek.

Kamienne schodki prowadziły na werandę na parterze. Patio udekorowano roślinami w kamionkowych donicach. Budynek wyglądał bardzo nieoficjalnie, przypominał raczej prywatny dom niż komisariat policji. Jennifer przypomniała sobie, że jest we Włoszech, gdzie uporządkowany, na wpół wojskowy duch szwajcarskiego urzędu nie ma wstępu. Zauważyła na zewnętrznej ścianie domofon. Zaparkowała toyotę po drugiej stronie ryneczku, podeszła i nacisnęła guzik.

Na werandzie pojawiło się dwóch zaspanych mężczyzn. Patrzyli przez szybę, trąc oczy, byli ubrani tylko w podkoszulki i bieliznę, jeden z nich próbował pospiesznie naciągnąć spodnie od munduru, skacząc po patio na jednej nodze. Jennifer chciało się śmiać. Minęła pora obiadowa, prawdopodobnie przerwała im popołudniową sjestę. Po schodach zszedł młody kapral, ubierając się w pośpiechu i upychając koszulę w spodnie.

– *Signorina. Cos'è caduto?*

Jennifer nie mówiła po włosku, próbowała bez większych sukcesów wyjaśnić, po co tu przyjechała. W końcu kapral zawołał coś po włosku, wystrzeliwując słowa jak z karabinu maszynowego, i na werandzie pojawił się postawny mężczyzna po czterdziestce, z czarnymi wąsami. Schodził po schodach ubrany w spodnie z czerwonymi lampasami, u boku miał pistolet. Idąc, zapinał kurtkę od munduru.

– *Signorina.*

– Mówi pan po angielsku?

– *Si*, trochę. Sierżant Barti, do usług. W czym mogę pani pomóc?

Jennifer wyjaśniła powód swojego przyjazdu.

– Proszę za mną, *signorina.*

Sierżant poprowadził ją schodkami do zagraconego pomieszczenia komisariatu. Poprosił, żeby usiadła, a sam zasiadł z drugiej strony biurka.

– Tę sprawę prowadzi kapitan Caruso. Będzie pani musiała z nim porozmawiać.

Barti zawahał się przez chwilę, jak gdyby nie był pewien swojej angielszczyzny, a Jennifer spytała:

– Mogę się z nim zobaczyć?

– Pracuje w Turynie, w kwaterze głównej, ale, niestety, jest teraz w Szwajcarii, w podróży służbowej. Wraca jutro po południu. Przykro mi, że nie mogę pani w niczym więcej pomóc, *signorina*.

– Gdzie jest ciało mojego ojca?

– W Turynie.

– Chciałabym je zobaczyć.

Barti wzruszył ramionami.

– Obawiam się, że to niemożliwe. Przy identyfikacji musi być osobiście obecny kapitan Caruso.

Jennifer czuła się teraz bardziej sfrustrowana.

– W takim razie chciałabym zobaczyć miejsce, gdzie znaleziono mojego ojca.

– Niech mi pani wierzy, że lepiej będzie o tym porozmawiać z kapitanem. To jest dość daleko stąd, w górach. Tam jest niebezpiecznie. Jeżeli teraz bym panią zawiózł na lodowiec, to nie zdążylibyśmy wrócić przed wieczorem.

Sierżant mógł zrobić więcej, ale Jennifer domyślała się, że ma związane ręce i że naprawdę powinna się zobaczyć z kapitanem Caruso.

– W takim razie zaczekam i porozmawiam jutro z kapitanem. Jak pan sądzi, o której godzinie powinnam przyjść?

– Chyba po południu. Powiedzmy o drugiej. Zadzwonię do jego biura i powiem, że jedzie pani do Turynu.

Kiedy Barti wstawał zza biurka, Jennifer jeszcze raz go zagadnęła.

– Chciałam spytać, czy pan widział ciało mojego ojca?

– *Si.*

– Może mi pan powiedzieć, jak zginął?

Sierżant już chciał coś powiedzieć, ale nagle zmienił zdanie.

– Lepiej by było, gdyby pani zaczekała na kapitana. On pani wszystko wyjaśni.

Jennifer westchnęła ciężko, wiedząc, że już nic więcej nie osiągnie. Barti właściwie nic jej nie powiedział.

– Jest tu jakiś hotel, w którym mogłabym przenocować?

– W miasteczku są dwa małe hoteliki, a kilka po drugiej stronie granicy szwajcarskiej. Goście często zatrzymują się w hotelu Berghof w Simplon.

– Dziękuję.

Udało jej się wydobyć od sierżanta tylko wskazówki dotyczące dobrego hotelu. Już miała wychodzić, kiedy cofnęła się i zapytała:

– Podobno ciało odnalazł jakiś Amerykanin?

– *Si*. Młody człowiek nazwiskiem Chuck McCaul.

– Mogę się z nim jakoś skontaktować?

– *Scusi*, to niemożliwe.

– Dlaczego?

– Niestety, pan McCaul nie żyje.

15

Piętnaście minut później Jennifer jechała z powrotem w kierunku granicy ze Szwajcarią. Postanowiła spędzić noc w Simplon, bo – jak uznała na pierwszy rzut oka – Varzo nie było przygotowane na przyjmowanie turystów, a poza tym uparła się, że zobaczy lodowiec, w którym znaleziono ciało jej ojca. Sierżant niechętnie udzielił jej informacji na temat śmierci amerykańskiego alpinisty, powiedział tylko, że młody człowiek miał wypadek na przełęczy Furka i że śledztwo w tej sprawie prowadzi szwajcarska policja. Śmierć McCaula wydała się Jennifer dość dziwna, ale pomyślała, że może kapitan Caruso będzie mógł jej powiedzieć coś więcej na ten temat.

Droga rozdzielała się i prowadziła do maleńkiego miasta Simplon. Nie robiło ono specjalnego wrażenia – zaledwie kilka długich i wąskich, brukowanych ulic, kościół z białymi ścianami i kopułą o kształcie cebuli, stojący na granicy miasteczka, kilka hoteli i przytulnych pensjonatów.

Skręcając do miasteczka, spojrzała w lusterko wsteczne i zobaczyła pięćdziesiąt metrów za sobą ciemnego opla. Była pewna, że jedzie za nią krętymi drogami górskimi aż z Varzo. Nie wiedziała, kto jest w środku, bo auto miało przyciemniane szyby, ale miała dziwne uczucie, że jest śledzona.

Zatrzymała się na parkingu przed hotelem. Na szyldzie widniał napis „Berghof Hotel". Gdy wychodziła z dżipa, obok niej przejechał opel. W tych przyciemnionych oknach było coś złowieszczego, ale kiedy auto pojechało dalej, brukowaną kocimi łbami uliczką w głąb miasteczka, Jennifer przestała zaprzątać sobie tym głowę. Potem samochód skręcił na główną drogę i zniknął.

Mark nie wiedział, co myśleć. Jechał za Jennifer od momentu, kiedy zobaczył, że wychodzi z komisariatu w Varzo. Pomyślał, że pewnie pojedzie do Turynu, ale ona zawróciła w kierunku granicy i ruszyła do Simplon. Był całkiem skołowany i zastanawiał się, co się właściwie dzieje. Przecież ciało Paula Marcha znajduje się w kostnicy w Turynie. Mark spojrzał na mapę i zobaczył dobrze oznaczony szczyt Wasenhorn – było do niego nieco bliżej z Simplon niż z Varzo. Zgadywał tylko, że Jennifer chce zobaczyć miejsce, gdzie znaleziono zwłoki jej ojca. Może będzie chciała znaleźć jakiś hotel. Jedynie to przychodziło mu do głowy, gdy szukał wyjaśnienia, dlaczego zawróciła i pojechała z powrotem do granicy.

Nagle zatrzeszczało radio. Usłyszał głos Grimesa:

– Jesteś tam, Ryan?

– Tak, zgłaszam się.

– Jesteśmy za tobą jakieś pięćset metrów. Co ona, do diabła, wyprawia?

– Wygląda na to, że wraca w kierunku Simplon.

– A na cholerę?

– Jedyne, co mi przychodzi do głowy, to fakt, że chce zobaczyć, gdzie znaleziono ciało jej ojca. A robi się trochę późno i prawdopodobnie będzie chciała gdzieś zanocować.

– To się zgadza. Chcesz, żebyśmy cię na chwilę zastąpili?

– Nie, daję sobie radę.

– OK, ale jeżeli zamelduje się w jakimś hotelu, to znajdź sobie coś niedaleko, żebyś mógł ją obserwować. My też spróbujemy poszukać jakiegoś noclegu. Wyłączam się. Na razie!

Mark odłożył radio i zobaczył, że Jennifer wjeżdża do miasteczka i zatrzymuje się przed hotelem Berghof. Pod szyldem był napis: „Zimmer frei". Pamiętał z czasów podróży autostopem po Niemczech, że po niemiecku pokój to „Zimmer", a „frei" oznacza, że są wolne pokoje, ale na pewno nie za darmo. Po obu stronach brukowanej uliczki wznosiło się kilka hoteli i zajazdów, ale Mark nie zdawał sobie sprawy, że jest na ulicy jednokierunkowej i za chwilę było już za późno. Po obu stronach stały zaparkowane samochody i nie miał gdzie wjechać. Za nim jechało jeszcze jedno auto, a kierowca zatrąbił, żeby ruszał dalej.

Do jasnej cholery!

To znaczy, że będzie musiał przejechać tuż obok Jennifer. Przyciemnione okna były jakąś ochroną, ale gdy był kilka metrów od Jennifer, zobaczył, że przygląda się oplowi. Mark był cały spocony, kiedy wyjeżdżał z miasteczka. Stanął przy drodze i włączył monitor. Strzałka wskazywała wciąż ten sam kierunek i nie ruszała się z miejsca, co znaczyło, że toyota nadal jest zaparkowana. *Cholera, cholera!* Jaka szkoda, że Jennifer zauważyła opla. W przyszłości będzie musiał zachować większą ostrożność.

Spojrzał na zegarek. Prawie czwarta. Poczeka godzinę i zawróci do miasteczka, może znajdzie jakiś hotel tuż obok hotelu Jennifer i pozostanie przy tym niezauważony.

Hotel Berghof, mimo swojej nazwy, był tylko zajazdem, dość przytulnym, z drewnianym belkowaniem na suficie i białymi ścianami. Kiedy Jennifer podeszła do recepcji, zobaczyła młodą, uśmiechniętą dziewczynę rozmawiającą przez telefon. Recepcjonistka skończyła rozmowę i spojrzała na nią.

– Ja?

– Szukam jednoosobowego pokoju na dzisiaj.

– Mamy wiele pokoi do wyboru – uśmiechnęła się, mówiąc doskonałą angielszczyzną. – Jest koniec sezonu i prawie wszyscy goście wyjechali.

Poprosiła Jennifer o wypełnienie karty meldunkowej, a potem zaprowadziła ją do sporego pokoju z widokiem na dolinę Simplon, z drewnianymi belkami podtrzymującymi sufit. Widok z okna był fantastyczny.

– Mogłabym poprosić szefa kuchni, żeby coś pani przygotował, jeżeli jest pani głodna, *Frau* March.

Jennifer nie była głodna. Myśl, że będzie musiała następnego dnia zidentyfikować ciało ojca, była przerażająca, ale zdała sobie sprawę, że rozsądnie byłoby coś zjeść.

– Dziękuję, będę bardzo wdzięczna.

– *Sehr gut.* Może pani zjeść w jadalni albo w barze na dole, ale radzę w barze, bo tam przynajmniej coś się dzieje.

Jennifer wzięła prysznic, przebrała się w dżinsy i sweter, zeszła do baru i usiadła przy sosnowym stoliku. W kominku buzował ogień, a przy barze stało kilku mężczyzn zajętych rozmową. Wyglądali na miejscowych gospodarzy, a kilku z nich zerkało na nią tak, jakby przyleciała z innej planety, ale wiedziała, że jest kimś obcym w małym miasteczku, a to wzbudza ciekawość. Recepcjonistka podeszła do niej i podała jej karę dań, po chwili przyniosła zamówione jedzenie, parujący talerz zupy *Jägerspiel*, talerz szwajcarskich serów i wędlin, sałatę z warzywami i oliwą oraz kufel pienistego piwa. Kiedy Jennifer skończyła kolację, zauważyła, że mężczyźni przy barze wciąż się jej przyglądają. W końcu jeden z nich podszedł do niej i postawił kieliszek czegoś białego.

– Z pozdrowieniami dla pani – powiedział płynną angielszczyzną. – To miejscowy sznaps. Najbliżej mu chyba do paliwa lotniczego, ale to najlepsze, co mamy w tych stronach. Właściwie nie jest taki zły, jeżeli się go szybko wypije. Rozumiem, że jest pani Amerykanką?

Był średniego wzrostu, dobiegał trzydziestki, miał sympatyczny wyraz twarzy i niezbyt starannie utrzymaną brodę. Ubrany był w kolorowy golf i dżinsy. Jennifer była przekonana, że próbuje ją poderwać. Odsunęła kieliszek i powiedziała na tyle uprzejmie, na ile ją było stać:

– Tak, jestem Amerykanką. Dziękuję panu za drinka, ale chciałabym być sama, jeśli można...

Mężczyzna uśmiechnął się i wyciągnął do niej rękę.

– Oczywiście, ale widząc, że mam gościa, pomyślałem, że podejdę się przywitać. Anton Weber. Jestem właścicielem hotelu.

Jennifer oblała się rumieńcem.

– Ja bardzo... przepraszam.

– Nie ma za co. Jest pani turystką, *Frau* March?

– Czy to tak bardzo widać?

Mężczyzna roześmiał się.

– Obawiam się, że tak. Długo pani zostaje w Simplon?

– Nie, tylko jedną noc. Jestem przejazdem.

– Szkoda. To bardzo piękna okolica.

– Tak, już widziałam. Ale słyszałam też, że niedaleko na lodowcu odkryto ciało.

Weber usiadł i zmarszczył czoło.

– Słyszała pani o tym? Raczej dziwne odkrycie, łagodnie mówiąc. Podobno był idealnie zachowany w lodzie – Anton podniósł brwi. – Nie jest pani przypadkiem dziennikarką?

Jennifer nie miała ochoty zwierzać się obcemu mężczyźnie ani mówić mu prawdy.

– Nie. Zwyczajnie jestem ciekawa. To intrygująca historia.

– Jakiś amerykański alpinista znalazł ciało na lodowcu Wasenhorn. Był gościem u mnie w hotelu, ale, niestety, trzy dni temu zginął. Spadł z przełęczy Furka i roztrzaskał się na skałach. Sierżant policji mówi, że jeszcze nie skończyli śledztwa, nie wiadomo więc, czy ta śmierć była przypadkowa.

Jennifer zesztywniała.

– Chce pan powiedzieć, że ktoś mógł go zamordować?

Anton Weber zmarszczył brwi.

– Tego nie mogę potwierdzić. Ale wczoraj przyszło tu kilku policjantów z dochodzeniówki, aby przeszukać jego pokój i zabrać rzeczy. To wszystko wydaje mi się co najmniej dziwne.

Jennifer poczuła ciarki na plecach.

– Czy mogłabym zobaczyć lodowiec, gdzie odnaleziono ciało?

– Oczywiście, ale będzie pani potrzebowała przewodnika, żeby się dostać na Wasenhorn. O tej porze roku, kiedy topnieje śnieg, taka wycieczka jest bardzo niebezpieczna. Czy mogę zapytać, czemu chce pani zobaczyć to miejsce?

– Jestem po prostu ciekawa. A z pewnością widok lodowca jest przepiękny. Gdzie mogłabym znaleźć przewodnika?

Weber zaśmiał się.

– Jakby to pani powiedzieć, właśnie pani na niego patrzy. Zanim zabrałem się za prowadzenie tego hotelu, żyłem z oprowadzania turystów po górach. Bardzo dobrze znam lodowiec Wasenhorn.

– Mógłby mnie pan tam zabrać?

– Czemu nie? Tam właściwie nie trzeba się wspinać, to tylko dość długa i wyczerpująca wycieczka.

– Bardzo chętnie zapłacę za pańskie usługi.

Weber uśmiechnął się.

– Absolutnie nie, nie ma potrzeby. Dla pani zrobię to z przyjemnością. Ma pani ze sobą sprzęt?

– Sprzęt?

– Sprzęt wspinaczkowy, buty i tak dalej.

– Niestety, nie.

– Nie szkodzi. Moja siostra Greta jest bardzo doświadczoną alpinistką, jestem pewien, że pożyczy pani wszystko, co będzie potrzebne. To ta dziewczyna, która panią meldowała w recepcji. Na pierwszy rzut oka wydaje mi się, że nosicie ten sam rozmiar. Spotkajmy się tu, na dole, o wpół do siódmej. Po śniadaniu możemy pojechać na Wasenhorn tak daleko, jak się da, a później iść dalej piechotą, co nie powinno zająć więcej niż kilka godzin. Proszę założyć coś ciepłego, na górze może być dość zimno.

Jennifer podniosła kieliszek.

– Dziękuję.

Upiła łyk sznapsa. Poczuła, że gardło zaczyna jej płonąć, i zamrugała oczami.

– O Boże!

Weber zaśmiał się serdecznie.

– Niech pani nie mówi, że nie ostrzegałem – wstał i raz jeszcze podał jej dłoń. – A teraz lepiej pójdę do moich klientów. Bardzo mi było miło panią poznać, *Frau* March.

Mark wrócił do miasteczka. Przejeżdżając koło hotelu Jennifer, zobaczył, że jej toyota wciąż stoi na parkingu. Po przeciwnej stronie ulicy był inny hotel, „Die Sefelder". Wyglądał na najbardziej ekskluzywny w mieście, na zewnętrznych ścianach koloru pastelowego wymalowano alpejskie widoki i sceny z polowań, ale najlepsze było to, że z tyłu był parking, na którym mógł schować opla. Jedyny problem polegał na tym, że nie wiedział, czy Jennifer zechce zostać w Berghof na noc. Mógł tylko zgadywać, ale musiał podjąć to ryzyko. Podjechał do hotelu z tyłu, zaparkował i poszedł do recepcji.

– Szukam jednoosobowego pokoju.

Recepcjonista podniósł głowę i odpowiedział mu po angielsku:

– Oczywiście, proszę pana. Na ile nocy?

– Prawdopodobnie tylko na jedną – odparł Mark. – Chciałbym pokój z oknami wychodzącymi na ulicę.

– Najładniejszy widok jest z pokoi położonych z tyłu, na Alpy. Nie wolałby pan pokoju z widokiem na góry?

Mark podał mu kartę kredytową.

– Widoki są na pewno wspaniałe, ale wolę pokój od frontu. I lepiej niech pan od razu zainkasuje należność, na wypadek gdybym musiał wcześniej wyjechać.

Jennifer leżała w sypialni, światło było zgaszone, firanki zaciągnięte, a ona nie mogła zasnąć. Słyszała za oknem, jak zegar na wieży kościelnej wybija dwunastą. W końcu po tych wszystkich tygodniach i miesiącach nadchodzi czas, kiedy znowu zobaczy twarz ojca. Nagle poczuła się osamotniona i zalękniona, żałowała teraz, że nie przyjęła propozycji Marka, który chciał z nią pojechać. Przydałaby się jej pomoc i wsparcie w tym ciężkim dniu. Rozpoznanie ciała ojca i ostateczne stwierdzenie, że nie żyje, będzie zamknięciem jakiegoś okresu w jej życiu, ale wiedziała, że po tym wszystkim zostanie więcej pytań niż odpowiedzi. Taka perspektywa ją przerażała – czuła się bezbronna.

Leżąc w hotelowym łóżku i próbując zasnąć, pomyślała jeszcze raz o młodym alpiniście, Amerykaninie nazwiskiem McCaul. Czuła dreszcz na myśl, że przyczyna jego śmierci była podejrzana. Będzie musiała jednak poczekać do spotkania z Caruso, żeby dowiedzieć się czegoś więcej.

Jeszcze coś nie dawało jej spokoju – ten opel, który za nią jechał, ale próbowała sobie wytłumaczyć, że to tylko wybryk jej wyobraźni.

Za oknem słyszała odgłosy burzy. Grzmoty i błyskawice, które odbijały się echem po alpejskich dolinach, coraz głośniejsze, aż do ogłuszającego crescendo, a potem nagle ulewny deszcz bijący o dach. Jennifer zawsze ciężko zasypiała podczas burzy, dziś nie było inaczej, a wyobraźnia podsuwała jej te same niepokojące obrazy – ciała jej matki i Bobby'ego splamione krwią, ostrze noża, które zatapia w szyi zamaskowanego mężczyzny, szaleńczy bieg przez trawnik, ucieczka przed włamywaczem.

Próbowała sobie wmówić, że nie ma się czego bać, ale niezależnie od tego, ile razy się o tym zapewniała, koszmary powracały i dopiero po godzinie odpłynęła w sen, całkowicie wyczerpana.

Mark siedział w ciemnym pokoju przy oknie o rozsuniętych zasłonach, w dłoniach trzymał lornetkę Zeiss. Na dworze panowały egipskie ciemności, więc założył przystawkę noktowizyjną. Teraz wszystko przybrało kolor zielony, ale widział całkiem jasno samochód i hotel Jennifer. W miasteczku panowała martwa cisza, słychać było tylko burzę, która przetaczała się i grzmiała gdzieś w górach. Godzinę temu przyglądał się przez lornetkę pokojom gościnnym hotelu Berghof i zobaczył, jak Jennifer zasłania okno. Teraz światło w jej pokoju zgasło.

Mark mógł się odprężyć i odłożyć lornetkę. Grimes i Fellows nie kontaktowali się z nim, wnioskował więc, że zameldowali się w innym hotelu w miasteczku. Jeżeli Jennifer chciała jechać następnego dnia rano na lodowiec, to Mark będzie musiał się uporać z różnymi problemami. Śledzenie Jennifer będzie łatwe, bo na górskich drogach nie będzie ruchu. Nie wiedział jednak, o której Jennifer chce wyjechać z hotelu. Najrozsądniejsza wydawała się ósma rano, ale Mark postanowił, że na wszelki wypadek nastawi budzik na siódmą. Przygotował sobie na rano ubrania i małą torbę podróżną – mógł w każdej chwili ruszać. Zasłonił okna i zapalił lampkę nocną.

Dostał luksusowy pokój ze staromodnym łóżkiem z baldachimem, perkalowymi zasłonami i drogimi, antycznymi meblami. W kącie stał mały barek. Niewiele jadł od momentu, gdy rano wyszedł z samolotu, a wcześniej nie chciał ryzykować zamawiania czegoś do pokoju, bo to mogłoby przeszkodzić w obserwacji hotelu Jennifer. Wyczerpała go długa jazda, był głodny i spragniony, wciąż nie mógł się przyzwyczaić do zmiany wysokości.

Otworzył drzwiczki do barku. Znalazł to, co zwykle bywa w hotelowych barkach – piwo i mocniejszy alkohol, napoje, orzeszki, batoniki i czekoladę. Ale hotel był szwajcarski, znajdowały się więc tam miniaturowe batoniki czekolady Toblerone i ręcznie robione czekoladki z likierem. Zauważył kilka miniaturowych buteleczek Jacka Danielsa i otworzył jedną, jednak instynkt gliniarza kazał mu sprawdzić cenę. Okazało się, że kosztuje dwanaście dolarów. Nawet paczuszka orzeszków kosztowała pięć dolarów, sześć za Toblerone, dziesięć za pudełeczko czekoladek z likierem.

Powinno być jakieś prawo, które zakazuje rozboju w biały dzień. *Do diabła*, powiedział sobie, *przecież podatnicy zapłacą za moje wydatki.* Nalał sobie piwa i Jacka Danielsa, wrzucił kilka kostek lodu, zjadł dwie paczuszki orzeszków i batonik Toblerone, zachowując buteleczki z likierem na deser. Już miał sobie nalać jeszcze jednego Jacka Danielsa, kiedy usłyszał dzwonek telefonu komórkowego. Dzwonił Kelso.

– Rozgościł się pan, Ryan?

– Tak, jest zupełnie jak w domu, za wyjątkiem minibaru. A pan gdzie się zaszył?

– Niedaleko – Kelso nie rozwodził się nad tym dłużej. – Co się dzieje z Jennifer?

– Mieszka w hotelu Berghof, po drugiej stronie ulicy. A gdzie pana ludzie?

– W hoteliku na drugim końcu miasteczka. Sprzęt w porządku?

– Tak, spisuje się doskonale.

– Dobrze. Będziemy mieli jutro ciężki dzień, proponuję więc, żeby pan się przespał. I proszę pamiętać, niech pan dzwoni do Fellowsa i Grimesa, jeżeli będzie pan potrzebował pomocy.

– Proszę się nie martwić, nie zapomniałem.

– Dobranoc, Ryan.

Mark wyłączył telefon komórkowy i dokończył Jacka Danielsa. Potem jeszcze raz sprawdził sprzęt. Wydawał się w najlepszym porządku. Cała ta sprawa ze śledzeniem Jennifer była jak sen wariata i choć z trudem mu to przychodziło, próbował się do tego absurdu jakoś przyzwyczaić. Zastanawiał się, jak Jennifer zareaguje, gdy w końcu zobaczy ciało ojca. Po raz tysięczny zadawał sobie to samo pytanie – jak to się stało, że Paul March zakończył życie w alpejskim lodowcu?

Otworzył okno, rozebrał się i wszedł do łóżka, czując się zmięty i wyczerpany. Burzowe górskie powietrze, które wpadało przez okno, podziałało na niego jak proszek nasenny i gdy tylko przytknął głowę do poduszki, już spał głębokim snem.

Mężczyzna wjechał do miasteczka i zatrzymał się przed hotelem Berghof. Deszcz lał niemiłosiernie. Wyłączył silnik, opuścił szybę i dłuższy czas wpatrywał się w ciemne okna hotelu, którego ściany rozjarzały się co chwilę błyskiem wyładowań elektrycznych.

Była trzecia rano. Kiedy się już upewnił, że na ulicy nie ma nikogo, wyszedł z samochodu wprost w ulewę. Podszedł do białego dżipa marki toyota, spod mokrego płaszcza przeciwdeszczowego wyciągnął narzędzia i zabrał się do pracy. Po pięciu minutach było po wszystkim, wsiadł do swojego samochodu i wyjechał z miasteczka w tym samym kierunku, z którego nadjechał.

16

Lou Garuda poświęcił cały poniedziałek na przeglądanie starych notatek ze śledztwa w sprawie Marchów, ale kiedy skończył, nie był ani trochę mądrzejszy. Zastanawiał się, w co wpakował się Mark, dlaczego nie zostawił mu na wszelki wypadek numeru telefonu. Sfrustrowany, zadzwonił do znajomego podoficera dyżurnego w komisariacie Jamaica.

– Woody, mówi Lou Garuda.

– Witam, mój smagłoskóry przyjacielu, latynoski ogierze z wielkim kutasem. Co mogę dla ciebie zrobić, Lou?

– Mark Ryan. Teraz jest na urlopie. Wiesz, gdzie się wybrał?

– Mark? Nie.

– A wiesz, jak się mogę z nim skontaktować?

– Nie.

– Wiesz może, dokąd pojechał?

– Cholera, nie mam pojęcia.

– Wielkie dzięki, Woody. Jesteś prawdziwą kopalnią wiedzy.

– Zawsze do usług.

Garuda odłożył słuchawkę. Ryan mieszkał kiedyś na tej samej ulicy, co Jennifer March. Może ktoś z jego rodziny wie, dokąd się wybrał?

Garuda wsiadł w swoje piętnastoletnie srebrne porsche 944 i ruszył na Long Beach. Auto miało już na liczniku dwieście osiemdziesiąt tysięcy kilometrów, ale silnik wciąż chodził jak nowy. Garuda uwielbiał swoje maleństwo.

Dom Marchów wychodził na ocean, miał własną małą przystań i pomost, wciąż wyglądał mniej więcej tak samo jak kiedyś – piętrowy, zbudowany w stylu kolonialnym, z drewnianymi okiennicami, wielkim podwórkiem i czystym, dobrze utrzymanym ogrodem. Przejeżdżając, zastanawiał się, czy Jennifer March już go sprzedała. Zaparkował porsche przy krawężniku i dalej ruszył piechotą.

Dom naprzeciw posiadłości Marchów był mniejszy i z pewnością robił wrażenie uboższego. Garuda wszedł na werandę i zadzwonił do drzwi. Nikt nie odpowiadał, więc obszedł dom dookoła. Furtka do ogrodu była zamknięta na klucz. Poirytowany Garuda podszedł do domu obok i nacisnął dzwonek.

W przedsionku za szklanymi drzwiami pojawiła się starsza kobieta. Miała sporą nadwagę, była nieatrakcyjna, włosy nakręciła na różowe lokówki, na piersiach ściskała odrażającą podomkę w kwiaty. *Jezu, gdybym miał dzielić łoże z taką damulką, to bym się chyba zastrzelił*, pomyślał Garuda. Kobieta była nieco przestraszona.

– O co chodzi?

Garuda pokazał policyjną blachę.

– Przepraszam, że pani przeszkadzam, ale próbuję znaleźć mojego kumpla, detektywa Ryana. Jego rodzina mieszka po sąsiedzku.

Kobieta przyjrzała się dokładnie odznace, a potem uśmiechnęła się, wyraźnie odprężona i spytała:

– Ma pan na myśli Marka?

– Tak, proszę pani. W komisariacie powiedzieli, że jest na wakacjach. Wie pani może, czy ktoś z jego rodziny tu mieszka? Chcę z nim porozmawiać, to bardzo ważne.

– Niestety, Mark już od paru lat tutaj nie mieszka, w domu została tylko jego mama. Ale teraz pojechała do Phoenix, do siostry, i nie będzie jej co najmniej przez miesiąc.

– Nie wie pani, gdzie mogę znaleźć Marka?

– Nie, nie wiem. Ale Wilbur ma jego adres, tylko teraz go nie ma w domu.

– Wilbur?

– Mój mąż. Mogę do niego zadzwonić.

Garuda uśmiechnął się szarmancko.

– Będę pani bardzo wdzięczny, droga pani. Z góry dziękuję.

Garuda wrócił do swojego mieszkania na Brooklynie, Angeliny nie było w domu, ale maleńkie majteczki i przezroczysty staniczek, które miała na sobie wczoraj wieczorem, wciąż leżały porzucone na pościeli, a w powietrzu unosił się mroczny zapach seksu. Garuda poczuł poruszenie w spodniach, ale szybko wyrzucił z głowy myśl o Angelinie – miał przed sobą jeszcze sporo pracy. Pojechał do mieszkania Marka w Elmont, ale od sąsiada dowiedział się tylko tyle, że Mark poprzedniego dnia wyjechał gdzieś na dłużej. Garuda myślał intensywnie. Ryan i Jennifer March tego samego dnia wyjeżdżają z miasta – przyszła mu do głowy niedorzeczna myśl. Otworzył notes, sprawdził numer i zadzwonił na lotnisko Kennedy'ego. W słuchawce usłyszał rozleniwiony, zmysłowy kobiecy głos:

– Debbie Kootzmeyer, biuro obsługi klienta, w czym mogę pomóc?

– Debbie, mówi Lou Garuda. Chciałbym cię prosić o przysługę.

– Lou, mówiłam ci już, że następnym razem, jak mąż mnie złapie, że się puszczam na boku, to się ze mną rozwiedzie.

– Nie chodzi o taką przysługę, kotku. Masz jeszcze dostęp do list pasażerów, prawda?

– Po co ci one?

– Chcę wiedzieć, czy ktoś wczoraj wylatywał samolotem z lotniska Kennedy'ego, a może z La Guardia. Facet nazwiskiem Mark Ryan.

– Lou, przecież wiesz, że nie mogę ci podać takiej informacji...

– To naprawdę ważne, Debbie. Tylko jedno nazwisko. Mark Ryan. Następnym razem, jak się zobaczymy, to ci to wynagrodzę, zrobię wszystko, co zechcesz.

Debbie protestowała:

– Boże, Lou, masz w ogóle pojęcie, ile ludzi codziennie się przewija przez lotnisko Kennedy'ego albo La Guardia? Masz numer lotu albo w ogóle coś?

– Tylko przeczucie, ale sprawdź najpierw loty do Szwajcarii. Chyba wczoraj po południu. Ten facet jest zameldowany w Elmont na Long Island. Może to jakoś ci pomoże.

Debbie westchnęła.

– Będę musiała do ciebie oddzwonić.

Telefon zadzwonił piętnaście minut później.

– Pasażer nazwiskiem Mark Ryan poleciał wczoraj wieczorem liniami American Airlines do Zurychu. Zameldowany w Elmont.

Garuda uśmiechnął się.

– Debbie, jesteś niesamowita. Siedzisz przy komputerze?

– Nie ruszam się od tego cholerstwa nawet na krok.

– Więc sprawdź jeszcze jedną rezerwację. Tym samym lotem powinna lecieć kobieta. Nazwisko Jennifer March.

Garuda usłyszał stukanie w klawiaturę, a potem Debbie odparła:

– Na liście tego lotu nie mam nikogo o tym samym nazwisku.

– Jesteś pewna?

– Mam to przed sobą na ekranie, Lou.

– Możesz mi powiedzieć, kiedy ona poleciała?

– Lou, przeginasz pałę.

– Następnym razem, jak będziesz miała ochotę mnie zaprosić, zrobię to, co lubisz. Wezmę do ust kilka kostek lodu.

– Kusisz mnie, Lou. To nieładnie.

Garuda uśmiechnął się szeroko.

– A zgadnij, gdzie cię potem będę całował?

– Uwielbiasz się przekomarzać, wiesz? – Debbie westchnęła i znów uderzyła palcami w klawiaturę. – Co robisz w przyszły wtorek?

– A dlaczego?

– Mój mąż chyba wyjeżdża na delegację.

Garuda uśmiechnął się do siebie.

– Jesteś zdzirą, Debbie.

– Tak, ale właśnie to kochasz we mnie najbardziej.

Garuda odłożył słuchawkę, podszedł do okna i patrzył na pnące się pod niebo drapacze chmur Nowego Jorku. Był w kropce i nie wiedział, co myśleć. Mark Ryan, jak się okazuje, też wyjechał do Szwajcarii. Ale dlaczego wcześniejszym lotem? Nie chodzi przecież o to, że nie mógł zarezerwować tego samego lotu, co Jennifer March – kiedy Debbie sprawdziła rezerwacje, okazało się, że w obu samolotach do Zurychu było jeszcze mnóstwo wolnych miejsc. Więc dlaczego Ryan i ta dziewczyna polecieli osobno, innymi liniami? To w ogóle nie miało żadnego, kurwa, sensu.

Garuda czuł przez skórę, że dzieje się tu coś bardzo dziwnego. Instynkt detektywa nigdy go nie mylił.

Wciąż jednak miał problem. Nie mógł bezpośrednio porozmawiać z Ryanem, a potrzebował informacji. Mógł chyba spróbować jeszcze z innej strony. Odszedł od okna i ponownie sięgnął po telefon.

17

Szwajcaria

Jennifer obudziła się tuż przed szóstą. Kiedy rozsunęła zasłony i otworzyła okno, słońce już niemal w całości wyszło zza gór, był piękny, wiosenny poranek. Na wysadzanych kocimi łbami ulicach miasteczka gdzieniegdzie widać było jeszcze kałuże po nocnej ulewie, Po drugiej stronie ulicy Jennifer ujrzała hotel Sefelder – elegancki i ekskluzywny, z którego na pewno rozciągał się zapierający dech w piersiach widok na przyprószone śniegiem Alpy.

Wzięła prysznic, ubrała się i zeszła na dół do jadalni. Przy jednym ze stolików leżały już nakrycia dla gości, kilka chwil później pojawiła się Greta z dzbankiem gorącej kawy. Wyglądała na ożywioną i całkowicie rozbudzoną mimo tak wczesnej pory.

– Dobrze się spało?

– Tak, oprócz tego, że kilka razy obudził mnie grzmot burzy – zwierzyła się Jennifer. – W nocy był straszny hałas.

Greta uśmiechnęła się do niej.

– Kiedy w Alpach grzmi i błyska, człowiek ma wrażenie, że wszystko się wali i że za chwilę będzie koniec świata. Anton powinien za chwilę pojawić się na dole. Siedział wczoraj do późna i popijał z miejscowymi. Słyszałam, że zabiera panią na lodowiec. Zostawię przed pani pokojem sprzęt wspinaczkowy i porządne buty górskie. Mam nadzieję, że będą pasować.

– Dziękuję, jest pani bardzo miła, Greto.

– Cała przyjemność po mojej stronie. Żałuję tylko, że nie mam czasu i nie mogę iść z wami. Góry są przepiękne, kiedy po burzy niebo się wypogadza. Życzę smacznego.

Anton zszedł dziesięć minut później, kiedy Jennifer kończyła śniadanie. Miał na sobie gruby wełniany sweter, getry i spodnie do kolan, solidne buty do wspinaczki, na ramieniu mały plecak i lornetkę.

– *Frau* March, *Guten Morgen*.

– *Morgen*, Anton. I proszę nazywać mnie Jennifer.

Potarł oczy.

– W takim razie, Jennifer. Niestety, nie najlepiej spałem. Kilka razy obudził mnie grzmot pioruna.

– Pociesz się, że nie tylko ciebie.

Anton nalał sobie kubek gorącej, czarnej kawy i wypił prawie wszystko duszkiem.

– Już mi lepiej. Czy Greta mówiła, że ma dla ciebie ubranie i sprzęt?

– Tak.

– Dobrze. Jak będziesz gotowa, możemy jechać. Pogoda jest świetna, a dzień na wycieczkę zapowiada się znakomicie. Rozumiem, że masz jakiś transport?

– Z napędem na cztery koła.

– Doskonale. Weźmiemy twój wóz, jeżeli nie masz nic przeciwko temu, bo samochód terenowy lepiej się nadaje na górskie wertepy. Po burzy drogi mogą być zdradliwe, pełne dziur i błota.

Widoki były rzeczywiście przepiękne, a powietrze niezwykle czyste. Chmury się rozproszyły i nie było ani odrobiny wiatru. Kiedy Jennifer prowadziła samochód, jadąc w kierunku Wasenhornu, Anton pokazał jej łańcuch imponująco wysokich gór na horyzoncie.

– Tam jest Matterhorn, a za nim Eiger. Byłaś kiedyś w Szwajcarii, Jennifer?

– Rodzice przywieźli mnie tu raz na wakacje, jeszcze jako dziecko, ale to było dawno temu.

– Czy twoi rodzice mieszkają w Ameryce?

Jennifer przez chwilę rozważała odpowiedź na to pytanie, ale postanowiła, że lepiej nie zdradzać Antonowi rzeczywistego powodu, dla którego chce zobaczyć lodowiec. Przewodnik wydawał jej się trochę zbyt ciekawski, ale zganiła się i pomyślała, że może po prostu chce być towarzyski i nawiązuje rozmowę. Ona była kimś obcym i nowym w małym miasteczku, a to zawsze wzbudza ciekawość.

– Niestety, oboje nie żyją.

Anton wyglądał, jakby żałował, że zadał to pytanie.

– Przepraszam. Nie chciałem się wtrącać w nie swoje sprawy...

Jennifer zmieniła temat.

– Domyślasz się, co ten człowiek mógł robić w okolicy, gdzie znaleziono jego ciało?

„Dziwnie się czuję, mówiąc »ten człowiek«, zamiast »mój ojciec«" – pomyślała.

Anton wzruszył ramionami.

– Od setek lat w tym regionie ludzie chodzą niedostępnymi ścieżkami przez góry, to szlaki prowadzące na granicę. Chodzi się tędy, jeżeli chce się uniknąć celników i pokazywania paszportu. Przeważnie robią tak uciekinierzy i przestępcy. Wiadomo też, że przemytnicy korzystali z tych szlaków, żeby wychodzić i wracać do Szwajcarii przez zieloną granicę.

– Przemytnicy?

Anton uśmiechnął się tajemniczo.

– Szwajcaria to banki i pieniądze niewiadomego pochodzenia, konta na okaziciela, ale na pewno to wszystko wiesz. Przez tę granicę przenoszono gotówkę, diamenty, metale szlachetne i różne cenne rzeczy. Co tylko kto chciał.

– Chcesz powiedzieć, że robiono to nielegalnie?

Anton jeszcze raz się uśmiechnął.

– Oczywiście. W Alpach przemyt zawsze był sposobem na życie, tak jest od pokoleń. Parę osób, które wczoraj widziałaś w barze, przez całe lata nieźle z tego żyło, a prawdopodobnie do dzisiaj chodzą na przemyt. W odległych górskich regionach nie ma za wiele pracy, więc co bystrzejsi znajdują inne sposoby zarabiania pieniędzy.

– Okazuje się, że jest parę rzeczy, których jeszcze nie wiem o Szwajcarii.

Anton zaśmiał się głośno.

– Oczywiście.

Stromy górski trakt – zdradliwy, błotnisty i tak wąski, że mieścił się tam tylko jeden samochód – wcinał się w górskie zbocze, biegnąc wzdłuż urwiska. Z jednej strony drogi widzieli litą skałę zbocza góry, a z drugiej kilkusetmetrowy spadek kończący się ostrymi piargami. Koła lekko buksowały w miękkim błocie i Jennifer musiała bardzo uważać, prowadząc.

– Teraz spokojnie i powoli – powiedział Anton. – Ale dopiero zjeżdżając w dół, będziemy musieli naprawdę uważać. Jeśli będziesz jechała za szybko albo wpadniesz w poślizg, możemy mieć problemy.

Kiedy wyjechali zza zakrętu, odsłonił się przed nimi przepiękny widok. Zza chmur wyłonił się majestatyczny szczyt Wasenhornu, który wyglądał jak potężna, starożytna skamielina. Po chwili, całkiem niespodziewanie, znaleźli się na końcu drogi. Jennifer zaciągnęła hamulec ręczny, Anton wysiadł z samochodu i zarzucił sobie mały plecak na ramię, potem sięgnął na tylne siedzenie po lornetkę.

– No, droga pani, resztę drogi musimy, niestety, pokonać piechotą. Ale myślę, że wycieczka ci się spodoba.

18

Mark usłyszał jakiś dźwięk, jakby kół samochodowych toczących się po kocich łbach, i odwrócił się na drugi bok. Był zmięty i nieswój. Zza okna słyszał hałasy ulicy, przytłumione głosy mówiące po niemiecku ze śpiewnym, szwajcarskim akcentem – miał wrażenie, że miasteczko tętni życiem. Strasznie bolała go głowa, a potem zrozumiał dlaczego – alkohol i duża wysokość nad poziomem morza to rzeczywiście fatalna mieszanka. Drinki wypite poprzedniej nocy zupełnie zwaliły go z nóg, leżał w łóżku z otwartymi oczami i próbował się skupić na tym, co pokazuje budzik: *8:05*.

O, jasna cholera!

Zaspał.

Pospiesznie wygramolił się z łóżka. Przypomniał sobie, że słyszał dźwięk budzika, ale musiał być potwornie zmęczony, bo obrócił się na drugi bok i po prostu go wyłączył. Podszedł do okna niepewnym krokiem i spojrzał w kierunku parkingu hotelu Berghof. Toyoty Jennifer już nie było.

Jennifer nie pamiętała, żeby kiedykolwiek czuła bliskość tak surowej, prymitywnej mocy i siły, jaka emanowała z postrzępionych szczytów górskich. Powietrze było chłodne i bolało przy każdym oddechu, ale kiedy razem z Antonem dotarli do lodowca, zobaczyli widok zapierający dech w piersiach. Przed nimi rozciągała się połać litego, błękitnego lodu, miejscami pooranego szczelinami. Lodowiec był bardzo szeroki, ale trudno było określić jego długość, bo przypominał niekończącą się, szeroką, zmrożoną na kość rzekę.

– Teraz ostrożnie. Lód jest dość twardy, ale idź za mną po moich śladach. – Anton prowadził, wskazując pęknięcie w lodowcu około stu metrów od nich. – To właśnie jest szczelina, w której znaleziono ciało. Leży kilka metrów za granicą, już po włoskiej stronie.

Jennifer mocniej zabiło serce, kiedy podeszli bliżej do miejsca, które przed chwilą pokazywał z daleka Anton. Nie potrafiła opanować burzy uczuć, a bolesna świadomość, że ojciec, którego tak kochała, właśnie tu zakończył życie, w tym odległym, zapomnianym przez Boga i ludzi zakątki ziemi, przygniatała ją jak potężny głaz. *Gdybym wiedziała, dlaczego?* Kiedy podeszli bliżej, Anton powiedział ostrzegawczo.

– Nie za blisko, Jennifer. To naprawdę dość niebezpieczne.

Spojrzała w dół i zobaczyła, że szczelina robi się coraz ciemniejsza, im głębiej się w nią patrzy.

– Masz linę i latarkę?

– Tak, w plecaku. Dlaczego?

– Możesz mnie opuścić na dół?

– Co?

– Chciałabym zobaczyć, gdzie znaleziono ciało.

– Jennifer... Nie bądź głupia.

Była zdeterminowana.

– Jestem bardzo ciekawa. Zjeżdżałeś już na linie do takich szczelin?

– Oczywiście, wiele razy, ale...

– Więc powinniśmy być bezpieczni. Poza tym przecież policjanci już tam byli, to nie może być aż tak trudne.

Anton westchnął:

– *Gott im Himmel.* A ja sądziłem, że jesteś spokojną, skromną, amerykańską turystką.

Zdjął plecak z ramion, rozwinął linę zjazdową i zaczął młotkiem wbijać haki w lód, żeby ją umocować.

– Dobrze, ale lepiej będzie, jeżeli zjadę tam razem z tobą. Policja na pewno nie chciałaby znaleźć na dole jeszcze jednych zwłok.

Mark włączył monitor śledzenia samochodu Jennifer. Sygnał dźwiękowy był słaby, a strzałka pokazywała kierunek wprost na północ. Odczyt odległości sygnału wskazywał pięć kilometrów i był stabilny, co znaczyło, że toyota jest zaparkowana. Spojrzał na mapę i doszedł do wniosku, że Jennifer jest gdzieś niedaleko Wasenhornu.

Prawdopodobnie podjechała pod szczyt góry i tam zatrzymała

samochód. Pomyślał, że może się dowie przez radio, gdzie, do diabła, są Grimes i Fellows, ale postanowił nie tracić więcej cennego czasu. Skontaktuje się z nimi po drodze. Ubrał się szybko, chwycił w dłoń torbę i zszedł do recepcji. Dyżur miała młoda recepcjonistka.

– Jak się dostanę do Waserhorn? – zapytał niecierpliwie.

Dziewczyna odparła:

– Zobaczy pan znaki, kiedy wyjedzie pan na północ z miasteczka, albo jak będzie pan wracał w kierunku Brig.

Mark nawet nie zdążył jej podziękować. Wybiegł na parking, wrzucił torbę do opla i uruchomił silnik.

W szczelinie było niewiarygodnie zimno, jak w olbrzymiej zamrażarce. Ściany komory lodowej były błękitne, w niektórych miejscach gładkie jak szkło, w innych chropowate, a kiedy Anton poświecił dookoła latarką, Jennifer stwierdziła, że na dole jest dziwnie i strasznie. Zobaczyła głęboką dziurę w lodzie, skąd wycięto ciało jej ojca i zadrżała. Poczuła ogarniający ją głęboki smutek.

Anton zwrócił się do niej.

– Zbladłaś. Wszystko w porządku?

– Tak... Już dobrze.

Nagle zobaczyła mniejszą dziurę wyciętą u samego dna uskoku lodowego, dookoła której leżały odpryski lodu.

– Co to jest?

Anton wzruszył ramionami.

– Słyszałem od szwajcarskiej policji, że McCaul tuż obok ciała znalazł plecak. Może właśnie tutaj.

Jennifer zmarszczyła brwi.

– Co było w tym plecaku?

– Bóg jeden wie.

– Co jeszcze słyszałeś o wypadku McCaula?

– Nic, dlaczego?

– Tylko tyle, że ta jego nagła śmierć wydaje się dosyć... dziwna.

– Podobno był niezłym alpinistą. Ale nawet najlepsi robią błędy, a on był młody, miał dwadzieścia parę lat, za młody na prawdziwe doświadczenie. Przecież w końcu to on wpadł do tej rozpadliny.

– A co właściwie tu robił?

Anton jeszcze raz wzruszył ramionami.

– Był po prostu turystą. Zameldował się w hotelu na tydzień, wydawał się bardzo miły, ale większość czasu spędzał w górach i ledwo co z nim zdążyłem porozmawiać. Wiesz co, Jennifer, naprawdę jesteś bardzo ciekawską dziewczyną.

– Tak uważasz?

Anton zrobił gest ręką, pokazując na rozpadlinę lodową, a potem powiedział podejrzliwym tonem:

– Chcesz najpierw wejść na lodowiec. Później chcesz zobaczyć, gdzie dokładnie znaleziono ciało, a teraz zadajesz pytania na temat McCaula. Na pewno nie jesteś dziennikarką?

– Na pewno.

Podniosła głowę i spojrzała na wylot z rozpadliny gdzieś wysoko nad nimi, na światło wlewające się do wąskiej szczeliny z nieboskłonu, a potem raz jeszcze ogarnęła spojrzeniem lodową komnatę.

– Już się napatrzyłaś? – spytał w końcu Anton.

Jennifer poczuła ciarki na plecach.

– Chyba tak.

Kiedy siedzieli, odpoczywając na śniegu, Anton wyjął z plecaka termos i nalał dwa kubki gorącej kawy.

– To powinno nas pokrzepić. Nie mam brandy do kawy, alkohol i wysokie góry to zła mieszanka.

– Dziękuję ci, Anton.

Jennifer rozejrzała się po alpejskich szczytach. Widok był niezwykły – gdzieś daleko pod nimi leżały Włochy, wydawało się, że siedzą na samym szczycie świata, słońce świeciło mocno, wokół nich leżał oślepiająco biały śnieg.

– Jak sądzisz, w którym kierunku ten mężczyzna mógł iść?

– Bóg jeden wie.

– Gdzie jest najbliższe miasteczko albo wioska?

Anton pokazał w dół, na dolinę po włoskiej stronie.

– Tam. Wioska nazywa się San Domenico, niedaleko Varzo. Leży na terenie Alpe Veglia, to alpejski rezerwat przyrody.

– Jak to daleko?

– Około pięć kilometrów. To tam właśnie szedł McCaul, kiedy znalazł ciało. To szlak prowadzący przez lodowiec ze szwajcarskiej strony.

– I po drodze nic nie ma?

– Nic oprócz małej bacówki. Miejscowi nazywają ją *Berghut*, to takie miejsce, gdzie zatrzymują się alpiniści i turyści. Tymi szlakami chodzi się od wieków, a w Alpach wszędzie są takie schronienia pod dachem, w których można odpocząć. Niewątpliwie są one potrzebne.

– Tak?

– Jeżeli pogoda w górach nagle się załamuje, takie schronienie pod dachem często może oznaczać wybawienie od śmierci. Taka bacówka jest po włoskiej stronie granicy, niedaleko, krótki spacerek stąd.

– Mogłabym ją zobaczyć?

Anton spojrzał na zegarek. Wprawdzie niechętnie, ale w końcu się zgodził.

– Dobra, czemu nie.

Jennifer wstała, otrzepała śnieg ze spodni, położyła mu rękę na ramieniu.

– Masz ogromnie dużo cierpliwości, Anton. Jak wrócimy, obiecuję, że postawię ci piwo.

– Trzymam cię za słowo.

Dość szybko dotarli do bacówki. Wzniesiono ją z kamienia i drewna, miała łupkowy dach, była duża i solidna, stała na krawędzi góry nad samą doliną. Anton otworzył skrzypiące drzwi i weszli do środka. Chyba bardzo długo nikt tu nie wchodził, a Jennifer czuła się w tym wnętrzu jakoś dziwnie.

– W zimie z bacówki nikt nie korzysta – wyjaśnił Anton. – Od końca wiosny do początku zimy ktoś tu się nią opiekuje, ale przez resztę roku nikt tutaj nie przychodzi.

Anton oprowadził Jennifer, pokazując grube, sosnowe belki na suficie, kilka pomieszczeń, w nich proste drewniane łóżka, kuchenkę i kilka najniezbędniejszych sprzętów. Pod granitowymi ścianami ułożono drewno na opał, a nad olbrzymim kominkiem wisiało poroże jelenia. Ci, którzy tu nocowali, wyrzeźbili swoje inicjały w drewnie, pisali daty i rysowali graffiti na drewnianych belkach.

– To wszystko. Niewiele tego – komentował Anton, zamykając drzwi, kiedy wychodzili na zewnątrz.

Jennifer zauważyła maleńką górską wioskę w dolinie.

– A to, jak się nazywa?

– Ta wioska to San Domenico, opowiadałem ci o niej.

– Możesz pożyczyć mi lornetkę?

– Oczywiście.

Jennifer wyregulowała ostrość szkieł i zobaczyła grupę domów zbudowanych w stylu alpejskim, architektonicznie przywodzących na myśl Szwajcarię, a nie Włochy. Trochę dalej, na skalistym zboczu, zauważyła kilka stojących na uboczu, niezwykłych w tej okolicy budynków z kamienia, pokrytych holenderską dachówką. Wyglądały jak fortyfikacje posadowione na litej skale, wiszące tuż ponad przepaścią, a pod nimi tylko lita, granitowa ściana. Pokazała Antonowi otoczone murem budynki.

– Co to jest?

– Stary klasztor pod wezwaniem Korony Cierniowej. Stoi nad tym urwiskiem od kilkuset lat.

– Wygląda niesamowicie, taki przycupnięty na skale.

– Od wieków ludzie budują w Alpach klasztory i sanktuaria. W tej okolicy jest ich kilkadziesiąt. Wiesz, chodzi o oddalenie od skupisk ludzkich. Zakonnicy szukają skupienia i samotności.

– W tym klasztorze ktoś mieszka?

Anton skinął głową.

– Tak, mnisi katoliccy, ale niewielu już zostało i budynki klasztorne są dość zaniedbane. A szkoda, podobno klasztor jest piękny, kiedyś był słynnym miejscem kultu. Alpiniści do dzisiaj chowają się tam zimą, kiedy załamuje się pogoda.

– Jak się tam dostać?

– Po przekroczeniu granicy zobaczysz znaki, które cię poprowadzą z głównej drogi. Ale co cię tam ciągnie?

– Nic szczególnego, myślałam po prostu o tym, jak dramatyczne wrażenie sprawia widok tego klasztoru stąd i jaki jest odosobniony.

164

Jennifer przyglądała się budynkom. Nie wiedziała dlaczego, ale nagle poczuła dreszcz na plecach i gęsią skórkę. Chwilę później zobaczyła, że Anton patrzy na zegarek.

– Teraz naprawdę powinniśmy już wracać. Greta będzie na mnie czekać, mam jeszcze obowiązki w hotelu.

Kiedy jechali samochodem w dół górską drogą, Anton powiedział:

– Lepiej jechać trochę wolniej, ale na pewno dojechać do celu, więc pamiętaj, nigdzie się nie spiesz. Ta część drogi jest bardzo zdradliwa.

Jennifer jechała powoli. Kiedy droga nagle zaczęła ostro schodzić w dół, nacisnęła na hamulec.

Żadnej reakcji.

Poczuła, że robi jej się zimno. Znów kilka razy przycisnęła pedał hamulca, mocniej, ale miała miękko pod stopą. Ogarnęło ją przerażenie, kiedy dżip nabierał prędkości na ostrym spadku.

Jezus Maria!

Anton spytał:

– Co się dzieje? Jedziesz za szybko. Hamulec, Jennifer. Naciśnij na hamulec.

– Naciskam. Hamulec nie działa.

– *Scheisse!* Spróbuj jeszcze raz.

Jennifer spróbowała jeszcze raz, cisnąc na pedał hamulca z całej siły, ale samochód wciąż nie zwalniał. Przełączyła na niższy bieg i dżip kilka sekund jechał wolniej, ale potem znów zaczął nabierać prędkości. Nie mogła opanować pojazdu i musiała ciężko pracować, starając się nie pozwolić toyocie wpaść w poślizg i zlecieć w przepaść. Serce jej biło jak młotem, kiedy dżip nabierał prędkości, z każdą sekundą pędził coraz szybciej, a ona bała się spuścić oczy z drogi.

– Zaciągnij ręczny – krzyknęła do Antona.

Anton sięgnął ręką i szarpnął za hamulec ręczny, ale to zupełnie nie pomogło. Jennifer włączyła pierwszy bieg i toyotą raptownie szarpnęło, auto zwolniło, ale nagle zobaczyła przed sobą ostry zakręt prowadzący tuż nad skalistym urwiskiem, które kończyło się kilkaset metrów niżej.

Serce biło jej jak oszalało.

– O, Boże!

Anton z pewnością również zauważył, co ich czeka, bo zasłonił oczy dłońmi i wrzasnął:

– *Mein Gott!*

Jennifer szarpnęła kierownicą w prawo, dżip wpadł w poślizg i zaczął sunąć w kierunku krawędzi urwiska.

19

Jennifer zobaczyła przed sobą urwisko i była pewna, że jej los już jest przypieczętowany. Niemal w ostatniej chwili Antonowi udało się otrząsnąć z szoku, gwałtownym ruchem wyrwał jej kierownicę z rąk i próbował wyprowadzić samochód z poślizgu, ale nic to nie pomogło, a dżip wciąż sunął w poprzek drogi w kierunku urwiska. „Zaraz umrę" – pomyślała Jennifer. Byli zaledwie kilka metrów od krawędzi skały, kiedy nagle pojawił się terenowy niebieski nissan. Wyjechał powoli zza niewidocznego zakrętu drogi trochę powyżej nich. Rozległ się ogłuszający dźwięk uderzenia i zgrzyt metalu o metal, a toyota zatrzymała się tuż nad krawędzią przepaści. Jennifer miała zapięty pas, ale siła bezwładu podczas zderzenia uniosła ją w górę i sprawiła, że uderzyła głową o dach samochodu.

Kiedy dżip wreszcie stanął, z piersi Antona wyrwało się westchnienie ulgi:

– *Gott in Himmel.*

Był blady ze strachu, ale czuł, że nic mu nie jest. Jennifer przez kilka chwil siedziała nieruchomo w fotelu kierowcy – była w takim szoku, że nie mogła ani poruszyć się, ani wydusić z siebie słowa. Dopiero po chwili odpięła pas i roztrzęsiona wysiadła z toyoty. Spojrzała w kierunku skały i zobaczyła przerażającą przepaść, a poniżej skalistą dolinę; zakręciło jej się w głowie. Byli teraz tylko o kilka metrów od krawędzi – wypadek uratował im życie. Poczuła nagle, że robi jej się słabo, a kiedy się odwróciła, zobaczyła kierowcę nissana, który wychodził ze swojego samochodu. Spod uszkodzonej maski auta unosiła się para.

– Jest pani cała?

Sądząc z akcentu, był Amerykaninem. Przystojny, postawny, na pierwszy rzut oka około pięćdziesiątki. Miał na sobie rozpiętą pikowaną kurtkę, biały podkoszulek, dżinsy i zamszowe buty terenowe. Podszedł do niej.

– Pytam, czy wszystko w porządku?

Jennifer zamrugała. Próbowała odpowiedzieć, ale nie mogła z siebie wydobyć głosu. Zdawała sobie sprawę, że ciągle jest w szoku. Uderzenie w głowę musiało narobić więcej szkód, niż sądziła. Nagle twarz mężczyzny się rozmyła, wszystko dookoła zrobiło się mgliste i Jennifer zemdlała.

Kiedy odzyskała przytomność, Antona już nie było, a mężczyzna klęczał obok, zwilżając jej czoło mokrą chusteczką i delikatnie poklepując w policzek.

– Proszę się zbudzić. Jak się pani czuje?

Jennifer zamrugała i poczuła pulsujący ból pod czaszką.

– Ja. Nie wiem.

– No, to zobaczmy – mężczyzna ujął jej głowę w dłonie, podniósł powieki i obejrzał oczy, a potem zbadał puls. Podniósł w górę palce.

– Ile palców pani widzi?

– Trzy.

– Dobrze. Proszę leżeć spokojnie i nie ruszać się.

Podszedł do toyoty, obejrzał ją, a następnie ocenił straty w swoim aucie. Zderzak nissana był uszkodzony, przednie nadkole wygięte do wewnątrz.

– Mój samochód wygląda nie za dobrze, ale pani auto to już, niestety, złom.

– Gdzie jest... Gdzie jest Anton?

– Pani znajomy? Poszedł na dół piechotą, żeby zadzwonić po lekarza. Był bardzo przejęty, ale pani chyba nic nie będzie. Ma pani lekkie wstrząs mózgu i potężnego guza na głowie.

– Co... Co się stało?

Mężczyzna skinął w kierunku krawędzi skały.

– Wjechałem w panią, to się stało. Na całe szczęście dla pani, z tego, co widzę. Pani znajomy mówił, że jest pani Amerykanką, czy to prawda?

– Tak.

– Pędziła pani w dół tą górską drogą, jakby pani miała na plecach oddział piątego pułku kawalerii. Co wyście próbowali tutaj zrobić? Chcieliście się zabić?

– Hamulce przestały działać.

– Pani znajomy o tym nie wspominał.

Mężczyzna zmarszczył brwi, podszedł do toyoty i kilka razy nacisnął pedał hamulca. Wszedł pod auto. Wyłonił się kilka minut później, wycierając ręce.

– Moim zdaniem, ktoś przy tych hamulcach majstrował.

Jennifer z wrażenia aż usiadła. Pulsujący ból w głowie nie ustawał.

– Co pan mówi?

– Ktoś poluzował przewody hydrauliczne. Płyn hamulcowy wyciekał kropla za kroplą za każdym razem, kiedy naciskała pani pedał hamulca.

– Ja... Ja nie rozumiem.

– Te przewody w zasadzie nigdy same się nie poluzowują. Jeśli auto byłoby stare, wtedy rzeczywiście coś takiego mogłoby się zdarzyć. Ale dżip jest nowiuteńki. Według mnie, ktoś to zrobił celowo.

Jennifer chłonęła jego słowa, ale wciąż nie mogła uwierzyć w to, co słyszy.

– Ale... Ale dlaczego?

– Nie mam zielonego pojęcia, ale będziemy się tym martwić później. Już pani doszła do siebie?

– Tak.

– A dokąd mógł pójść pani znajomy?

– Nie wiem, może z powrotem do Simplon. Zatrzymałam się w miasteczku, w hotelu Berghof.

Mężczyzna spojrzał na nią tak, jakby go to zdumiało.

– Właśnie tam jadę. Może spróbujemy zawieźć panią do hotelu i nie będziemy tracić czasu, czekając, aż pani znajomy wróci. Przy odrobinie szczęścia może moje auto jakoś odpali.

Poszedł otworzyć bagażnik nissana i wrócił z solidnie wyglądającą łyżką do opon. Wsadził łyżkę pod nadkole, zaparł się o oponę i pociągnął z całych sił. Wyglądał na kogoś, komu nie brakuje formy fizycznej – Jennifer widziała napinające się z wysiłku mięśnie ramion. Uszkodzone nadkole ani drgnęło, ale mężczyzna się nie poddawał – ciągnął i ciągnął, aż w końcu udało mu się uwolnić oponę od wygiętego metalu.

– Dobra, spróbujmy.

Wszedł do środka. Nissan zapalił już za pierwszym razem. Włączył bieg i bardzo powoli cofnął, oddalając się od urwiska, potem zaciągnął hamulec ręczny i wyszedł.

– No, to żyjemy. Dogonimy pani znajomego, Antona, po drodze. Da pani radę wstać?

– Chyba tak.

Pomógł jej stanąć na nogi i zrobić kilka pierwszych kroków.

– Kości są chyba całe.

– Wszystko będzie dobrze.

Jennifer wciąż czuła pulsujący ból głowy, ale świat już jej nie wirował przed oczami. Nagle zdała sobie sprawę, że nawet nie zapytała mężczyzny, jak się nazywa, ani mu nie podziękowała. Myśl wydawała jej się absurdalna, ale ten wypadek ocalił jej życie.

– Ja... Jeszcze panu nie podziękowałam. Gdyby nie wyjechał pan wtedy zza zakrętu, Anton i ja moglibyśmy się zabić. Jestem Jennifer March.

Oczy mężczyzny zwęziły się na sekundę w szparki, kiedy usłyszał jej nazwisko. Nie podał jej ręki. Rozzłoszczony podniósł łyżkę do opon i wrzucił ją do bagażnika.

– Wiem, kim pani jest. Jest pani córką Paula Marcha. Teraz się stąd zmywajmy, ale potem będziemy musieli chyba pogadać.

Jennifer była zupełnie wytrącona z równowagi.

– Kim... Kim pan jest?

– Nazywam się Frank McCaul. Chuck McCaul był moim synem.

Dopiero po chwili Jennifer zdała sobie sprawę, że zna to nazwisko.

– Ten... alpinista, który zginął na przełęczy Furka?

– Mój syn nie zginął. Został zamordowany.

20

– *Still, bitte.*

Jennifer zamrugała. Potwornie bolała ją głowa. Siedziała na łóżku w swoim pokoju hotelowym, szwajcarski lekarz kończył zakładanie opatrunku i przyklejał jej plaster na czole, podczas gdy stojąca z boku Greta przyglądała się zabiegowi. Lekarz szwargotał coś po niemiecku, a Greta równocześnie tłumaczyła.

– Doktor mówi, że powinnaś zrobić prześwietlenie. Nie trzeba zakładać szwów, ale guz jest olbrzymi.

Jennifer zaczęła kręcić głową, lekarz powtórzył jeszcze raz:

– *Still, bitte!*

Powiedziała Grecie, żeby przekazała lekarzowi, że wszystko będzie dobrze. Wciąż ją boli, ale już nie ma zawrotów głowy. Kiedy tylko przyjechała do hotelu, Greta zabrała ją na górę do sypialni, a Anton zadzwonił do przychodni. Teraz lekarz znowu zaczął coś mówić.

– Doktor mówi, że jeżeli znowu pojawi się podwójne widzenie albo będzie cię mocniej bolała głowa, musisz po niego natychmiast zadzwonić – Greta pokręciła głową. – Biedny Anton, wciąż nie może się z tego otrząsnąć. Ale oboje żyjecie i to jest najważniejsze. Myślę, że powinnaś tu trochę odpocząć, tak byłoby lepiej, *ja?*

Jennifer zgodziła się z nią, ale dziesięć minut później, kiedy Greta i doktor już sobie poszli, zaczęła się nudzić. Wstała z łóżka i założyła sweter. Wciąż czuła się trochę nieswojo, kiedy schodziła do baru. Było pusto, nigdzie nie było widać Antona i Grety, ale zobaczyła McCaula siedzącego samotnie na końcu baru. Przed Amerykaninem stała butelka szkockiej. Spojrzał na nią.

– Lepiej się pani czuje?

– Trochę lepiej.

Za ogromnymi panoramicznymi oknami widać było zasłonę schodzącej z gór gęstej mgły.

– Gdzie jest Anton?

– Był bardzo zaniepokojony, kiedy powiedziałem mu o hamulcach, więc poszedł na komisariat. Policja chyba będzie chciała panią później przesłuchać – McCaul uniósł butelkę szkockiej. – Może się pani napije? Wygląda na to, że whisky dobrze by pani zrobiła.

– Tak, proszę.

McCaul poszedł za bar po szklaneczkę. Wrzucił trochę lodu, a potem wrócił i napełnił naczynie. Jennifer powiedziała:

– Naprawdę bardzo mi przykro z powodu pańskiego syna.

Tylko tyle przychodziło jej do głowy. Zobaczyła, że twarz McCaula tężeje z bólu.

– Niełatwo mi z tym żyć. Chuck był jedynakiem.

– Naprawdę... bardzo mi przykro – powtórzyła Jennifer, ale wiedziała, że jej słowa go nie pocieszą. – Czy mogę zapytać, skąd pan wie, kim jestem?

McCaul znów zaczął być opryskliwy.

– Bo się dowiedziałem.

Kiedy nie kontynuował wyjaśnień, Jennifer spytała:

– Skąd ta pewność, że pański syn został zamordowany?

McCaul odstawił szklankę na bar.

– Tego wieczoru, zanim Chuck zginął, zadzwonił do mnie do Nowego Jorku. Powiedział, że jakiś reporter, Emil Hartz z dziennika *Zurich Express*, chciał zrobić z nim wywiad na przełęczy Furka i wypytać go o to, jak znalazł ciało. Kiedy szwajcarska policja zadzwoniła do mnie i dowiedziałem się, że mój syn zginął na przełęczy, zadzwoniłem do tej gazety w Zurychu i zażądałem rozmowy z tym reporterem. I niech pani zgadnie. Nie pracuje u nich żaden Emil Hartz, nie pracuje w żadnej redakcji w Zurychu, bo wszystkie obdzwoniłem. Wtedy wsiadłem do pierwszego samolotu do Szwajcarii i przyleciałem tutaj.

– Może pana syn źle zapamiętał nazwisko tego reportera?

McCaul potrząsnął głową.

– Sprawdziłem, czy jakiś inny reporter mógł do niego zadzwonić. Ale żaden nie dzwonił. Poza tym ten facet, Hartz, obiecał Chuckowi honorarium za wywiad. W redakcji oznajmiono mi, że u nich tego się nie praktykuje.

Jennifer zbladła.

– Opowiedział pan o tym wszystkim szwajcarskiej policji?

– Oczywiście, ale to nic nie dało. I jeszcze pani powiem, że kiedy doszło do tego wypadku, właśnie jechałem na lodowiec, żeby zobaczyć, gdzie Chuck znalazł ciało. Chcę sam zbadać okoliczności jego śmierci.

– Dlaczego?

– Bo tym się zajmuję. Jestem prywatnym detektywem. I są pewne okoliczności, które nie napawają mnie optymizmem i wiarą w to, że Szwajcarzy rozwiążą zagadkę śmierci Chucka.

– Na przykład?

– Przede wszystkim niczego nie znaleźli, ani śladu dowodu, więc nie mogą powiedzieć na pewno, że to morderstwo. Jak się kogoś spycha w przepaść i nie ma na to żadnych świadków, to w zasadzie zostaje popełniona zbrodnia doskonała. Policja przyznaje, że nie wiedzą nawet, czy taki gość o nazwisku Hartz rzeczywiście istnieje. Mają na to tylko moje słowo. Ale ja rozmawiałem z Chuckiem i jestem pewien, że Hartz naprawdę istnieje, nie wiem tylko, kto to jest. Pozostaje pytanie, dlaczego zabił mojego syna? Ja się mogę tylko domyślać, że to mogło mieć coś wspólnego z faktem, że Chuck znalazł ciało pani ojca.

– Nie rozumiem.

McCaul podniósł głowę i spojrzał na nią.

– Ja też nie. Ale powiedzmy na razie tyle, że moja intuicja mi podpowiada, że ta cała sprawa śmierdzi. Może pani ma coś więcej do powiedzenia ten temat?

Jennifer oblała się rumieńcem.

– Próbuje mi pan wmówić, że mam z tym coś wspólnego?

– Na razie nic więcej nie wiem. Ale wydaje mi się, że fakt, że znalazł ciało w górach, jest jedynym powodem jego śmierci.

Jennifer postawiła stanowczym gestem szklankę na bar.

– Teraz zaczynam się czuć jak podejrzana. Bardzo mi przykro, że pana syn nie żyje, niech pan mi wierzy, ale nie wiem więcej niż pan. A teraz, jeżeli pan wybaczy, muszę zobaczyć, co z moim samochodem.

Kiedy wstawała, żeby wyjść, McCaul chwycił ją za ramię.

– Pracuję jako prywatny detektyw od dziesięciu lat, przedtem byłem gliną. Wiem, kiedy coś śmierdzi. A moim zdaniem, ta cała sprawa śmierdzi gorzej niż chińskie stuletnie jajo. Najpierw znaleziono ciało pani ojca, potem ginie Chuck. A teraz może ktoś próbuje panią zabić. Czy jest coś, czego pani mi jeszcze nie powiedziała?

Jennifer poczerwieniała.

– Proszę mnie puścić, boli mnie ramię. Powiedziałam panu wszystko, co wiem. A jeżeli sprawdza pan moje alibi, to kiedy zginął pana syn, ja byłam w Nowym Jorku.

McCaul odsunął rękę i nagle zmienił ton na bardziej pojednawczy.

– W takim razie, czy mogę panią prosić o przysługę?

– Tak?

– Pytałem o to włoskich karabinierów. Mówią, że ma pani jechać zidentyfikować ciało ojca.

– I co z tego?

– Chciałbym pojechać z panią. Chciałbym zobaczyć dokładnie, co Chuck znalazł na tym lodowcu.

– Pan wybaczy, ale to sprawa osobista.

McCaul nie spuszczał z niej oczu, a tak groźnego spojrzenia jeszcze nie widziała.

– Dla mnie to też sprawa osobista.

– Więc niech pan się zwróci do włoskiej policji. Do widzenia, panie McCaul.

Mark był totalnie zagubiony. Pojechał jedną, potem drugą i trzecią górską drogą; wszystkie kończyły się gdzieś w lesie. Próbował wywołać Grimesa przez radio, ale słyszał tylko szum. Komórka też nie działała, kiedy próbował skontaktować się z Kelso – w słuchawce słyszał głuchą ciszę. Co gorsza, z góry zaczęła schodzić mgła, a razem z nią przyszła mżawka. W pół drogi w górę następnym górskim traktem, kiedy wyjeżdżał zza zakrętu, nagle zobaczył białą toyotę Jennifer.

Zjechał na bok, wyłączył silnik i wyszedł z auta z mocno bijącym sercem. Toyota stała niebezpiecznie blisko krawędzi skały, ale

Jennifer tam nie było. Wyglądało na to, że zdarzył się tu wypadek. Karoseria dżipa była mocno uszkodzona, a na białym lakierze widać było niebieskie otarcia. Sięgnął ręką do drzwi, ale były zamknięte. *Co się tu, do cholery, stało? Gdzie jest Jennifer?*

Kiedy oceniał uszkodzenia, zobaczył pod prawym przednim kołem kałużę brązowej cieczy. Wśliznął się pod dżipa i stwierdził, że przewód hydrauliczny się obluzował, a po gwincie nakrętki wycieka płyn hamulcowy. Wstał, kiedy usłyszał samochód jadący w górę kamienistą drogą, chwilę później zza zakrętu wyłonił się policyjny volkswagen i stanął obok toyoty. Wyszedł z niego potężnie zbudowany szwajcarski policjant. Spojrzał na opla Marka, a potem podniósł na niego wzrok.

– *Wer sind Sie?*

– Przepraszam, nie mówię po niemiecku.

– Jest pan Anglikiem?

– Amerykaninem.

– Sierżant Klausen. Co pan tu robi?

– Zobaczyłem porzuconego dżipa i pomyślałem, że może zdarzył się jakiś wypadek. Zatrzymałem się, żeby zobaczyć, czy mogę w czymś pomóc. Wie pan, co tu się stało?

Sierżant podrapał się w głowę.

– Rzeczywiście, był wypadek. Jakaś Amerykanka. Ledwo co uszła z życiem. Wpadł na nią jakiś samochód, ale miała szczęście, bo gdyby nie to zderzenie, spadłaby w przepaść. Jej dżip jest chyba całkiem *kaput*.

Mark próbował zrobić wrażenie, że zupełnie się tym nie przejął.

– Jest cała i zdrowa?

Sierżant wzruszył ramionami.

– Ten kierowca drugiego auta zawiózł ją do Simplon. Jest trochę poobijana, ale niegroźnie. A pan co, turysta?

– Tak – Mark poczuł ulgę, że Jennifer jest bezpieczna.

– Na pana miejscu bym zawrócił. Te drogi bywają po burzy bardzo niebezpieczne. A teraz jeszcze deszcz i mgła, będzie coraz gorzej.

– Dziękuję, chyba ma pan rację.

Kiedy Mark odchodził w kierunku opla, zobaczył, że sierżant

klęka i bada podwozie dżipa. Pierwszą rzeczą, którą policjant zazwyczaj robi na miejscu wypadku, jest ocena uszkodzeń i pomiary śladów hamowania. Ale sierżant był bardziej zainteresowany oglądaniem podwozia toyoty. Zaciekawiony Mark zawrócił.

– Potrzeba panu pomocy? Akurat się trochę znam na samochodach.

Sierżant podniósł głowę.

– Wy, Amerykanie, zawsze się na wszystkim znacie. A może wie pan coś na temat hamulców. Zupełnie nie znam się na samochodach. Czy według pana ktoś grzebał przy przewodach hamulcowych?

– Grzebał?

– Ten facet, który zderzył się z Amerykanką, sądzi, że ktoś celowo obluzował przewód hamulcowy. Będę musiał spytać o to naszego mechanika.

Mark zmarszczył czoło, a potem jeszcze raz wszedł pod samochód i przyjrzał się przewodom. Wstał i otrzepał ręce.

– Jeden rzeczywiście jest obluzowany. Ale nie potrafię powiedzieć na pewno. Chyba będzie pan musiał zwrócić się do fachowca.

Mówił prawdę; z czasem taka gwintowana nakrętka mogła się sama poluzować, chociaż samochód w zasadzie wyglądał na nowy. Poza tym górska droga była pełna wybojów, leżało na niej mnóstwo odprysków skał i kamieni. Przewód mógł się sam obluzować z powodu nadmiernej wibracji albo od uderzenia, ale Mark przestraszył się, gdy usłyszał słowa sierżanta, że ktoś mógł to zrobić celowo. Spojrzał na otarcia niebieskiego lakieru na białej toyocie Jennifer.

– Jakim samochodem jechał ten gość?

– Dżipem marki nissan, a dlaczego?

Mark wzruszył ramionami.

– Nic, tak tylko pytam.

Sierżant spojrzał na niego podejrzliwie. Mark doszedł do wniosku, że już czas jechać. Zanim policjant miał szansę jeszcze coś powiedzieć, Mark wrócił do opla, wsiadł do środka i zjechał z powrotem na górską drogę.

Jennifer stała przy oknie w swoim pokoju hotelowym, patrząc, jak gęsta mgła i siąpiący deszcz zasnuwają całe Alpy. To, co

McCaul powiedział o manipulowaniu przy hamulcach, wytrąciło ją z równowagi. Kto mógłby coś takiego zrobić? I dlaczego? Aż ją przeszedł dreszcz. Nie wiadomo skąd przyszedł jej na myśl opel z przyciemnianymi szybami, który jechał za nią do miasteczka, i uczucie, że kierowca samochodu ją śledzi. Może McCaul miał rację. Może ktoś rzeczywiście próbował ją zabić. Ale dlaczego? To wszystko zupełnie nie trzymało się kupy.

Znów wróciła myślami do McCaula. Wiedziała, że musi odczuwać potworny żal po stracie syna. Przypomniała sobie, jak sama się czuła, gdy zginęła jej matka. Najpierw niewiara, potem wściekłość, w końcu nieopanowana żądza zemsty. Ciągle była poirytowana tym, że McCaul potraktował ją jak podejrzaną, ale rozumiała jego uczucia. Nagle wyrzuty sumienia wzięły górę. *Niech cię szlag trafi, McCaul.*

Zeszła na dół do baru i znalazła go przy oknie, melancholijnie wyglądającego na góry, z papierosem w ustach. Kiedy się odwrócił, zauważyła, że ma łzy w oczach.

– Czego pani ode mnie chce?

Zapytała cicho:

– Wszystko w porządku?

McCaul skinął głową i mówił już łagodniejszym tonem:

– Może byłem trochę zbyt szorstki. Niech się pani nie gniewa, ale jestem w gorącej wodzie kąpany i chciałbym jak najszybciej poznać wszystkie odpowiedzi. I chyba za bardzo się przejmuję pierwszą regułą śledztwa.

– To znaczy?

– Podejrzewać wszystkich bez wyjątku.

– To teraz patrzy pan w złym kierunku.

– Myślałem o Chucku, o tym, jak żył wspinaczką. Pracował w firmie komputerowej w Nowym Jorku, ale od dziecka kochał góry. Kiedyś razem się wspinaliśmy, ale on uwielbiał Szwajcarię. Mówił, że to raj alpinistów.

– Naprawdę mi przykro – Jennifer podeszła do niego. – Może mnie pan poczęstować papierosem? Nie palę, ale po dzisiejszych przejściach chyba zacznę.

– Tak się pani przestraszyła?

– Jeszcze teraz się trzęsę.

Dał jej papierosa i zapalił zapalniczkę.

– Dziękuję, panie McCaul.

– Proszę mi mówić Frank. Nie znoszę tego szwajcarskiego sztywniactwa.

– Powiesz mi, skąd się dowiedziałeś tego wszystkiego o mnie?

– Oczywiście. Nie udało mi się dogadać ze Szwajcarami, więc zadzwoniłem do znajomego, który jest śledczym. Pracuje w głównej kwaterze karabinierów w Rzymie. Opowiedział mi o dochodzeniu, przynajmniej tyle, ile mógł, i wspomniał, że będziesz obecna przy formalnej identyfikacji zwłok ojca.

– Mówiłeś poważnie o tym, że ktoś mógł majstrować przy hamulcach mojego wozu?

– Z tego, co widziałem, to nie jest wykluczone, ale trudno byłoby cokolwiek udowodnić. Jechałaś po bardzo wyboistym terenie, więc przewód hamulcowy mógł się sam poluzować.

Jennifer znowu poczuła chłód na plecach.

– Wierz mi, że nic z tego nie rozumiem.

– No, to chyba oboje mamy kilka pytań, na które na razie nie ma odpowiedzi.

– Może to jakaś paranoja, ale wczoraj byłam niemal pewna, że jechał za mną aż do miasteczka jakiś samochód.

Opowiedziała mu o oplu.

– Zapisałaś numery rejestracyjne?

– Nie przyszło mi to do głowy.

McCaul wzruszył ramionami.

– Może to nic takiego. Ale jeżeli zobaczysz go jeszcze raz, nie zaszkodzi spisać jego numery rejestracyjne i powiadomić policję.

Jennifer zawahała się przez chwilę.

– Jeżeli wciąż chcesz... Jeżeli ci na tym zależy, możesz jechać ze mną do Turynu na identyfikację zwłok mojego ojca.

– Skąd ta zmiana decyzji?

– Chyba ci jestem to winna po tym, co się zdarzyło rano. Włosi nie powinni mieć nic przeciwko temu. Twój dżip dojedzie do Turynu?

– O to niech cię głowa nie boli.

– Zadzwonię do oficera prowadzącego śledztwo i spróbuję mu

wszystko wyjaśnić. Potem chyba zadzwonię do firmy, w której wynajęłam samochód, i opowiem im o wypadku.

Jennifer już miała iść, kiedy McCaul spytał:

– Czy mogłabyś mi powiedzieć, co twój ojciec robił na Wasenhornie, kiedy zginął?

– Z ręką na sercu, nie wiem.

– Mój znajomy policjant z Rzymu wspominał, że twój ojciec nie żyje już od dłuższego czasu.

– Zaginął dwa lata temu. Od tego czasu nie miałam z nim żadnego kontaktu.

– Chyba musiało ci być ciężko?

– Pogodzenie się z tym, że go nie ma, potworny żal i smutek, nie było to łatwe, chociaż w tej chwili wiem, że jakiś etap się zamyka – Jennifer zgasiła papierosa. – Ale wcale się nie cieszę na tę identyfikację.

Mark zaparkował przy hotelu Berghof, ale nie zauważył niebieskiego nissana. Próbował wydedukować, co ma teraz zrobić. Zaczęło go męczyć oszukiwanie Jennifer, kiedy zaś zobaczył miejsce wypadku, zastanawiał się, czy nie skończyć z tą szaradą. A jeżeli ktoś rzeczywiście próbował ją zabić i jej życie jest w niebezpieczeństwie, tak jak mówił Kelso?

A w ogóle, to gdzie, u diabła, jest Kelso i jego ludzie? Znowu próbował się z nimi połączyć – radio milczało, telefon komórkowy nie odpowiadał. Postanowił powiedzieć Jennifer całą prawdę i potem martwić się o konsekwencje. Wpadł jak burza do hotelu i ruszył wprost do recepcjonistki.

– Szukam Jennifer March. Mieszka u państwa.

– *Frau* March wyjechała pół godziny temu – kobieta zmarszczyła czoło. – Sądząc po akcencie, pan też jest Amerykaninem. Jest pan jej znajomym?

– Tak. Wyjechała, ale dokąd?

– Chyba do Turynu.

– Na policji mówili, że miała wypadek...

– Słyszał pan o tym? – Kobieta pokręciła głową. – To straszne, ale na szczęście z tego wyszła. Pojechała z *Herr* McCaulem.

– Z kim?

– Z Amerykaninem, jak pan. Właściwie to on jej uratował życie, kiedy wjechał w jej dżipa. Mój brat, Anton, jechał z nią samochodem, gdy doszło do tego wypadku.

McCaul. Mark zastanawiał się, gdzie słyszał to nazwisko.

– Czy mogę zapytać, kim jest pan McCaul?

– Jego syn zginął na przełęczy Furka. Straszna tragedia. Był u nas gościem. To naprawdę bardzo dziwny, niecodzienny zbieg okoliczności.

– Co pani mówi?

– Ten młody człowiek kilka dni przed śmiercią odkrył czyjeś zwłoki na Wasenhornie.

Mark przypomniał sobie to nazwisko. Chuck McCaul. Alpinista, który znalazł ciało Paula Marcha. A teraz recepcjonistka mówi mu, że Chuck McCaul nie żyje. Mark był zupełnie skołowany, chciał wypytać kobietę o wszystkie szczegóły, ale nie było czasu.

– Mówi pani, że wyjechali co najmniej pół godziny temu?

– Tak. Co najmniej.

21

Turyn

Budynek, w którym mieściło się dowództwo karabinierów, okazał się dużym, trzypiętrowym biurowcem z szarej cegły, z własnym podziemnym parkingiem. McCaul zaparkował nissana po drugiej stronie ulicy i oboje weszli po schodach do recepcji. Jennifer zapytała o Caruso. Kilka minut później pojawił się niewysoki, pulchny mężczyzna. Miał bujne wąsy, stalowoszare oczy i świdrujące spojrzenie. Potrząsnął dłonią Jennifer i powiedział doskonałą angielszczyzną:

– Jestem kapitan Caruso, *signorina*. Rozmawialiśmy przez telefon. Przeniósł spojrzenie na McCaula, kiedy Jennifer go przedstawiała.

– Panie kapitanie, to jest Frank McCaul.

Caruso potrząsnął dłonią McCaula i powiedział ze współczuciem:

– Przykro mi, że pana syn zginął. Szwajcarska policja poinformowała mnie, że przyjechał pan zidentyfikować jego ciało – był zdziwiony, zwracając się do Jennifer. – Ale, pani wybaczy, nie wiedziałem, że państwo się znacie.

– Wszystko panu wyjaśnię, panie kapitanie. Możemy gdzieś spokojnie porozmawiać?

– Oczywiście, na górze, w moim gabinecie.

Gabinet był na pierwszym piętrze, okna wychodziły na zadbane podwórko z małą fontanną. Na biurku leżały otwarte akta śledztwa w czerwonych okładkach, w rogu stała fotografia w srebrnej ramce, przedstawiająca kapitana Caruso i ładną, ciemnowłosą kobietę, która mogła być jego żoną. Caruso wysłuchał opowieści Jennifer o tym, jak tego dnia rano poznała McCaula.

– Teraz już rozumiem.

– Mówił pan, że rozmawialiście ze szwajcarską policją o śmierci Chucka?

Caruso spojrzał na McCaula.

– *Sì*. Wczoraj.

– I co panu powiedzieli?

– Uważają, że to był wypadek.

McCaul prychnął rozgniewany.

– Co za bzdura! To było morderstwo.

Caruso podniósł brwi.

– A z czego pan to wnioskuje?

McCaul rzucił na biurko swoją wizytówkę.

– Jestem prywatnym detektywem, a w sprawie śmierci Chucka jest parę elementów, które zupełnie do siebie nie pasują.

Caruso przyjrzał się dokładnie wizytówce i zapytał z nutą niechęci w głosie:

– Chce pan powiedzieć, że policja źle wykonuje swoje obowiązki? Jeżeli tak pan sądzi, to może pan jakoś wyjaśni mi swoje stanowisko, bo jak na razie Szwajcarzy nie mają żadnych dowodów, że to mogłoby być morderstwo. Ten reporter, z którym pana syn miał się umówić na przełęczy Furka...

– Emil Hartz.

– Szwajcarzy mówią, że taka osoba nie pracuje w żadnej z redakcji w Zurychu.

– Wiem, też to sprawdziłem.

– Jest pan zupełnie pewien, że pana syn tej historii nie wymyślił? A może pomylił nazwisko? Był przecież bardzo młodym człowiekiem. Może nie miał doświadczenia jako alpinista? Czy nie wyklucza pan, że po prostu miał wypadek?

McCaul był wyraźnie poirytowany.

– Chuck był niezłym wspinaczem i jestem pewien, że nie spadł w przepaść. Na pewno się nie mylę co do tego nazwiska, to Emil Hartz.

– Mówi pan, że ten Hartz, jeżeli rzeczywiście istnieje, zamordował pańskiego syna?

– Jeżeli nie on, to może przynajmniej wie, kto to zrobił.

– A jaki miałby mieć motyw?

– To pan powinien mi to powiedzieć, Caruso, przecież pan jest policjantem – odparł rozdrażniony McCaul. – Ja wiem tylko tyle, że Chuck odkrył ciało i teraz nie żyje. To panu płacą za znajdowanie motywów. A ja, jak na razie, widzę przed sobą tylko Włocha, który siedzi za biurkiem, pierdzi w stołek i nie chce nawet zacząć szukać odpowiedzi.

Caruso poczerwieniał.

– Rozumiem pańskie emocje. Ale mogę tylko powtórzyć, że Szwajcarzy zbadali okoliczności jego śmierci i niczego nie znaleźli, a z reguły są dość dokładni.

– A ślady stóp?

– Niczego nie znaleźli, tylko ślady butów pańskiego syna. Zbadali również wynajęty samochód i nie znaleźli niczego, co sugerowałoby, że mógł pojechać na przełęcz Furka po to, aby spotkać się z kimś. Żadnych notatek w samochodzie, niczego przy nim ani w jego pokoju hotelowym.

– Ślady stóp na śniegu łatwo zatrzeć. Wystarczy parę ruchów jakąś gałęzią i nikt się nie zorientuje.

– Powtarzam, *signore* McCaul, nie znaleziono żadnych śladów, które mogłyby wskazywać na morderstwo. Wprawdzie wielu turystów wychodzi na przełęcz Furka, ale to miejsce jest dość niebezpieczne. Było już wiele wypadków, kilka osób spadło i straciło życie na przełęczy. Czy nie dopuszcza pan takiej możliwości, że pana syn miał po prostu nieszczęśliwy wypadek?

– Mówiłem panu, Chuck nie miał żadnego nieszczęśliwego wypadku. Po tym, jak spadł w szczelinę na lodowcu, byłby na pewno ostrożniejszy. I coś jeszcze panu powiem. Niewykluczone, że ktoś próbował zabić Jennifer.

– Czy to prawda, *signorina*?

– Ktoś majstrował przy hamulcach w moim dżipie.

Jennifer opowiedziała mu, co się wydarzyło rano, a Caruso, marszcząc czoło, spojrzał na McCaula.

– Jest pan pewien co do tych hamulców?

– Sam sprawdzałem. Ktoś poluzował przewód hamulcowy.

Caruso wyglądał na poirytowanego, zapisując coś w notesie.

– To bardzo dziwne. Czy przychodzi pani do głowy ktoś, kto mógłby chcieć zrobić pani krzywdę, *signorina* March?

– Nie, zupełnie nie.

Caruso pokręcił głową.

– Obawiam się, że to, co się dzieje po stronie szwajcarskiej, nie podlega mojej jurysdykcji. Niemniej jednak poproszę, żeby tę sprawę dokładnie zbadano. Na razie nic więcej nie mogę w tej sprawie zrobić.

McCaul zaczął coś mówić, ale Caruso podniósł dłoń pojednawczym gestem.

– Zapominamy, dlaczego tutaj naprawdę jesteśmy. *Signorina* March, przyjechała pani do Turynu zidentyfikować ciało ojca.

Jennifer poczuła, że robi jej się słabo w okolicy żołądka. Caruso sięgnął na biurko po akta w czerwonych okładkach. Zawahał się, jak gdyby coś go zaniepokoiło.

– Jeszcze jedno, *signorina* – otworzył teczkę i Jennifer zobaczyła paszport, który Caruso otworzył na stronie ze zdjęciem. – Czy to paszport pani ojca?

Jennifer przełknęła ślinę. Jej ojciec wyglądał tak, jak go pamiętała – ciemne, niebieskie oczy, uśmiechnięta twarz o męskich rysach.

– Tak.

Caruso włożył paszport z powrotem między dokumenty i wstał.

– Dziękuję pani. Teraz proszę za mną. Czekają na nas w kostnicy.

Ciało człowieka leżącego na stole z nierdzewnej stali, ustawionym pośrodku sali sekcyjnej przykrywało białe prześcieradło. Jennifer musiała się zmusić, żeby spojrzeć. Wiedziała, że pod prześcieradłem leży jej ojciec, i czuła, że traci siły.

Niewysoki, uśmiechnięty mężczyzna z kozią bródką, w okularach o metalowej oprawie, mył ręce, kiedy weszli. Wytarł dłonie, podszedł do nich, a Caruso przedstawił go.

– To jest Vito Rima, nasz patolog. Mówi świetnie po angielsku.

– Bardzo mi miło panią poznać – Rima przywitał się z nimi i zwrócił się do Jennifer. – Na pewno będzie pani trudno, ale muszę wyjaśnić kilka rzeczy. Ciało zostało rozmrożone i jest w bardzo dobrym stanie. W tak dobrym, że w zasadzie pani ojciec może wyglądać dokładnie tak, jak go pani pamięta, a to może być dla pani szokujące.

– Jak... Jak zginął mój ojciec?

– Według mnie prawdopodobnie zamarzł na śmierć – odparł Rima. – Na klatce piersiowej, nogach i ramionach były potłuczenia, które mogły być wynikiem upadku na dno szczeliny. Sekcja jednak powie nam więcej, zacznę zaraz po identyfikacji zwłok. Jest jednak coś, co powinna pani wiedzieć. Wiele testów, które określają czas zgonu, opiera się na badaniu temperatury organów wewnętrznych i temperatury ciała. W wypadku pani ojca to jest oczywiście niemożliwe, ponieważ jego zwłoki długo leżały pod lodem. Ale rzeczy, które przy nim znaleźliśmy, powinny pomóc dowieść, że zginął mniej więcej dwa lata temu. Może pan to wyjaśni, kapitanie.

– Był kompletnie ubrany – Caruso zwrócił się do Jennifer. – W kieszeniach znaleźliśmy rzeczy osobiste, a obok plecak z odzieżą – zawahał się, jak gdyby miał coś jeszcze do powiedzenia. – Ale o tym porozmawiamy później, jak już skończymy.

Rima założył rękawiczki chirurgiczne.

– Jeżeli zrobi się pani słabo, *signorina*, w rogu pomieszczenia stoi plastikowe wiaderko.

Jennifer już było niedobrze. Na metalowym wózeczku w rogu sali, ułożone na gumowej podkładce, leżały narzędzia chirurgiczne gotowe do rozpoczęcia sekcji. Był tam zestaw skalpeli, piła elektryczna i specjalna wiertarka.

Na myśl o tym, że ciało jej ojca będzie poddawane torturom za pomocą takich instrumentów, przeszył ją dreszcz obrzydzenia.

– Jest pani gotowa, *signorina*?

– T-tak.

Rima zaprowadził ich do stalowego stołu. Ujął skraj białego prześcieradła i spojrzeniem jeszcze raz zapytał Jennifer, czy jest przygotowana. Wzięła głęboki oddech i skinęła głową.

Kiedy Rima zaczął odkrywać prześcieradło, Jennifer zamknęła oczy, nagle nie chcąc i nie mogąc zobaczyć tego widoku. Była śmiertelnie przerażona. W wyobraźni widziała ojca takiego, jakim go zapamiętała; zobaczyła, jak idzie w jej stronę ścieżką przez ogród, z otwartymi ramionami, zobaczyła twarz w uśmiechu i poczuła jego ręce obejmujące ją z całych sił. *To za dużo, tego nie zniosę.*

Poczuła, że ręka McCaula delikatnie obejmuje ją w pasie.

– Nie spiesz się, Jennifer. Wszystko w porządku, jestem tuż przy tobie.

Zmusiła się do otwarcia oczu, a kiedy zobaczyła nagi tors, westchnęła głęboko. Ciemne, brzydkie sińce pokrywały jego klatkę piersiową i ramiona. Przyjrzała się bliżej jego twarzy. Rysy były rozmyte, skóra miała najbielszy odcień bieli, a niebieskie oczy były otwarte i patrzyły nic niewidzącym wzrokiem w sufit. Jennifer poczuła, że coś jej się kurczy w żołądku. Odwróciła oczy, nie mogąc znieść tego widoku.

Caruso spytał cicho:

– Jennifer March, muszę panią oficjalnie poprosić o zidentyfikowanie ciała, które pani przed sobą widzi. Czy jest to pani ojciec, Paul March?

Tym razem Jennifer długo i badawczo przyglądała się twarzy. Poczuła, że uginają się pod nią kolana.

– *Signorina*, czy ten mężczyzna to pani ojciec? – powtórzył Caruso.

Czuła, że odebrało jej mowę. Caruso zapytał:

– Wszystko w porządku? Czy nie jest pani słabo?

Jennifer zadrżała, spojrzała na ciało, nareszcie znalazła słowa, żeby wyrazić tę nieprawdopodobną myśl.

– Ja... Pierwszy raz w życiu widzę tego człowieka.

22

– Jak się pani czuje?

Jennifer spojrzała na Caruso siedzącego w gabinecie za biurkiem.

– Jestem trochę wytrącona z równowagi, ale nic mi nie będzie.

Caruso podał jej i McCaulowi filiżanki z gorącą kawą, ale Jennifer swoją odstawiła. *Jeżeli ten nieznany mężczyzna w kostnicy nie był moim ojcem, to co, jeżeli ojciec wciąż żyje?* Na samą myśl o tym poczuła, że ogarnia ją gorączka. Zwróciła się do Caruso:

– Jak to się stało, że ten mężczyzna miał przy sobie paszport mojego ojca?

Detektyw pokręcił głową.

– Jak na razie cała sprawa jest dość tajemnicza, *signorina.*

– A gdzie dokładnie znalazł pan dokument?

– W plecaku, razem z ubraniami. Odkryliśmy tam również pistolet automatyczny.

– Powiedział pan, że znalazł pan coś w kieszeniach ofiary?

– *Si.*

– Mogłabym zobaczyć, co tam było?

– Oczywiście – Caruso podniósł słuchawkę, wykręcił numer, kilka chwil z kimś rozmawiał i odłożył ją z powrotem na widełki. – Za chwilę przyniosą nam na górę wszystkie dowody rzeczowe.

– A co z jego ubraniami? – spytał McCaul.

– Też je obejrzymy – Caruso przyglądał się badawczo twarzy Jennifer. – Oczywiście najważniejsze pytanie brzmi: kim jest mężczyzna leżący w kostnicy? Jest pani pewna, że nigdy go pani nie widziała?

– Nigdy.

– Jest jeszcze coś, o czym powinienem powiedzieć. Mężczyzna miał odmrożone stopy i dłonie i nie mogliśmy zebrać odpowiedniej jakości odcisków palców. Oczywiście wciąż mamy ślady genetyczne DNA, a przy odrobinie szczęścia będziemy w stanie go w ten sposób zidentyfikować.

Rozległo się pukanie do drzwi i weszła kobieta-technik policyjny w białym kitlu, ze sporym tekturowym pudłem. Położyła je na biurku. Caruso jej podziękował i kobieta wyszła.

– Pokażę pani teraz przedmioty, które znaleźliśmy – powiedział Caruso do Jennifer. – I muszę pani od razu powiedzieć, *signorina*, że niektóre z nich dały mi dużo do myślenia.

Biała furgonetka firmy telekomunikacyjnej marki fiat zatrzymała się sto metrów od budynku komendy karabinierów. Z przodu siedzieli dwaj mężczyźni w granatowych ubraniach roboczych. Zadzwonił telefon komórkowy pasażera. Rozmowa trwała niecałe dziesięć sekund, później mężczyzna wyłączył telefon, wyszedł z fiata i otworzył tylne drzwi. Wzdłuż ścian były metalowe regały, na podłodze leżały kable, plastikowe pojemniki z częściami i kilka skrzynek na narzędzia. Mężczyzna wszedł do furgonetki i zamknął za sobą drzwi. Uniósł podwójne dno podłogi. Pod spodem było pięćdziesiąt kilogramów semteksu, silnego materiału wybuchowego – taka ilość wystarczyłaby, żeby zniszczyć cały blok mieszkalny.

Sprawdził, czy materiał wybuchowy jest dobrze zapakowany, przyjrzał się jeszcze raz, czy zdalnie sterowany detonator jest na swoim miejscu, i założył pokrywę na podłogę. Ze skrzynki z narzędziami wyciągnął urządzenie do zdalnego odpalenia ładunku i włożył je do kieszeni spodni roboczych. Wyszedł z półciężarówki i znów usiadł obok kierowcy. Kierowca włączył silnik; podjechali wprost przez plac do wjazdu na podziemny parking budynku komendy karabinierów. Przy barierce stał wartownik.

Kierowca wyjął legitymację służbową i dokumenty zlecenia, podał je wartownikowi, uśmiechnął się i powiedział po włosku:

– Musimy sprawdzić kilka linii telefonicznych. To nie powinno długo potrwać.

Kapral sprawdził legitymację i zlecenie.

– Kto was wezwał?

Technik wzruszył ramionami.

– Bóg jeden wie. Pewnie jakiś pan kapitan.

Kapral uśmiechnął się, oddał dokumenty i podniósł barierkę.

Caruso założył rękawiczki chirurgiczne i, przedmiot po przedmiocie, wyjmował z tekturowego pudła jego zawartość. Każda rzecz była osobno zapakowana w przezroczystą plastikową torebkę – gruba, szara kurtka górska, biały wełniany szalik, zielony sweter, grube wełniane spodnie, buty górskie, podkoszulek i kalesony. W pudle był również płócienny plecak, a w pozostałych dwóch workach plastikowych ubrania i pistolet automatyczny. Caruso otworzył worek z odzieżą – biała jedwabna koszula i krawat w prążki, para czarnych skórzanych butów wyjściowych i bladoniebieski garnitur.

– Znaleźliśmy to w plecaku. To są rzeczy jakiegoś biznesmena, który, jak się na pierwszy rzut oka wydaje, miał dość wyszukany gust. Garnitur jest amerykański, buty włoskie, robione na zamówienie. Koszula jest angielska, uszyta z jedwabiu. Coś nie tak, *signorina* March?

Jennifer przyglądała się rzeczom, walcząc z pokusą, żeby ich dotknąć.

– Chyba... Chyba należą do mojego ojca.

– Jest pani pewna?

– Prawie pewna. Wyglądają na jego rzeczy.

– A te pozostałe? Czy rozpoznaje pani któreś z tych rzeczy jako należące do ojca?

– Nie. Tylko ubrania z plecaka.

Caruso zmarszczył czoło.

– Chciałbym, żeby się pani jeszcze raz przyjrzała paszportowi ojca. Czy ma pani jakieś wątpliwości, że to właśnie on jest na zdjęciu?

Otworzył czerwoną teczkę, położył paszport na biurku, a Jennifer ponownie dokładnie obejrzała fotografię.

– Nie, to na pewno on.

– Pani ojciec i ten mężczyzna, który zginął, mają włosy tego samego koloru, podobny kształt twarzy i chyba są mniej więcej w tym samym wieku, ale nie mogłem być pewien, że to nie osoba ze zdjęcia, zanim pani nie przystąpiła do identyfikacji. Zlecę naszemu laboratorium w Rzymie zbadanie paszportu, żeby stwierdzić, czy to jest fałszywka, chociaż muszę powiedzieć, że na oko wygląda w porządku.

Caruso otworzył kilka innych, mniejszych toreb plastikowych i wyjął ich zawartość na biurko. Kawałek przedartego papieru i dwie części biletu. Podał Jennifer i McCaulowi rękawiczki chirurgiczne.

– Proszę to włożyć, zanim państwo dotkniecie dowodów.

Podniósł w palcach kawałek przedartego papieru.

– Proszę zobaczyć. To jedna z najbardziej interesujących rzeczy, jakie znaleźliśmy, i jednocześnie najbardziej zagadkowa. Niestety, jest zniszczona, a poza tym części kartki brakuje.

Jennifer oglądała kartkę. Była wyblakła, u dołu widniał szereg cyfr. Niektóre były zupełnie rozmyte, być może przez topniejący lód, ale reszta napisu była dobrze widoczna.

> H. Vogel
> Berg Edelweiss
> 705

– Co to znaczy? – spytała Jennifer.

Caruso wzruszył ramionami.

– H. Vogel to chyba nazwisko. A znów *Berg* to po niemiecku góra. Jednak w Szwajcarii nie ma szczytu o nazwie Edelweiss. Jeżeli chodzi o te cyfry, to niektórych brakuje, ale to może być cokolwiek. Część numeru rachunku bankowego, może fragment numeru telefonu. Kto to może wiedzieć?

Jennifer podała kartkę McCaulowi, a Caruso pokazał im oddarte części biletów.

– To znaleźliśmy w kieszeniach spodni tego mężczyzny razem z kartką. Dwa bilety kolejowe w jedną stronę, z Zurychu do Brig, drugą klasą, datowane piętnastego kwietnia. Sprzed dwóch lat. Bilety są skasowane, co znaczy, że ktoś tym pociągiem jechał. Dwa bilety na tę samą trasę mogą oznaczać, że ofiara pojechała do Brig w towarzystwie, zanim wyszła na lodowiec. Ale czy do zgonu doszło tego samego dnia czy nie, tego nie zgadniemy. Prosiłem szwajcarską policję o sprawdzenie hoteli i pensjonatów w tej okolicy, ale Paul March nigdzie nie figuruje jako gość.

Jennifer przyjrzała się dokładnie biletom.

– Co jeszcze pan znalazł?

– To – Caruso otworzył mniejszą torebkę na dowody i wyjął mały, srebrny kluczyk. – Znalazłem to w kieszeni marynarki pani ojca. Widziała pani już ten kluczyk?

Jennifer poczuła, że serce mocniej jej zabiło, kiedy sobie przypomniała tę sytuację.

– Tak, chyba tak. Chyba sobie przypominam.

– Niech pani nam o tym opowie.

– To było miesiąc przed zniknięciem mojego ojca. Pamiętam, że był czymś bardzo zaniepokojony i zdenerwowany. Kiedyś weszłam do jego gabinetu i zauważyłam leżący na biurku otwarty żółty notes. Na górze kartki napisał dwa słowa: „Sieć pajęcza". To wszystko, co zauważyłam, bo zdał sobie sprawę, że widziałam notes i strasznie się rozzłościł. Powiedział, że nie powinnam czytać jego dokumentów, że to są jego sprawy prywatne. Potem zamknął notes w kasetce razem z dyskietką komputerową.

Caruso zmarszczył brwi.

– Jak pani sądzi, co mogą znaczyć słowa: „Sieć pajęcza"?

– Nie mam pojęcia. Kasetka była metalowa, ognioodporna, można taką kupić w sklepach z materiałami biurowymi. Pamiętam, że miała srebrny kluczyk. Nigdy przedtem tej kasetki nie widziałam.

– Gdzie jest teraz?

– Przeszukałam gabinet ojca po jego zniknięciu, ale nie mogłam jej nigdzie znaleźć.

Caruso wydął wargi.

– Dziwne.

Jennifer wskazała na pudełka z dowodami.

– Czy to wszystko, co pan znalazł?

– *Si.*

– Ten mężczyzna nie miał portfela?

– Nie. Ale jeżeli miał, to pewnie jest gdzieś w lodowcu. Przeszukaliśmy miejsce najdokładniej, jak mogliśmy, ale wycinanie zbyt dużych ilości lodu w szczelinie jest niebezpieczne, bo wszystko może się zapaść.

– To znaczy, że może być więcej dowodów, których nie udało się odzyskać?

– Oczywiście, że to możliwe. Muszę jednak przede wszystkim dbać o bezpieczeństwo moich ludzi. W szczelinie pracuje się bardzo trudno, szczególnie teraz, o tej porze roku, kiedy śnieg zaczyna topnieć i skorupa lodowa się przemieszcza. Szczelina może się nagle zamknąć, albo jeszcze bardziej otworzyć, łatwo przy takiej pracy stracić życie. Mieliśmy szczęście, że znaleźliśmy to, co znaleźliśmy!

Jennifer podała bilety McCaulowi i zwróciła się do Caruso:

– To wszystko nie ma sensu. Dlaczego ktoś miałby wybrać tak niebezpieczną trasę? Chyba że próbowałby pospiesznie przejść przez zieloną granicę?

– To prawda – przytaknął Caruso – Trzeba jednak rozważyć i inną możliwość.

– To znaczy? – spytała Jennifer.

– To znaczy, że pani ojciec miał coś wspólnego ze śmiercią tego mężczyzny – Caruso się zawahał. – Dowiedziałem się przez Interpol o strasznej zbrodni, która się wydarzyła przed jego zniknięciem. Przyszło mi do głowy, że może pani ojciec uciekał przed wymiarem sprawiedliwości. Że mógł z tego właśnie powodu uciec do Szwajcarii, mógł zabić tego człowieka na lodowcu i zostawić przy nim swój paszport i plecak z ubraniami, mając nadzieję, że jeśli kiedykolwiek ktoś znajdzie ciało, okaże się, że to Paul March.

Jennifer poczerwieniała i popatrzyła Caruso prosto w oczy.

– Kapitanie, dobrze znałam mojego ojca. On nie popełniłby morderstwa. Jestem tego najzupełniej pewna.

Chwilę później usłyszeli pukanie do drzwi i do pokoju wszedł Rima.

– Sekcja już prawie skończona. Chcecie wiedzieć, co wykazała?

Caruso skinął głową.

– Pewnie. Mów.

– Nie było żadnych urazów wewnętrznych, a sińce wyglądają tak, jak gdyby spowodował je upadek na dno szczeliny. Mam wrażenie, że ofiara po prostu zamarzła na śmierć. Trzeba jeszcze zrobić kilka testów organów wewnętrznych, ale to zajmie sporo czasu. Z tego, co już wiem, nie można się spodziewać żadnych niespodzianek.

– Dziękuję ci, Vito. To na razie tyle.

Anatomopatolog pożegnał ich i wyszedł.

– Widzi pan, nie ma żadnych dowodów, że to było morderstwo – powiedziała Jennifer.

– Wszystko wskazuje na to, że nie – przyznał Caruso. – A jednak tajemnica pozostaje tajemnicą. Gdzie się państwo zatrzymaliście?

– W hotelu Berghof w Simplon.

Caruso zamknął czerwoną teczkę z aktami śledztwa, zebrał plastikowe worki i woreczki z dowodami i włożył je do tekturowego pudła. Wyglądało na to, że spotkanie dobiega końca. Wyjął wizytówkę z kieszeni marynarki i coś z tyłu napisał.

– To mój numer domowy, gdyby tutaj nie można było mnie złapać. Jeżeli będzie pani miała jeszcze takie przygody, jak ta dzisiejszego ranka, bardzo proszę do mnie od razu zadzwonić.

– Dziękuję panu – powiedziała Jennifer.

– Teraz już się z państwem pożegnam – Caruso zdjął marynarkę z oparcia krzesła, pokazał gestem dłoni fotografię na biurku i uśmiechnął się nieznacznie.

– Kiedy Włoszka gotuje kolację, niemądrze jest się spóźniać. – Zwrócił się do McCaula. – Raz jeszcze wyrazy współczucia. Zapewniam pana, że porozmawiam ze Szwajcarami i poproszę, żeby dokładnie zbadali sprawę pańskiego syna. Ale, jeśli wolno coś zasugerować, lepiej byłoby, gdyby pan zostawił sprawę śledztwa w rękach władz.

– Jako osoba prywatna mogę prowadzić takie śledztwo, jakie mi się spodoba – odparł McCaul rozdrażniony. – Jeżeli nie łamię zasad prawa i nie przeszkadzam w oficjalnym dochodzeniu.

Caruso skinął głową.

– To prawda. Takie ma pan prawo.

– Więc niech do pana dotrze, że mam zamiar znaleźć mordercę mojego syna. I nikt mi nie będzie mówił, żebym nie pchał palca między drzwi, nawet pan, kapitanie. To moja prywatna sprawa, a oficjalne dochodzenie toczy się swoim torem.

Caruso chłodno przyjął ten wybuch.

– Wyobrażam sobie, jak się pan musi czuć. Stracił pan najbliższą osobę. Chciałbym jednak pana poprosić, żeby pan nie wchodził w drogę policji, jeżeli upiera się pan przy prywatnym śledztwie – włożył czerwoną teczkę do swojej aktówki. – Dzisiaj wieczorem przyjrzę się jeszcze uważniej notatkom w tej sprawie. Może jest coś, jakiś szczegół, który pominąłem. Jeżeli tak, macie państwo moje słowo, że natychmiast się z wami skontaktuję.

Dwaj mężczyźni pracowali szybko i sprawnie na podziemnym parkingu. Tyłem podjechali furgonetką do grubej metalowej rury biegnącej od potężnego zewnętrznego zbiornika, z którego do budynku pompowano paliwo do pieców centralnego ogrzewania. Obok schodów zauważyli wypisaną czarnymi literami tablicę i symbol palca wskazującego kierunek – *Mortuaria*.

Jeden z nich uzbroił zdalnie sterowany detonator zatopiony w semteksie, a drugi obserwował parking i nerwowo ściskał w kieszeni pistolet Beretta z tłumikiem. Pięć minut później zadanie było zakończone. Obaj zdjęli wierzchnie kombinezony robocze. Pod spodem mieli garnitury. Zamknęli furgonetkę na klucz i przeszli przez parking w kierunku schodów prowadzących na parter. Nikt ich przy wyjściu nie zatrzymywał. Dwie minuty później spokojnie opuścili budynek przez frontowe drzwi.

Caruso zszedł do podziemnego parkingu i wgramolił się do swojej białej lancii. Już był spóźniony na kolację – żona na pewno nie będzie z tego zadowolona. Ale lancia miała w schowku koguta, mógł poza tym włączyć syrenę, gdyby trzeba było szybko jechać, a Caruso miał zamiar zastosować oba urządzenia, żeby się przedrzeć przez gęsty ruch uliczny.

To oczywiście było wbrew regulaminowi, ale wolał reprymendę od swoich przełożonych niż wybuch złości małżonki. Włączył silnik i ruszył w kierunku wyjazdu z parkingu. Kiedy rozglądał się po ulicy, zobaczył kątem oka dwóch mężczyzn wsiadających do czarnego BMW zaparkowanego po drugiej stronie placu.

Obaj mieli na sobie ciemne garnitury; jeden był szczupłym blondynem, drugi, niższy i krępy, był ostrzyżony na zapałkę. Caruso zmarszczył czoło. Przez chwilę wydawało mu się, że mijał dwóch tych samych ludzi na schodach prowadzących na parking. Może się mylił? Nie zaprzątał sobie już tym więcej głowy, skręcił w lewo i wyjechał na plac. Piętnaście minut później był już w połowie drogi do domu, a jego lancia na autostradzie rwała sto dwadzieścia kilometrów na godzinę.

Mark zatrzymał samochód przed budynkiem komendy karabinierów i zobaczył po drugiej stronie placu niebieskiego nissana. Poczuł olbrzymią ulgę. Wyciągnął notes. Przed wyjazdem z hotelu Berghof zapytał kobietę w recepcji, czy nie zna numeru rejestracyjnego samochodu McCaula, a ona sprawdziła to w karcie meldunkowej. Numery się zgadzały. Domyślił się, że Jennifer jest wciąż w budynku i identyfikuje ciało ojca. Wsunął notes do kieszeni i zauważył restaurację po drugiej stronie placu, z której był dobry widok na budynek komendy. Postanowił pójść na kawę i tam na nich zaczekać.

Kiedy zamykał opla, nagle zobaczył Jennifer schodzącą po schodach komendy w towarzystwie wysokiego, postawnego mężczyzny. Byli nie więcej niż trzydzieści metrów od niego, kiedy, ku przerażeniu Marka, Jennifer niespodziewanie odwróciła głowę w jego kierunku.

Mark zawrócił i podszedł w przeciwną stronę. Sześćdziesiąt metrów dalej, już w głębi ulicy, zdobył się na odwagę, by spojrzeć przez ramię. Ulżyło mu, kiedy zobaczył, że Jennifer i mężczyzna przeszli przez plac i znikają w głębi restauracji.

Trattoria była prawie pusta. Jennifer i McCaul zamówili gorące bułeczki i po kieliszku czerwonego wina.

– Mam wrażenie, że zobaczyłaś ducha.

– Wierzysz w teorię, że każdy z nas ma gdzieś na świecie bliźniaka?

– Nie rozumiem.

Jennifer była zupełnie wytrącona z równowagi Wyglądała przez okno na placyk.

– Kiedy wychodziliśmy z budynku, zobaczyłam mężczyznę, który wyglądał kropka w kropkę jak ktoś, kogo znam. Mogłabym przysiąc, że to Mark.

– Kto?

– Mój dobry znajomy. Byłam prawie przekonana, że to naprawdę on, ale to absurd. On został w Nowym Jorku.

– To, co się stało w kostnicy, wstrząsnęło tobą bardziej, niż sobie wyobrażasz. Tak się dzieje, kiedy człowiek jest w szoku. Ma się wówczas tysiące różnych myśli – McCaul zostawił nietkniętą zakąskę przy kieliszku wina. Przeprosił, mówiąc, że idzie zatelefonować. – Muszę dopilnować szczegółów przywiezienia ciała mojego syna do Stanów.

Jennifer zobaczyła, że na jego twarzy rysuje się głęboki smutek.

– Czy mogę ci w czymś pomóc?

McCaul miał ponurą twarz.

– Dziękuję. Chyba nie.

Jennifer patrzyła, jak idzie do telefonu na tyłach restauracji. Wyglądał na zmęczonego, jak gdyby ciężar smutku odbierał mu siły. Wyjrzała na ulicę. Mogłaby przyrzec, że naprawdę widziała Marka. Ale to przecież nonsens – Mark jest osiem tysięcy kilometrów stąd. Przebiegła wzrokiem ulicę, szukając jego bliźniaka, ale na próżno. Może McCaul ma rację i może to, co się stało w kostnicy, namieszało jej w głowie. Potem zauważyła opla zaparkowanego trochę dalej, po drugiej stronie placu, niedaleko budynku komendy. Wyglądało na to, że samochód ma przyciemnione szyby. Czy to możliwe, że to ten sam opel, który jechał za nią w Simplon?

A może to jakaś paranoja? Wcześniej wydawało się jej, że widzi Marka, ale to przecież bez sensu, a teraz prawie wmówiła sobie, że znów widzi ten sam samochód. Zdała sobie nagle sprawę, że to śmieszne i próbowała pozbyć się tych myśli.

Czuła się wyczerpana własną frustracją, nierozwiązanymi zagadkami i pytaniami bez odpowiedzi. *Co się stało z moim ojcem? W jaki sposób jego paszport i rzeczy znalazły się w plecaku mężczyzny, który zginął na lodowcu? Gdzie ojciec zniknął? A jeżeli wciąż żyje?* Podejrzenie, że to możliwe, nie dawało jej spokoju. W głowie dudniło od różnych myśli, nie mogła się pozbierać.

McCaul wrócił.

– Załatwione. Ciało Chucka zostanie przetransportowane do Stanów samolotem, jak tylko Szwajcarzy podpiszą dokumenty.

Wyglądał, jakby już stracił wszelką nadzieję. Jennifer położyła rękę na jego dłoni.

– Może nie powinieneś się tak złościć na Caruso. Naprawdę uważam, że chciał dobrze.

– Może i tak. Ale wczoraj wieczorem musiałem zidentyfikować ciało Chucka w kostnicy w Brig. Chyba wciąż nie dociera do mnie fakt, że mój syn naprawdę nie żyje. A to, że muszę posłać jego zwłoki do domu w trumnie, strasznie mi rani serce – w głosie McCaula usłyszała rosnącą wściekłość. – Teraz chcę tylko znaleźć tego skurwysyna, który jest za to odpowiedzialny, i rozedrzeć go na strzępy.

Jennifer chwyciła go za rękę.

– Uspokój się. No, już dobrze?

– Chyba jakoś się trzymam. A ty?

– Nie wiem, co myśleć. Przyjechałam tu przekonana, że w końcu zobaczę ojca, a zamiast tego natknęłam się na kogoś zupełnie obcego. Ale dlaczego miał przy sobie paszport i rzeczy mojego taty? Minutę temu byłam nawet przekonana, że znowu widzę granatowego opla.

– O czym ty mówisz? Jezus Maria!

Potworna eksplozja zatrzęsła ulicą, szkło w oknach restauracji roztrzaskało się na milion kawałków. Do środka, z siłą tropikalnego huraganu, wtargnął potężny podmuch powietrza. McCaul ściągnął Jennifer jednym ruchem na podłogę.

– Padnij!

Rzucił się pod stolik i położył tuż obok niej, a gęsta chmura pyłu runęła do środka, pchana z zewnątrz podmuchem wiatru, usłyszeli potężny huk, który brzmiał jak grzmot podczas burzy.

Mark siedział w oplu, obserwując restaurację i zastanawiając się, czy Jennifer rzeczywiście go zobaczyła, kiedy nagle stało się coś bardzo dziwnego. Jeszcze chwilę temu patrzył na Jennifer i McCaula zatopionych w rozmowie, czuł ukłucie zazdrości w sercu, kiedy nagle wokół niego rozbłysło białe, przerażające, oślepiające światło, usłyszał nieprawdopodobnie głośny dźwięk, jak gdyby znalazł się w samym środku burzy.

Opla uniosło pół metra w górę, potem samochód jakby zawisł w powietrzu, chwilę później Mark usłyszał zgrzyt i poczuł potężne uderzenie auta o nawierzchnię ulicy, kiedy lądowało na boku. Przetoczył się i uderzył głową o dach. Kilka sekund później nastąpił kolejny wybuch. Eksplodował bak jego samochodu.

Kiedy hałas ucichł, Jennifer z trudem podniosła się z podłogi. Cały budynek komendy karabinierów był zniszczony, runął jak domek z kart. W gruzach szalał ogień, olbrzymia chmura pyłu unosiła się nad ruinami, a samochody zaparkowane na skwerze płonęły. Jennifer podniosła dłoń do ust.

– O, Boże! Co... Co się tu stało?

– Brzmiało tak, jakby wybuchła bomba – McCaul był szary na twarzy.

Ludzie wylegli z okolicznych budynków, oszołomieni i zdezorientowani. Niektórzy krzyczeli, inni próbowali pomagać rannym. Wydawało się, że mija zaledwie parę sekund, ale potem okazało się, że dopiero po paru minutach dobiegł ich dźwięk syren i nagle pojawiły się wozy strażackie i karetki pogotowia.

McCaul chwycił ją za rękę.

– Nic tu po nas. Wynośmy się stąd.

23

Ruszyli autostradą prowadzącą na północ. Kiedy McCaul odjeżdżał, usłyszeli wycie syren i widzieli kawalkadę karetek i wozów straży pożarnej pędzących w kierunku Turynu. Dziesięć minut później zjechali z autostrady do jakiegoś miasteczka. Z drogowskazu wynikało, że to Miasino. Składało się z kilku wąskich uliczek wysadzanych kocimi łbami, na środku placu stał kościół, a po drugiej stronie bar z aluminiowymi stolikami wystawionymi na chodnik. McCaul zatrzymał się przy krawężniku.

– Wszystko w porządku?

– Chyba... Chyba tak.

Jennifer była roztrzęsiona i przez całą drogę prawie się nie odzywała, ogłuszona eksplozją. McCaul skinął głową w kierunku baru.

– Chyba powinniśmy się czegoś napić.

Za kontuarem stał młody człowiek, leniwie polerując kieliszki. McCaul zamówił dwie whisky, wziął szklaneczki i zaprowadził Jennifer do stolika przy oknie, gdzie barman był poza zasięgiem ich głosu. Trzęsły jej się ręce, kiedy piła pierwszy łyk whisky.

– Skąd ta pewność, że to był wybuch bomby?

McCaul nie ruszał swojego drinka.

– Powiedzmy na razie, że intuicja podpowiada mi, że to nie był żaden wypadek. To, co rozwaliło budynek, na moje ucho brzmiało jak bardzo silny materiał wybuchowy, a oceniając zakres zniszczeń, uważam, że ludzie znajdujący się w środku nie mieli żadnych szans. Poza tym, jeżeli wybuch był celowy, to w jakimś sensie wszystko układa się w całość.

– Co to znaczy?

– Pomyśl tylko. Najpierw ginie Chuck, potem ktoś majstruje

przy twoim dżipie. Niedawno mówiłaś, że masz wrażenie, że ktoś cię śledzi, a teraz to. Cała dokumentacja sprawy prawdopodobnie została w budynku, w jakichś archiwach, a w kostnicy zostało ciało, najistotniejszy dowód w sprawie. Pozbycie się jednego i drugiego związałoby Caruso ręce i nie mógłby dalej prowadzić śledztwa. Według mnie, ktoś bardzo nie chce, żeby ta sprawa znalazła swój dalszy ciąg.

– Ale dlaczego? Kto by się na to poważył?

McCaul nagle przestał jej słuchać.

– Daj mi wizytówkę Caruso.

– Po co?

– Może teraz i on uwierzy, że ta cała historia śmierdzi.

Wstał i podszedł do telefonu wiszącego przy barze.

McCaul wykręcił kilka razy, ale nie mógł się połączyć. Poirytowany odłożył słuchawkę. Poprosił barmana o książkę telefoniczną, przewrócił kilka stron i coś zanotował, potem znów porozmawiał z barmanem i wrócił do stolika.

– Numer Caruso nie odpowiada.

– Pewnie jeszcze jest w drodze do domu.

– Musimy koniecznie z nim porozmawiać – McCaul uniósł zapisany kawałek papieru. – Caruso jest w książce telefonicznej. Spisałem jego adres. Mieszka w miasteczku Osoria. Barman mówi trochę po angielsku. Według niego Osoria jest jakieś pół godziny stąd.

Do miasteczka Osoria jechali mniej więcej trzydzieści minut. Mała górska osada składała się z sześciu uliczek, kilkudziesięciu domów z kamienia, ze szlachetnymi tynkami na ścianach, położonych u stóp łagodnych, gęsto zalesionych wzgórz. Zapadała ciemność, ale McCaulowi udało się odnaleźć uliczkę na samym końcu miasteczka. Prowadziła zakosami pod górę, po obu stronach stały nowoczesne wille. Odliczali numery domów, aż w końcu znaleźli posiadłość Caruso. Szutrowy podjazd prowadził do piętrowej willi z ogrodem na stromym zboczu; w ogrodzie rosły grusze i oliwki. Po prawej stronie zauważyli garaż. Brama garażowa była zamknięta, a biała lancia stała zaparkowana przed domem.

– Zobaczmy, czy ktoś jest w domu – McCaul wysiadł z dżipa, a Jennifer poszła za nim do drzwi frontowych. Kilka razy próbował zadzwonić, ale nie było żadnej odpowiedzi, więc nacisnął klamkę. Drzwi nie były zamknięte na klucz i otworzyły się same. – Jest tam kto?

Nie usłyszeli odpowiedzi i weszli do wąskiego holu. McCaul otworzył pierwsze drzwi po lewej stronie. Znaleźli się w dużym, pustym pokoju frontowym z panoramicznym widokiem na całe miasteczko.

– Sprawdźmy w innych pokojach – zaproponował McCaul.

Wrócili do holu i otworzyli kolejne drzwi. Kiedy weszli do kuchni, Jennifer zastygła w miejscu. Pomieszczenie było w nieładzie, na podłodze dostrzegli poprzewracane krzesła i resztki potłuczonych talerzy. Ciało leżało na plecach w kałuży krwi. Ta sama ciemnowłosa kobieta w średnim wieku, którą wcześniej widzieli na zdjęciu w gabinecie Caruso. Ktoś strzelił jej prosto w głowę. Oczy miała szeroko otwarte, jakby była zdziwiona tak nagłą śmiercią, a kałuża karmazynowej krwi tworzyła obrzydliwą plamę wokół korony jej włosów. Jennifer patrzyła przerażona na McCaula, który ukląkł i sprawdził puls kobiety.

– Czy ona... Czy ona nie żyje?

McCaul wstał i skinął głową.

– Ale od niedawna. Ciało jest jeszcze ciepłe. Bardzo zbladłaś. Lepiej usiądź.

Jennifer była w szoku; McCaul objął ją ramieniem i zaprowadził do pokoju frontowego. Posadził ją na kanapie, podszedł do przeszklonego barku przy oknie i znalazł butelkę brandy. Nalał szklaneczkę i zmusił ją, żeby wzięła drinka do ręki.

– Wypij to.

Jennifer próbowała, ale nie mogła przełknąć palącego w język alkoholu.

– Czy ktoś mi powie, co się tu dzieje? To jakiś sen wariata – spojrzała na McCaula, ale on nie miał żadnej rozsądnej odpowiedzi, żadne z nich nie wiedziało, co to znaczy, oboje byli w kropce. Odstawiła szklankę. – A co... Co z Caruso?

McCaul ruszył w kierunku drzwi.

– Siedź tutaj. Siedź i niczego nie dotykaj.

Jennifer wstała roztrzęsiona.

– Nie, proszę cię, wolę pójść z tobą.

Przeszukali wszystkie pomieszczenia na górze, ale nie odnaleźli Caruso. Sypialnie były nietknięte, szafy na ubrania – zamknięte, nikt nie powysuwał szuflad. McCaul znalazł w łazience parę gumowych rękawiczek, założył je i ostrzegł Jennifer, żeby niczego nie dotykała.

– Policja będzie szukała odcisków palców. Zostawiając ślady w całym domu, tylko sobie zaszkodzisz.

W jednym z pokojów na tyłach willi odkryli gabinet. Na biurku leżała aktówka Caruso. McCaul otworzył ją i sprawdził, co jest w środku.

– Pamiętasz dokumenty sprawy, które Caruso zabrał do domu? Już ich nie ma.

– Co ty mówisz?

– Albo Caruso je gdzieś zostawił, albo ktoś je zabrał, sama zobacz.

McCaul otworzył aktówkę i Jennifer zobaczyła jakieś dokumenty, ale nie było śladu akt śledztwa w czerwonych okładkach.

– Gdzie może być ten Caruso? – spytał głośno McCaul, odkładając aktówkę i przeszukując szuflady biurka. Niczego nie znalazł oprócz kilku czystych notesów, rachunków za gaz i prąd oraz innych kwitów. Ostatnia szuflada była zamknięta na klucz. McCaul znalazł w innej szufladzie metalowy otwieracz do listów i wyłamał zamek. W środku leżał pistolet. Była to mała, automatyczna Beretta kaliber trzydzieści dwa, broń, której często używa się do ćwiczeń w strzelaniu do celu. Zobaczył, że magazynek na siedem nabojów jest pełny i wsadził broń do kieszeni.

– Co ty robisz?

Na twarzy McCaula były strużki potu.

– A jak myślisz? Muszę być na wszystko przygotowany, Jennifer. To, co się tutaj wydarzyło, to nie zwyczajna domowa kłótnia, że zupa była za słona. Chodź, sprawdzimy jeszcze raz na dole.

Zeszli po schodach, później skierowali się do kuchni i McCaul otworzył tylne drzwi. Kiedy wyszli na patio za domem, zobaczyli kolejne drzwi prowadzące do garażu. McCaul uchylił je ostrożnie. W środku było zupełnie ciemno, po omacku poszukał włącznika i w końcu nad ich głowami rozjarzyła się neonówka. W środku garażu stał zaparkowany mały czerwony fiat. Jennifer domyślała się, że prawdopodobnie jeździła nim żona Caruso.

Na siedzeniu pasażera zobaczyła ciemny zarys postaci i wydało się jej, że rozpoznaje twarz. Caruso leżał bezwładnie na fotelu. Ktoś wsadził mu pistolet do ust i odstrzelił pół głowy.

Jennifer starała się wziąć w garść. Cała się trzęsła, w ustach czuła kwaśny smak. Widok Caruso i jego żony tak brutalnie zamordowanych był ponad jej siły i musiała się zmuszać, żeby nie odwracać wzroku, kiedy McCaul otwierał drzwi od strony pasażera i sprawdzał puls Caruso. Krew już częściowo stężała na jego ustach i gardle, a jej strużki ochlapały ubiór policjanta i siedzenie samochodu.

– Nie żyje od jakiejś pół godziny.

Jennifer odwróciła się, nie mogąc znieść tej drastycznej sceny. Próbowała się nie załamywać, po chwili poczuła na plecach dłoń McCaula, odwróciła się i padła mu w ramiona.

– Uspokój się, Jennifer.

– Już dobrze. Będzie dobrze – Wzięła się w garść i jeszcze raz spojrzała na Caruso. W prawej ręce ściskał pistolet automatyczny. Kciuk był ciągle oparty na osłonie spustu, broń leżała na kolanach mężczyzny, jak gdyby sam wsadził sobie ją do ust, a siła odrzutu wypchnęła mu ramię na kolana.

– Według mnie ktoś odwalił kawał dobrej roboty – powiedział McCaul.

– Co... Co to znaczy?

– Tylko pomyśl. Mówiłem ci o tej scenie w kuchni i o tym, że to na pewno nie jest kłótnia małżonków, która wymknęła się spod kontroli. Ale ktoś może chciał, żeby tak to właśnie wyglądało. Tak to ustawił, żeby stworzyć wrażenie, że Caruso zabił żonę, a potem sam się zastrzelił. Ten, kto to zrobił, na pewno jest w swojej dziedzinie nie lada specem. Założyłbym się, że kiedy gliny będą szukać odcisków palców, nie znajdą ani jednego odcisku należącego do osoby, która popełniła oba morderstwa.

Jennifer przyszła do głowy przerażająca myśl – ten, kto dokonał egzekucji na Caruso i jego żonie, może być tą samą osobą, która zabiła jej matkę. Znów nawiedziło ją znajome uczucie goryczy i smutku. Myślała, że za chwilę kompletnie się załamie, ale McCaul ujął ją zdecydowanie pod ramię.

– Chyba już się dość napatrzyliśmy. Zwijamy się stąd.

Kiedy schodzili znów do pokoju frontowego, McCaul nagle wskazał palcem na okno.

– Będziemy mieli towarzystwo.

Jennifer zobaczyła samochód policyjny zbliżający się z dużą prędkością od strony miasteczka. Granatowe, migające światło koguta zniknęło na chwilę za drzewami, później znów się pojawiło, kiedy wóz patrolowy pędził w kierunku willi.

– Albo ktoś zawiadomił gliny, albo jadą tu, żeby zawiadomić Caruso o wybuchu – McCaul wyjął z kieszeni chusteczkę i szybko wytarł butelkę brandy i szklanki, a potem odłożył je do barku. – To na wszelki wypadek, gdyby ktoś miał jakieś głupie pomysły. W porządku, ruszamy.

– Nie powinniśmy poczekać na policję?

– Oszalałaś? To absolutnie wykluczone. Na pewno będzie ich kusiło, żeby przede wszystkim właśnie *nas* podejrzewać. Widziałem, co się stało z Caruso, i jestem przekonany, że tutaj nikt nie jest bezpieczny, nawet gliniarze. Powinniśmy działać na własną rękę, dopóki nie dowiemy się, o co tutaj właściwie chodzi.

Jennifer miała wrażenie, że na ułamek sekundy w oczach McCaula zabłysła iskra czystego przerażenia. Nie miała czasu protestować, bo już ją prowadził do dżipa. Włączył silnik i wrzucił bieg, ale jechali bez świateł, aż dotarli do końca podjazdu, a potem w przeciwnym kierunku, oddalając się od miasteczka.

– Dokąd jedziemy?

– Sam chciałbym to wiedzieć.

Dwóch mężczyzn siedziało w czarnym BMW zaparkowanym w wąskiej uliczce nad willą Caruso. Blondyn trzymał w dłoniach wojskową lornetkę na podczerwień. Przyglądał się biało-niebie-skiemu policyjnemu fiatowi, który na sygnale piął się drogą pod górę, potem natychmiast przesunął lornetkę niżej i obserwował nissana McCaula odjeżdżającego pędem w drugą stronę. Odłożył lornetkę i rzekł do kierowcy:

– Jedź za dżipem.

Część III

24

Nowy Jork

Lou Garuda podszedł do stanowiska recepcji w domu opieki Cauldwell. Portorykańska pielęgniarka podniosła głowę znad papierów i spojrzała na niego pytająco.

– Można w czymś panu pomóc?

Garuda uśmiechnął się do siebie. Dziewczyna miała niesamowity biust.

– Chyba tak. Chodzi o Roberta Marcha. Przebywa u was. Zna go pani?

– Oczywiście, że znam Bobby'ego. W czym można pomóc?

– Jego siostra, Jennifer, wyjechała wczoraj do Europy. Poproszono mnie, żebym, jak będę przejazdem, zatrzymał się i sprawdził, co u niego – Garuda uniósł do góry brązową, papierową torebkę. – Pomyślałem więc, że przyjadę się przywitać. Przywiozłem mu trochę cukierków, może się ucieszy.

– Jest pan krewnym?

– Nie – Garuda pokazał odznakę. – Jestem policjantem. Czemu, coś nie tak z Bobbym?

– Nie. Niech pan tylko chwilę poczeka. Zaraz kogoś poproszę, żeby pana zaprowadził.

Postawny czarnoskóry mężczyzna, który na identyfikatorze miał napisane „Leroy", skrzywił się niechętnie, spoglądając na przechodzącego przez ogród Garudę.

– Jak to się stało, że nigdy tu pana przedtem nie widziałem?

– Jestem kolegą Marka. Wyjechali z Jennifer i poprosił mnie, żebym tu wpadł.

– No, to jesteśmy na miejscu.

„Jezus Maria, niektórzy to mają ciężko" – pomyślał Garuda. Chłopak siedział na wózku, głowę miał bezwładnie opuszczoną na bok.

– Cześć, nazywam się Lou. Mark prosił mnie, żebym wpadł i się z tobą przywitał.

Leroy wyszedł, ale chłopiec nic nie mówił. Garuda usiadł obok niego i poczęstował go cukierkami z torebki. Zauważył, że Bobby ma obok krzesła notes i długopis.

– Przywiozłem ci to w prezencie. Rozumiesz, co mówię?

Bobby spojrzał na niego nieobecnym wzrokiem, reagował bardzo powoli, jak gdyby był speszony obecnością obcego człowieka. Garuda westchnął i pomyślał: „Biedny dzieciak, chyba tracę czas".

– Jestem gliniarzem, tak jak Mark, i chciałbym ci zadać kilka pytań, Bobby. Może będziesz mógł mi w czymś pomóc. Wiesz, że odnaleziono ciało twojego ojca?

Tym razem chłopak otworzył szeroko oczy. Garuda wyciągnął własny notes i spytał:

– Może Jennifer coś ci o tym mówiła?

Cisza, ale teraz Bobby wlepił w niego dzikie spojrzenie.

– Rozumiesz, co do ciebie mówię? Wystarczy, żebyś skinął głową – powiedział Garuda i pomyślał: „Sam do siebie gadam. Ten mały to roślinka".

– Bobby, przytaknij, jeżeli mnie rozumiesz.

Chłopak na wpół przytaknął i wciąż miał to dziwne spojrzenie. Garuda postanowił powiedzieć mu wszystko, co wie. Kiedy skończył, mały zaczął płakać. Garuda wstał zaniepokojony. „Wsadzam łapę między drzwi. Może nikt mu jeszcze o tym nie mówił?"

– No... Uspokój się, mały.

Bobby zaczął jeszcze głośniej płakać, potem nogi i ręce zaczęły mu drżeć, a z gardła wyrwał się charkotliwy dźwięk. Przez drzwi z ogrodu wyszedł Leroy.

– Co się dzieje? Bobby źle wygląda...

– Ni cholery nic z tego nie rozumiem – Garuda schował swój notes. – Muszę już lecieć.

„Straciłem tylko czas" – myślał Garuda, jadąc z powrotem na komisariat policji Long Beach. Myślał, że chłopak jakoś mu pomoże, ale okazało się, że niepotrzebnie sobie robił nadzieje. Poprosił już Debbie Kootzmeyer na lotnisku Kennedy'ego, żeby sprawdziła listy pasażerów, i potwierdziło się, że Jennifer March poleciała wczoraj wieczorem o dwudziestej pierwszej piętnaście liniami Swiss Airlines z Newark do Zurychu. Usiadł przy biurku i wyciągnął stare notatki dotyczące śledztwa w sprawie rodziny March. Jeszcze raz je przejrzał, ale nic nowego nie przyszło mu do głowy.

Po drugiej stronie obszernej sali komisariatu siedziała Nicole Fortensky, cywilny pracownik sekretariatu policji. Była świetna w wyszukiwaniu informacji w Internecie. Garuda nie znosił komputerów, ale w dzisiejszych czasach to one były źródłem wiedzy. Nicole nieustannie myszkowała w Sieci i umiała szybko dotrzeć do wszelkich potrzebnych danych, a jemu grzebanie po witrynach zabierało cholernie dużo czasu.

Podszedł niespiesznie do jej biurka. Nie było na czym oprzeć oka. Niezamężna, grube szkła i dwadzieścia pięć kilo nadwagi, i to nie tam, gdzie trzeba. Poza tym nieładnie pachniała. Położył jej dłoń na ramieniu.

– Nicole, skarbie, chciałbym cię prosić o przysługę.

Ledwo co podniosła na niego oczy od komputera.

– Ja też i to szybko. Wiesz, jak trudno jest znaleźć odpowiedniego mężczyznę w Nowym Jorku.

Garuda uśmiechnął się.

– Pomóż mi w tej sprawie, a ja daję słowo, że ci się odwdzięczę. Firma Prime International Securities – obiło ci się coś o uszy?

– Nie.

– Zakończyła działalność cztery lata temu, ale muszę o nich znaleźć wszystko, co się da. Artykuły prasowe, dane o ich interesach i dyrekcji. Wszystko, co tylko możliwe.

– Wiesz co, teraz jestem raczej zajęta. Muszę skończyć dwa sprawozdania.

Garuda uśmiechnął się i pogładził ją po głowie. *Boże, chyba nie myła włosów od dwóch miesięcy. Nic dziwnego, że trudno jej znaleźć kogoś, kto by ją przeleciał.*

– Zapraszam cię na kolację. Co ty na to?

Zamrugała do niego zza grubych szkieł.

– A zrobisz mi potem dobrze?

Garuda westchnął.

– OK, sam sobie jakoś poradzę.

Cztery godziny później Garuda miał wszystkie informacje, które dało się znaleźć w Internecie. Firma Prime już nie prowadziła działalności, ale znalazł nazwisko jednego z jej byłych wiceprezesów – Frederick Kammer. Niewiele odnalazł szczegółów na temat tego Kammera, a dane o samej firmie były szczątkowe, głównie sprawozdania księgowe. Przeczytał jeszcze raz cały materiał i wrócił do swoich starych raportów – tych, które pisał, kiedy sprawa Marchów była na pierwszych stronach gazet. Czytając je ponownie, zauważył coś dziwnego. Mrugał oczami ze zdumienia, patrząc na słowa na kartce, znów cofnął się kilka linijek i nagle poczuł falę emocji.

Angelina spała, kiedy wrócił wieczorem do domu. Rozebrał się i położył obok niej w ciemności. Wśliznął się pod kołdrę i przesuwając dłońmi po jej sprężystej skórze, delikatnie jej dotykał. Po chwili Angelina zaczęła się wiercić. Ujął dłonią jej rękę i poprowadził tam, gdzie czuł największe napięcie.

– Popatrz, co dla ciebie mam, kotku.

– O, matko, jesteś twardy jak kamień.

Garuda uśmiechnął się w ciemności.

– Ta sprawa, o której ci mówiłem. Chyba mam jakiś ślad.

– No, to całkiem solidny ślad. Ostatnim razem miałeś tylko twardy orzech do zgryzienia.

Garuda już był nad nią. Rozsunął uda Angeliny, łagodnie wszedł w jej miękkie ciepło i usłyszał jęk rozkoszy.

– Ale nie tym razem, kotku.

25

Włochy

Pół godziny po wyjeździe z Osorii Jennifer i McCaul dotarli do przedmieść małego miasteczka Biella. Zapadał zmierzch, a na niebie zbierały się ciemne, deszczowe chmury. McCaul znalazł zjazd z drogi kilkaset metrów przed miasteczkiem. Drewniana bramka prowadziła do przecinki w lesie, gdzie turyści mogli się zatrzymać i usiąść przy drewnianych ławach z nieheblowanej sosny. Zatrzymał samochód, wyciągnął ze schowka mapę turystyczną i małą, ołówkową latareczkę Maglite.

– Nie powinniśmy jechać dalej?

– Dokąd, Jennifer? Nie możemy jeździć w kółko bez celu. Musimy zobaczyć, gdzie w ogóle jesteśmy.

Jennifer była wciąż roztrzęsiona, ale zmusiła się, żeby wysiąść z dżipa i podejść do McCaula, który siedział na ławie nad otwartą mapą.

– W swoim czasie pracowałem nad różnymi dziwacznymi sprawami, ale ta na bank zdobyłaby wśród nich pierwsze miejsce.

– Dlaczego... Dlaczego ktoś chciał zabić Caruso?

McCaul spojrzał na nią.

– Przychodzi mi do głowy tylko jedna myśl. Żeby zatrzymać śledztwo albo skierować je na ślepy tor. Najpierw ktoś niszczy zwłoki. Później znikają dokumenty śledczego prowadzącego sprawę, a on sam zostaje zamordowany. Na moje oko ktoś za wszelką cenę próbuje zatrzymać to dochodzenie, nawet kosztem totalnej jatki.

Jennifer widziała jakiś sens w podejrzeniach McCaula. Nic innego, a tym bardziej nic rozsądniejszego nie przychodziło jej do głowy, ale nie miała pojęcia, kto mógłby chcieć przeszkadzać w tym śledztwie.

– Ale w jakim celu?

– Tutaj jestem w kropce. Ale domyślam się, że odpowiedź kryje się gdzieś w przeszłości twojego ojca. Jakby na to nie patrzeć, wszystko wraca do niego. Morderstwa nie popełnia się ot, tak, po prostu. Zawsze jest jakiś motyw. Musi być coś w jego przeszłości, a może w przeszłości twojej matki, co nam wskaże właściwy kierunek.

– Co chciałbyś wiedzieć?

– Wszystko, Jennifer. Wszystko, co pamiętasz.

Opowiedziała McCaulowi o wydarzeniach tej nocy, kiedy zamaskowany włamywacz wśliznął się do jej domu, o życiu przedtem i potem. Kiedy skończyła, położył dłonie na jej rękach.

– Sporo przeszłaś, Jennifer.

– Zobaczyłam Caruso i jego żonę i wszystko nagle wróciło.

– A co wiesz o firmie ojca?

– Prawie nic, oprócz tego, że zajmowała się prywatnymi inwestycjami. Nigdy się specjalnie nad tym nie rozwodził i nie opowiadał o swojej pracy. Policja przesłuchiwała jego współpracowników, ale oni też byli zdumieni jego zniknięciem. Nie znaleziono niczego, co mogłoby wskazywać, że miał jakieś kłopoty w firmie i że właśnie to mogło być powodem jego zniknięcia.

– Jeździł kiedyś do Szwajcarii lub do Włoch w interesach?

– Często. Dużo podróżował.

– Jak długo był zatrudniony w Prime?

– Siedemnaście lat.

– Firma wciąż działa?

– Nie, zakończyła działalność w ubiegłym roku.

– Dlaczego?

– Nie mam pojęcia.

McCaul chwilę się nad czymś zastanawiał, a potem powiedział cicho.

– Te rzeczy, które znalazłaś na strychu, materiały na temat Josepha Delgado. Jak sądzisz, co się z tym stało?

– Naprawdę nie wiem.

– Czy twój ojciec mógł gdzieś ukryć te dokumenty?

– Nigdy się nad tym nie zastanawiałam. Tyle było ważniejszych spraw, a po śmierci mamy byłam zajęta Bobbym.

– A ta kasetka, którą widziałaś w jego gabinecie? Masz jakiś pomysł, gdzie ojciec mógł ją ukryć? Może bank, w którym on i mama mieli skrytki depozytowe?

Jennifer pokręciła głową.

– Uważasz, że to, co było w skrzyni na strychu, może mieć coś wspólnego ze zniknięciem mojego ojca, prawda?

– Nie wiem, Jennifer. Może chwytam się jak tonący brzytwy, ale szukam czegoś, co mogłoby choć trochę nam pomóc. Więc skup się i spróbuj coś wymyślić, bardzo cię proszę.

Jennifer próbowała się skupić.

– Nic mi nie przychodzi do głowy, żadna skrytka, w której ojciec mógłby to schować. A jeżeli nawet miał taką skrytkę, na pewno by mi o tym nie powiedział.

McCaul był niezadowolony.

– Ten trop donikąd nas nie zaprowadzi, prawda? Dobrze, w takim razie zastanówmy się, co wiemy. Ktoś, posługując się paszportem twojego ojca, wszedł na lodowiec. Czy dlatego, że chciał nielegalnie przekroczyć granicę czy nie, tego nie wiemy, ale to jedyny logiczny powód. Rozpętała się burza i facet albo przypadkiem wpada w szczelinę w lodowcu, jak uważał Caruso, albo celowo wpycha go tam wspólnik, który podłożył mu do kieszeni paszport. Caruso miał prawdopodobnie w jednym rację. Jeżeli twój ojciec uciekał przed władzami, na pewno nie chciałby, żeby znaleziono przy nim dokument tożsamości.

Jennifer poczerwieniała ze złości, słysząc to oskarżenie.

– Mój ojciec nikogo by nie zabił. Nie był mordercą.

– Nie denerwuj się, wcale tak nie twierdzę. Ale fakty są takie, że mógłby kogoś w ten sposób ślicznie wpuścić w maliny. Jeżeli ciało zostałoby odkryte, wyglądałoby na to, że gość w szczelinie to Paul March poszukiwany w sprawie o morderstwo. Jednego jednak nie mogę zrozumieć, co ci dwaj ludzie w ogóle tam robili? Czy się znali? Czy byli przyjaciółmi, znajomymi czy co? I dokąd szli?

McCaul przerwał i zaczął masować sobie skronie, jakby lawina jego własnych myśli rozsadzała mu czaszkę.

– Robi się późno. Nie możemy tutaj tkwić całą noc. Musimy znaleźć jakiś hotel.

Patrzył na mapę, przyświecając sobie latarką.

– Niedaleko jest miasteczko, jakieś piętnaście kilometrów stąd.

– Kiedy byłam z Antonem na Wasenhornie, zatrzymałam się, żeby obejrzeć mały *Berghaus*.

McCaul spojrzał na nią pytająco.

– Co takiego?

– Bacówka. Taki domek, w którym czasami nocują alpiniści. – Jennifer pokazała mu ten obszar na mapie. – Niedaleko stamtąd, po włoskiej stronie granicy, jest stary klasztor katolicki pod wezwaniem Korony Cierniowej. Anton mówi, że stoi tam od wieków i często zachodzą do niego alpiniści, kiedy pogoda się załamuje.

– I?

– Kiedy mi o tym powiedział, zaczęłam się zastanawiać. Ktoś, kto tamtej nocy próbował przejść przez Wasenhorn, kierując się do Varzo, na pewno doszedłby najpierw do klasztoru.

– Co chcesz przez to powiedzieć?

– Wiem, że to bardzo mało prawdopodobne, ale może ktoś tam pamięta, czy jacyś ludzie szukali schronienia tej nocy, kiedy szalała burza. Możemy za niecałą godzinę być w klasztorze, a potem poszukać jakiegoś hotelu w Varzo.

Nagle zobaczyli białego fiata z błękitnym oznaczeniem karabinierów, który przemknął drogą tuż obok nich. McCaul odczekał, aż fiat zniknie im z oczu, i podniósł się od stołu, kiedy pierwsza błyskawica zagrzmiała nad ich głowami i zaczął padać drobny deszcz.

– Dobrze, spróbujemy. Na razie mamy tylko ten klasztor, a oprócz tego masę pytań. Jednak najbardziej dręczy mnie jedno. Co może doprowadzić człowieka do takiej desperacji, że jest gotów mordować policjantów, żeby zatrzymać śledztwo?

McCaul złożył mapę, wsunął latarkę do kieszeni i spojrzał przez ramię na Jennifer.

– Moim zdaniem, ktoś, kto się tak daleko posuwa, musi mieć do ukrycia jakąś straszną tajemnicę.

26

Turyn

Kobiecy głos obudził Marka. Otworzył oczy. Leżał na szpitalnym łóżku, chyba w jednoosobowej sali. Śliczna młoda pielęgniarka pochyliła się nad nim i poprawiła mu poduszkę.

– *Come sta?*

Podniósł głowę otumaniony i niepewny. Zobaczył obok siebie starszego mężczyznę w białym kitlu, który uśmiechał się przyjaźnie i mówił coś szybko po włosku, ale Mark nie rozumiał ani słowa.

– On pyta, czy mówisz po włosku, Ryan.

Mark nagle zauważył Kelso stojącego przy drzwiach i zapytał:

– Co... Co się stało?

Kelso podszedł do jego łóżka.

– Później ci to wyjaśnię. Teraz lekarz chce cię zbadać. Nie mówi po angielsku, więc będę tłumaczył. A pielęgniarka pytała, jak się czujesz.

– Oprócz tego, że wali mi we łbie jak młotem pneumatycznym i dzwoni mi w uszach, jestem trochę skołowany.

Kelso przetłumaczył jego odpowiedź lekarzowi, który zaświecił Markowi w oczy małą latarką, uniósł w górę palce i zadał kolejne pytanie.

– Doktor chce wiedzieć, ile widzisz palców – powiedział Kelso.

– Dwa.

Lekarz zbadał Markowi uszy innym przyrządem, wyciągnął stetoskop, żeby go osłuchać, a na końcu sprawdził puls.

– Jesteś mi winien wyjaśnienie, Kelso.

– Nic nie pamiętasz?

– Był wybuch. Mój samochód się zapalił...

– Wyciągnęli cię stamtąd. Doktor mówi, że masz w kilku miejscach przeciętą skórę, kilka sińców i niegroźne wstrząśnienie mózgu, ale na zdjęciach rentgenowskich nie widać większych zmian.

Głowa pulsowała Markowi z bólu. Położył rękę na czole i poczuł, że ma plaster w miejscu, którym uderzył głową o dach samochodu.

– Długo tu jestem?

– Kilka godzin.

Mark stracił zupełnie poczucie czasu. Pamiętał straszliwy huk eksplozji i siłę fali uderzeniowej. Jak przez mgłę przypominał sobie, że ktoś go wyciąga z samochodu, wróciło też niekończące się wycie syren karetek pogotowia, a potem zemdlał i wszystkie obrazy zlały się w jedno.

Lekarz skończył badanie, poklepał go przyjacielsko po ramieniu i znów coś powiedział po włosku.

– Mówi, że musisz odpoczywać – wyjaśnił Kelso. – Takie daje zalecenia. Chce mieć pewność, że nie stało ci się nic poważnego. *Grazie, dottore.*

– *Prego.*

Kiedy lekarz i pielęgniarka wyszli z sali, Kelso przystawił krzesło do łóżka.

– Uwielbiasz się pakować w takie gówno.

– Miło, że się o mnie martwisz, Kelso, ale odpuść sobie. Lepiej powiedz, co się stało.

– Komenda karabinierów zamieniła się w kupę gruzu. Podobno mają sześciu zabitych, pięciu to gliny. Kilkunastu jest poważnie rannych.

– Jaka była przyczyna wybuchu?

Kelso pokręcił głową.

– Nie wiem. Ale słyszałem w radiu, że gdzieś w piwnicy był zbiornik paliwa i że tam mogło zaiskrzyć.

– Ale nie jesteś przekonany.

– Dopóki ekipy specjalistyczne nie przeprowadzą dokładnych badań i nie rozgrzebią tych gruzów, nie ma żadnej pewności, co spowodowało eksplozję. Ja osobiście podejrzewałbym podłożenie bomby.

– Bomba?

Kelso westchnął i rozłożył ręce w geście bezradności.

– Posłuchaj, Ryan, będę z tobą szczery. Ten wybuch to nie przypadek, bo tu jest za dużo zbiegów okoliczności. Oczywiście, zdarzają się różne wypadki, ale to ktoś zrobił specjalnie. Ktoś, kto nie chciał, żeby śledztwo posuwało się dalej. W ten sposób próbuje zakończyć sprawę. Niecałe pół godziny temu sam byłem obejrzeć zniszczenia. Kostnica w podziemiach budynku jest w całkowitej ruinie, a to znaczy, że prawdopodobnie zwłoki i wszystkie dowody rzeczowe stanowią jedną wielką miazgę. Oszałamiających rezultatów śledztwa nie będzie. Czy wyrażam się jasno?

– Ale kto? Kto by chciał utrudniać śledztwo?

Kelso był wyraźnie zaniepokojony.

– Na razie pomińmy to pytanie i skupmy się na Jennifer.

– Widziałem ją ostatnim razem w restauracji po drugiej stronie placu, na kilka sekund przed eksplozją.

– Opowiedz mi, co dokładnie widziałeś, Ryan.

Mark relacjonował mu, co się zdarzyło, a Kelso zapisywał wszystko w notesie.

– Masz numer rejestracyjny samochodu?

– Jest w notatkach w kieszeni mojej marynarki, ale nie wiem, gdzie jest moje ubranie.

Kelso zauważył metalową szafkę obok łóżka i znalazł w środku ubranie Marka. Sprawdził w kieszeniach marynarki i wręczył mu notes, a on podyktował mu numer rejestracyjny. Kelso wszystko skrzętnie zapisał.

– Mówisz, że ten facet, McCaul, był w hotelu?

– To ojciec chłopaka, który znalazł ciało na lodowcu.

– Skąd wiesz?

– Tak mi powiedzieli w recepcji – Mark opowiedział o tym, że był w hotelu Jennifer i o jej wypadku. – Ktoś mógł grzebać przy przewodach hamulcowych w jej dżipie.

– Jesteś tego pewien?

– Potwierdził to sierżant policji. I dowiedziałem się czegoś jeszcze. Chłopak, który znalazł zamarznięte ciało, nie żyje.

Kelso się nie uśmiechał.

– Też o tym słyszałem. Policja szwajcarska twierdzi, że to wypadek na przełęczy Furka, ale wydaje mi się to dość podejrzane, więc ten wątek też sprawdzę.

– W zajeździe powiedzieli mi, że McCaul przyjechał zidentyfikować ciało syna.

Kelso był podejrzliwy.

– Ciągle nie wiemy, dlaczego podróżuje z Jennifer. Lepiej sprawdzę jego akta. Jeżeli nie jest tym, za kogo się podaje, Jennifer może być w wielkim niebezpieczeństwie.

Mark usiadł na łóżku.

– Skąd taka myśl?

– Nie wiem, ale teraz nie możemy odrzucać żadnej hipotezy – Kelso schował notes. – Chwytając się ostatniej deski ratunku, próbowaliśmy zadzwonić na jej komórkę. Jeśliby odpowiedziała, moglibyśmy się przynajmniej dowiedzieć, gdzie jest, bo namierzylibyśmy sygnał. Ale telefon Jennifer był wyłączony i zanim go znowu nie włączy, nie mamy pojęcia, jak ją namierzyć, ale będziemy próbować.

Mark był strasznie podenerwowany i próbował wyjść z łóżka, ale Kelso zapytał rozzłoszczony:

– Co ty, do cholery, robisz?

– Muszę odszukać Jennifer.

Kelso położył mu dłoń na ramieniu.

– Bądź rozsądny, Ryan. A może ja trochę przeholowałem. Cały ten pomysł, żeby cię wykorzystać, był chyba błędem.

– Dlaczego?

– Przecież mogłeś zginąć. A jeżeli się będziesz upierał, żeby śledzić Jennifer, możesz wpaść w jeszcze większe tarapaty. Nie chcę cię mieć na sumieniu. Więc może byśmy na tym poprzestali? Niedługo cię wypiszą ze szpitala. Proponuję, żebyś wrócił do Stanów, jak trochę wydobrzejesz.

– Czekaj, zobaczysz, jak wrócę!

Mark odepchnął dłoń Kelso i próbował się wygramolić z pościeli, ale kiedy tylko postawił stopy na podłodze, poczuł zawrót głowy. Runął na łóżko. Kelso go złapał, zanim stoczył się na podłogę.

– Spokojnie, Ryan. Powinieneś wypoczywać.

– Musisz znaleźć Jennifer. Masz za sobą całe CIA, Kelso. Poproś karabinierów o pomoc. Wezwij więcej ludzi. Znajdź ją.

– Nie mogę za nią rozesłać listu gończego. Pamiętaj, że to jest tajna operacja. Jeżeli wciągnęlibyśmy w to Włochów, musielibyśmy odpowiedzieć na kilka niewygodnych pytań, a na to mnie nie stać. Ale wierz mi, zrobię wszystko, co w mojej mocy, żeby ją odszukać.

– To znaczy?

– Wynajmę na najbliższym lotnisku kilka śmigłowców z obsługą. Mam od ciebie opis samochodu i numery rejestracyjne. Każę przeszukiwać główne drogi i znaleźć uszkodzonego nissana.

– I co dalej? Będziesz liczył na szczęście? – Mark był wściekły. – To nie wystarczy, Kelso.

– Posłuchaj, Ryan, zajmuję się tą sprawą już od dawna, jeszcze zanim zniknął Paul March. Poświęciłem jej kilka dobrych lat życia, a teraz jestem dwa miesiące przed emeryturą...

– Co twoja emerytura ma z tym wszystkim wspólnego?

– Chcę to śledztwo doprowadzić do końca, zanim się pożegnam z karierą. A to znaczy, że zrobię wszystko, co będę musiał, żeby dojść do rozwiązania. Teraz najlepiej mi pomożesz, jeżeli spróbujesz wyzdrowieć – Kelso wstał i odwrócił się w kierunku drzwi. – Skontaktuję się z tobą, jak będę miał jakieś wiadomości o Jennifer. Jeżeli będziesz czegoś potrzebował, zadzwoń do mnie na komórkę. Teraz muszę wracać do pracy.

– Poczekaj! Przecież musisz wiedzieć, kto za tym wszystkim stoi. Kto? Kto chce zabić Jennifer i dlaczego?

Kelso, lekko kulejąc, podszedł do drzwi i obrócił się do Ryana.

– Mam wrażenie, że coś ci się rzuciło na uszy. Ile razy mam powtarzać, Ryan? To są ściśle tajne informacje i jeżeli je zdradzę, stracę pracę. W grę wchodzą sprawy bezpieczeństwa narodowego. Bardzo poważne sprawy.

Mark nie mógł opanować wściekłości.

– Myślałem, że ci dwaj najlepsi kumple, Fellows i Grimes, mają dzisiaj całe rano siedzieć mi na ogonie.

Kelso był wyraźnie zażenowany.

– Samochód im się zepsuł.

– Nie żartuj sobie ze mnie.

– Próbowali się z tobą skontaktować przez radio, ale nie było odpowiedzi. Może o tym nie wiesz, ale sygnał radiowy w górach często szwankuje i się gubi. Kiedy udało im się uruchomić samochód, okazało się, że zniknąłeś. Później dowiedzieli się w hotelu, dokąd pojechałeś, i zjawili się przy budynku komendy kilka chwil po wybuchu. A jeżeli się zastanawiasz, kto cię wyciągnął z samochodu, kiedy wybuchł zbiornik paliwa, to już ci mówię: Fellows i Grimes. Może to więc palec Boży, w przeciwnym razie byłbyś teraz w kostnicy, usmażony na befsztyk. Ale przecież nie o to chodzi. Ważne jest to, że Jennifer znikła z jakimś obcym facetem, o którym gówno wiemy, a przede wszystkim nie wiemy, gdzie teraz są.

– Posłuchaj, Kelso. Przecież mógłbyś mi powiedzieć, co tu się naprawdę dzieje?

– Powtarzam ci, że nie mam takich kompetencji, więc przestań mi zadawać bezsensowne pytania, Ryan. Na razie muszę się dowiedzieć, czy McCaul jest tym, za kogo się podaje.

– Kelso, poczekaj!

Ale drzwi już się za nim zamknęły i Ryan został sam.

27

Było ciemno i lało jak z cebra. McCaul prowadził samochód, a Jennifer próbowała się odprężyć. Czuła się bezpiecznie w jego towarzystwie, chociaż był zupełnie obcym człowiekiem. Wyczuwała w nim siłę i zdecydowanie, które dodawały jej otuchy, a jeżeli miałaby być ze sobą szczera, to dlatego czuła się u jego boku bezpiecznie, bo miała wrażenie, że chroni ją przed całym światem, jak kiedyś ojciec.

– Opowiedz mi o swoim synu – słowa wyrwały jej się z ust, zanim zdała sobie sprawę, jak go to może zaboleć. Zobaczyła grymas na twarzy McCaula, ale przez kilka następnych kilometrów, prowadząc auto, opowiadał jej, jak toczyło się jego życie. Chuck był jedynakiem, matka ich zostawiła, kiedy chłopak miał pięć lat, wyprowadziła się do Los Angeles i nie wróciła.

– Prawdę mówiąc, to małżeństwo od początku się nie kleiło. Ale Chuck i ja byliśmy zawsze blisko. Był fantastycznym chłopcem, chociaż czasami dość upartym. Nie bardzo mi się podobała myśl, że wybiera się sam do Szwajcarii. Ale trudno mi było przemówić mu do rozumu. Szkoda, że mnie nie posłuchał.

Twarz McCaula wyrażała tak głęboki smutek, że Jennifer obawiała się, czy będzie potrafił się z niego otrząsnąć. Potem mówił głównie o sobie, o tym, dlaczego rzucił służbę w policji nowojorskiej i zaczął pracować w prywatnej firmie detektywistycznej.

– Kilka lat temu zacząłem własną działalność, zajmuję się głównie nudnymi sprawami rozwodowymi.

Jennifer zauważyła, że nie ma obrączki na palcu. Kusiło ją, żeby zapytać, czy ożenił się ponownie, ale pomyślała, że to chyba wtykanie nosa w nie swoje sprawy.

– Wygląda na to, że jesteśmy na miejscu – powiedział nagle McCaul.

Dojechali już do Varzo. Wąskie uliczki i domy kryte czerwoną dachówką wyglądały w ulewnym deszczu na zupełnie opustoszałe. McCaul przejechał przez szeroki plac w środku miasta i ruszył w kierunku stacji kolejowej.

– Mówiłaś, że klasztor jest gdzieś za miasteczkiem.

– Tak powiedział Anton.

Kilka minut później, gdy wyjechali za granicę miasteczka, zobaczyli wąską drogę prowadzącą ostro w górę i drogowskaz z napisem „Monastero".

– To chyba tutaj – McCaul skręcił i jechał około kilometr pod górę, aż dotarli do maleńkiego, wysadzanego kocimi łbami placyku obmywanego ulewnym deszczem i pogrążonego w nieprzeniknionej ciemności.

Zatrzymał nissana i opuścił szybę, żeby się lepiej przyjrzeć budynkom. W świetle reflektorów ujrzeli zbudowany z kamienia klasztor okolony murem barwy musztardy, pośrodku solidną, kutą, żelazną bramę, na szczycie metalowy krzyż. Gipsowa Madonna stała we wnęce muru, a przy bramie wisiał na drucie staroświecki uchwyt do pociągania za dzwonek. Ogrody za murami były pogrążone w ciemności, ale Jennifer zobaczyła za bramą podwórzec i podcienia. McCaul zapytał:

– Mówisz po włosku?

– Nie. A ty?

– Jak przedszkolak, tylko parę słów. Potrafię zamówić pizzę we włoskiej restauracji i nawet wtedy robię błędy – zaciągnął hamulec ręczny, wyjął z kieszeni maleńką latarkę i skinął głową, wskazując na krzyż nad bramą. – Módlmy się, żeby ktoś tu znał angielski.

Wyszli wprost w ulewny deszcz, McCaul oświetlał drogę latarką. Pociągnął za metalową rączkę dzwonka i gdzieś głęboko w podcieniach podwórca usłyszeli dźwięk sygnaturki. Nikt się nie pokazywał i McCaul zadzwonił ponownie, potem znów kilka razy, aż usłyszeli kroki. Jakaś postać wyszła z podcieni i, na wpół biegnąc, drobnymi kroczkami ruszyła w kierunku bramy z parasolem nad głową. Był to młody mnich w brązowym habicie. Trzymał w dłoni latarkę elektryczną.

– *Si?*

– Mówi pan po angielsku? *Parla inglese?*

– *No. Non parlo inglese. Auto kaput?* – mnich poświecił latarką na dżipa, potem na McCaula i Jennifer, zaskoczony obecnością gości. Jennifer powiedziała zdenerwowana:

– Nie, nasze auto nie jest kaput. Proszę posłuchać, musimy porozmawiać z kimś, kto mówi po angielsku. Może z opatem albo z którymś z mnichów. *Capisci?*

Młody człowiek pokręcił głową. McCaul próbował jeszcze raz wyjaśnić, o co chodzi, tym razem bardzo powoli, ale tylko tracili czas.

– *Uno momento* – powiedział młody człowiek i pomknął z powrotem w kierunku budynków klasztornych. Wrócił kilka chwil później, wciąż z parasolem i latarką, ale tym razem w towarzystwie starszego, brodatego mnicha. Mnich miał na sobie prosty, brązowy habit, w pasie przewiązany sznurem, z którego zwisał sporych rozmiarów krucyfiks. Z jego ascetycznej twarzy biła siła i zdecydowanie.

– Mówi pan po angielsku? – spytał McCaul.

– Tak, mówię po angielsku. Jestem ojciec Angelo Konrad. Czego tu chcecie?

– Chcemy rozmawiać z kimś ze starszych mnichów. Z opatem lub przeorem.

– Jaką macie sprawę?

– To trochę skomplikowane, proszę ojca. Ale obiecujemy, że nie zabierzemy wam dużo czasu. Może dziesięć minut i wszystko wyjaśnimy.

– Opat wyjechał w sprawach Kościoła. Jesteście Amerykanami?

– Tak.

– Tak mi się wydawało, poznałem po akcencie – mnich popatrzył na nissana zaparkowanego przed bramą. – Zgubiliście się, czy macie problemy z dżipem?

– Nie, ale może moglibyśmy wejść do środka i wyjaśnić – zasugerował McCaul.

– Przykro mi bardzo, ale jest już późno – w głosie mnicha słychać było zniecierpliwienie. – Właśnie skończyliśmy nieszpory, a reguła zakonu każe nam wcześnie kłaść się spać. Może wrócicie jutro...

– Posłuchaj pan...

– Proszę, żebyście uszanowali moje życzenie.

Mnich odwracał się, żeby ruszyć z powrotem, ale Jennifer jeszcze się upierała.

– Proszę ojca, niech ojciec mi uwierzy, że to dla nas bardzo ważne. To może być nawet kwestia życia i śmierci.

Mnich odwrócił się, marszcząc czoło.

– To wszystko jest bardzo dziwne, *signorina*. Czyjego życia i śmierci?

– Naszego.

Stojący w ulewnym deszczu mnich ulitował się nad niespodziewanymi gośćmi, a może górę wzięła ciekawość – Jennifer nie była w stanie stwierdzić, co przeważyło. Westchnął, wyjął pęk kluczy spod habitu, włożył właściwy klucz do zamka i otworzył bramę, żeby ich wpuścić do środka.

28

Ojciec Angelo Konrad prowadził Jennifer i McCaula przez mokry od deszczu podwórzec. Schronili się pod osłoną mrocznych podcieni, a po chwili doszli do ciężkich, drewnianych drzwi. W ciemności rozbłyskały wyładowania elektryczne, a kiedy weszli do środka, byli przemoczeni do suchej nitki. Konrad strząsnął krople deszczu z habitu, potem uniósł w górę lampę sztormową, żeby oświetlić wnętrze.

– Straszna noc, a na dodatek burza odcięła nam prąd i telefon. Proszę, usiądźcie.

Pomieszczenie było niewielkie, na podłodze wytarte płytki z terakoty. Mnich postawił lampę na biurku i zwrócił się do Jennifer.

– Mówiła pani, że to kwestia życia i śmierci.

– Pięć dni temu na lodowcu Wasenhorn odkryto zwłoki alpinisty. Może ojciec o tym słyszał?

Mnich potrząsnął głową.

– Nic mi o tym nie wiadomo. To, co się dzieje za ścianami klasztoru, puszczam mimo uszu. Mówi pani, że odnaleziono zwłoki?

– Mężczyzny. Policja uważa, że przeleżały w lodzie dwa lata.

Mnich wzruszył ramionami.

– W górach często zdarzają się takie historie. Lodowce są bardzo zdradliwe. Słyszałem o ludziach, którzy zaginęli w górach i których nie odnajdywano przez dziesięciolecia, a później ich ciała wydobywano spod topniejącego lodu – spojrzał na swoich gości ze zmarszczonym czołem. – Mógłbym jednak spytać, kim państwo jesteście?

McCaul przedstawił się i podał mu swoją wizytówkę. Konrad obracał ją w dłoniach i przyglądał się jej badawczo.

– Nie rozumiem. Dlaczego prywatny detektyw ze Stanów ma być zaangażowany w tego typu sprawę?

– Może porozmawiamy o tym później. Chodzi o to, że ten mężczyzna, który zginął w górach, mógł mieć wspólnika i mógł razem z nim przechodzić przez lodowiec. Uważamy, że ten wspólnik mógł potem ruszyć tutaj, w kierunku klasztoru.

Mnich zmarszczył czoło.

– A skąd państwu to przyszło do głowy?

– Tamtej nocy była śnieżyca – wyjaśniła Jennifer. – Podobno alpiniści proszą o schronienie w klasztorze, jeżeli załamuje się pogoda.

Ojciec Konrad skinął głową.

– To prawda, ale wciąż jeszcze nie bardzo rozumiem.

Jennifer opowiedziała mu o biletach kolejowych znalezionych przy ciele.

– Towarzysz ofiary mógł przeżyć burzę i właśnie tutaj dotrzeć, do klasztoru pod wezwaniem Korony Cierniowej.

Mnich westchnął.

– Dwa lata temu? Wszystko jest możliwe, *signorina*. Nasz klasztor jest znany przede wszystkim jako sanktuarium, wielu ludzi przychodzi tu modlić się i medytować, trafiają się i tacy, którzy szukają schronienia.

– Czy prowadzicie księgi gości?

– *Si*, nasz opat prowadzi taką księgę. Ale jeżeli to było dwa lata temu, to zapiski z tego okresu są prawdopodobnie w piwnicy, w archiwach, w prywatnych dokumentach opata. Chociaż muszę powiedzieć, że nie o każdym, kto tu przychodzi, piszemy w księdze – ojciec Konrad był zniecierpliwiony ich pytaniami. – Mogę spytać, do czego to wszystko ma prowadzić?

– Czy moglibyśmy prosić sprawdzenie księgi gości, ojcze?

– Teraz?

– Tak, teraz.

Konrad był zniecierpliwiony.

– *Signorina*, nie wiem, co państwo chcecie przez to osiągnąć i skąd ten pośpiech? Czy możecie mi to wyjaśnić?

– Ten człowiek mógł zostać zamordowany.

Konrad uniósł brwi.

– To bardzo intrygujące, *signorina*, ale niewiele wnosi. Zamordowany? Przez kogo? I z jakiego powodu?

– Właśnie tego próbujemy się dowiedzieć. Jeżeli byśmy mogli prosić o pofatygowanie się i odnalezienie tych ksiąg, być może te zapiski pomogą rozwiązać tajemnicę...

Ojciec Konrad pokręcił stanowczo głową.

– *Signorina*, jest późno i proszę mi wierzyć, w taką noc jak dzisiaj nie jestem w nastroju do grzebania po piwnicach. Chyba wszyscy tracimy czas.

– Nie miałam zamiaru ojca zwodzić, mówiąc, że to jest sprawa życia i śmierci. Ktoś już z tego powodu stracił życie.

Ojciec Konrad był zupełnie zaskoczony.

– Z jakiego powodu?

– Nie potrafię wyjaśnić dokładnie, dlaczego, ale jedno mogę powiedzieć. Jeżeli bym przekazała policji, że zakonnicy mogą mieć jakieś informacje, które są ważne dla śledztwa, miałby ojciec na karku cały pluton policji. Rozpełzliby się po klasztorze jak robactwo. Nie daliby ojcu spokoju przez całą noc.

– To nie do wiary – powiedział oburzony mnich. – Jesteśmy tylko sługami bożymi. Nie zrobiliśmy nic złego. Dlaczego policja miałaby nam nie dawać spokoju całą noc?

Jennifer podniosła ze stołu lampę sztormową i widać było, że bardzo chce dopiąć celu.

– Ojcze, to bardzo skomplikowane. Prawdopodobnie ojciec pomyśli, że zwariowaliśmy, jeżeli zaczniemy opowiadać tę historię. Ale jeżeli ojciec nam pomoże, to na razie zapomnę o tym, że powinnam natychmiast pójść na policję. Potem spróbuję wyjaśnić, najlepiej jak potrafię, co mnie sprowadza do klasztoru.

Jennifer i McCaul schodzili krętymi, wykutymi w granicie schodkami do podziemi, prowadził ich ojciec Konrad. Pochód otwierał młody furtian, którego wcześniej widzieli przy bramie, niosący dwie latarnie na kiju. Konrad był ponury, a Jennifer próbowała trochę złagodzić nastrój.

– Proszę mi coś opowiedzieć o zakonie, ojcze.

– O czym tu mówić? Chyba tylko o tym, że niewielu już nas zostało pod Koroną Cierniową, tylko czterech, łącznie z opatem. Brat Paulo, nasz furtian, jest najmłodszy. Za mało braci na taki wielki, stary klasztor. Ale przed laty było to bardzo znane sanktuarium, a nasz kościół był sławny na cały kraj.

– Dlaczego?

– Przede wszystkim z uwagi na lochy. Znajdują się bezpośrednio pod kościołem.

– A co w nich jest takiego szczególnego? – spytała Jennifer.

– Niedługo pani zobaczy.

Doszli do końca schodów i ujrzeli stare, dębowe drzwi z potężnym, pordzewiałym zamkiem. Konrad zdjął wielki klucz z gwoździa w ścianie, włożył go do zamka, przekręcił, mocno pchnął i ciężkie drzwi otworzyły się, skrzypiąc. Stopnie prowadziły do podziemnej sali, z obu stron było widać łukowe podcienia, teraz pogrążone niemal w całkowitej ciemności.

– Klasztor pod wezwaniem Korony Cierniowej ma interesującą historię – powiedział Konrad. – Zwłaszcza ta część zabudowań jest bardzo ciekawa, ale ostrzegam, że to, co zobaczycie, może wydać się dość makabryczne. Pokaż im, bracie Paulo.

Młody mnich uniósł latarnię i Jennifer zobaczyła, że całe podziemia to jedna ogromna krypta, wszędzie widać było kości zmarłych – żebra, ręce, stopy, kości udowe i piszczele, które zostały zacementowane w łukach i ścianach, czaszki ustawione w stosy w narożnikach. Najbardziej przerażające wrażenie sprawiały ciała, niektóre leżały, niektóre usadzono, inne zwisały na metalowych hakach zatopionych w cemencie. Były to szkielety, ale na niektórych widać było pozostałości skóry, włosów i zęby, postrzępione resztki ubrań.

– Co to jest, na Boga? – spytał przerażony McCaul.

– To mnisi, nasi bracia zakonni – powiedział ojciec Konrad w coraz lepszym nastroju, rozkręcając się jak rasowy przewodnik. – Bogaci ziemianie, arystokraci i ich rodziny, którzy wieki temu postanowili, że właśnie tutaj będą pochowani. Bardzo podobne katakumby można znaleźć w kościołach na Sycylii i w Rzymie. Opat, który założył klasztor, pochodził z Palermo i zależało mu na tym, żeby kontynuować tę tradycję.

Doczesne szczątki młodej dziewczyny w postrzępionej koronkowej sukni patrzyły na nich z przeciwległej ściany. Jennifer zatrzęsła się ze strachu. Mroki katakumb były przesycone wrogością, snuły opowieści o dziwactwach śmierci. Przechodzili obok starożytnego tronu wykutego w wyblakłym białym marmurze. Wystawał z krypty pod dziwnym kątem, jak gdyby go ktoś umocował na zawiasach. Na tronie rozsiadła się wysuszona mumia człowieka ubrana w stary habit cystersów, spod kaptura patrzyły na nich puste oczodoły.

Ojciec Konrad powiedział:

– To *padre* Boniface. Przełożony zakonu z początku osiemnastego wieku. Święty człowiek i bardzo religijny. Poza tym strażnik dawno zapomnianej tajemnicy.

– Jakiej tajemnicy? – spytała Jennifer.

– Proszę spojrzeć za tron – powiedział Konrad, a młody mnich przybliżył latarnię do zmumifikowanych zwłok zakonnika. McCaul i Jennifer zobaczyli, że marmur stojącego pod dziwacznym kątem tronu był przymocowany do ściany olbrzymimi, masywnymi, starodawnymi zawiasami, które rdza pokryła tak grubą warstwą, że widać było na pierwszy rzut oka; co najmniej od stu lat nikt ich nie próbował ruszyć.

Między ścianą a tylną częścią tronu zionęła czernią ponadpółmetrowa szczelina, za nią ciemne przejście i odchodzące od niego mroczne tunele.

– Tunele pochodzą z czasów napoleońskich, kiedy Francuzi okupowali tę część Włoch – wyjaśnił Konrad. – Była to droga ucieczki, wykuta w skale na wypadek, gdyby klasztor miał być zaatakowany, jak głosi legenda – odwrócił się od tronu. – Ale przecież nie sprowadziłem was tutaj po to, żeby snuć opowieści.

Zatrzymali się przed ciężkimi, poczerniałymi ze starości, dębowymi drzwiami, które Konrad po chwili otworzył ogromnym kluczem. Znajdujące się za nimi pomieszczenie było pokaźnych rozmiarów, miało kamienne ściany i łukowe sklepienie. Na środku stał pulpit, a pod ścianami półki z grubych desek, uginające się pod ciężarem starych tomów i dzienników, zwojów pergaminu z woskowymi pieczęciami. Konrad kazał młodemu mnichowi przesunąć latarnie tak, żeby oświetlały ściany.

– Obecnie naszym opatem jest *padre* Leopold. Dzienniki i rejestry, które prowadzi, trzymamy tutaj, w bibliotece.

Wspiął się na stołek, szukał czegoś na półkach, wreszcie

zszedł, trzymając w rękach kilka oprawnych rejestrów, które przeniósł na pulpit.

Z przepastnych głębin habitu wydobył okulary i założył je na nos.

– Mówicie państwo, dwa lata temu. W którym miesiącu?

– W kwietniu. W tym tygodniu, na który przypadał piętnasty.

– Powtarzam raz jeszcze, że niepotrzebnie tracimy czas – powiedział Konrad poirytowany, otworzył jeden z rejestrów i zaczął przerzucać strony.

29

Mark obudził się nagle i usiadł na łóżku. Nie czuł już bólu głowy, ale wciąż nie mógł się pozbierać. Za oknem grzmiały pioruny, domyślał się więc, że obudziła go burza. Był cały mokry, na szpitalnej piżamie widniały wilgotne plamy potu.

Teraz zrozumiał, dlaczego. Kiedy Kelso wyszedł, pielęgniarka podała mu środek uspokajający, po którym Mark zapadł w nerwowy sen. Otarł pot z czoła i wyciągnął rękę do szafki przy łóżku, żeby wymacać zegarek. Była dziewiętnasta trzydzieści. Spał ponad dwie godziny.

Wygramolił się z łóżka i wyciągnął ubranie z szafki. Czuł, że musi coś zrobić, musi odnaleźć Jennifer, bo niepewność, co się z nią dzieje, była jak tortura. Wciągnął spodnie, założył buty i już miał włożyć koszulę, gdy Kelso otworzył drzwi.

– Wybierasz się dokądś, Ryan?

– A ciebie co to obchodzi?

– Cieszę się, że poczułeś się lepiej.

– Mam tego dosyć, Kelso. Wynoszę się stąd.

– I dokąd się wybierasz?

– Później się nad tym zastanowię – Mark założył koszulę. – Znaleźliście już Jennifer?

Kelso westchnął i zamknął drzwi.

– Siadaj, Ryan. Musimy porozmawiać.

– Nie mamy o czym rozmawiać, chyba, że znaleźliście Jennifer.

– Nie, ale mam interesujące informacje o naszym przyjacielu McCaulu.

Mark przerwał zapinanie guzików.

– Czekam.

– Ten chłopak, który zginął na przełęczy Furka. Okazuje się, że jego ojciec rzeczywiście nazywa się Frank McCaul. Przyjechał do Szwajcarii we wtorek, żeby zidentyfikować ciało syna, i to chyba naprawdę on. Poza tym kiedyś pracował w wydziale dochodzeniowym policji nowojorskiej.

– Nigdy o nim nie słyszałem.

– Poprosiłem, żeby przesłali mi jego zdjęcie e-mailem z Nowego Jorku, żebyś mógł mu się przyjrzeć – Kelso usiadł, wyjął z kieszeni kopertę i otworzył ją. – Czy to ten gość, którego widziałeś z Jennifer?

Mark przyglądał się nieostremu zdjęciu z drukarki komputerowej, z którego patrzyła na niego twarz McCaula. Przystojny, wysokie kości policzkowe, męski typ, twardziel, kobiety na pewno sądzą, że pociągający. Czy spodobałby się Jennifer? Prawdopodobnie tak. Poczuł falę zazdrości.

– Wygląda jak on.

Kelso włożył zdjęcie do koperty.

– To przynajmniej ustaliliśmy, że Jennifer nie jest bezpośrednio narażona na niebezpieczeństwo.

– Skąd ta pewność?

– Jeżeli wierzyć w to, co twierdzą moje źródła, to ten McCaul nie daje sobie w kaszę dmuchać. Na pewno jest prywatnym detektywem. A jeśli ufać nowojorskiej policji – bardzo zdolnym prywatnym detektywem. Początkowo myślałem, że skomplikuje nam życie i będziemy musieli go zdjąć z kadru, ale teraz czuję się pewniejszy, bo Jennifer jest z gościem, który przynajmniej będzie potrafił ją obronić.

– Jeżeli tak mówisz – powiedział Mark zniechęcony.

Na ustach Kelso pojawił się cień uśmiechu.

– Czy czasami nie jesteś trochę zazdrosny?

Mark pominął milczeniem jego pytanie i zabrał się do guzików przy koszuli.

– Miło mi było cię poznać, Kelso.

– A ty dokąd się wybierasz?

– Już ci mówiłem, że jeżeli nie powiesz mi chociaż mniej więcej, co tu się dzieje, to się stąd wynoszę.

– A co z Jennifer?

– Sam ją znajdę.

– Jeżeli ja nie potrafię jej znaleźć, to jaką ty możesz mieć nadzieję?

– A co, jakieś kłopoty?

Kelso pokazał dłonią na okno, za którym szalała ulewa.

– Jeżeli nie zauważyłeś, mamy deszcz i burzę. Udało mi się wyczarterować dwa helikoptery, żeby podjąć próbę odnalezienia dżipa McCaula, ale piloci nie chcą wystartować przy takiej pogodzie, a to znaczy, że niczego się nie dowiemy aż do rana, jeżeli wierzyć prognozom.

– Fantastycznie. Więc wciąż nie ma nadziei, żeby ją szybko znaleźć?

– Tego bym nie powiedział. Nasłuchujemy, czy się nie odezwie przez telefon komórkowy, ale na pogodę nie mamy wpływu. Tymczasem posłałem Fellowsa do jej hotelu w Simplon, na wypadek gdyby się tam pokazała.

– A jeżeli się nie pokaże?

– Odpuść trochę, Ryan. Robię, co w mojej mocy.

Mark wziął do ręki kurtkę i ruszył w kierunku drzwi.

– Może jeżeli opowiem dziennikarzom, co jej się przytrafiło, a jej zdjęcie znajdzie się na pierwszych stronach gazet, to czegoś się dowiemy.

Kelso spurpurowiał.

– Już ci mówiłem. To jest bardzo delikatna, tajna operacja. Nie możesz tego zrobić. Na to nie pozwolę.

– To spróbuj.

Kelso westchnął, jakby się poddał, i opadł na fotel.

– OK, Ryan, wygrałeś.

– W końcu mi powiesz, o co w tym wszystkim chodzi?

– Wygląda na to, że nie mam wielkiego wyboru. Poza tym rozmawiałem z przełożonymi i zgodzili się, że mogę ci w pewnym ograniczonym zakresie udzielić informacji, ale tylko w razie absolutnej konieczności. Myślę, że jesteśmy teraz w takiej sytuacji – Kelso pokręcił głową z niedowierzaniem. – Jesteś uparty jak osioł, Ryan.

– W jak ograniczonym zakresie?

– Mogę ci powiedzieć tyle, że będziesz wiedział, z kim mamy

do czynienia. Ale ostrzegam, nie powtarzaj tego nikomu i nigdzie. Podkreślam: nikomu.

– Jakoś to przeżyję.

Kelso zrobił minę, jakby go coś zakłuło w sercu, i wskazał dłonią na łóżko.

– Lepiej usiądź.

– Chyba postoję.

– Proponuję, żebyś usiadł, Ryan. Bo to, co powiem, prawdopodobnie i tak zwali cię z nóg.

30

Ojciec Konrad szybko odnalazł właściwy rejestr gości. Nazwiska i adresy były wypisane czarnym atramentem na poliniowanych stronach, starannym charakterem pisma, ale, niestety, w języku, którego nie rozumiała ani Jennifer, ani McCaul. Przyglądali się mnichowi, który przewracał strony, aż doszedł do piętnastego kwietnia.

– Widzicie. Mówiłem. Nic tu nie ma.

Jennifer poczuła się zawiedziona. Pod tą datą rzeczywiście nie było żadnego wpisu i linia pod nią była pusta.

– A może następnego dnia, szesnastego kwietnia?

– *Signorina...*

– Ojcze, to bardzo ważne.

Konrad westchnął ciężko w proteście i znów wlepił wzrok w zapisane maczkiem strony. W końcu pokręcił głową.

– Tu nie ma nic ważnego. To są zapiski dzień po dniu o tym, co się dzieje w klasztorze.

– Na przykład?

Konrad wzruszył ramionami.

– Prace wykonane przez mnichów. Prośba od narzeczonych z San Domenico, którzy chcą wziąć ślub w kościele klasztoru. Teraz jest pani zadowolona?

– Jest ojciec pewien, że nie ma mowy o żadnych innych gościach, nawet na następnych stronach?

Konrad był wyraźnie poirytowany, kiedy przerzucał strony.

– Był tylko jeden, pięć dni później, dwudziestego.

– Kto? – spytał McCaul.

Konrad niecierpliwie czytał notatkę, potem inną, w końcu zmarszczył brwi i zamilkł.

– Coś nie tak? – spytała Jennifer.

Konrad podrapał się po brodzie.

– Teraz sobie przypominam.

– Co takiego?

– Był tutaj pewien mężczyzna. *Padre* Leopold odnotował to w dzienniku: „Wczoraj wieczorem mieliśmy gościa. Twierdzi, że się zgubił podczas wyprawy w góry, i trzeba mu było udzielić pomocy medycznej" – Konrad podniósł głowę. – Teraz sobie przypominam. Miał lekkie odmrożenia twarzy i stóp.

Jennifer poczuła, że przeszywa ją dreszcz.

– Co jeszcze ojciec pamięta?

– Że był głodny i czymś się martwił. Chyba został u nas przez parę dni. Chcieliśmy zadzwonić po lekarza dla niego, ale odmówił.

– Dlaczego?

– Bóg jeden wie. Ale odmrożenia były lekkie i nie zagrażały życiu alpinisty. Opat założył mu opatrunki i poradził zgłosić się do szpitala.

– Kim był ten mężczyzna?

– Dla mnie kimś zupełnie nieznanym. Nigdy go przedtem ani potem nie widziałem.

– W jakim był wieku?

– Sądzę, że w średnim.

– Podał nazwisko?

– Jeżeli podał, to w zapiskach go nie ma, a ja nie pamiętam.

– Był Szwajcarem? Włochem?

– Nie. Obcokrajowcem. Chyba mówił po angielsku.

Jennifer otworzyła torebkę. Ręce jej się trzęsły, kiedy pokazywała ojcu Konradowi zdjęcie Paula Marcha.

– Czy to był... Czy to był ten mężczyzna?

Konrad przypatrywał się fotografii.

– Trudno powiedzieć. To było już dwa lata temu...

– Proszę, niech się ojciec zastanowi.

Konrad jeszcze raz zerknął na fotografię, a potem wzruszył ramionami i oddał ją Jennifer.

– Może to był ten mężczyzna, ale nie mogę tego stwierdzić z absolutną pewnością.

– Czy ojciec się w ogóle domyśla, kim mógł być?

Konrad tracił cierpliwość.

– Oczywiście to był ktoś, kto wpadł w tarapaty, była zła pogoda, był w kiepskim stanie. Ale przecież to pięć dni od daty, którą pani wskazała, więc to mógł być ktokolwiek. Czy już skończyliśmy?

– Czy w zapiskach jest jeszcze coś na jego temat?

– *Signorina*. Moja cierpliwość już się skończyła – Konrad zaczął zamykać księgę.

– To ostatnia rzecz, ojcze. Proszę.

Z ciężkim westchnieniem, poirytowany ojciec Konrad pokazał palcem kilka linijek na stronie.

– Jest tylko jeszcze jedna wzmianka. Ten mężczyzna opuścił klasztor dwa dni później, dwudziestego trzeciego kwietnia. Opat wspomina, że zabrał go na stację kolejową.

– A dokąd pojechał?

– Nie mam pojęcia, naprawdę – zakonnik zamknął księgę. – Obiecała mi pani coś wyjaśnić.

– Z paszportu człowieka znalezionego na lodowcu wynika, że to Paul March. Tak się nazywał mój ojciec, który zniknął dwa lata temu. Paszport należał do niego, ale to nie było ciało mojego ojca.

– W takim razie, czyje?

– Nie wiem. Nigdy tego mężczyzny przedtem nie widziałam.

Konrad wyglądał na zaskoczonego. Zdjął okulary i widać było, że gniew mu mija.

– To wszystko bardzo dziwne. Ale zniknięcie twojego ojca musiało być dla ciebie strasznym ciosem, moje dziecko.

Nawet nie masz pojęcia, pomyślała Jennifer.

Konrad zabrał księgi.

– Tu już skończyliśmy, zaprowadzę więc was na górę.

Wyszli z krypty i ruszyli w górę granitowymi schodami, na początku szedł młody furtian, niosąc lampy na drągu. Dotarli do korytarza i Konrad otworzył kolejne drzwi. Na zewnątrz szalała burza, lał deszcz, wył wiatr i grzmiały pioruny.

– Zostaniecie na noc?

– Właściwie zamierzaliśmy znaleźć nocleg w Varzo – odparł McCaul.

– W miasteczku jest niewiele hoteli – Konrad wyjrzał na deszcz bijący o podwórzec, kiedy błyskawica oświetliła korytarz. – W taką noc nawet psa trudno wyganiać. Może byłoby mądrzej, gdybyście tutaj zostali. Nasze pokoje gościnne są wprawdzie bardzo skromne, ale wygodne. Zapraszamy na noc, jeżeli macie ochotę zostać.

– Bardzo uprzejmie z ojca strony.

Konrad zamknął drzwi.

– Brat Paulo zaprowadzi was na kwatery.

– Czy jest może coś jeszcze, co ojciec pamięta w związku z tym człowiekiem? Cokolwiek?

– Niestety, nie. Oprócz tego, że bardzo chciał wyjechać, jak tylko trochę wydobrzał.

– I jeszcze jedno? Czy ojciec słyszał o górze w tych okolicach, która się nazywa Edelweiss? – Jennifer otworzyła złożoną karteczkę papieru, na której wcześniej to zapisała. *H. Vogel. Berg Edelweiss 705.*

Konrad przyglądał się kartce.

– Co to jest?

– Taką notatkę znaleziono przy zwłokach. Nie wiem, co znaczą te słowa i cyfry, oprócz tego, że po niemiecku Berg to jest góra. Papier częściowo się rozpuścił w wodzie i brakuje kilku cyfr.

Konrad podrapał się po brodzie.

– Vogel to bardzo popularne nazwisko po szwajcarskiej stronie Wasenhornu, a zwłaszcza w Brig. Ale nigdy nie słyszałem o takiej górze w Alpach – oddał jej kartkę. – A teraz życzę państwu dobrej nocy.

Wyszedł, zabierając lampę sztormową. Młody furtian, trzymając wysoko drugą lampę, poprowadził Jennifer i McCaula kamiennym korytarzem. Po jego obu stronach zobaczyli rząd dębowych drzwi. Pokazał im dwie niewielkie cele położone tuż obok siebie, z prostymi drewnianymi krzyżami wiszącymi na bielonych kamiennych ścianach. Wysoko pod sufitem były maleńkie okienka, na kamiennej podłodze drewniane krzesło, stolik nocny, składane łóżko polowe z cienkim materacem, a w narożniku prosta toaletka.

– *Momento, prego.*

Mnich wszedł do pomieszczenia obok i wrócił z naręczem szorstkich, szarych koców i świeżych, białych prześcieradeł. Miał też w dłoniach dwie kostki mydła i dwie grube, woskowe świece, które zapalił od lampy. Podał świece Jennifer i McCaulowi.

– *Buona notte, signorina, signore.*

– Dobranoc. *Grazie.*

– *Prego, signorina* – mnich odwrócił się i wyszedł. Na korytarzu usłyszeli jego cichnące kroki.

31

McCaul zaczekał, aż będą całkiem sami, i gestem dłoni wskazał mnisie cele.

– Którą wybierasz?

– A jest jakaś różnica?

– Chyba nie. Nie jesteśmy w pięciogwiazdkowym hotelu. Po prostu znaleźliśmy schronienie podczas burzy – McCaul wybrał tę z prawej. – W takim razie ja będę spał tutaj. Rozgość się, a ja ci za chwilę pomogę rozłożyć łóżko polowe.

Jennifer weszła do środka. Stare, kamienne mury mnisiej celi wygładził czas. Postawiła świeczkę na stoliku nocnym obok łóżka, a okno nad jej głową rozjarzyło się od błyskawicy. Przysunęła krzesło, weszła na nie i wyjrzała. Zobaczyła inny podwórzec, również zlany deszczem, skromny ogród z rabatami kwiatów i fontannę z kamiennym ptakiem.

Może to był ten mężczyzna, ale nie mogę tego stwierdzić z absolutną pewnością.

Przypomniała sobie słowa ojca Konrada, w głowie kotłowało się jej od pytań. A jeżeli mężczyzna, który zadzwonił tamtej nocy do bram klasztoru, to jej ojciec? Rozległo się pukanie do drzwi.

– Mogę wejść?

Odwróciła się i zobaczyła w progu McCaula.

– Nie wiem, co o tym sądzisz, ale dla mnie to trochę za wczesna pora, żeby się kłaść spać. Nie ma nawet jeszcze pół do dziewiątej.

Jennifer zeszła z krzesła, nie mogąc powstrzymać uśmiechu.

– Rozumiem, że życie klasztorne raczej nie jest dla ciebie?

– O nie, zapomnij – McCaul wszedł do środka. – Jest coś ciekawego za tym oknem?

– Wygląda jak podwórzec. I wciąż leje.

– W takim razie noc zapowiada się nie najlepiej. Poczekaj, po-

mogę ci rozłożyć łóżko – McCaul rozstawił łóżko polowe i pomógł
Jennifer rozścielić prześcieradła i koce. – I co o tym myślisz?

– O czym?

– O tym, co opowiedział nam ojciec Konrad.

– Ja... Naprawdę nie wiem. Kręci mi się od tego wszystkiego
w głowie.

– Wiem, co cię dręczy, Jennifer, ale słyszałaś, co on powiedział. Tutaj często zaglądają niespodziewani goście – alpiniści,
narciarze, turyści. Facet, który wtedy przyszedł, mógł być kimkol-
wiek. Poza tym to było pięć dni po dacie widniejącej na biletach
kolejowych. Ten ktoś nie przetrwałaby na górskim zboczu w takiej temperaturze przez pięć dni.

– Może był w bacówce? Może tam się ukrył, a później doszedł
aż tutaj?

– Dlaczego miałby czekać pięć dni?

– Może nie dało się przejść przez śnieg. Może nie mógł chodzić, bo miał zbyt dużo odmrożeń i czekał, aż pogoda się poprawi.

McCaul skinął głową.

– W porządku, ale na razie to tylko domysły. Wierz mi, chciałbym, żeby jedno pasowało do drugiego jak trybiki w szwajcarskim
zegarku, ale na razie nic tu nie pasuje. Oczywiście to, co ojciec
Konrad powiedział o nazwisku Vogel, może nam pomóc – możemy
pojechać do Brig jutro rano i to sprawdzić. Ale dziś w nocy już nic
się nie da zrobić, bo jesteśmy zamknięci w murach starego klasztoru, na dworze leje i grzmi, a ja mam wrażenie, że czas się cofnął
i nagle znaleźliśmy się w średniowieczu.

Powiew wiatru poruszył oknem i McCaul wstał z krzesła.

– Nie można powiedzieć, że nie był to interesujący wieczór,
ale uważam, że teraz powinnaś odpocząć. Będzie ci tu dobrze,
w tej celi?

Jennifer rozejrzała się po pomieszczeniu.

– Chyba tak. Dziękuję za pomoc, Frank.

– Za co tu dziękować? Jedziemy na jednym wózku – położył
dłoń na jej ramieniu. – Powinnaś się trochę przespać. Jeżeli będziesz mnie potrzebowała, po prostu zawołaj, dobrze?

Potem wyszedł, delikatnie zamykając za sobą drzwi.

Jennifer usiadła na łóżku. Kiedy McCaul jej dotknął, poczuła coś na kształt subtelnego wyładowania elektrycznego na skórze. Po raz pierwszy od dłuższego czasu doświadczyła w ten sposób obecności mężczyzny. Na pewno czuła to iskrzenie – od niedawna między nią a McCaulem materializowało się jakieś przyciąganie chemiczne. Nie martwiło jej to jednak, bo McCaul wydawał jej się atrakcyjny.

Jennifer nie kryła przed sobą, że między nią a Markiem również istnieje silne przyciąganie, ale trudno jej było poradzić sobie z tą sytuacją. Tutaj, nie wiadomo dlaczego, dawała sobie radę z atrakcyjnością McCaula. Nie czuła się przy nim niezręcznie – można było coś na tym uczuciu budować. Może dlatego, że był starszy, że mu ufała. Było jeszcze coś innego. Przy nim naprawdę była bezpieczna, w pewnym sensie przypominał jej ojca.

Na razie jednak odsunęła od siebie te myśli. Czuła się brudna po całym dniu i musiała się umyć. Bagaże zostawiała w hotelu w Simplon, podobnie jak McCaul, przy sobie miała tylko torbę podróżną z bielizną, podkoszulkiem i parą dżinsów. Rozebrała się i umyła w emaliowanej misce, założyła świeżą koszulkę i majteczki, po czym weszła do łóżka. Materac był twardy, a łóżko skrzypiało, ale w noc taką jak dziś była wdzięczna, że w ogóle może się gdzieś przespać.

Torbę podróżną położyła tuż przy sobie na podłodze, wyłowiła z niej telefon komórkowy i włączyła go. Kusiło ją, żeby zadzwonić do Marka i sprawdzić, co u Bobby'ego, ale bateria była prawie zupełnie wyładowana, a nie miała możliwości ponownie jej naładować, bo jak na razie w klasztorze nie było prądu. Wyłączyła telefon – zadzwoni do Marka jutro.

Była wyczerpana. Wszystko to, co wydarzyło się w ciągu ostatnich dwudziestu czterech godzin, stawiało przed nią tylko i wyłącznie pytania, na które nie znajdowała odpowiedzi. Nic z tego nie rozumiała i to ją przerażało. W końcu zdmuchnęła świecę, ułożyła się w ciemności i spróbowała zasnąć.

Dwaj mężczyźni w czarnym BMW wjechali w opustoszałe uliczki Varzo. Deszcz lał niemiłosiernie, a kiedy kierowca dojechał do granicy miasteczka, zatrzymał się, ale nie wyłączał silnika.

W świetle reflektorów zobaczył drogę biegnącą w górę i drogowskaz z napisem „Monastero".

Blondyn na siedzeniu pasażera skinął głową na kierowcę,
który zawrócił BMW pod górę, w kierunku klasztoru pod wezwaniem Korony Cierniowej.

32

Turyn

– Co jest na dłuższą metę największym zagrożeniem dla bezpieczeństwa narodowego Stanów Zjednoczonych, Ryan?

W sali szpitalnej było cicho. Mark siedział na krześle na
wprost Kelso i odparł:

– Ty mi powiedz.

– Terroryzm? Pomysły watażki trzęsącego państewkiem, które
prowadzi badania nad bronią atomową i ma pretensje do Ameryki? –
Kelso potrząsnął głową. – Nie, to wszystko nie to. Zorganizowana
przestępczość. Albo, mówiąc bardziej konkretnie, zorganizowana
przestępczość, która ma korzenie w Rosji. Czerwona Mafia.

– Nie rozumiem.

– Chcesz wiedzieć, dlaczego? Bo rosyjska mafia działa na
wszystkich frontach zbrodni, a lista przestępstw jest długa jak
stąd do Rzymu. Przemyt narkotyków na skalę międzynarodową,
wymuszenia, prostytucja, oszustwa bankowe, szmugiel, morderstwa na zlecenie. Zaproponuj coś, a okaże się, że rosyjska mafia
też w to gra. CIA ocenia, że w ciągu ostatnich pięciu lat Czerwona
Mafia osiągnęła ogólnoświatowe obroty w granicach pięćdziesięciu miliardów dolarów, ale to są szacunki bardzo ostrożne.
Mówimy tu o przestępstwach na skalę ogólnoświatową, a ci goście
są tak dobrze zorganizowani i tak bezwzględni w działaniu, że
przy nich mafia sycylijska to harcerzyki.

Kelso podszedł do okna i zaciągnął zasłony.

– Może zainteresuje cię to, że niedaleko stąd, zaraz za granicą
szwajcarską, jest pewna szkoła. Najdroższa prywatna szkoła na
świecie. Czesne wynosi sto tysięcy dolarów rocznie. I wiesz co?
Jedna czwarta uczniów to dzieci rosyjskich gangsterów.

– Dziękuję za tę pogadankę, Kelso. Ale co to ma wspólnego z Paulem Marchem?

Kelso puścił zasłonę.

– Już do tego dochodzę. Za wyprane pieniądze Czerwona Mafia kupuje nieruchomości, udziały, akcje i legalnie działające przedsiębiorstwa. Przejmuje kontrolę nad firmami w jednym celu. Aby legalizować nielegalne zyski, ponieważ czysta, dobrze prosperująca firma to wręcz idealna pralnia pieniędzy. Nie przesadzam, że największym niebezpieczeństwem, które dzisiaj grozi światu Zachodu, są miliardy dolarów, zarobione przez Czerwoną Mafię. A zgadnij, gdzie inwestują większość swoich zysków? W Stanach Zjednoczonych. W nasze przedsiębiorstwa, w naszą giełdę papierów wartościowych, w nasze nieruchomości, w nasze banki. Przejmują siłą legalne firmy.

– To rozumiem. W takim razie opowiedz mi teraz o Marchu.

– Wiesz, że pracował w firmie Prime International Securities?

– Tak, oczywiście.

– Firma zakończyła działalność mniej więcej rok temu, zwinęli się po cichu, bez bicia w bębny. Wszystkie znaki na ziemi i niebie wskazywały, że był to absolutnie legalny bank inwestycyjny. Oprócz tego, że był własnością Czerwonej Mafii. Powód był prosty. Bank prał olbrzymie ilości brudnych pieniędzy na zlecenie firmy-matki zarejestrowanej na Kajmanach. To część doskonale przemyślanej operacji międzynarodowej, która wciąż jeszcze jest realizowana, ma o wiele szerszy zakres niż interesy Pablo Escobara, ale jest prowadzona przez grupę przestępców, o których prawdopodobnie nigdy nie słyszałeś, przez rodzinę Morskaja.

– Nie, nie słyszałem. Kim oni są?

– To najgorsze szumowiny i szczury rzeczne, ale biada temu, kto wejdzie im w drogę – Kelso strzelił palcami. – Zlikwidują cię ot, tak sobie. Jeżeli masz żonę i dzieci, wybiją ci rodzinę bez mrugnięcia powieką.

– Dlaczego o nich nigdy nie słyszałem?

– Rodzina Morskaja działa za pośrednictwem zagranicznych banków i firm, które zawsze kryją się za barierą bardzo skomplikowanej księgowości i biurokracji. Ich polityka polega na niebrudzeniu sobie rąk, robią to tylko maluczcy, którzy dla nich pracują, ludzie na samym dnie tej całej piramidy. Cztery dni temu prowadziłeś śledztwo w sprawie pewnego incydentu na lotnisku Kennedy'ego. Ktoś próbował przeszmuglować narkotyki z Moskwy zaszyte w ciele martwego niemowlaka.

– Skąd wiesz?

– Moi ludzie już obserwowali Jennifer dla jej własnego bezpieczeństwa. Trudno uwierzyć, że ktoś może być tak zdeprawowany, żeby się do tego posunąć. Ale bardzo ładnie się to wpisuje w definicję przestępstwa z autografem rodziny Morskaja. Prawdopodobnie właśnie oni są odpowiedzialni za ten przemyt. Ich nie obchodzi potworność czy skala zbrodni, którą trzeba popełnić, albo kogo trzeba zabić. Zależy im tylko na zyskach.

– Dlaczego zamknęli firmę Prime?

– Bo deptaliśmy im po piętach. Nasz wydział do spraw zorganizowanej przestępczości, podobnie jak FBI i wydział antynarkotykowy, od lat monitoruje ich zagraniczne operacje finansowe. Rodzina Morskaja kontroluje takie banki, jak Prime, przez firmy pośredniczące, zarejestrowane w Szwajcarii i na Kajmanach.

– A co wszystko to ma wspólnego z ojcem Jennifer?

– Moi ludzie od czterech lat próbują zebrać dowody, żeby postawić rodzinę Morskaja przed sądem. Operacji nadaliśmy kryptonim „Sieć pajęcza". Polega między innymi na monitorowaniu ich nielegalnych kont bankowych, podsłuchach telefonicznych, śledzeniu szefów i prowadzeniu innych rutynowych działań, ale Czerwona Mafia działa w głębokiej konspiracji i niewiele nam się udało osiągnąć. Postanowiliśmy więc, że trzeba wsadzić swojego człowieka do jakiejś firmy, którą zarządza rodzina, i w ten sposób zebrać przeciwko niej dowody. Paul March był jednym z dyrektorów Prime, był idealny do naszych celów i doszliśmy do wniosku, że z jego pomocą dotrzemy do tajnych akt firmy, które były przechowywane w biurze w Nowym Jorku.

– Mówisz, że wiedział, jaka rozgrywka toczy się wokół Prime?

– Do końca nie byłem pewien, czy wcześniej coś podejrzewał. Mówił, że nie, ale kiedy go oświeciliśmy, wiedział na pewno, o co chodzi, bo i przedstawiliśmy propozycję nie do odrzucenia.

– Co to znaczy?

– March był na pierwszy rzut oka wzorowym obywatelem. Sprawdzaliśmy wszystkich pracowników zarządu Prime. Kiedy niczego nam się nie udało wydobyć na temat wczesnego okresu życia Marcha, zaczęliśmy kopać głębiej, i co się okazało? Dawno temu, jako młody człowiek, odsiadywał wyrok w więzieniu za poważne przestępstwa, o których Jennifer nic nie wie.

Mark był zdumiony, nie mógł uwierzyć własnym uszom. Co by Jennifer powiedziała, gdyby się dowiedziała, że jej ojciec, którego tak uwielbiała, jest kryminalistą po wyroku? Byłaby zdruzgotana.

– O jakich przestępstwach mówisz?

– Przede wszystkim zabójstwo. Naprawdę nazywał się Joseph Delgado. Kiedy miał dziesięć lat, został sierotą. Dzieciak był skazany na margines; spędził wczesną młodość w domach dziecka, kilka razy skazany na poprawczak za kradzieże. W wieku dziewiętnastu lat wpakował się na dobre, bo jego pierwszy pracodawca oskarżył go o defraudację funduszy. Dostał rok więzienia, a kiedy go wypuścili, zabił jakiegoś gościa podczas bójki w barze w Phoenix. March twierdził, że został sprowokowany i udało mu się prześliznąć z wyrokiem czterech lat więzienia za nieumyślne zabójstwo. Dobrze wykorzystał czas odsiadki, był grzeczny, nie robił nic głupiego, po zwolnieniu rozpoczął procedurę zmiany nazwiska, skończył studia i przeniósł się do Nowego Jorku. Był inteligentny i ambitny, udało mu się odwrócić bieg swojego życia o sto osiemdziesiąt stopni. Zaczął robić karierę w bankowości. Kilka lat później zatrudniono go w Prime. Potem, cztery lata temu, bank został kupiony przez firmę-córkę, którą kontroluje Morskaja, było to tuż po awansie Marcha na głównego księgowego. Utrzymał swoje stanowisko już po przejęciu Prime.

Mark wciąż nie mógł dopuścić do siebie tych rewelacji na temat Paula Marcha, przykro mu było, że obraz idealnego ojca, który hołubi Jennifer, może się rozsypać w proch, i skierował gniew na Kelso.

– I co zrobiliście? Zaproponowaliście Marchowi program ochrony świadków? Przyrzekliście mu zachowanie tajemnicy na temat jego przeszłości, jeżeli będzie grzeczny?

Kelso odparł bardzo zdecydowanie.

– Byłem gotów użyć wszelkich środków, jakie miałem do dyspozycji, żeby przyskrzynić tych bandytów. Marchowi obiecano pół miliona dolarów i program ochrony świadków dla niego i dla rodziny, jeżeli pomoże nam dopaść rodzinę Morskaja i ujawnić ich operacje finansowe w Stanach i na Karaibach. Zgodził się na tę propozycję bardzo chętnie. Miał tylko jedno żądanie i upierał się, żebym je spełnił.

– O co chodziło?

– Chciał, żeby wszystkie dowody jego przeszłości jako Josepha Delgado zostały zniszczone. Jego akta penitencjarne, archiwalne akta sądowe, wszelkie ślady wskazujące na to, kim był w przeszłości. Taka była umowa.

– Dlaczego?

– Twierdził, że przeszłość go prześladuje. Żona o wszystkim wie, ale wciąż żyje w strachu, że pewnego dnia go to dopadnie i o wszystkim dowiedzą się dzieci. Dowodem na to, że lęki nie były bezpodstawne, był fakt, że CIA odkryła jego sekret. Domyślam się tylko, że miał jakąś głęboką potrzebę psychologiczną wymazania wszystkich faktów z przeszłości. Nieważne, jaką miał motywację, poszliśmy mu na rękę. Wszelkie dokumenty dotyczące odsiadek, akta sądowe i wszystko inne, co dokumentowało jego życie jako Josepha Delgado, zostało na zawsze wymazane i zniszczone.

„To dlatego Garuda nie mógł niczego znaleźć" – pomyślał Mark.

– Czego dokładnie CIA oczekiwała od Marcha?

– Powiedzmy na razie tyle, że mieliśmy niezły plan, jak z pomocą Marcha wsadzić najważniejszych gangsterów z rodziny Morskaja za kratki. Niestety, wszystko spaliło na panewce.

– Dlaczego?

– Bo, Ryan, zdarzyło się coś bardzo dziwnego i nagle cała historia zaczęła przypominać sen wariata.

33

Kelso wziął głęboki oddech, jakby chciał skoczyć do wody.

– Raz lub dwa razy w roku March jeździł służbowo do Szwajcarii, gdzie bank Prime prowadził rachunki wielu klientów. Jego zadanie było proste – sprawdzić, czy w księgach jest porządek, i złożyć sprawozdanie zarządowi.

– Mów dalej.

– Tydzień przed wylotem Marcha do Zurychu dostaliśmy cynk, że Morskaja załatwia duży interes z włoskim przemytnikiem, który zażądał pięćdziesięciu milionów dolarów za kilka dużych przesyłek narkotyków. Czterdzieści milionów miało być w pierwszorzędnych obligacjach, reszta w diamentach i gotówce. Jeden z najważniejszych zbirów rodziny Morskaja, niebezpieczny gangster nazwiskiem Karl Lazar, miał wpłacić te pięćdziesiąt milionów w Zurychu. Wtedy dowiedzieliśmy się od Marcha, że otrzymał instrukcję wycofania gotówki, obligacji i diamentów ze skrytek depozytowych z pewnego banku w Zurychu, z którego usług korzystała firma Prime, i wręczenia wszystkiego Lazarowi. Doszliśmy do wniosku, że jeżeli uda nam się złapać Lazara na gorącym uczynku, będziemy mogli dojść do źródła tych pięćdziesięciu milionów, to znaczy do samych szefów. Posłałem do Szwajcarii swoich ludzi. Mieliśmy śledzić każdy krok Lazara i czekać na właściwy moment, żeby go zgarnąć.

Mark skinął głową.

– Słucham.

– Na początku wszystko szło ślicznie. March ląduje w Zurychu i od razu spotyka się z Lazarem, idzie do banku i opróżnia skrytki depozytowe. Z pięćdziesięcioma milionami w gotówce, obligacjach i diamentach zapakowanych w cztery spore teczki idą razem z Lazarem piechotą do hotelu, żeby się zameldować – to tylko trzy minuty od banku. Właśnie wtedy wszystko przybiera bardzo dziwny obrót.

– Co to znaczy?

Kelso westchnął i potarł czoło.

– W jednej sekundzie są śledzeni, wchodzą do hotelu, a w następnej znikają w labiryncie bocznych uliczek. Mówię ci, Ryan, zapadają się pod ziemię. Przeszukaliśmy dokładnie wszystkie odnogi pięciu głównych ulic, ale chłopcy po prostu ulotnili się jak kamfora. Sprawdziliśmy w recepcji – March w ogóle nie zameldował się w hotelu. Ani on, ani Lazar. Obserwowaliśmy lotniska i zero rezultatu. Paul March i Karl Lazar znikli bez śladu, a wraz z nimi pięćdziesiąt milionów dolarów.

Mark zmarszczył brwi.

– Co się stało?

– Istnieje niewiele możliwości.

– To znaczy?

– Albo jeden z nich, albo obaj uknuli, żeby ukraść pięćdziesiąt milionów.

– Dlaczego?

– Chciwość, po prostu chciwość i nic więcej.

– Uważasz, że March ryzykowałby zdmuchnięcie sprzed nosa pięćdziesięciu milionów dolarów niebezpiecznym gangsterom? I w dodatku działającym na skalę międzynarodową?

– Powiedzmy w ten sposób: Karl Lazar od samego początku był przestępcą, więc nie zdziwiłbym się, gdyby chciał ukraść forsę własnej organizacji przestępczej. Ale nie mogę pomijać kryminalnej przeszłości Marcha. Pięćdziesiąt milionów dolarów to ogromna pokusa, może za duża, żeby się jej nie poddać. March przez resztę życia ukrywałby się pod zmienionym nazwiskiem w ramach programu ochrony świadków, ale pewnie sobie wyobrażał, że z pięćdziesięcioma milionami będzie się mógł ukrywać w znacznie większym komforcie.

– Uważasz, że na Marcha trzeba kierować podejrzenia?

– Słuchaj, wiem na pewno tylko tyle, że on i Lazar po prostu się ulotnili, nigdy nikt o nich więcej nie słyszał, więc wszystko jest możliwe. To na pewno jeden z nich. Albo obaj.

– Wciąż nie mogę zrozumieć, skąd się wzięło to ciało na lodowcu.

– Odkryliśmy, że Czerwona Mafia przewozi pieniądze do Szwajcarii, korzystając między innymi z usług tak zwanych „wieszaków". W ten sam sposób, jak ta biedna dziewczyna na lotnisku Kennedy'ego, która też była ich „wieszakiem".

W tym wypadku jednak przemyca się gotówkę, a nie narkotyki. Do wykonania tego zadania rodzina Morskaja musiała wynająć kogoś godnego zaufania. Ten ktoś byłby przebrany za alpinistę, dałoby mu się plecak z pięcioma milionami i przekroczyłby nielegalnie granicę w Alpach. Kiedy pieniądze zostałyby przekazane odbiorcy po drugiej stronie, zostałyby zdeponowane w banku, wyprane i przelane do Stanów albo na Kajmany. Pomnóż sobie pięć milionów przez kilkaset przejść przez zieloną granicę w roku i zobaczysz, o jakich pieniądzach mówimy.

– Tak, to rozumiem. Ale skąd się wzięło to ciało na lodowcu?

– Ten, kto przywłaszczył sobie pięćdziesiąt milionów, wiedział, że nie ma szans legalnie wyjechać z kraju z taką gotówką. Przypuszczam więc, że wcześniej zaplanował sobie przejście przez zieloną granicę w górach, być może jedną z bezpiecznych tras, którą podróżowały „wieszaki" rodziny Morskaja. Podejrzewam, że taki był plan, ale rozpętała się burza i jeden z nich wpadł do szczeliny i zamarzł na śmierć.

– To znaczy March.

Kelso westchnął.

– Powiedziałem ci, że ta wiadomość zwali cię z nóg, Ryan, ale tu zaczyna się sprawa jeszcze bardziej komplikować. Ciało odnalezione na lodowcu nie jest ciałem ojca Jennifer.

– Co takiego?

– Tam, na Wasenhornie, to nie był Paul March.

– Ale w sprawozdaniu dotyczącym osoby zaginionej...

– Czytamy, że ofiara miała paszport na nazwisko Paul March. Dostałem jednak z Interpolu zdjęcie ofiary znalezionej na lodowcu. Porównano je elektronicznie z fotografią w paszporcie Marcha i w ogóle do siebie nie pasowały. To nie było ciało jej ojca. I dlatego chciałem, żebyś był tutaj, z Jennifer. Wiedziałem, że to będzie dla niej szok, kiedy się dowie.

– Więc czyje to zwłoki?

– Prawdopodobnie Karla Lazara. Nie możemy być jednak tego pewni, zanim Włosi nie wydobędą z ruin próbek DNA.

Nagle otworzyły się drzwi i wszedł Grimes, niosąc ze sobą mapę.

– Co jest? – warknął Kelso.

– Czy mogę prosić o minutę rozmowy?

Kelso podszedł do drzwi i obaj szeptali coś chwilę nad mapą. W końcu powiedział zdecydowanym tonem:

– Idź po samochód. Zaraz tam przyjdę.

Grimes wyszedł, a Mark zapytał:

– Co się dzieje?

– Może mamy jakiś ślad, a może nie. Pięć minut temu Jennifer włączyła telefon komórkowy.

– Gdzie ona jest?

– Tego nie wiemy na pewno. Telefon włączyła tylko na chwilę i namiar jest dosyć niepewny, ale wynika z niego, że gdzieś niedaleko Varzo, więc to żadna wskazówka. Fellows dzwonił przed chwilą do hotelu Berghof. Jennifer wprawdzie nie było, ale rozmawiał z kierownikiem, jakimś Antonem. Anton nie wie, gdzie Jennifer pojechała, ale wspomniał w rozmowie, że kiedy zabrał ją na Wasenhorn, zadawała dużo pytań na temat klasztoru pod wezwaniem Korony Cierniowej, leżącego tuż obok Varzo.

– Dlaczego?

– Skąd mam, do cholery, wiedzieć? Grimes pokazał mi na mapie, gdzie jest klasztor. Stąd to około czterdzieści minut jazdy, na razie nic więcej nie mamy. Fellows już jedzie do klasztoru, a Grimes i ja za chwilę wsiadamy do samochodu.

– Jadę z wami, Kelso.

Kelso chwycił Marka za ramię.

– Myślałem, że lekarz kazał ci odpoczywać...

Mark wyrwał się z uchwytu i sięgnął po płaszcz. Z trudem panował nad głosem:

– Nie ma mowy. Ja tu nie zostaję. Musisz mi jeszcze sporo wytłumaczyć. Na przykład, dlaczego życie Jennifer jest w niebezpieczeństwie. Jeżeli to nie było ciało Paula Marcha, to gdzie on mógł zniknąć?

34

Dwaj mężczyźni w czarnym BMW zatrzymali się przed klasztorem pod wezwaniem Korony Cierniowej. Zauważyli nissana McCaula zaparkowanego tuż przy bramie. Kierowca zgasił światła i wycofał BMW pod kępę drzew. Obaj mieli na sobie czarne kominiarki, ciemne płaszcze przeciwdeszczowe i skórzane rękawiczki. Wyszli z samochodu, nie bacząc na ulewny deszcz, podeszli do dżipa, a kiedy się okazało, że w środku nikogo nie ma, ruszyli w kierunku bramy klasztornej.

Jeden z nich wyjął latarkę i skierował promień światła na zamek w skrzydle bramy, drugi wyciągnął spod płaszcza skórzany futerał na narzędzia. Nie minęła minuta, a zamek był otwarty i obaj zamaskowani mężczyźni weszli do środka. Przeszli przez smagany deszczem podwórzec i ukryli się w mrocznych podcieniach, po chwili byli już pod dębowymi drzwiami wejściowymi.

Mężczyzna znów wyjął futerał na narzędzia i wziął się do pracy. Borykał się przez moment ze starodawnym zamkiem, zapadki szczęknęły i masywne drewniane drzwi stanęły przed nimi otworem. Skinął głową na wspólnika i obaj włamywacze rozchylili płaszcze przeciwdeszczowe, pod którymi ukryli pistolety maszynowe typu Skorpion. Przygotowali broń i ruszyli w głąb klasztoru.

Ojciec Angelo Konrad obudził się w ciemnościach swojej skromnej celi. Myślał, że dręczy go koszmar nocny, bo przez chwilę nie mógł złapać oddechu. Był przerażony, kiedy otworzył oczy. Okazało się, że do jego celi wdarli się dwaj zamaskowani mężczyźni. Jeden z nich przyciskał usta Konrada dłonią, podczas gdy drugi świecił mu latarką w twarz. Kiedy zaskoczony mnich walczył o oddech, poczuł na szyi stalowe ostrze noża.

– Nie ruszaj się i ani słowa, dopóki ci nie pozwolę – szepnął jeden z napastników. Konrad, zupełnie zdezorientowany obecnością obcych, zobaczył refleks cienkiego sztyletu w dłoni mężczyzny. – Inaczej zginiesz, rozumiesz?

Konrad skinął dłonią przerażony i ręka napastnika odsunęła się od jego ust.

– Odpowiesz na moje pytania. Skłam, a wyrwę ci serce.

Groźba w tym głosie była autentyczna i Konrad raz jeszcze skinął głową.

– Gdzie są ci dwoje?

Konrad milczał. Wzbierał w nim gniew, a obawiał się najgorszego.

Napastnik przycisnął ostrze sztyletu do gardła Konrada. Zakonnik wykrzywił usta z bólu.

– Odpowiadaj. Albo cię zabiję.

Konrad opowiedział im wszystko, co wie, a napastnik spytał:

– Ilu jeszcze jest ludzi w klasztorze oprócz ciebie?

– Dwóch, jeszcze dwóch.

– A dokładnie, gdzie są?

– Bra... Brat Paulo to trzecie drzwi stąd. Brat Franco jest w pierwszej celi za następnym korytarzem.

Napastnik uśmiechnął się za maską.

– Dziękujemy za współpracę.

Dłonią przykrył usta Konrada i przeciągnął sztyletem po gardle mnicha.

Jennifer coś nagle wyrwało ze snu. Obudziła się w kompletnych ciemnościach. Miała przyspieszony oddech, serce jej kołatało jak przerażony ptak w klatce. Nie wiedziała, kiedy zasnęła – kilka minut, czy kilka godzin temu. Na zewnątrz wciąż szalała burza, rozświetlając ściany niebieskim światłem wyładowań elektrycznych, a ona czuła, że jest cała zlana potem. Znów wracały jej koszmary, zaś ona, siadając na łóżku, próbowała się otrząsnąć z obrazów przeszłości. W maleńkiej celi było potwornie zimno, a w atramentowej ciemności prawie nie widziała ścian.

Sekundę później usłyszała hałas.

Ledwie słyszalny dźwięk.

Z zewnątrz, z korytarza.

Znów nastawiła uszu. Kroki, delikatne szuranie skórzanego

ubrania o kamień. Dźwięk ucichł. Natężyła słuch, ale teraz nie słyszała już nic.

Dreszcz przebiegł jej po plecach. Czy to burza tak hałasuje, czy wyobraźnia podsuwa jej takie myśli? Macała dłonią po nocnym stoliku szukając świeczki i mało jej nie strąciła na podłogę. Potem zdała sobie sprawę, że świeczka i tak na nic się nie przyda. Mnich nie zostawił jej zapałek. Zza maleńkiego okienka pod sufitem dobiegały uderzenia wichury, wiatr bił w szybę, po chwili ustawał, żeby za moment znowu uderzyć. Okno było mokre od deszczu. Na kilka sekund wiatr ustał. I wtedy... W korytarzu znowu usłyszała czyjeś kroki.

Serce Jennifer zabiło mocniej. Zmusiła się, żeby wstać z łóżka. Kamienna podłoga pod stopami była zimna jak lód. Patrzyła w kierunku drzwi przez czarną jak atrament ciemność. Była zaskoczona tym, jak bardzo się boi, kolana jej się trzęsły, wyobraźnia podsuwała przerażające wizje.

Przyłożyła ucho do drzwi. Cisza. Kroki ucichły. Wypuściła powietrze z płuc i strach minął. Chwilę później usłyszała inny odgłos, tym razem delikatne szczęknięcie. Ku swojemu przerażeniu zdała sobie sprawę, co ten dźwięk oznacza.

Ktoś jest za drzwiami.

Klamka obracała się powoli.

Jennifer z przerażeniem zrobiła kilka kroków do tyłu.

– Kto... Kto tam jest? Kto jest za drzwiami?

I nagle drzwi otworzyły się na oścież. Próbowała krzyknąć, ale w tej samej chwili poczuła czyjąś dłoń na ustach.

35

Ktoś zmuszał Jennifer do cofnięcia się w głąb celi. Głos mężczyzny szepnął jej do ucha:

– Ani słowa.

Ogarnęła ją panika i zaczęła walczyć. Głos syczał wprost do jej ucha:

– Cholera, Jennifer, posłuchaj mnie przez chwilę!

McCaul oderwał dłoń od jej ust i zaświecił latarkę. Jennifer zobaczyła, że musiał się ubierać w pośpiechu, był w skarpetkach, a związane sznurówkami buty zawiesił sobie na szyi. Przyłożył palec do ust, nakazując jej milczenie, i zamknął drzwi. Zobaczyła, że ma w ręce pistolet Caruso.

– Co... Co ty robisz?

– Mów ciszej – syknął McCaul. – Bierz ubranie i chodź ze mną. Tylko szybko. Wyjeżdżamy.

– Dlaczego?

– Bo mamy towarzystwo, dlatego – McCaul chwycił ją mocno za ramię. – Rób, co ci każę, Jennifer, i nie dyskutuj. Ale po cichu. Nie zakładaj butów. Nieś je w ręce, ale nie zakładaj ich na nogi.

Jennifer zebrała swoje rzeczy, a McCaul podszedł do drzwi i nasłuchiwał. Kiedy skończyła się ubierać, chwyciła torbę i podeszła do niego, trzymając w dłoni buty.

– Powiesz mi, co się dzieje?

– Nie mogłem spać przez tę burzę i usłyszałem jakiś hałas w korytarzu. Ale kiedy szedłem sprawdzić, czy u ciebie wszystko w porządku, zobaczyłem dwóch facetów w czarnych kominiarkach wychodzących z jednej z cel. Z celi ojca Konrada. On nie żyje, Jennifer. Poderżnęli mu gardło.

Jennifer czuła zimny, lodowaty strach, nie mogła ani mówić, ani zrobić kroku. McCaul relacjonował dalej, ale ona ledwo go słyszała.

– Kiedy tylko ich zobaczyłem, schowałem się w swojej celi i sięgnąłem po broń. Znowu wyjrzałem, a ich już nie było, szli korytarzem. Wtedy sprawdziłem, co się stało w celi Konrada.

– Oni... Oni cię nie widzieli?

– Mam wrażenie, że gdyby mnie widzieli, już byłbym martwy – McCaul zawahał się, jak gdyby to, co ma za chwilę powiedzieć, nie chciało mu przejść przez gardło. – Poszedłem dalej korytarzem i zobaczyłem innego mnicha, który już nie żył. Jemu też poderżnęli gardło. Trzeci też chyba nie żyje albo niedługo go załatwią, sądząc po tym, co zrobili z pozostałymi dwoma.

Jennifer czuła, że zaraz zemdleje.

– Musimy... Musimy zadzwonić na policję.

– To nic nie da. Jak szybko dojedzie tu patrol? – McCaul miał krople potu na czole. Po raz pierwszy Jennifer zobaczyła w jego oczach wyraz prawdziwego strachu. – Ci faceci mają pistolety maszynowe, Jennifer. Wyglądają jak zawodowi zabójcy. Nic im nie stanie na drodze. Z nami się też rozprawią. Słuchasz mnie, Jennifer?

Jennifer była jak zamroczona.

– T-tak.

– Musimy się stąd jak najszybciej zmywać.

Znajdujący się po drugiej stronie korytarza brat Paulo nie słyszał, jak napastnicy zakradają się do jego ciemnej celi. Poczuł jednak ich brutalne dłonie budzące go ze snu i poczuł knebel, który wiązali mu na ustach.

To się nie dzieje naprawdę, mówił sobie brat Paulo. *To jakiś koszmarny sen.*

Próbował walczyć, ale napastnicy wyciągnęli go z łóżka. Jeden z nich zawiązał mu coś wokół szyi. Brat Paulo otworzył oczy z przerażenia, kiedy zobaczył, że to pętla i że koniec liny wiążą do krat w oknie jego celi.

Chcą mnie powiesić, pomyślał brat Paulo. *Boże, proszę, spraw, żeby to był sen!*

Nie był to jednak sen. Napastnicy zmusili go, żeby stanął na krześle obok łóżka, po czym wyrwali mu krzesło spod stóp. Paulo w przerażeniu próbował krzyczeć, ale był zakneblowany, a lina wpijała mu się w szyję i dusiła go.

Kiedy przestał walczyć, a ciało zakonnika zwiotczało, jeden z napastników wszedł na krzesło i wyjął knebel. Drugi podniósł zakrwawiony sztylet, który zostawił na podłodze, i rzucił go na łóżko. Potem skinął na wspólnika i obaj wycofali się na korytarz.

– Trzymaj się za mną i nie rób hałasu.

– Dokąd... Dokąd idziemy?

– Zobaczyć, czy jest stąd jakieś inne wyjście – McCaul podniósł broń i zgasił latarkę, a potem otworzył drzwi. Wsłuchiwał się w ciemność, po chwili wyszedł na korytarz. Jennifer szła krok w krok za nim. Korytarz był pusty, światło świec rzucało migotliwe cienie na kamienne ściany. Przeszli dwadzieścia metrów, docierając do krętych schodów prowadzących w dół, do piwnic. Usłyszeli jakiś hałas i rozejrzeli się dookoła.

Promienie dwóch latarek przecinały ciemność jak noże, a dwaj mężczyźni pojawili się nagle na końcu korytarza. Obaj mieli na sobie groźnie wyglądające czarne kominiarki i długie płaszcze przeciwdeszczowe. Jennifer zobaczyła pistolety maszynowe i ogarnęła ją panika. W ułamku sekundy zrozumieli, co się dzieje, kiedy mężczyźni unieśli broń.

– Biegnij, Jennifer, biegnij! – McCaul popchnął ją na schody do krypty.

36

Schody były pogrążone w absolutnej ciemności i McCaul zapalił latarkę, kiedy boso zbiegali w dół po kamiennych stopniach. Słyszeli nad sobą tupot kroków w korytarzu, napastnicy deptali im po piętach.

Jennifer dotarła do końca schodów i zobaczyła dębowe drzwi i klucz wiszący na haku wbitym w ścianę. Włożyła go rozdygotana do zamka i przekręciła, ale po naciśnięciu klamki drzwi nie chciały się otworzyć.

– Ja spróbuję – McCaul wysunął się przed nią, nacisnął klamkę i jak taranem uderzył ramieniem w dębową płytę. Drzwi otworzyły się, skrzypiąc, a on popchnął Jennifer w ciemność i ruszył tuż za nią. Zamykając drzwi na klucz od środka, słyszeli coraz donośniejszy odgłos stóp pędzących po schodach.

McCaul był zrozpaczony.

– Ten zamek może nie wytrzymać. Musimy poszukać czegoś, żeby zaprzeć drzwi. Jakiejś belki. Czegokolwiek.

Jennifer poświeciła latarką po kamiennych łukach i zobaczyła ludzkie kości zacementowane w ścianach. Czuła wokół siebie oddech śmierci, serce biło jej tak szybko, że nie mogła się ani ruszyć z miejsca, ani głębiej odetchnąć.

– Jennifer, na Boga!

– Ja... Ja szukam – zobaczyła berło, które trzymał w kościstych rękach jakiś dawno zmarły arystokrata, którego wysuszony szkielet wisiał na haku. Stanęła na palcach, próbowała go dosięgnąć, ale koniuszkami palców nie sięgała do szkieletu.

– Nie mogę dosięgnąć...

McCaul przemknął obok niej jak byk na arenie, wyrwał berło z zaciśniętych palców szkieletu, ale rozsypało mu się w dłoniach.

– Cholera!

Odgłos kroków na schodach ucichł. Mężczyźni byli za drzwiami.

– Zostaw to. Idziemy dalej – powiedział McCaul i popchnął Jennifer w kierunku krypty.

Dotarli do końca schodów. Jeden z nich nacisnął klamkę i uderzył ramieniem w drzwi. Ciężkie, dębowe wrota nie ruszyły się ani na milimetr, a on przyjrzał się zardzewiałemu zamkowi – żelazo było zbyt mocne, żeby próbować je przestrzelić. Rozwścieczony odsunął się o krok i obaj zaczęli wściekle kopać w drzwi.

McCaul oświetlił latarką ściany. Im głębiej zanurzali się w czeluść krypty, tym intensywniejsze było szalone walenie w drzwi. Brzmiało to tak, jak gdyby ich prześladowcy próbowali rozwalić je butami.

– Tędy – McCaul pokazał jakieś przejście i ruszyli dalej. W krypcie panowały ciemności, Jennifer ledwo widziała zarysy ścian, pełgające światło latarki było coraz słabsze, a makabryczny obraz śmierci prześladował ją tutaj na każdym kroku. Poczuła dreszcz na plecach, kiedy mijali szczątki dziewczyny w zniszczonej przez upływ czasu koronkowej sukni i przechodzili obok zetlałego ciała ojca Bonifacego siedzącego na tronie. Wydawało jej się, że wszystko wokół jest upiorne i nieprzyjazne, że wszędzie czają się niewidzialni wrogowie. Doszli do drugich dębowych drzwi, których rama była pokryta grubą warstwą pajęczyn. McCaul naciskał pordzewiałą klamkę, ale drzwi nie dało się otworzyć.

– Co się dzieje? – spytała Jennifer.

– Zamek chyba zardzewiał albo drzwi są zamknięte może czymś podparte od środka. Rozejrzyj się, może znajdziesz gdzieś klucz...

Prawie po omacku szukali klucza wokół ramy drzwi, ale nie mogli go znaleźć. McCaul zaklął ze złością.

Jennifer gdzieś z tyłu słyszała, że ich prześladowcy ciągle walą w drzwi. Docierały do niej odgłosy pękającego drewna, potem uderzenia zrobiły się głośniejsze. Kiedy nic innego nie pomogło, McCaul próbował kopać w drzwi, ale po kilku próbach w końcu się poddał.

– To nic nie da. Drzwi się nie ruszą. I tracimy czas. Wracajmy tą samą drogą. Pospiesz się, Jennifer.

Pobiegli na ukos przez komnatę i dotarli do marmurowego tronu. McCaul poświecił latarką w wąską szczelinę, w głębi zobaczyli tunel.

– To nasza jedyna szansa.

W tunelu było ciemno i strasznie, wejście do niego zasnuły pajęczyny, a Jennifer usłyszała od środka szuranie, jakby uciekającego szczura.

– Ja... Ja chyba tam nie wejdę.

– Chcesz tu zostać i zginąć? Ci faceci nie rozwalają drzwi dla zabawy, Jennifer – uniósł w górę pistolet Caruso, twarz miał zroszoną potem. – Jak sądzisz, jak długo się z tym utrzymamy? Ten pistolecik jest gówno wart, oni mają broń maszynową.

Usłyszeli w głębi piwnicy potworny trzask pękającego drewna. McCaul chwycił Jennifer za rękę i zmusił ją, żeby weszła do wąskiej szczeliny, a potem wcisnął się tam za nią.

Na końcu schodów dwóch napastników już prawie wyłamało dębowe drzwi, które wciąż uparcie trzymały się na pordzewiałych zawiasach. Jeden z nich podniósł pistolet maszynowy Skorpion, wymierzył w górny zawias i nacisnął spust. Broń zaterkotała głucho i po chwili zardzewiały metal popękał pod gradem kul. Mężczyzna wycelował i wystrzelił jeszcze jedną serię w drugi zawias. Ten w końcu ustąpił. Mężczyzna ostatni raz kopnął w drzwi, które zwaliły się z hukiem na podłogę.

Tunel był zimny i cuchnął stęchlizną. Nie przeszli nawet piętnastu metrów, kiedy światło z latarki przygasło.

– Baterie są coraz słabsze – McCaul podał latarkę Jennifer i zaczął szukać zapalniczki. Pstryknął i jaskinia ożyła w płomieniu ognia. Jennifer zobaczyła ściany wykute w kamieniu, połyskujące strużkami wody. Ku swojemu przerażeniu stwierdziła, że byli w następnej trupiarni – pod ścianami leżały ludzkie kości. Śmierć czaiła się na nią nie tylko pod postacią dwóch zabójców z pistoletami maszynowymi, rozprzestrzeniała się wszędzie wokół niej. Była tak przerażona, że nie mogła wydusić z siebie słowa.

– To wygląda na dalszą część krypty – McCaul nie zatrzymywał się, szli dalej, aż tunel rozdwoił się na dwa korytarze, w których można było z ledwością się wyprostować. Zrobił krok w kierunku przejścia po lewej stronie i uniósł płomień zapalniczki. Poruszył nim ledwie wyczuwalny przeciąg.

– Skądś leci powietrze. Cholera! – McCaul zaczął wymachiwać ręką, bo płomień zapalniczki oparzył mu palce. Spróbował zapalić latarkę, ale to nic nie dawało, więc musiał znów wyciągnąć zapalniczkę. Zdenerwowany wskazał na drugie przejście.

– Spróbujemy tędy.

– A jeśli to zła droga? – spytała Jennifer.

– Nawet o tym nie myśl.

Ich prześladowcy w niecałą minutę przeszukali kryptę. Nie mogli znaleźć ofiar, dlatego zaczęli od nowa, metodycznie, krok po kroku, badając każde przejście i każdy łuk w ścianie, omiatając promieniami latarek makabryczne muzeum kości. Kiedy przechodzili obok marmurowego tronu, jeden z nich oświetlił latarką cokół. Zobaczył szczelinę i gestem przywołał swojego kompana.

Jennifer i McCaul wchodzili coraz głębiej w czeluście podziemnego przejścia, promień światła latarki zaczął już pełgać na żółto i co kilka sekund McCaul musiał zapalać zapalniczkę. Doszli do ślepego zaułka, sterta kamieni blokowała przejście podziemnym tunelem.

– Chyba poszliśmy złą drogą – powiedział rozczarowany McCaul.

Sytuacja wydawała się beznadziejna. McCaul chwycił w dłonie pierwszy lepszy kamień ze stosu, następnie drugi, odrzucał je na bok, jego frustracja zamieniała się w ślepą wściekłość. Kiedy oczyścił spory fragment kamiennego pagórka, uniósł wysoko zapalniczkę a strumień powietrza ugiął płomień.

– Pomóż mi, szybko. Może jeszcze nic straconego.

Jennifer pomagała mu oczyszczać przejście z kamieni, aż pojawiła się dziura, z której poczuli mocniejszy powiew zimnego powietrza i usłyszeli dźwięk padającego deszczu.

– Wygląda na to, że Konrad nie kłamał.

McCaul pierwszy wczołgał się do dziury, potem pociągnął za sobą Jennifer. Byli na zewnątrz, na otwartej przestrzeni, stali na wysokim wale biegnącym wzdłuż ścian klasztoru. Wał był stromy, pokryty chaszczami, tu i ówdzie leżały kamienie, pod nim straszył mroczny jar. Już nie grzmiało i nie błyskało, ale deszcz lał nieubłaganie.

– Załóż buty, bo sobie pokaleczysz stopy.

Gdzieś za sobą usłyszeli echo głosów i spojrzeli w otwór w kamieniach. Chwilę później, w ciemności, zobaczyli silny promień latarki. McCaul wymierzył Berettę w podziemny tunel, obsypał napastników gradem kul, po czym oboje zaczęli się przedzierać w dół.

Pod stopami mieli kamienny piarg, szli przez gęste zarośla. Kiedy znaleźli się na dnie jaru, McCaul pociągnął Jennifer za rękę i pobiegli wprost przed siebie. Dotarli do wąskiej leśnej drogi – po obu wznosił się las. Byli przemoczeni do suchej nitki i nie mogli złapać tchu. Jennifer czuła się całkowicie zagubiona.

– Gdzie jesteśmy?

– Gdybym miał zgadywać, to bym powiedział, że na północ od klasztoru.

Poszli dalej leśną drogą i kilka minut później znaleźli się pod bramą klasztorną, gdzie stał zaparkowany ich nissan.

– Poczekaj – szepnął McCaul. – Zobaczę, czy ci kolesie nie mieli towarzystwa.

Chwycił Berettę w obie dłonie, pochylony pobiegł do dżipa i zajrzał do środka. Otworzył drzwi od strony kierowcy, sprawdził wnętrze i wrócił.

– Wszystko w porządku. Czysto.

Pędem pobiegli do dżipa i McCaul włożył kluczyk do stacyjki. Był kompletnie przemoczony i chyba równie przerażony co Jennifer.

– Co to, do cholery ma być? Kim są ci goście?

– Chyba nie powinniśmy tu czekać na odpowiedź.

– Masz rację, Jennifer – McCaul włączył silnik, zawrócił dżipa i samochód pofrunął jak na skrzydłach drogą prowadzącą w dół wzgórza.

37

Pięć minut później McCaul wjeżdżał pełnym gazem do miasteczka Varzo. Jennifer spojrzała przez tylną szybę, ale nie widziała, żeby ktoś za nimi jechał. McCaul nacisnął na hamulec i auto zatrzymało się z piskiem opon na smaganym deszczem placu pośrodku miasteczka. Skręcił kierownicą ostro w lewo, wjechał w wąską, brukowaną uliczkę i zgasił silnik.

– Dlaczego się zatrzymujemy?

– Musimy się zastanowić, co chcemy robić.

Jennifer była na skraju wyczerpania nerwowego.

– Może powinniśmy poszukać komisariatu policji?

– Zrozum, Jennifer, jesteśmy zdani sami na siebie. Nawet jeżeli gliny uwierzą w to, co im opowiemy, a w to wątpię, zamkną nas za kratkami dla naszego bezpieczeństwa. Myślisz, że dzięki temu przeżyjemy? Nie wiem, dla kogo pracowali ci faceci, ale zamordowali Caruso i jego żonę. Myślisz, że jakiś mały, wiejski komisariat będzie dla nich przeszkodą?

– Skąd mogli wiedzieć, że jesteśmy w klasztorze? Musieli nas śledzić, chociaż nie widziałam, żebyśmy mieli kogoś na ogonie. Podejrzewam, że zastosowali jakiś sprzęt elektroniczny. Nic prostszego. Trzeba tylko umieścić gdzieś pod dżipem urządzenie sygnalizacyjne, a potem mogą nas już łatwo namierzyć. Taka miniaturowa pluskwa może być wszędzie. Możemy jej szukać godzinami.

– To znaczy, że wiedzą, gdzie teraz jesteśmy?

– Właśnie. A jeżeli zostaniemy w dżipie, będziemy łatwym celem. Prędzej czy później wystrzelają nas jak kaczki.

Carlo Perini był śmiertelnie znudzony. Musiał odwalać nocną zmianę w taką noc, kiedy nic się nie dzieje i leje deszcz. Żałował, że nie został ze swoją dziewczyną w przytulnym mieszkanku.

Zamiast wtulać się w biust ukochanej, musi kiblować w kasie biletowej na stacji w Varzo, a gorszej roboty nie ma chyba w całym miasteczku.

Na peronie czekała garstka zdesperowanych pasażerów – większość pociągów miała opóźnienie z powodu burzy. Carlo podniósł głowę znad gazety, bo dwoje ludzi podchodziło do kasy. Byli przemoczeni do suchej nitki, ale na tę dziewczynę warto było spojrzeć, miała niezłą figurę.

– *Si?*

– *Parla inglese?* – spytał facet.

Jeszcze chwila, a Carlo by się roześmiał. Jeżeli mówiłby po angielsku, nie sprzedawałby biletów na stacji kolejowej na tym zadupiu. Pamiętał coś ze szkoły, kilka całkowicie bezużytecznych zdań: Kot siedzi na oknie. Czy masz ochotę na filiżankę herbaty?

Wzruszył ramionami, uniósł dłoń i, zbliżając do siebie kciuk i palec wskazujący, pokazał, jak mało rozumie.

– *Puntino...* Trochę.

– Potrzebujemy dwa bilety na następny pociąg z tej stacji. Nieważne dokąd.

– *Prego?*

Facet jeszcze raz zaczął coś mówić, tym razem wolniej. Carlo wciąż nic nie rozumiał. Nie zrozumiał ani za trzecim, ani za czwartym razem. Po kilku minutach zmagań, używając długopisu, kartki papieru i języka migowego, facetowi udało się jakoś z nim dogadać i z tego, co Carlo zrozumiał, ta niezła laseczka chce wyjechać z Varzo jak najszybciej, pierwszym nadarzającym się pociągiem. Bardzo mądra decyzja. Carlo też by wyjechał, gdyby tylko mógł.

– Pociąg... Ten, co jedzie... – mówił Carlo po angielsku, szukając właściwych słów i czując się tak, jakby znów miał dwanaście lat i siedział w ławce w podstawówce. – Jest do Brig, w *Svizzera*, przez *galleria* Simplon.

Wydawało mu się, że to do nich dotarło. Następny pociąg jechał do Brig w Szwajcarii przez tunel Simplon.

– Kiedy? – facet był nerwowy i pokazywał na zegarek. Carlo pomyślał: „Cholernie im się spieszy". Pociąg ma pół godziny spóźnienia spowodowanego zalanym torowiskiem, ale za pięć minut miał wjechać na stację. Carlo podniósł pięć palców.

– *Cinque minuti.*

Facet rzucił garść banknotów na parapet okienka.

Pięć minut później pociąg do Brig zatrzymał się ze zgrzytem hamulców na skąpanym w deszczu peronie. Carlo obserwował peron z kasy i zobaczył, że mężczyzna i kobieta wchodzą do wagonu razem z innymi pasażerami. Pociąg odjechał. Carlo zastanawiał się, czemu się tak dziwnie zachowywali – wyglądali, jakby ich coś gnębiło, oboje byli zdenerwowani. Carlo nie zauważył jednak dużego, czarnego BMW, które podjechało pod stację. Nie widział też dwóch mężczyzn o kamiennych spojrzeniach, którzy wysiedli z samochodu.

Ubrani w płaszcze przeciwdeszczowe, ale już bez kominiarek na głowach, weszli na peron i zobaczyli pociąg znikający na końcu torów. Podbiegli do okienka kasowego i jeden z nich zapytał niecierpliwie po włosku:

– Przepraszam, ale chyba właśnie spóźniliśmy się na pociąg. Ten, który właśnie odjechał. Dokąd on jedzie?

Carlo spojrzał na faceta. Blondyn, około czterdziestki, lepiej było z nim nie żartować. Miał bliznę pod prawym okiem. Jego kolega był potężnie zbudowany, miał głowę ogoloną prawie do skóry i ciemne, niewróżące nic dobrego oczy.

– Do Brig. Ale nie ma pan szczęścia, jeżeli chce się pan tam dzisiaj dostać pociągiem, proszę pana. Następny jest dopiero rano.

– Czy ten, który właśnie odjechał, gdzieś się jeszcze zatrzymuje?

– Oczywiście. Zatrzymuje się w Iselle za około dwanaście minut. Ale w tej burzy prawdopodobnie będzie miał i tam spóźnienie. Na całej linii są poopuszczane semafory.

Blondyn uśmiechnął się.

– Dziękuję bardzo.

38

Mark i Kelso pruli w kierunku Varzo. Deszcz już ustał, ale Kelso nie spuszczał wzroku z mokrej nawierzchni.

– Czekam na resztę odpowiedzi, Kelso. Z czyjej strony Jennifer grozi niebezpieczeństwo i dlaczego ktoś miałby ją zabić?

Mark siedział obok kierowcy, Grimes z tyłu. Na drodze był spory ruch, gęsto od aut wyjeżdżających z Turynu. Kelso gwałtownie odbił kierownicą, kiedy ich opla nagle wyprzedził na trzeciego mały fiat pędzący ponad sto kilometrów na godzinę.

– Jezu, co za zwariowany kraj. Ten kierowca jest chyba nienormalny, zaraz wszystkich pozabija.

– Czekam na odpowiedź, Kelso.

– Mam tylko teorię. Ale może cię zainteresuje.

– Zamieniam się w słuch.

– Ten, kto ukradł pięćdziesiąt milionów, będzie musiał przez jakiś czas pozostawać w ukryciu. Może sobie zafunduje operację plastyczną i zacznie nowe życie.

– Mów dalej.

– Ale to ciało, które nagle pojawiło się ni stąd, ni zowąd w górach, stanowi ogromny problem.

– Dlaczego?

– Bo teraz gliny węszą wokół tej sprawy, może rodzina Morskaja też zaczyna się rozglądać, mając nadzieję, że znajdą jakiś ślad, który doprowadzi ich do tych pięćdziesięciu milionów. A zatem, niezależnie od tego, kto jest przestępcą, będzie chciał powstrzymać psy gończe i zmylić trop.

– Uważasz, że dlatego właśnie życie Jennifer jest w niebezpieczeństwie?

– Częściowo właśnie dlatego. Jest jeszcze coś innego, o czym powinieneś wiedzieć. Śledczy, który badał tę sprawę, nazywał się

Caruso. Dzisiaj po południu jego i jego żonę znaleziono zastrzelonych we własnym domu. Zgodnie z informacją, którą otrzymałem, na miejscu zbrodni wyglądało tak, jak gdyby Caruso zastrzelił swoją żonę, a potem popełnił samobójstwo. Ale domyślam się, że to zmyłka i że zostali oboje zamordowani.

Mark nie mógł wyjść ze zdumienia.

– Kto ich zabił?

– Ktoś, kto za wszelką cenę chce doprowadzić do zamknięcia śledztwa, na zawsze i to na jego warunkach. Albo Paul March, albo zabójcy z rodziny Morskaja.

– Dlaczego oni?

– Mówiłem ci, że była jeszcze dyskietka komputerowa. Działając zgodnie z naszymi instrukcjami, March skopiował na dyskietkę wszystkie numery rachunków firmy Prime, na których były duże kwoty. Kiedy dyskietka wpadnie nam w ręce, będziemy mogli oskarżyć rodzinę Morskaja i już nam się nie wymkną...

– A więc?

– March odmówił przekazania dyskietki, aż mu nie zapłacimy tego pół miliona i jego rodzina będzie bezpieczna w ramach programu ochrony świadków. Ale dyskietka znikła razem z nim.

– A gdzie w tym wszystkim jest Jennifer?

– Przy zwłokach znaleziono trochę rzeczy osobistych, które mogą pomóc zrozumieć, co stało się z Marchem i z dyskietką. Czuję przez skórę, że rodzina Morskaja dojdzie do tych samych wniosków. Będą chcieli dopaść Jennifer, a jak już dopadną, wydobędą z niej wszystko, a potem ją zabiją.

– Więc Kelso, Jennifer jest dla ciebie tylko przynętą, tak? – spytał poirytowany Mark.

Kelso wybuchnął gniewem.

– Posłuchaj, Ryan, poświęciłem tej sprawie najlepsze lata życia, więc chcę ją doprowadzić do końca. Jennifer postanowiła przyjechać do Europy z własnej woli, ja jestem tutaj tylko po to, żeby ją chronić. Czy to do ciebie nie dotarło? Dobrze, powiedziałem ci, że nie wierzę w to, że Paul March zamordował żonę, postrzelił syna i próbował zgwałcić swoją własną córkę, żeby zatrzeć ślady. Ale jeżeli się pomyliłem, to Jennifer trzeba chronić nie tylko przed rosyjską mafią, ale może nawet przed własnym ojcem.

Zanim Mark miał szansę odeprzeć ten atak, odezwał się telefon komórkowy.

– Kelso. Mów – rzucił krótko agent.

Mark nie słyszał, co mówi jego rozmówca, ale zobaczył, że Kelso aż zesztywniał.

– Jesteś pewien, że tam są? Dobrze, nie dotykaj niczego i zachowaj ostrożność, słyszysz? Niczego. Zadzwoń, jak się czegoś dowiesz. Będziemy za pół godziny.

Kelso wyłączył telefon i bardzo spoważniał.

– Co się dzieje?

– To był Fellows. Jest w klasztorze. Nie uwierzysz, ale...

39

McCaul wybrał wagon w środku pociągu. Udało im się znaleźć pusty przedział. Jennifer próbowała oczyścić zachlapane błotem ubranie. Była na krawędzi załamania nerwowego. Co gorsza, burza nie ustawała, a pięć minut po wyjeździe ze stacji Varzo pociąg wlókł się noga za nogą. McCaul wyjrzał za okno smagane deszczem.

– To wszystko przez burzę, ale powinniśmy niedługo być w tunelu Simplon.

Jennifer gdzieś czytała o tym tunelu. Był jednym z najdłuższych na świecie, składał się z szeregu połączonych krótszych tuneli prowadzących wzdłuż przełęczy Simplon na długości dwudziestu kilometrów. Łączył Szwajcarię z Włochami. Wstała zdenerwowana, otworzyła drzwi do przedziału i wyjrzała na korytarz. Pociąg był tylko w połowie zapełniony pasażerami, znajdowali się tam pracownicy biurowi, wycieczka szkolna z plecakami i kilkoro nauczycieli. Dzieci były przemoknięte, wyglądało na to, że wyprawę dokumentnie zepsuła pogoda. Jennifer upewniła się, że na korytarzu nie ma tych dwóch, którzy ich prześladują, i zamknęła drzwi.

– Jesteś strasznie zdenerwowana – powiedział McCaul bez emocji.

– Oczywiście, że jestem strasznie zdenerwowana. A czemu miałabym nie być? – Jennifer zrobiło się słabo na myśl o jatce w klasztorze. Usiadła i schowała twarz w dłoniach. – To jest absolutny koszmar.

McCaul podszedł do niej i objął ją ramieniem.

– Nie mogliśmy nic zrobić, Jennifer. Jeżeli byśmy stamtąd nie uciekli, już byłoby po nas.

– Dlaczego komukolwiek w ogóle przyszło do głowy zasztyletować ojca Konrada i pozostałych mnichów? Dlaczego zabili wszystkich bez wyjątku, jeżeli tylko o nas im chodziło?

McCaul pokręcił głową i powiedział zduszonym głosem:

– Nie wiem. Ta cała historia robi się coraz bardziej absurdalna. Jennifer chodziła tam i z powrotem po przedziale, wytężając umysł.

– Musi być jakiś powód.

– Na przykład?

– Jedyne, co mi przychodzi do głowy... Sam powiedziałeś, że komuś zależy na zniszczeniu wszelkich dowodów. Dlaczego zginął ojciec Konrad i pozostali? Bo widzieli mężczyznę, który przeżył burzę. Byli naocznymi świadkami, a dowodem na to jest wpis do rejestru gości.

– Może rzeczywiście masz rację.

– Ten człowiek, o którym czytał nam ojciec Konrad, musi być tym, którego szukamy, więc dlaczego od razu nie zgłosimy się na policję?

– Powiedziałem ci, Jennifer, możemy się narazić na jeszcze większe niebezpieczeństwo.

Pociąg zwolnił, zmienił się rytm pracy lokomotywy, kiedy wjeżdżali do pierwszego, krótkiego tunelu. Kilka sekund później wyjechali po drugiej stronie. Jennifer poczuła ukłucie lęku, kiedy McCaul wstał i ruszył w kierunku drzwi.

– Dokąd idziesz, Frank?

– Znaleźć toaletę i trochę się doprowadzić do ładu. Może ty chcesz iść pierwsza?

Jennifer postanowiła pójść później. McCaul, szukając po omacku drogi w ciemnościach na obwałowaniu koło klasztoru, podarł sobie ubranie, które poza tym było brudne od błota. Jennifer czuła się jednak niepewnie sama w przedziale. Chyba to wyczuł, bo dotknął dłonią jej twarzy.

– Nie martw się, jak na razie jesteśmy bezpieczni. Za chwilę wrócę i o wszystkim pogadamy. Ale na wszelki wypadek nie otwieraj drzwi, dobrze?

Siedząc sama w przedziale, Jennifer nie potrafiła się oprzeć wizjom bestialskiego mordu w klasztorze, które podsuwała jej wyobraźnia, i czuła, że robi jej się słabo. Nie wiedziała dlaczego, ale strasznie chciała zadzwonić do Marka i upewnić się, że u Bobby'ego wszystko w porządku. Zaczęła przeszukiwać torbę podróżną, ale nie mogła znaleźć komórki. *Cholera jasna.* Musiała ją gdzieś zgubić, gdy uciekali z klasztoru. Teraz będzie musiała poczekać, aż dotrą do Brig, żeby zadzwonić do Marka. Miała nadzieję, że dotrzymał słowa i opiekował się Bobbym, ale im bardziej i dłużej myślała o jego zachowaniu przed wyjazdem do Europy, tym bardziej była zdziwiona. Tak jakby miał przeczucie, że coś jej grozi, a to wydawało się Jennifer co najmniej dziwne...

Pociąg zwolnił, przerywając jej myśli, wyjrzała więc przez okno rozświetlone od strony peronu latarniami stacji kolejowej.

Opony BMW zapiszczały, kiedy auto hamowało na parkingu stacji Iselle. Kierowca zaciągnął ręczny i obaj mężczyźni wyszli z samochodu. Pociąg właśnie wjeżdżał na stację. Kierowca zamknął drzwi i mężczyźni pobiegli pędem w kierunku budynku kolejowego, gdzie w okienku kasowym siedział zmęczony kasjer.

– *Si, signore?*

– Dwa bilety – powiedział blondyn po włosku i podał mu kilka banknotów.

– Dokąd, proszę pana?

– Do Brig.

– To zdążyliście. To jest ostatni pociąg do Brig dziś wieczorem.

Blondyn uśmiechnął się szeroko.

– No, to chyba naprawdę dopisuje nam szczęście.

40

McCaul wrócił pięć minut później trochę odświeżony, gdy pociąg ruszał ze stacji. Zamknął za sobą drzwi do przedziału i usiadł obok Jennifer.

– Chcesz usłyszeć dobrą czy złą wiadomość?

– Czy to ważne?

– Najbliższa toaleta jest trzy wagony dalej i nie ma tam gorącej wody. Ale burza chyba ustaje i najwyższy czas, żeby się skończyła. Może mają tu wagon restauracyjny. Pójdę i zamówię dla nas kawę. Masz ochotę?

Jennifer poczerwieniała. Ciągle nie potrafiła wyrzucić z serca tego, co podsuwała jej wyobraźnia – widziała ojca Konrada i pozostałych mnichów z poderżniętymi gardłami, czuła, że robi jej się niedobrze i wstała.

– Co się dzieje? – spytał McCaul. – Nie wyglądasz za dobrze.

– Muszę iść doprowadzić się do porządku.

Toaleta była otwarta i Jennifer weszła do środka. Pociąg kolebał się z boku na bok, nabierając prędkości, a ona czuła coraz silniejsze mdłości. „Zaraz zwymiotuję" – stwierdziła.

Odwróciła się do umywalki, spryskała twarz wodą, a potem odkręciła kurek i pozwoliła zimnej wodzie płynąć na dłonie...

Dwaj mężczyźni przeczesywali korytarze. Przyglądali się dokładnie twarzom wszystkich pasażerów w mijanych przedziałach, a kiedy docierali do końca wagonu, przechodzili do następnego.

Jennifer oddychała głęboko. Lodowata woda schłodziła ją, a mdłości przeszły. Przyjrzała się twarzy w lusterku nad umywalką. Włosy miała w nieładzie i wyglądała jak opuchnięta. *Boże, co za straszydło!* Doprowadziła się trochę do ładu, potem starła wodą błoto z dżinsów i ze swetra.

Usłyszała pukanie do drzwi. Zanim Jennifer zdążyła odpowiedzieć, ktoś nacisnął klamkę i drzwi stanęły otworem. Patrzyła na zniecierpliwioną młodą kobietę, która niemal weszła jej na plecy.

– *Scusi, signorina. Finito?*

– Przepraszam?

Kobieta wystrzeliła włoskimi słowami jak z karabinu maszynowego, pokazując jej, że chce skorzystać z umywalni. Jennifer zakręciła kurki, wytarła dłonie papierowym ręcznikiem i wpuściła ją do środka.

Kiedy wracała do przedziału, czuła, że jej lęk nie minął całkiem. Wciąż była spięta i od myśli pulsowało jej w głowie. Wróciły pytania, które dręczyły ją od wyjazdu z klasztoru. *Kim są ludzie, którzy chcą mnie zabić. Dlaczego chcą to zrobić?* Znów wróciły mdłości, czuła, że nie może oddychać i że potrzebuje świeżego powietrza.

Była na końcu korytarza, a górna część okna wagonu kończyła się kratką wentylacyjną. Jennifer otworzyła ją i poczuła, jak chłodny powiew wiatru owiewa jej twarz. Lokomotywa znów zmieniła prędkość i dźwięk dieslowskiego silnika był inny, gdyż pociąg wjechał w szereg połączonych tuneli. Jennifer domyślała się, że zaczęli podróż pod przełęczą Simplon. Chwilę później usłyszała szum powietrza, kiedy pociąg wypadł z tunelu. Znów było ciszej, a ona stała przy oknie, łapczywie wdychając górskie powietrze. Nagle usłyszała z końca korytarza dźwięk otwieranych między wagonami drzwi.

Z sąsiedniego wagonu wszedł mężczyzna. Blondyn, z wąską blizną nad okiem, ubrany w jasny płaszcz przeciwdeszczowy. Drugi mężczyzna w takim samym płaszczu szedł tuż za nim – był łysy i mocno zbudowany, miał złowieszczy wzrok i Jennifer natychmiast poczuła się niepewnie. Obaj mieli chłodne, kamienne twarze, byli zupełnie inni niż pozostali pasażerowie w pociągu. Wokół tych dwóch panowała aura grozy, jak gdyby przemoc była ich chlebem powszednim.

Jennifer poczuła nagły lęk. Instynkt podpowiadała jej, że to ci dwaj z klasztoru. *Ale jak to możliwe? Jak nas znowu znaleźli?*

Czuła się mała, nic nieznacząca i bezbronna. Zdrętwiała ze strachu. I w jednej chwili zdała sobie sprawę, że ją zamordują.

Mężczyźni ruszyli w jej kierunku. Jennifer wrzasnęła co sił i rzuciła się do ucieczki.

41

Jennifer biegła jak szalona, żeby jak najszybciej znaleźć się na końcu korytarza, w biegu odwróciła się przez ramię. Mężczyźni byli coraz bliżej. Czuła, że kręci jej się w głowie, że kolana trzęsą się jak galareta. Oczy mężczyzn, bijące nienawiścią, tylko potwierdzały to, co już wiedziała. Chcą ją zabić. Chwyciła klamkę drwi prowadzących do następnego korytarza, szarpnęła je i przemknęła dalej. Była owładnięta paniką, kiedy wpadła w tłum uczniów, którzy dosiedli do pociągu w Varzo. Stali w korytarzu, wygłupiali się i śpiewali. Jennifer nawet przez myśl nie przeszło, że musi coś wyjaśniać, mówić, co się stało. Bała się, że jeżeli złapią ją wśród dzieciaków, ich życie będzie wystawione na ryzyko. Była pewna, że mężczyźni nikogo nie oszczędzą, a chcąc za wszelką cenę ją dopaść, nie ulitują się nad niewinnym nastolatkiem, który wejdzie im pod nogi.

– *Scusi! Scusi!* Proszę, przepuśćcie mnie! Zejdźcie z drogi!

Przepychała się między nimi, a rozbawieni uczniowie patrzyli na nią, jak gdyby przyleciała z księżyca, ale ona parła dalej ze wzrokiem utkwionym w drzwiach ich przedziału, do którego miała jeszcze tylko dwadzieścia metrów. Wiedziała, że jedyną nadzieją na przeżycie jest teraz McCaul. *On ma broń. On może nas ocalić.* Brakowało jej powietrza ze strachu, ale obejrzała się jeszcze raz. Mężczyźni byli za nią jakieś dziesięć metrów, przepychali się przez tłum uczniów. Jennifer dotarła do drzwi przedziału, otworzyła je jednym ruchem.

– Frank, błagam, pomóż mi!

Ale McCaula nie było.

W przebłysku chwili, owładnięta zwierzęcym strachem, Jennifer wiedziała, że praktycznie już jest martwa. Przerażona, patrzyła na pusty przedział. Gdzie jest McCaul? Zabili go? Przez ułamek sekundy stała jak zamurowana. Lęk nie pozwalał jej się ruszyć, instynkt krzyczał, że już jest skazana. Chciało jej się płakać. Wiedziała, że chowanie się za zamkniętymi drzwiami to strata czasu – ci ludzie po prostu je wyłamią.

To było absurdalne, ale w samym środku napadu paniki poczuła nagle elektryzującą falę gniewu. „Nie" – powiedziała sobie z całą zaciekłością, na jaką ją było stać. „Nie umrzesz. Będziesz walczyć. Będą musieli się namęczyć, zanim cię zabiją".

Wypadła na korytarz. Znajdowali się tylko trzy metry od niej, prawie przedostali się już przez tłum uczniów. W ich oczach było widać chłód i determinację, Jennifer była przerażona. Kiedy przebili się przez tłum i ruszyli w jej kierunku, rzuciła się przed siebie.

Biegła jak szalona. Jedyna myśl, która trzymała ją przy życiu, to ta, żeby znaleźć się jak najdalej od nich, a kiedy dotarła do następnego wagonu, jednym ruchem otworzyła drzwi. W panice ledwo zauważyła, co się dzieje w przedziałach, ale teraz zdała sobie sprawę, że jest w pustej części pociągu, nigdzie nie było widać ani jednego pasażera.

Nikt mi nie pomoże. Jestem sama.

Myśli pędziły jak szalone, szukała jakiejś drogi wyjścia. Zobaczyła dwoje drzwi wyjściowych z wagonu, jedne po lewej, a drugie po prawej stronie. W jednych było otwarte okno. Hałas, turkot i stukot kół wagonu o szyny wdzierał się przez nie, ryczał jej w uszach, a zimny jak lód strumień powietrza uderzył ją w twarz. Pomyślała, że wyskoczy z wagonu. Pociąg jednak pędził ponad sto kilometrów na godzinę, wiedziała, że musi wybierać mniejsze zło. Była między młotem a kowadłem, między górską ścianą przesuwającą się tuż obok pociągu z jednej strony a urwiskiem po drugiej.

Nie mogę tak stać, muszę iść dalej.

Już zaczynała otwierać drzwi między wagonami, kiedy usłyszała za sobą odgłos kroków i pojawił się ten ogolony, trzymając w dłoni pistolet maszynowy. Rzucił się naprzód, a Jennifer potknęła się, robiąc krok do tyłu, i oparła o drzwi pociągu.

Próbowała go z siebie zepchnąć, ale uderzył ją prosto w twarz otwartą dłonią, a teraz druga ręka zaciskała się na jej gardle. Walczyła, ale na próżno. Mężczyzna wpychał jej głowę w otwarte okno, palce ściskały ją tak mocno, że ledwo co mogła oddychać. *Za chwilę umrę*, pomyślała.

Poczuła, że krew odpływa jej z głowy i mgła przysłania oczy...

42

Ostry jak brzytwa powiew uderzył Jennifer prosto w twarz. Jej głowa i ramiona zwisały już za oknem i tylko lodowate powietrze nie pozwalało jej stracić przytomności, a czuła zaciskającą się na szyi rękę napastnika. Walczyła z całych sił, żeby nie zamykać oczu, walczyła, żeby oddychać, ale walka była na nic, a mózg odmawiał jej posłuszeństwa. Czuła, jak wszystkie obwody w jej głowie powoli gasną, przygotowując się na mrok i czeluść śmierci.

Jeżeli mam umrzeć, proszę cię, Boże, żeby to się stało szybko.

Jej przerażenie sprawiało mężczyźnie wyraźną radość, na twarzy miał okrutny uśmieszek i to właśnie popchnęło ją do poszukania ostatnich rezerw energii.

Nie, nie umrzesz w ten sposób. Będziesz walczyć.

Słuchała, co podpowiada jej instynkt. *Musisz użyć każdej broni, którą masz pod ręką.* Macała na ślepo w torebce wolną ręką. Znalazła coś długiego i twardego, rozpoznała pod palcami kształt długopisu. Chwyciła go w zaciśniętą pięść, zebrała wszystkie siły, które jeszcze jej zostały, i zatopiła ostry koniec w policzku mężczyzny.

Krzyknął i potknął się, cofając, upuścił broń i zacisnął rękę na krwawiącym policzku, długopis utkwił mu w lewym oczodole.

Jennifer z trudem łapała oddech, kiedy odepchnęła się od otwartego okna. Mężczyzna leżał, wijąc się w agonii bólu na podłodze i blokując jej przejście. Była w potrzasku, nie miała jak i dokąd uciec i patrzyła z przerażeniem, jak jej napastnik wyciąga długopis z rany.

W panice otworzyła na oścież drzwi do wagonu, a pęd powietrza niemal zwalił ją z nóg. Wiedziała, że ma teraz jedyną szansę wyskoczyć z pociągu, ale kiedy próbowała zebrać się na odwagę, mężczyzna wyciągnął na ślepo dłoń i chwycił ją za nogę.

Jennifer zobaczyła pistolet maszynowy na podłodze. Sięgnęła

po broń, wyrwała nogę z jego uścisku. Wtedy mężczyzna zebrał się w sobie i ruszył na nią jak rozwścieczony niedźwiedź.

Jennifer uniosła pistolet maszynowy i nacisnęła spust. Broń zaterkotała, napastnik oberwał prosto w ramię. Jęknął, a plama czerwieni rozlała się po jego płaszczu.

Zachwiał się do tyłu i niemal wypadł przez otwarte drzwi, ale w ostatniej chwili udało mu się złapać dłońmi framugę i trzymał ją mocno. Jego płaszcz łopotał, targany w pędzie powietrza. W jego oczach rozjarzyły się płomyki strachu, kiedy świst powietrza szum, dudnienie i huk przytłumiły równomierny stukot kół o szyny, a pociąg wtoczył się do tunelu.

Jennifer widziała przerażenie na twarzy mężczyzny, kiedy jego palce ześlizgnęły się z framugi. Spadał z potwornym krzykiem na ustach. W ułamku sekundy jego ciało uderzyło o ścianę tunelu i znikło w ciemności.

Jennifer odwróciła się przerażona, kiedy z hukiem otworzyły się za nią drzwi do następnego wagonu i do korytarza wpadł McCaul, trzymając w dłoni Berettę. Jennifer była wciąż oszołomiona, ściskała pistolet maszynowy, McCaul odebrał jej broń i zaprowadził z powrotem do przedziału.

– Już w porządku, jesteś bezpieczna – zapewniał ją, próbując złapać oddech. – Co tu się stało?

Otworzyła usta, ale nie potrafiła wydusić z siebie słowa. *Właśnie zabiłam człowieka.* Chciało jej się wymiotować. W korytarzu leżało jakieś ciało i Jennifer zobaczyła, że to jest blondyn, wspólnik jej prześladowcy.

– Czy on... Czy on nie żyje?

McCaul podniósł Berettę.

– Żyje. Ale musiałem mu parę razy solidnie tym przywalić, zanim udało mi się go znokautować – przyklęknął i wyciągnął spod płaszcza mężczyzny pistolet maszynowy, wyjął z niego magazynek i opróżnił z amunicji, potem zrobił to samo z drugim pistoletem, a następnie wyrzucił oba za okno.

– Ci faceci to zawodowcy. Taka broń może człowieka przeciąć na pół jedną serią.

Jennifer zauważyła, że McCaul ma mocno podrapaną twarz, kurtkę rozdartą przy rękawie, a pod prawym okiem wielkiego siniaka.

– Gdzie... Gdzie ty byłeś?

– Poszedłem sprawdzić, czy dostaniemy kawę – McCaul wstał. – Wróciłem i zobaczyłem na korytarzu poruszenie. Wtedy właśnie wdałem się w bójkę z tym tu kolesiem. Nic ci nie jest? Potrzebujesz pomocy lekarskiej? Co się tam stało?

– Ja... Ja zabiłam człowieka...

I nagle była w ramionach McCaula; próbowała opanować łzy i opowiadała mu urywanymi słowami, co się stało.

– Uspokój się, Jennifer. Walczyłaś o życie i musiałaś się bronić.

– Jestem pewna, że to ci dwaj z klasztoru. W jaki sposób nas tak szybko znaleźli?

McCaul nie widział, co odpowiedzieć, i tylko potrząsnął głową.

– Nie wiem, kim są, ale łatwo się nie poddają – pogrzebał w kieszeniach mężczyzny, znalazł telefon komórkowy i portfel. Przejrzał zawartość.

– Co robisz?

– Próbuję się dowiedzieć, kto próbował nas zlikwidować.

– Kim on jest?

McCaul wsadził portfel i komórkę do kieszeni.

– Pogadamy o tym później. Nasi przyjaciele mogą mieć towarzystwo gdzieś w pociągu. Czas wysiadać.

W następnym wagonie McCaul znalazł hamulec bezpieczeństwa. Jennifer zobaczyła, że pociąg wyjechał już z tunelu Simplon i pędził w kierunku Brig.

– Zaprzyj się o coś i módlmy się, żeby nikomu z pasażerów nic się nie stało.

McCaul pociągnął za rączkę. Przez kilka sekund nic się nie działo, a potem Jennifer usłyszała straszliwy zgrzyt metalu o metal, hamulce dotknęły torów. Cały pociąg gwałtownie się zatrząsł, oboje stracili równowagę, wszystkie wagony stanęły. McCaul otworzył drzwi i wyskoczyli z wagonu. Ujrzeli nasyp i ulicę oświetloną kilkoma samotnymi latarniami.

– Wysiadaj, Jennifer.

Jennifer rozglądała się w ciemnościach, ale nie widziała żadnych oznak życia.

– Dokąd idziemy?

– Spróbujemy się dostać do Brig, potem zastanowimy się, co dalej. Ruszaj, Jennifer. Wysiadamy z tego cholernego pociągu.

Jennifer była wciąż w szoku. Oszołomieni pasażerowie, którzy nie wiedzieli, co się dzieje, wychodzili z przedziałów na korytarze, wyglądali przez okna wagonów. McCaul wyciągnął do niej rękę.

– Jennifer, nie bój się, skacz!

Chwyciła go za rękę i zeskoczyła ze stopnia. Potykając się, poprowadził ją niepewnie w dół nasypu.

Część IV

43

Farma leżała na uboczu, trzy kilometry od najbliższej wioski. Mężczyzna mieszkał tu sam z dwoma groźnymi, czarnymi dobermanami, które tego wieczoru bez przerwy wchodziły mu pod nogi. Skończył dojenie krów w stodole i niósł dwa metalowe skopki do domu. Psy zaczęły szczekać i skakać, tańcząc wokół niego ze szczęścia.

– *Sitz*, Hans! *Sitz*, Ferdie!

Dobermany natychmiast usłuchały polecenia, pomrukując, kiedy grzecznie usiadły na podłodze. Mężczyzna postawił skopki z mlekiem w kuchni i otarł ręce o kurtkę. Był zwalisty, na nogach miał zielone gumiaki, na ramionach poplamioną kurtkę roboczą, a na głowie szopę kruczoczarnych włosów, tu i ówdzie poprzetykanych siwizn. Jego poczerwieniała od wiatru i zimna twarz nosiła ślady odmrożeń. Chirurg plastyczny zrobił, co mógł, ale mimo wysiłków i starań mężczyźnie brakowało czubka nosa, a co gorsza, stracił trzy palce lewej ręki.

Nerwowo zwilżył językiem usta, gdy poszedł spojrzeć przez firankę, potem odwrócił się do stołu, na którym leżał stos gazet i lornetka Zeiss w gumowej obudowie. Wziął potężną lornetkę i skierował ją ku głównej drodze, biegnącej pół kilometra od ostrych zachodnich zboczy Wasenhornu. Nie było śladu samochodu ani ludzi, ale na pewno gdzieś tam byli, czaili się, obserwowali go, tego był pewien. Żył w strachu od dnia, kiedy dowiedział się o odkryciu ciała na lodowcu. Żył w strachu przez ostatnie trzy dni, odkąd zaczął widywać samochód, a w nim dwóch mężczyzn, którzy obserwowali jego posiadłość. Odłożył lornetkę i żeby się upewnić, że jest bezpieczny, wsadził rękę do kieszeni kurtki i wyciągnął pistolet automatyczny typu Sig Sauer. Sprawdził, czy magazynek jest załadowany piętnastoma dziewięciomilimetrowymi nabojami, i wnętrzem dłoni wsunął go na miejsce. Broń była jego ubezpieczeniem, trzymał ją na wszelki wypadek.

– Hans! Ferdie! *Komm, meine liebchen!*

Psy podbiegły do niego, a on poklepał je po głowach. Dobermany były gotowe na jego polecenie zabić człowieka w jednej chwili. Ich potężne szczęki mogły w ciągu kilku sekund rozszarpać na strzępy ludzkie gardło.

– Ferdie! Hans! *Draussen! Warten sie Draussen!*

Psy podbiegły do drzwi i usiadły na ganku. Mężczyzna skierował uwagę na to, co znajdowało się w narożniku kuchni. Ekran telewizji przemysłowej był połączony z dwoma kamerami, które monitorowały przednią i tylną część farmy. Kamery zainstalował dla własnej ochrony. Dziś wieczorem nie zauważył nic niezwykłego – niezmiennie ten sam obraz podwórza przed domem, obraz szutrowego podjazdu i drogi prowadzącej do farmy. Nacisnął przycisk na monitorze i kamera pokazywała teraz stodołę i garaż. Tam też nie działo się nic nadzwyczajnego.

Zadowolony z wyniku inspekcji wsunął pistolet z powrotem do kieszeni. Wciąż odczuwał niejasny lęk przed tym, że jego tajemnica została naruszona przez odkrycie zwłok na lodowcu. Ale był gotowy stawić czoła wszystkim nieproszonym gościom. Kiedy się tu zjawią, zabije ich, jeżeli będzie musiał.

44

Nowy Jork

Lou Garuda jechał swoim porsche na Dolny Manhattan. Firma Prime International Securities kiedyś miała tu swoje biura, w jednym z najbardziej imponujących budynków przy Piątej Alei. Podobnie jak cała okolica, i ten budynek pysznił się nowoczesnością i przepychem swej architektury, cały z błyszczącego, lustrzanego szkła i nagniatanego metalu, emanował zamożnością i władzą. *Ci to na pewno mieli niezłą kasę,* pomyślał Garuda, przejeżdżając obok. Zbyt mało informacji wygrzebał na temat Prime i doszedł do wniosku, że dowie się czegoś więcej podczas prywatnej rozmowy z jednym z byłych wiceprezesów firmy. Odkrył, że Frederick Kammer pracuje teraz w innej korporacji inwestycyjnej na Manhattanie – Cavendish-Delloy Securities, a Garuda odnalazł ją trochę dalej na Piątej Alei. Wszedł przez obrotowe drzwi i znalazł się w eleganckiej recepcji, wyłożonej włoskim marmurem i ozdobionej freskami. Za biurkiem siedziała kobieta w średnim wieku. Garuda podszedł do niej.

– Ja do Cavendish-Delloy.

– Z kim chciałby pan rozmawiać?

Garuda uśmiechnął się szeroko.

– Z najgrubszą rybą, z panem Kammerem.

– Wszystkie rozmowy pana Kammera łączy jego sekretarka, ale zaraz do niej zadzwonię. Kogo mam zaanonsować?

– Lou Garuda – pokazał jej swoją odznakę. – Z policji w Long Beach. Wie pani co, to sprawa osobista, więc chciałbym porozmawiać osobiście z panem Kammerem, nie z jego sekretarką.

Kobieta zmarszczyła brwi i wystukała numer wewnętrzny. Po chwili rozmowy powiedziała:

– Tak, dam go do telefonu – i podała Garudzie słuchawkę. –
Pan Kammer jest przy telefonie.

Garuda przyłożył słuchawkę do ucha.

– Halo?

Usłyszał zniecierpliwiony głos mężczyzny.

– Frederick Kammer. Słucham?

– Dzień dobry, panie Kammer.

– Kto mówi?

– Nazywam się Lou Garuda. Mam pewne informacje, które
mogą pana zainteresować. Chodzi o Paula Marcha.

– O kogo?

– O Paula Marcha. Był pańskim współpracownikiem w Prime
Securities.

Mężczyzna odezwał się po chwili:

– A kim pan właściwie, panie Garuda?

– Jestem gliną, drogi panie – odparował Garuda. – I byłbym
bardzo wdzięczny, gdyby zechciał pan ze mną porozmawiać osobiście, i to niezwłocznie.

Cisza. Po chwili głos powiedział:

– Skąd pan dzwoni, panie Garuda?

– Jestem na dole, w recepcji.

– Możemy się spotkać za pięć minut. Mam biuro na szesna-
stym piętrze.

Garuda pojechał windą na szesnaste piętro i wysiadł w korytarzu wyłożonym miękkim dywanem. Zobaczył elegancką pocze-
kalnię i kilkoro drzwi. Jedne się otworzyły i wyszła z nich kobieta.
Miała gładko zaczesane do tyłu włosy i sprawiała wrażenie osoby,
która sprawuje władzę.

– Pan Garuda?

– Przyznaję się bez bicia.

– Jestem sekretarką pana Kammera. Proszę za mną.

Poprowadziła go korytarzem, zastukała w jakieś drzwi, otworzyła je i powiedziała:

– Proszę wejść. Pan Kammer czeka.

Drzwi zamknęły się za nim i Garuda wszedł do gabinetu. Za

biurkiem z metalu i szkła siedział mężczyzna w średnim wieku, przed nim stał otwarty laptop. Był w nienagannie białej, wykrochmalonej koszuli, jedwabnym krawacie i w maklerskich szelkach, a kiedy zobaczył Garudę, podejrzliwie zmrużył głęboko osadzone oczy. Nie wstał ani się nie przywitał.

– Niech pan siada.

Garuda usiadł i pomyślał: *Co za kretyn*. Omiótł wzrokiem kilka współczesnych plakatów z abstrakcyjnymi reprodukcjami, wiszących na ścianach. Wyglądały ładnie, ale nic mu nie mówiły.

– Ma pan ładne biuro, panie Kammer. Bardzo nowoczesne.

– Dziękuję panu, panie Garuda. Ale przejdźmy do rzeczy. Mówił pan, że jest pan z policji?

Garuda podał mu legitymację, a Kammer dokładnie się jej przyjrzał.

– Trochę pan zboczył z kursu, jadąc z Long Beach. Czy to oficjalna rozmowa?

– Niezupełnie. Można powiedzieć, że jestem tu prywatnie.

– Więc co takiego ważnego ma mi pan do powiedzenia?

– Paul March był zatrudniony w Prime Securites i był pańskim współpracownikiem. Dwa lata temu zniknął. Tej samej nocy zamordowano jego żonę, a policja miała powody sądzić, że to on jest winny. Prowadziłem wtedy tę sprawę. To było przerażające zabójstwo. Syn Marcha został okaleczony, a podczas tego samego napadu sprawca zaatakował jego córkę.

– Tak, to ogromna tragedia. March był świetnym kolegą i bardzo szanowanym pracownikiem. Niemniej jednak ja pracowałem w firmie dopiero od roku i ledwo go znałem, więc co to wszystko ma wspólnego ze mną?

Garuda wyciągnął notes i długopis.

– Za chwilę do tego dojdziemy. Najpierw niech pan mi coś opowie o firmie Prime.

– To była prywatna firma zajmująca się inwestycjami finansowymi, panie Garuda. Ale na pewno to już pan wie.

– A o jakie dokładnie inwestycje finansowe chodziło?

– Zbyt wiele, żeby o wszystkich mówić, w przeciwnym razie musiałby pan tu spędzić cały dzień.

– Mam sporo czasu.

– Na pewno ma pan dużo czasu, panie Garuda. Niemniej jednak ja już nie pracuję w tej firmie, więc nie będę wchodził w szczegóły, które są tajemnicą firmy i jej klientów. Umowa o pracę z Prime stwierdza to bardzo dokładnie. A teraz rozumiem, że ma pan dla mnie jakieś informacje?

– Dlaczego Prime zakończyła działalność?

– Nie mam pojęcia. Interesy szły dobrze, dlatego będzie pan musiał zapytać jej właścicieli. Na pewno mieli jakieś powody.

– A kim są jej właściciele?

– Firma-matka na Kajmanach.

– Nie bardzo rozumiem.

– Firma stanowiła własność innej firmy, która znów mogła należeć do kolejnej. Taki rodzaj struktury korporacyjnej jest korzystny z powodów podatkowych i służy anonimowości jej właścicieli, a często ważne jest zarówno jedno, jak i drugie.

– Mówi pan, że dzięki temu można się w ogóle nie zorientować, kto rzeczywiście jest właścicielem Prime?

– Właśnie.

Garuda przez chwilę się namyślał, trawiąc tę informację.

– Czy według pana, Paul March brał udział w projektach, które mogłyby być dla niego osobiście niebezpieczne?

Kammer był wyraźnie na krawędzi wybuchu.

– Panie Garuda, już panu mówiłem, że prawie w ogóle go nie znałem. Niech pan łaskawie powie, jakie ważne informacje ma pan dla mnie.

– Dobrze, powiem panu, co wiem. Pięć dni temu odnaleziono Paula Marcha, a właściwie jego ciało, zamrożone w lodowcu w górach na granicy szwajcarsko-włoskiej.

Kammer wyglądał na zdziwionego.

– Ja... nie miałem pojęcia.

– Okazuje się po dwóch latach, że March nie żyje, to trochę dziwne, nie sądzi pan? Kiedy zniknął, było dużo pytań, na które nikt nie mógł znaleźć odpowiedzi. Żadnych powodów zniknięcia. Dlatego też wracam do tej sprawy. Może mógłby pan pomóc, odpowiadając na pytania, które panu przedtem zadałem?

– Bardzo mi przykro, ale wszystko, co wiem, już panu powiedziałem.

Garuda zamknął z trzaskiem notes i westchnął. *Ten gość wodzi mnie za nos.*

– Jest pan kopalnią wiedzy, panie Kammer. Może mi pan od razu powie wszystko, żebym się łaskawie od pana odwalił.

Kammer wstał i wyszedł zza biurka, dając do zrozumienia, że rozmowa jest skończona.

– Już panu mówiłem, że właściwie nic nie wiem o Marchu. Teraz bardzo proszę, niech pan już idzie. Mam spotkanie o pierwszej.

Garuda spróbował jeszcze raz.

– Gdyby pan tylko zechciał...

Kammer otworzył drzwi i wskazywał dłonią korytarz.

– Nie wiem, o co pan chce spytać, ale moja odpowiedź brzmi: „nie". Żegnam, panie Garuda.

45

Varzo

– Naliczyłem trzy ciała: dwóm poderżnięto gardło, a trzeci wygląda, jakby się powiesił.

– Czyje to ciała?

– Mnichów.

– Co?

– Katoliccy mnisi – Fellows szedł przed nimi z zapaloną latarką elektryczną, rozmawiając z Kelso i prowadząc ich pospiesznie przez bramę klasztoru. – Przyjechałem tu, a brama była otwarta. Wszedłem do środka. Tutaj nie ma żywej duszy.

– Jesteś pewien, że nie było Jennifer i McCaula?

– Nie, wszystko dokładnie przeszukałem. Dwie cele wyglądają tak, jakby ktoś w nich spał, ale teraz są puste. Są schody, które prowadzą do krypty, ale lepiej tam nie iść, bo to trupiarnia. Na dole ktoś odstrzelił zawiasy.

– Dotykałeś czegoś, zostawiłeś jakieś odciski?

– Nie, byłem ostrożny, tak jak pan kazał.

– Pokaż mi tych nieboszczyków i zwijamy się stąd – powiedział Kelso ponuro. – I pamiętajcie, niczego nie dotykać.

Mark ruszył pospieszenie za Kelso i jego ludźmi przez podwórzec w kierunku mrocznych podcieni. Ich kroki odbijały się od mokrych od deszczu kocich łbów, w klasztorze panowała atmosfera upiornej pustki. Fellows poprowadził ich przez dębowe wrota, potem korytarzem do celi jednego z mnichów. Widok był przerażający. Mark zobaczył ciało młodego człowieka w koszuli nocnej. Wisiał bezwładnie na sznurze zadzierzgniętym wokół szyi, przywiązanym do kraty w oknie. Pod nim leżało przewrócone krzesło, oczy młodego mnicha były wytrzeszczone, wyzierała z nich śmierć, a na łóżku leżał zakrwawiony sztylet.

– Boże.

– Jak mówiłem, wygląda na to, że się powiesił.

– A pozostali?

– Jeszcze gorzej – powiedział Fellows do Marka, kiedy prowadził ich do dwóch cel w dalszej części korytarza. Kiedy Mark zobaczył dwa ciała z poderżniętymi gardłami, zrobiło mu się niedobrze.

– Co tu się wydarzyło?

– Na pierwszy rzut oka – podsunął Fellows – wygląda na to, że młody mnich oszalał, zabił tamtych dwóch, a potem postanowił z sobą skończyć.

– Albo ktoś chciał, żeby to tak wyglądało – Kelso przyjrzał się dokładnie zakrwawionym zwłokom jednej z ofiar, nachylił się nad rozciętym gardłem. – Sztylet, który widzieliśmy w tamtej celi, to nie broń, którą noszą przy sobie zakonnicy, prawda?

– Ale dlaczego? Dlaczego oni zginęli?

– Nie mam zielonego pojęcia.

Mark wyciągnął telefon komórkowy i wystukał numer.

– Co robisz? – spytał Kelso.

– Próbuję zadzwonić do Jennifer.

– Przestań, jej telefon jest wyłączony. Moi ludzie dzwonią do niej co minutę. Albo go wyłączyła, albo ma rozładowaną baterię.

Mark nie słyszał sygnału wywołania, tylko tekst powtarzany we włoskim języku – nagraną wiadomość operatora sieci komórkowej. Poirytowany wyłączył telefon, a Kelso ostatni raz spojrzał na zwłoki zakonnika i ruszył w kierunku korytarza.

– Proponuję zmywać się stąd jak najszybciej, zanim gliny odkryją, że ktoś zlikwidował trzech mnichów. Fellows, ty pojedziesz z Grimesem. Ryan wsiada ze mną. Objedziemy miasto, zobaczymy, czy uda nam się znaleźć jakiś ślad Jennifer.

Pół godziny później znaleźli niebieskiego nissana zaparkowanego na pustym ryneczku w Varzo i Mark natychmiast rozpoznał numer rejestracyjny. Grimes pierwszy go zobaczył, a kiedy podjechali bliżej, już oświetlał karoserię latarką. Kelso podszedł, żeby z nim porozmawiać, a potem przywołał Marka.

– Grimes uważa, że samochód porzucono. W stacyjce są kluczyki.

– Gdzie Jennifer i McCaul mogli zniknąć?

– Grimes ma jakiś pomysł. Powiedz mu.

– Rozejrzeliśmy się po mieście – wyjaśnił Grimes. – Na pewno nie zameldowali się w żadnym hotelu w Varzo, więc postanowiłem sprawdzić na stacji kolejowej, żeby zobaczyć, czy nie wyjechali z miasta. Godzinę temu na stacji zatrzymał się pociąg jadący do Szwajcarii. Sądzę, że do niego wsiedli.

– Skąd ten wniosek?

– Facet w kasie zapamiętał mężczyznę i kobietę, którzy z opisu przypominają McCaula i Jennifer. Kupili bilety do Brig.

– Widział, jak wsiadali do pociągu?

– Mówi, że tak. I jeszcze jedno. W pociągu było jakieś zamieszanie.

– Jakie zamieszanie?

– Ktoś pociągnął za hamulec bezpieczeństwa około półtora kilometra od Brig. Kasjer nic więcej nie wie, poza tym, że podobno widziano, jak oboje wysiadają z pociągu.

Kelso sięgnął do schowka opla po mapę i latarkę.

– Nie wierzę w zbiegi okoliczności. Grimes, ruszaj pierwszy, my pojedziemy za wami. Ryan, wsiadaj ze mną. Jeżeli dojdziemy do przekonania, że mieli zamiar jechać do Brig, zawsze jest szansa, że chcą tam dotrzeć.

Kelso wsiadł do opla, a Mark zajął fotel pasażera.

– To nie ma sensu. Dlaczego mieliby porzucać dżipa i jechać pociągiem?

Kelso rzucił mapę Markowi i popatrzył na niego znacząco.

– Jest coś, o czym Grimes nie wspomniał.

– Co?

– Podejrzewaliśmy, że McCaul mógł być śledzony, kiedy spotkał się z Jennifer, więc Grimes to sprawdził i znalazł pluskwę pod zawieszeniem nissana.

– To znaczy, że ktoś oprócz nas ich śledzi?

– Właśnie. A sądząc z tej jatki, którą oglądaliśmy, prawdopodobnie śledził ich aż do klasztoru. Ale co się naprawdę stało, to tylko Jennifer i McCaul mogą powiedzieć, zakładając, że jeszcze żyją.

– Co się tu, kurwa, w ogóle dzieje, Kelso? Cholera, powiedz mi, co wiesz.

Kelso włączył silnik.

– Jeżeli chodzi o zabójstwa w klasztorze, to mam przeczucie.

– Jakie przeczucie?

Kelso ruszył z piskiem opon.

– Ci mnisi nie zginęli tylko dlatego, że ktoś uparł się, by ich zabić, Ryan. Mamy tutaj pewien powtarzający się schemat. Tak jak w wypadku Caruso, ktoś postarał się, żeby ich śmierć wyglądała na brutalny akt przemocy. Dlaczego musieli umrzeć? Bo coś wiedzieli, mieli jakieś dowody, a ktoś chciał ten fakt ukryć. Jestem tego pewien.

– A kim jest ten ktoś?

– To pytanie za pięćdziesiąt milionów dolarów.

46

Nowy Jork

Lou Garuda był w drodze do domu, kiedy nagle wyrzuty sumienia wzięły górę, zawrócił samochód i pojechał do Cauldwell.
Kiedy podszedł do recepcji, pielęgniarka rozmawiała akurat przez
telefon. Skończyła rozmowę i spojrzała na niego.

– W czym mogę panu pomóc?

– Przyszedłem odwiedzić Bobby'ego Marcha. To wasz pacjent.
Nazywam się Lou Garuda.

Pielęgniarka przypatrywała mu się podejrzliwie.

– Był pan u Bobby'ego kilka dni temu, prawda, panie Garuda?

Garuda miał głupią minę.

– Tak, to prawda.

Pielęgniarka zmarszczyła brwi i wyszła zza biurka.

– Pan tu poczeka.

– Dlaczego, jest jakiś problem?

– Pan poczeka, za chwilę wracam.

Leroy prowadził Garudę korytarzem.

– Bobby wycofał się w siebie, nie chce z nikim rozmawiać,
jest jak w transie.

– Co się stało?

– Miał łagodny napad padaczkowy zaraz po pana wyjściu. Takie
napady czasami mu się zdarzają, to nic groźnego, na to pomagają
leki. Ale od tego czasu jest bardzo przybity. Nigdy go nie widziałem
w takim stanie. Nie chce jeść, nie chce słuchać muzyki. Zupełnie
nie jak Bobby. Chce tylko, żeby przyszła do niego Jenny, ale wygląda
na to, że jej telefon komórkowy jest na stałe wyłączony i nie możemy się do niej dodzwonić. Coś ty mu nagadał, człowieku?

Leroy zatrzymał się przed salą i uchylił drzwi. Garuda zobaczył Bobby'ego na wózku, głowa mu opadła na bok, patrzył tępo w okno.

– Słuchaj, Leroy, muszę się do czegoś przyznać. Zachowałem się jak debil.

– To znaczy?

– Powiedziałem chłopakowi, że odnaleziono ciało jego ojca.

– Co takiego?

– Nie słyszałeś?

– Nic nie słyszałem, człowieku.

Garuda wszystko mu opowiedział.

– Chyba za szeroko otworzyłem tę moją wielką jadaczkę i powiedziałem Bobby'emu coś, czego nie powinienem był powiedzieć. Jennifer na pewno nie chciałaby go tak zdenerwować.

– Cholera, a to dopiero. To znaczy, mówię o tym, że znaleźli ciało jego starego.

– Sam widzisz.

– Wydaje mi się, że ktoś powinien powiedzieć Jennifer o tym, jak się Bobby czuje. Nie możesz się dodzwonić nawet do tego jej kumpla, Marka?

– Wyjechał z kraju i nie mam do niego numeru telefonu. Ale czekam, żeby on zadzwonił. Mogę pójść do Bobby'ego?

– Dobra, ale tym razem ja też chcę przy tym być. Jak zacznie się denerwować, to lepiej zwijaj żagle i steruj do drzwi, OK?

– Ty tu jesteś szefem.

– Jak leci, Bobby?

Bobby nawet nie spojrzał. Siedział, jakby był nieobecny, wargi miał mocno zaciśnięte, po podbródku ściekała mu ślina. Leroy pochylił się nad nim i wytarł mu twarz chusteczką.

– Ten kolega Marka przyszedł do ciebie, Bobby. Wszystko w porządku? Czegoś ci trzeba? Jak nie będziesz chciał z nim gadać, po prostu mi powiedz, a on sobie pójdzie.

Bobby nie odpowiadał. Leroy zwrócił się do Garudy.

– Widzisz, jest, jak mówię.

Garuda usiadł na łóżku obok wózka Bobby'ego.

– Pomyślałem sobie, że jeszcze raz wpadnę, żeby zobaczyć, czy wszystko w porządku. Dobrze się czujesz, Bobby?

Chłopak nie odpowiadał, ale Garuda zobaczył notes i długopis na stole przy wózku. Pochylił się i delikatnie podniósł notes.

– To twoje, Bobby?

Żadnej odpowiedzi.

– Lubisz rysować?

Żadnej reakcji, nawet jednego mrugnięcia. Garuda oglądał notes, otworzył na stronie, na której była masa niezrozumiałych bazgrołów. Przynajmniej tak to na początku wyglądało. Potem zaczął dostrzegać jakieś kształty w abstrakcyjnych pociągnięciach długopisem, jakieś formy podobne do zębów piły, może góry, ale nie był pewien.

– Słuchaj, Leroy mówi, że cię wtedy zdenerwowałem. Jeżeli tak, to przepraszam, OK? Nie wiedziałem, że Jennifer nic ci nie mówiła, no, wiesz, o czym...

Tym razem Garuda zobaczył spojrzenie nabrzmiałe nieszczęściem, zobaczył łzy kręcące się w oku Bobby'ego.

– Bobby, słyszałeś, co powiedziałem. Chcesz coś napisać w notesie? I chcesz mi powiedzieć, co jest nie tak?

Ręce Bobby'ego ożyły, powoli i boleśnie gestykulował, a Garuda zapytał Leroya:

– Co to jest? Jakiś język migowy?

– Tak. Bobby chce wiedzieć, co jeszcze wiesz o jego ojcu.

– Nic – odparł Garuda. – Powiedziałem ci wszystko, co wiem, Bobby. Więcej nie wiem, daję słowo.

Bobby odwrócił głowę i wciąż patrzył przez okno.

– Posłuchaj, Bobby – ciągnął dalej Garuda. – Czy jest coś, co mi chcesz powiedzieć? Cokolwiek?

Bobby nawet nie podniósł oczu, ale gest, który zrobił w kierunku Garudy, podnosząc w górę środkowy palec prawej dłoni, był jednoznaczny.

Leroy prawie się uśmiechnął.

– To trudno źle zinterpretować. Bobby chce po prostu, żebyśmy go zostawili w spokoju.

Odeszli na bok, a Garuda szepnął:

– Co teraz będzie?

– Po południu przyjdzie do niego pani doktor Reed. Jest jednym z naszych najlepszych specjalistów. Powiem jej wszystko, co ty mu opowiedziałeś.

– Dziękuję. Może jej pójdzie lepiej niż mnie – Garuda popatrzył na narysowane w notesie Bobby'ego kształty, jakby piły zębatej, potem wydarł pustą kartkę papieru, napisał numer telefonu i podał go Leroyowi. – Możesz mi przekazać, co powie lekarka?

– Będziesz rozmawiał z Markiem?

– Tak, wszystko mu opowiem, gdy tylko zadzwoni.

47

Brig, Szwajcaria

Taksówka wioząca Jennifer i McCaula skręciła i zatrzymała się na głównej ulicy Brig. Jennifer zauważyła w miasteczku gównie kasyna, banki i sklepy ze sprzętem narciarskim. Wzdłuż brukowanych uliczek stały malownicze alpejskie hoteliki. Przy Bahnhofstrasse znaleźli hotel Ambassador. Ściany recepcji były wyłożone dębowymi panelami, wszędzie stały antyki, a kiedy McCaul uderzył dłonią w mosiężny dzwonek, pojawił się niezbyt męsko wyglądający facet o wymanikiurowanych paznokciach, w czarnym garniturze i jedwabnym krawacie.

– *Guten Abend, meine Dame und mein Herr.*

– Chcielibyśmy dwa pokoje na dzisiaj. Jeżeli pan ma, to dwie jedynki tuż obok siebie.

– Czy ma pan rezerwację? – recepcjonista mówiący bezbłędną angielszczyzną przyglądał im się z lekka podejrzliwie. Jennifer to nie dziwiło, była prawie północ, a oni oboje byli potargani i brudni, a za cały bagaż mieli tylko torbę na ramię. Dotarli pieszo od torów kolejowych na przedmieścia Brig, tam złapali taksówkę i podjechali do centrum miasta.

McCaul wyjął kartę kredytową, żeby uspokoić obawy recepcjonisty, i powiedział w formie wyjaśnienia:

– Samochód nam się zepsuł za miastem i złapała nas ulewa. Nie mamy rezerwacji. Czy to stanowi jakiś problem?

Recepcjonista ściągnął wargi, sugerując, że tego nie wyklucza.

– Mamy w mieście kongres bankierów i hotel jest przepełniony, ale może jakoś uda mi się panu pomóc, *mein Herr.*

Postukał w klawiaturę komputera, a potem spojrzał na nich.

– Nie mamy dwóch jedynek tuż obok siebie, niestety. Ale są

dwa pojedyncze pokoje na trzecim piętrze, oddalone o trzy numery. Pokój kosztuje dwieście franków. Czy to państwu odpowiada?

– Nie mamy innego wyjścia.

Kiedy skończyli wypisywanie kart meldunkowych, recepcjonista poprosił ich o paszporty. Sprawdził szczegóły, potem postukał w klawiaturę komputera i wczytał kartę kredytową McCaula, zanim ją zwrócił z uśmiechem, równie plastikowym jak dwie karty chipowe do otwierania drzwi.

– Macie państwo pokoje trzysta sześć i trzysta dziewięć, winda jest po drugiej stronie holu. Jeżeli mogę państwu w czymś pomóc, proszę dzwonić do recepcji. Życzę miłego pobytu w Brig.

Pokój 306 był bliżej windy i McCaul otworzył drzwi kartą chipową. Z okien rozciągał się widok na oszałamiający Stockalper Castle Palace. McCaul rozglądał się przez chwilę po ulicy, a potem zaciągnął zasłony.

– Dobrze się czujesz?

– Nie. Jestem zmęczona i oszołomiona. I nie mogę przestać myśleć o człowieku, którego zabiłam.

Jennifer cały czas było niedobrze, nudności nie chciały ustąpić.

– Jest na to rada – McCaul otworzył minibar i wybrał dwie miniaturowe szkockie. Nalał do dwóch szklaneczek, dodał wody sodowej i jedną podał Jennifer.

– Proszę bardzo, to ci powinno pomóc.

Kiedy Jennifer popijała szkocką, McCaul wyjmował przedmioty, które znalazł w kieszeni zabójcy i rzucił je na łóżko. Opróżnił portfel.

– Zobaczmy, co my tu mamy.

Jennifer ujrzała kilka banknotów szwajcarskich i garść euro, dwa pogniecione kwity i dwie karty kredytowe – American Express i MasterCard. McCaul powiedział:

– Mamy tu karty na dwa nazwiska. Tom Bauer i David Wayne. Myślę jednak, że to nie są ich prawdziwe nazwiska.

– Co jeszcze?

McCaul przyjrzał się kwitom.

– Jeden to rachunek za śniadanie w restauracji na lotnisku

w Zurychu, datowany dwa dni temu, tuż po dziewiątej rano. Drugi to rachunek za dwa pokoje i kolację wystawiony wczoraj wieczorem w zajeździe Rasthof w Simplon, na końcu ulicy, tam gdzie był Berghof. Widziałem ten zajazd, kiedy wjeżdżaliśmy do miasteczka. To oczywiste, że faceci nie spuszczali cię z oka, odkąd przyleciałaś do Zurychu. Już na ciebie czekali na lotnisku. Nie wiem, kim są, ale założyłbym się, że to zawodowcy, którzy zabili Caruso i jego żonę. Ale teraz jest o jednego mniej i chociaż tym jednym nie musimy sobie zaprzątać głowy.

McCaul podniósł dwa telefony komórkowe i rzucił jeden w jej kierunku.

– Jeden to zwykły telefon, ale drugi to coś zupełnie innego. Popatrz.

Jennifer przyjrzała się urządzeniu. Przypominało telefon komórkowy, miało przyciski, miniaturowy ekran i maleńką, grubą antenę zatopioną w gumie, która wystawała z górnej części urządzenia.

– Co to jest?

– Monitor do namierzania urządzeń radiowych pracujących na konkretnych częstotliwościach. Dzięki temu mieli nas na widelcu. Szli tylko za sygnałem, który za każdym razem ich do nas doprowadzał. Używałem podobnych urządzeń, prowadząc kilka spraw w Stanach.

Jennifer oddała monitor McCaulowi. Włączył go i miniaturowy ekran rozświetlił się na zielono. McCaul wcisnął kilka guzików na urządzeniu.

– Widzę, że sygnał celu jest poza zasięgiem, co oznacza prawdopodobnie, że pluskwa jest przyklejona pod samochodem, nie nosi jej żadne z nas. Już nas nie mogą namierzyć, więc możemy się odprężyć, przynajmniej dzisiaj w nocy.

– Mogli to zrobić? Umieścić pluskwę gdzieś na ciele?

– Oczywiście, to niewielki problem. Można przyszyć takie maleństwo do podszewki ubrania, ukryć miniaturowy nadajnik w torebce, i nie będziesz wiedziała, że go nosisz. Może wyglądać jak pióro albo jak ołówek do makijażu, albo nawet jak karta kredytowa. Lepiej na wszelki wypadek sprawdź torebkę i ubrania. Ja już swoje sprawdziłem.

Jennifer przejrzała ubrania, dotykała palcami materiału swetra, dżinsów i kurtki, a potem McCaul pomógł jej przeszukać torbę na ramię i rzeczy osobiste.

– W porządku, jesteś czysta.

– Skąd wiedzieli, że weszliśmy do pociągu?

– Tylko zgaduję, ale to łatwo wydedukować. Prawdopodobnie znaleźli dżipa, zdali sobie sprawę, że uciekliśmy z miasta, a stacja kolejowa była miejscem, które należy przede wszystkim sprawdzić – McCaul włączył telefon i wcisnął kilka klawiszy. – Niestety, mamy pecha. Klawiatura jest zablokowana. Musimy znać hasło.

– Nie można tego odkodować?

– Nie. A szkoda, bo moglibyśmy się dowiedzieć, do kogo ci dwaj dzwonili, kto pociąga za sznurki.

– Czy można złamać kod?

– Oczywiście, jeżeli ma się odpowiednią wiedzę i sprzęt. Znam byłego więźnia, który mieszka w Bronksie i zrobi to za pięćdziesiąt dolarów, ale jesteśmy daleko od Nowego Jorku. – McCaul dopił swoją szkocką, włożył banknoty i kwity do portfela i wsadził go do kieszeni razem z telefonem komórkowym i monitorem. – Powinienem ci dać odpocząć. Tu nic ci nie grozi, ale nie wychodź z pokoju, chyba że będziesz mnie potrzebować. Pamiętaj, mój pokój jest tylko o dwoje drzwi stąd. Zadzwonię do ciebie o siódmej, dobrze? Po śniadaniu kupimy sobie jakieś świeże ciuchy i wynajmiemy samochód.

McCaul już miał wyjść, ale Jennifer nie chciała, żeby ją zostawiał. Zadrżała, kiedy przypomniała sobie lęk, który czuła w pociągu, gdy wbiegła do przedziału i myślała, że McCaul już nie żyje. Teraz znowu była przerażona. Miała niespełnioną potrzebę bliskości drugiej osoby, chociaż nie miało to nic wspólnego z seksem. Chciała, żeby ktoś ją przytulił, zapewnił, że wszystko będzie dobrze, powiedział, że nie jest sama i że jest bezpieczna.

– Proszę, nie idź jeszcze.

McCaul chyba wyczuł, że Jennifer się boi, bo zatrzymał się i odwrócił.

– Co ci jest?

– Nie rozumiem, dlaczego to wszystko mi się przydarza. Nie

rozumiem, jak mogłam stać się kimś, kto zabił człowieka. Widzisz? Teraz nie mogę być sama.

McCaul podszedł do niej i delikatnie dotknął jej twarzy.

– Mogę sobie wyobrazić, jak się czujesz, Jennifer, ale nie znam odpowiedzi na twoje pytania. Myślę, że powinniśmy po prostu wspólnie się zastanowić, co takiego wiesz, a czego ktoś chce się od ciebie dowiedzieć. I chciałbym, żebyś wróciła myślą do przeszłości, zastanowiła się, czego ci ludzie szukają. Jeżeli uda nam się do tego dojść, będziemy krok przed nimi.

Jennifer nie puszczała dłoni McCaula, jak gdyby desperacko szukała zapewnienia, że wszystko się dobrze skończy, albo po prostu pragnęła zwykłej, ludzkiej obecności.

– Naprawdę tak uważasz?

– Naprawdę – McCaul skinął głową i powoli odsunął dłoń. – Zobaczysz, wszystko będzie dobrze. Jestem przekonany, że dzisiaj nas nie znajdą. Więc spróbuj się przespać. Zobaczymy jutro rano, czy coś osiągniemy, szukając nazwiska Vogel, nawet jeżeli mielibyśmy sprawdzać po kolei każdą uliczkę w Brig.

Pięć minut później Jennifer stała przy oknie i przypatrywała się światłom miasta. Była wyczerpana, wyzuta z energii, ale kotłowanina myśli nie dawała jej spokoju. Nie mogła zasnąć. Wciąż była przestraszona i zdezorientowana, ale stojąc przy oknie wpadła na pewien pomysł.

McCaul wprawdzie ją ostrzegał, żeby nie wychodziła z pokoju, ale to, co chciała zrobić, na pewno nie zajmie dużo czasu. Wzięła kartę chipową ze stolika nocnego i po cichu, na palcach, wyszła na korytarz.

48

– Jaki jest plan, Kelso? Masz w ogóle jakiś plan?

– Najpierw spróbuj trochę odpocząć. Potem, jeżeli będzie trzeba, sprawdzimy każdy hotel w mieście – Kelso zatrzymał samochód na rynku w Brig i zaciągnął hamulec. Miasto było pogrążone w ciemności, ulice wyludnione.

– Dlaczego nie możemy tego zrobić teraz?

– Zastanów się, Ryan. Jest pół do drugiej w nocy. Jeżeli zaczniemy myszkować po mieście i o tej porze wypytywać recepcjonistów, ktoś nabierze podejrzeń i zadzwoni na policję, a ten kłopot jest nam zupełnie niepotrzebny. Znajdziemy nocleg i prześpimy się kilka godzin. Myślę, że McCaul i Jennifer o tej porze też już śpią, to znaczy jeśli nie są w bezpośrednim niebezpieczeństwie.

– Ale jak ich znaleźć? Mogą być wszędzie. W jakimś tanim pensjonacie albo zajeździe przydrożnym, może nawet w parku na ławce.

– Porozmawiamy o tym później – Kelso mrugnął reflektorami, a volkswagen wyjechał z cienia i stanął przed nimi. Grimes wyszedł z samochodu i podszedł do okna. – Jakie rozkazy?

– Spróbujcie znaleźć hotel, w którym możemy się kilka godzin przespać. Później wam powiem, co robimy dalej.

Hotel Altdorf znajdował się w alejce niedaleko stacji kolejowej w Brig. Sporo mu brakowało do Ritza, był zaniedbany i stał tuż obok piwiarni. Po alejce łaziły dzikie koty, a kiedy zatrzymali się przed wejściem, Kelso rzucił niechętne spojrzenie na fasadę.

– Naprawdę nic lepszego nie mogłeś znaleźć, Grimes?

– I tak mamy szczęście. W mieście jest kongres bankierów i w dwóch innych hotelach w ogóle nie było miejsca. Albo tutaj, albo śpimy w samochodach.

Pojawienie się czterech Amerykanów z lekkimi torbami podróżnymi nie zaniepokoiło nocnego portiera, Szwajcara o potężnym mięśniu piwnym, którego życie nauczyło nie dziwić się na widok gości zjawiających się w środku nocy. Poprosił ich o zameldowanie się i poprowadził schodami w górę do czterech pojedynczych pokoi na drugim piętrze.

– Śniadanie jest od pół do siódmej do dziewiątej, *meine Herren. Ich wünsche Ihnen gute Nacht.*

– Chwileczkę, chciałbym o coś zapytać – Kelso zatrzymał portiera, który już schodził na dół. Porozmawiał z nim przez chwilę na półpiętrze, potem dał mu hojny napiwek i wrócił.

– Złóżcie bagaż w pokojach i przyjdźcie do mnie za dwie minuty. Ty też, Ryan. Powiem wam, jak znajdziemy Jennifer.

Mark otworzył drzwi do swojego pokoju. Kapa na łóżku i zasłony miały ohydny, jarmarczny wzór i już na pierwszy rzut oka było widać, że ktoś powinien je zmienić wiele lat temu. Ale był przynajmniej telefon. Wiedział, że musi zadzwonić do Lou Garudy i sprawdzić, co z Bobbym. Policzył, że różnica czasu wynosi sześć godzin, a to znaczyło, że w Nowym Jorku jest kilka minut po pół do ósmej wieczorem. Znając Garudę, pewnie zatrzymał się po drodze do domu w jakimś barze, więc postanowił zadzwonić tuż po spotkaniu z Kelso. Położył torbę podróżną na łóżku, wyszedł do holu i zapukał do drzwi pokoju Kelso. Grimes i Fellows już siedzieli na końcu łóżka. Kelso zaprosił go gestem do ciasnego wnętrza.

– Domyślam się, że będą potrzebowali jakiegoś środka transportu – zaczął Kelso. – A zatem, prawdopodobnie jak najwcześniej rano, spróbują wynająć samochód, wsiądą w autobus albo w pociąg. Jest nas tylko czterech, więc musimy rozsądnie rozłożyć nasze siły. Recepcjonista mówi, że w mieście działa tylko jedna poważna agencja wynajmu samochodów. To Hertz – pójdziemy tam jeszcze przed otwarciem. Ryan, to twoje zadanie. Fellows obstawi dworzec autobusowy, a ja pojadę na stację kolejową. W tym czasie Grimes obdzwoni hotele, żeby się dowiedzieć, czy Jennifer lub McCaul gdzieś się zameldowali. Recepcjonista mówi, że w mieście jest mniej więcej dwanaście hoteli, a kilkanaście na obrzeżach, obiecał dać nam listę.

– No, tak, ale moje ostatnie pytanie pozostaje wciąż bez odpowiedzi. Co będzie, jeżeli wybrali jakiś pensjonat?

– Też będziemy mogli ich zlokalizować. Ale musimy zacząć od hoteli i po kolei sprawdzać hoteliki, zajazdy i pensjonaty. Jak będziemy gotowi, zadzwonię do Langley i każę im się włamać do baz danych wszystkich większych sieci hoteli i firm wynajmu samochodów w promieniu siedemdziesięciu pięciu kilometrów stąd i dzięki temu będziemy mogli sprawdzić ich rezerwację. Każę również oznaczyć komputerowo ich nazwiska tak, żeby wyszły przy wszystkich zakupach dokonywanych kartami kredytowymi. Jeżeli będą się posługiwać własnymi kartami, dowiemy się o tym, nawet jeżeli to będzie jakiś maleńki pensjonacik. Przy odrobinie szczęścia jeszcze dziś w nocy dowiemy się, gdzie są.

– Jesteś pewien, że to wszystko ci się uda?

– Mówiłem ci, Ryan, że mam do dyspozycji wszystkie środki CIA. Jakieś pytania? Proponuję się trochę przespać. Zamówiłem u recepcjonisty budzenie na szóstą rano. A to nam daje tylko cztery godziny snu.

Mark rozebrał się. Wciąż bolała go głowa, a przypomniał sobie, że w szpitalu poprzedniego dnia wieczorem w ogóle nie spał. Popatrzył na swoje odbicie w lustrze w łazience. Z czołem zaklejonym plastrem i ze zmierzwionymi włosami wyglądał jak sto nieszczęść. Odkręcił wodę i umył się, a potem usiadł na łóżku i zadzwonił na domowy numer Garudy. Po kilku chwilach odezwała się automatyczna sekretarka. Mark nagrał wiadomość z numerem do hotelu i z numerem swojego pokoju, z prośbą o pilny telefon.

Był wyczerpany, gdy podszedł do okna i spoglądał zza firanki na światła Brig. Jeżeli Kelso ma rację, Jennifer gdzieś tu jest z McCaulem. Wyglądali tak, jakby byli sobie bliscy, gdy szli do restauracji w Turynie, a Mark zastanawiał się, jak blisko znaczy „blisko". Poczuł zazdrość, wiedział, że sam się torturuje. Od razu, nie czekając, chciał wyjść na ulicę i zacząć sprawdzać hotele, ale Kelso miał rację – pytanie o gości o drugiej nad ranem mogłoby wzbudzić podejrzenia recepcjonistów.

Z tą myślą położył się do łóżka, zamknął oczy i przewracał się niespokojnie z boku na bok, starając się zasnąć.

49

Nowy Jork

Lou Garuda wszedł do hollu hotelu Trump i ruszył prosto w stronę baru.

Matko kochana, ile tu towaru.

Hotel Trump wspaniale się nadawał do podrywania lasek, w barze wręcz roiło się od przepięknych kobiet, ale Garuda musiał dać sobie reprymendę i przypomnieć, że przyszedł tu w sprawie służbowej. Znalazł pusty stolik, zamówił wytrawne martini. Już po chwili zobaczył, że Madeline Fulton wpada do baru jak podmuch pustynnego wiatru.

Madeline była tuż po pięćdziesiątce, ale ubierała się tak, jak gdyby nie dostrzegała upływu lat. Miała na sobie maleńką bluzeczkę i czarną spódnicę z rozcięciem, a na ramionach rozpiętą marynarkę od Armaniego. Pracowała jako dziennikarka w *New York Post*, zajmowała się biznesem i plotkami ze świata interesów. Zapraszano ją na wszystkie imprezy biznesowe w mieście, osobiście znała dyrektorów wielkich korporacji w Nowym Jorku. Garuda parę lat temu miał z nią romans, znali się więc nie od dziś.

Madeline ściągnęła na siebie kilka spojrzeń przystojnych mężczyzn przy barze, kiedy po hollywoodzkim wejściu usiadła przy stoliku obok Garudy.

– Niech to będzie coś naprawdę ważnego, Lou. Przed hotelem stoi taksówka, w środku fotograf, a licznik bije.

Garuda był czarujący, ujął jej dłoń i pocałował końce palców.

– Jak miło, że się znowu widzimy, Madeline. Czego się napijesz?

– Ten fragment możemy pominąć, bo jestem spóźniona na bankiet z okazji wyboru pięciuset najbogatszych Amerykanów. Powiedz mi, dlaczego tu jestem.

Oto cała Madeline, pomyślał Garuda. Oszałamiająca i zawsze w biegu, rozrywana, manewrująca między bankietami a balami. Zadzwonił do niej po południu i zapytał, czy mogłaby mu poświęcić wieczorem pięć minut. Umówili się tu, w hotelu Trump, o siódmej.

– Prime International Securities. Słyszałaś o firmie?

– A powinnam?

– Zwinęli się jakiś rok temu. Mieli biuro na Piątej Alei. Nie afiszowali się zbytnio z działalnością.

Madeline wyjęła z torebki złotą zapalniczkę i zapaliła cienkiego mentolowego papierosa, całkowicie ignorując fakt, że ta część baru jest dla niepalących. Nikt jednak, kto ma choć odrobinę oleju w głowie, nie będzie się wdawał w spór z Madeline Fulton, chyba że ma jaja z tytanu. Dmuchnęła aromatycznym dymem, strzepnęła papierosa na dywan i zmarszczyła czoło.

– Tak, pamiętam tę firmę. Mów, co jest grane?

– Siedzieli w kieszeni jakiejś zagranicznej firmy gdzieś na Kajmanach.

Madeline zrobiła na Garudę wielkie oczy i zamrugała powiekami.

– A co mnie to, cholera, może obchodzić? – Zgasiła papierosa w miseczce z orzeszkami. – Licznik bije, Lou, a ja naprawdę muszę jechać. Powiedziałeś przez telefon, że to coś cholernie ważnego.

– To jest ważne. Naprawdę ważne, Madeline. Muszę się dowiedzieć, kto stoi za firmą Prime. Masz przyjaciół na stanowiskach i mnóstwo znajomości. Jestem pewien, że dzięki twoim kontaktom będziesz mogła sprawdzić, dokąd prowadzi ślad z Kajmanów.

– Czy mógłbyś mi powiedzieć, po co ci ta wiadomość? Chyba, że przeniosłeś się do wydziału do walki z przestępczością gospodarczą.

– Kilka lat temu pracowałem nad pewną sprawą. Gimnastykowałem się, ale trafiłem w ślepy zaułek. Powiedzmy, że sprawa znowu ożyła, a ja szukam informacji o Prime, próbuję znaleźć jakiś namiar. I potrzebuję tych informacji na wczoraj.

– Wciąż rżniesz tę małą Angelinę?

– Regularnie, jak w zegarku.

Madeline posłała mu powłóczyste spojrzenie i przesunęła

ostrym jak brzytwa paznokciem po wewnętrznej stronie uda Garudy, aż dotarła do krocza.

– A może byś tak się ze mną zabawił i odżyłyby stare wspomnienia?

Garuda poklepał ją po dłoni.

– Zrób to dla mnie, Maddy, a wtedy, kto wie?

Madeline uśmiechnęła się, cofnęła dłoń i wstała.

– Podzwonię. Pogadam, z kim trzeba. Znam jednego reportera na Kajmanach, który zajmuje się biznesem i bosko rozgryza afery. To co, przekręcić do ciebie, jak na coś trafię?

– Postaraj się, maleńka.

50

W pokoju Marka zadzwonił telefon. Obudził się i po omacku sięgnął po słuchawkę. Dzwonił Garuda.

– Do cholery, co się z tobą dzieje, Mark? Odsłuchałem twoją wiadomość. Co ty, chłopie, robisz w Szwajcarii?

Mark próbował zebrać myśli i sięgnął na stolik nocny po zegarek. Była piąta trzydzieści. Z trudem otwierał oczy.

– To długa historia, Lou, więc nie przerywaj mi i posłuchaj. Chciałem zapytać o Bobby'ego, ale chciałbym też, żebyś coś dla mnie zrobił. Znasz Danny'ego Flynna z wydziału przestępczości zorganizowanej w Nowym Jorku?

– Oczywiście, znam Danny'ego. Dlaczego pytasz?

Kiedy Mark wyjaśnił Garudzie, czego od niego chce, w słuchawce zapanowała cisza.

– Jezus Maria, najpierw CIA, a potem Czerwona Mafia. Co tu się wyrabia, Mark? I co ty w ogóle, kurwa, robisz w Szwajcarii? Węszysz dookoła sprawy Marchów, prawda? Na pewno o to chodzi.

– Lou, proszę, zostawmy te wyjaśnienia na później. Będę ci winien przysługę, OK?

Mark miał jeszcze jedną prośbę, tym razem osobistą.

– Chciałbym cię prosić jeszcze o coś.

Znów powiedział Garudzie, o co mu chodzi, i ponownie w słuchawce przez chwilę była cisza.

– Czy to ma coś wspólnego z tym Kelso z CIA, którego kazałeś mi sprawdzić?

– Lou, proszę cię bardzo, teraz nie mogę o tym rozmawiać. Mam ważne powody.

– To wszystko z minuty na minutę robi się coraz bardziej skomplikowane...

– Musiałbym z tobą gadać pół dnia, żeby ci to wyjaśnić.

– Tak, ale chyba już najwyższy czas sobie wszystko wyjaśnić. Muszę wiedzieć, co jest grane, Mark.

– Lou, nie mogę, jeszcze nie.

– Więc kiedy?

– Dam ci znać.

– Powiedzieć ci, co myślę? Że właśnie przyszedł czas, żebym wstał zza tego kretyńskiego biurka i wziął się za porządną policyjną robotę. I może właśnie ta sprawa to moja wielka szansa. Może byśmy weszli w to razem, wspólnie rozwiązali tę zagadkę. Co ty na to?

– Pomyślę o tym.

– Czy to jest „tak”, kolego, czy „nie”?

– To jest „jeszcze nie wiem”. Powiedziałem, że nad tym pomyślę, Lou.

Garuda westchnął.

– Jak się mam z tobą skontaktować? Chcesz, żebym zadzwonił na ten sam numer?

Mark jeszcze raz się zastanowił, czy warto dać Garudzie numeru telefonu komórkowego od Kelso, ale doszedł do wniosku, że lepiej nie.

– Nie, będę w ruchu, więc to może być trudne. Jak się do ciebie dodzwonić? Może ty mi podasz numer swojej komórki?

– Tak, oczywiście, zaraz ci podyktuję. Niestety, masz jeszcze inny problem. Byłem w Cauldwell, żeby sprawdzić, co u Bobby'ego, tak jak prosiłeś. I wiesz co, to ci się na pewno nie spodoba, ale...

Jennifer obudziła się o siódmej. Spała głęboko, bez żadnych snów, była wyczerpana wydarzeniami poprzedniego wieczoru, ale zadowolona ze swojego odkrycia. Zanim się położyła do łóżka, poszła do recepcji i poprosiła o książkę telefoniczną.

Recepcjonista dał jej książkę kantonu Valais, w którym leży Brig, zaniosła ją do swojego pokoju i dokładnie przejrzała. W okolicy Brig znalazła co najmniej kilkanaście osób o nazwisku

Vogel, ale czuła się rozczarowana, bo żadne imię nie zaczynało się na literę H. Potem przyszła jej do głowy pewna myśl i zadzwoniła pod pewien numer. Rozmowa trwała niecałe pięć minut, po czym Jennifer położyła się do łóżka i zasnęła snem sprawiedliwego.

Teraz wzięła prysznic, ubrała się, przeszła przez korytarz i zapukała do drzwi McCaula. Otworzył ubrany w hotelowy szlafrok, włosy miał wciąż mokre.

– Dobrze spałaś?

– Jak kamień. Ale wczoraj wieczorem jeszcze sprawdziłam nazwisko Vogel. Chyba na coś trafiłam.

McCaul zmarszczył czoło i na moment przestał wycierać głowę.

– No, to słucham.

Jennifer była podekscytowana.

– Ubierz się, zejdziemy na dół na śniadanie, to ci powiem, czego się dowiedziałam.

51

Nowy Jork

Był ranek. Garuda kochał się z Angeliną, kiedy jego telefon komórkowy, wibrując, dał mu do zrozumienia, że dostał wiadomość. Przetoczył się na bok, sięgnął po telefon i wcisnął klawisz.

– No, nie, Lou! Nie możesz tego gówna wyłączyć?

– Przepraszam cię, złotko, ale czekam na ważny telefon.

– Co jest ważniejsze, do cholery, niż ja w twoim łóżku? Czy ciebie nie obchodzi, kiedy kobieta ma orgazm?

Garuda odczytał wiadomość.

„Spotkajmy się o dziewiątej rano w hotelu Mariott na Broadwayu. To ważne. Maddy."

Od kogo to?

– Sprawy służbowe, mój aniele. Naprawdę ważne. Robota, która nie może zaczekać.

Garuda spojrzał na zegarek. Jeżeli się pospieszy i złapie taksówkę, to jeszcze zdąży na spotkanie z Madeline o dziewiątej. Wstał z łóżka, zarzucił na siebie koszulę i klepnął Angelinę w goły pośladek.

– Grzej mi łóżeczko, boska. Będę z powrotem za godzinę.

– Wal się.

Garuda wszedł do hotelu Mariott na Broadwayu. Madeline siedziała przy stoliku na uboczu, właśnie podawano śniadanie, piła kawę i nie zdejmowała przeciwsłonecznych okularów, jak gdyby miała jednocześnie kaca i światłowstręt.

– Mam pięć minut, Lou, potem muszę zapieprzać na lotnisko La Guardia. Ale wiadomości są takie, że Prime była tak ustawiona w strukturach firmy-matki na Kajmanach, że dojście do jej rzeczywistego właściciela jest praktycznie niemożliwe.

– Cholera.

– A jednak, mój skarbie, znajomy reporter na Kajmanach zapukał do kilku drzwi i paru rzeczy się dowiedział. Okazuje się, że jednym z dyrektorów firmy-matki jest bankier, który ma reputację faceta nieunikającego interesów z prawdziwymi kryminalistami. Mówi, że jeżeli zaczniesz za mocno natężać uszu i będziesz się chciał koniecznie dowiedzieć, kto stoi za firmą Prime, to jakaś zbłąkana kula może ci te uszy odstrzelić.

– Co to znaczy?

– Czy muszę ci to tłumaczyć, Lou? Może chodzić o brudne pieniądze. Taką informację dostałam. Czy o to ci chodziło?

– Mówiłem ci, wyjaśnię ci to innym razem. Bardzo brudne pieniądze?

– Ubłocone po łokcie, ze wschodniej Europy, więc nie pchaj się tam, chyba że masz za plecami jakąś agencję rządową Stanów Zjednoczonych, a nawet wtedy życzę ci dużo szczęścia.

Garuda gwizdnął, a potem uśmiechnął się szeroko.

– To wszystko zaczyna się ładnie układać.

– Co się zaczyna układać?

– Nic.

Posłał jej całusa, kiedy Madeline sięgała po torebkę i wstawała od stolika.

– Muszę lecieć, Lou, mam samolot. To wszystko, czego się dowiedziałam.

– Jestem ci winien przysługę, kotku.

– Tylko o tym nie zapominaj.

Brig

Restaurację hotelową wypełniał tłum gości. Kelner zaprowadził ich do stolika w rogu sali. Jennifer była strasznie głodna. Na śniadanie jedli świeże bułeczki, ser, szynkę i popijali gorącą czarną kawę.

– Zadzwoniłam do centrali telefonicznej i powiedziałam, że jestem turystką z Ameryki i szukam krewnego, Szwajcara, który mieszka niedaleko Brig, ale nie mogę go znaleźć w książce.

Telefonistka podała dwa nazwiska, których nie ma w książce, z inicjałem H. – Jennifer zajrzała do notesu. – Jeden mieszka w Murnau, w miasteczku oddalonym o jakieś pięć kilometrów stąd. I jest jeszcze jeden, niedaleko tego samego miasta.

– Dała ci ich adresy i numery telefonów?

– Nie, nie mogła. Powiedziała, że to niezgodne z prawem, jeżeli numery są zastrzeżone. Ale powiedziała, żebyśmy popytali w urzędzie miasta w Murnau.

– Dlaczego?

– Mają u siebie w kartotekach adresy i telefony wszystkich mieszkańców okręgu.

McCaul szybko dopił kawę.

– Chodźmy wynająć samochód i jedziemy do Murnau.

Mark zszedł do recepcji o szóstej piętnaście. Grimes i Fellows już tam byli, płacili za hotel. Kelso schodził po schodach. Wyglądał na niewyspanego.

– Co jest, ciężka noc?

Kelso odparł oschle:

– Pół nocy wisiałem na telefonie. Moi ludzie ciągle sprawdzają hotelowe bazy danych.

– I co?

– Nic, ale zadzwonią do mnie zaraz, jak coś znajdą. Grimes przekopie hotele, ty idź się ustawić pod biurem Hertza. Wszyscy bądźcie w najwyższej gotowości.

Fellows skończył płacić i poprosił Kelso na stronę. Rozmawiali chwilę, a Mark zobaczył, że Fellows rzuca mu oskarżycielskie spojrzenie. Kiedy Kelso wrócił, chwycił Marka za ramię.

– Fellows mówi, że dzwoniłeś wczoraj do Nowego Jorku, to wynika z rachunku. Mógłbyś mi to wyjaśnić, Ryan?

– Zadzwoniłem do kolegi z policji. Czego się czepiasz?

Kelso był rozwścieczony.

– A o czym rozmawiałeś z tym kolegą?

– Nie twój interes.

– Mój interes, jeżeli rozmowa dotyczyła sprawy, nad którą pracujemy. Tak było, Ryan?

Kelso spojrzał na niego groźnie i Mark poczuł dreszcz przebiegający mu po plecach. Doszedł do wniosku, że jeżeli rozmowa była monitorowana, Kelso wiedziałby o tym, zanim doniósł mu o wszystkim Fellows, więc postanowił kłamać. Nie chciał, żeby Lou wpadł w jakieś tarapaty.

– A po co miałbym z kimś o tym mówić? Rozmowa dotyczyła śledztwa, nad którym pracuję. Musiałem coś sprawdzić.

– Na pewno?

– Kumpel, do którego dzwoniłem, pracuje w nowojorskiej policji. Możecie sprawdzić numer, jeżeli mi nie wierzycie. Czego jeszcze chcesz? A teraz mnie puszczaj.

Mark nie był pewien, czy przekonał Kelso, ale agent CIA nagle rozluźnił chwyt.

– Przepraszam, Ryan, ale postaraj się zrozumieć... Zgubiliśmy Jennifer i jestem bardzo podenerwowany, jedno nieopatrznie wypowiedziane słowo i cztery lata śledztwa na nic. – Zwrócił się do swoich ludzi: – Ruszamy. Jak mówiłem, ja jadę na stację kolejową, Fellows, ty się zajmij dworcem autobusowym. Jeżeli ktoś ich namierzy, macie natychmiast się ze mną skontaktować.

52

Jak w szwajcarskim zegarku, sklepy w Brig otworzyły po-
dwoje dokładnie o siódmej trzydzieści. O ósmej Jennifer już miała
w torbie dwa swetry, dżinsy, świeżą bieliznę i kurtkę myśliwską
Taubera. McCaul kupił dwie pary dżinsów, kilka podkoszulków,
nową torbę na ramię i kurtkę z zielonego lodenu. Przebrali się
w nowe ciuchy w hotelu, a później się wymeldowali.

– Chcielibyśmy wynająć samochód – Jennifer zwróciła się
z uśmiechem do recepcjonistki, gdy regulowali rachunek.

– Oczywiście – odpowiedziała uprzejmie kobieta. – Mogę
państwu polecić znajomą firmę, która wynajmuje samochody.
Wytłumaczę, jak do niej dojść.

Piętnaście minut później młody człowiek siedzący za biurkiem
w firmie wynajmującej samochody skończył spisywać potrzebne
dane i wręczył Jennifer kluczyki do granatowego volkswagena golfa.

– Chyba wszystko jest w porządku. *Ja?*

– Musimy dojechać do urzędu miasta w Murnau. Czy to
daleko?

Dał im mapę i zaznaczył trasę niebieskim flamastrem.

– To bardzo proste. Trzeba wyjechać główną drogą z miasta,
a za jakiś kilometr zaczną się znaki na Murnau. Nie powinniście
państwo mieć żadnych problemów z odnalezieniem urzędu miasta. Trzeba pytać o *Rathaus.*

Mark obserwował biuro Hertza, stojąc po przeciwnej stronie ulicy. Miał na sobie płaszcz przeciwdeszczowy i kupiony
na lotnisku zielony kapelusik z piórkiem. Wciąż czuł się w nim
idiotycznie, ale musiał się jakoś zamaskować na wypadek, gdyby
natknął się na Jennifer.

Był nieswój. Kelso za ostro zareagował na telefon do Nowego Jorku, a Mark nie potrafił zrozumieć tej paranoi. Martwiło go jeszcze to, co Lou mówił o Bobbym. Ale przecież był tysiące kilometrów od Stanów, więc i tak nic by teraz na to nie poradził.

Patrzył, jak do biura Hertza wchodzi dwoje ludzi. Byli w średnim wieku, żadne z nich nie przypominało Jennifer ani McCaula – mężczyzna był niski i szczupły, a kobieta miała sporą nadwagę. To dopiero drugi klient w ciągu pół godziny. Jak długo będzie musiał tu tkwić?

A jeżeli Jennifer się nie pokaże? Jeżeli w ogóle nie ma ich w Brig? Był przekonany, że próby odnalezienia Jennifer i McCaula w dużym mieście, gdy się ma do dyspozycji tylko czterech ludzi, są z góry skazane na klęskę. Jennifer ma prawo wiedzieć, że jest w niebezpieczeństwie. Mark czuł, że ta cała szarada musi się wreszcie skończyć, i od razu powziął decyzję, że jeżeli ją zobaczy, powie jej prosto w oczy, co się dzieje. Do diabła z Kelso.

Usłyszał swój telefon komórkowy. Dzwonił Kelso, głos miał zdenerwowany.

– Ryan?

– Tutaj cisza. Nie pokazali się.

– Zapomnij o Hertzu, znaleźliśmy ich! Czekaj tam, gdzie jesteś, podjadę po ciebie za dwie minuty.

Opel z piskiem zahamował przy krawężniku. Kelso był podekscytowany.

– Wsiadaj.

Mark wskoczył na siedzenie pasażera.

– Gdzie są?

Kelso dodał gazu i wykręcił o sto osiemdziesiąt stopni na głównej ulicy Brig. Rozległy się od razu klaksony poirytowanych szwajcarskich kierowców, ale Kelso nic sobie z tego nie robił.

– Dzięki przeglądowi komputerowych baz danych znaleźliśmy dwoje gości o ich nazwiskach, którzy wczoraj piętnaście po pierwszej w nocy zameldowali się w hotelu.

– Gdzie?

– Tutaj, w Brig, w hotelu Ambassador.

53

Grimes chodził tam i z powrotem po chodniku i podbiegł do nich, kiedy zaparkowali przed hotelem Ambassador.

– Recepcjonistka mówi, że zaraz po wymeldowaniu się, jakieś pół godziny temu poszli wynająć samochód.

– Niemożliwe – stwierdził Kelso. – Ryan obserwował biuro Hertza.

– To nie był Hertz. Jakaś mała, miejscowa firma, którą hotel poleca swoim gościom.

– Cholera.

– Mają biuro niedaleko. Fellows już tam był i facet mu powiedział, że wyjechali granatowym volkswagenem golfem jakieś piętnaście minut temu. Fellows ma numery rejestracyjne. Pytali, jak dojechać do ratusza w Murnau, to jakieś trzy kilometry stąd.

– Jesteś pewien? – spytał Mark.

– Tak mówi Fellows. Prosili faceta, żeby im pokazał Murnau na mapie.

– Mówili, dlaczego chcą pojechać do ratusza?

– Nie, a gość ich o to nie pytał.

– Gdzie jest Fellows?

– Już wraca.

Kelso wpadł w lekką panikę.

– Wsiadaj do swojego samochodu, zgarniemy go po drodze.

Jennifer wyjechała główną drogą z Brig. Drogowskaz pokazywał, którędy jechać do Murnau. Znaleźli się na drodze wijącej się zakosami pod górę przez oszałamiająco piękną okolicę, przywodzącą na myśl wyobrażenie raju, z krowami, zieloną trawą i ośnieżonymi szczytami.

Dziesięć minut później dotarli do Murnau, urokliwego miasteczka, w którym na każdym rogu stała gospoda albo pensjonat. Ratusz był bardzo stary, zbudowany z wapienia, miał nowoczesną dobudówkę ze stali i szkła. Zaparkowali samochód i przez szklane drzwi weszli do budynku. Znaleźli biurko, przy którym siedział Szwajcar po czterdziestce. Słabo mówił po angielsku i poprosił o pomoc młodszą urzędniczkę.

– *Grüss Gott*. W czym możemy państwu pomóc? – spytała miłym głosem kobieta.

Jennifer wyjaśniła, czego szukają.

– Czy macie państwo w rejestrze meldunkowym te adresy?

– *Ein moment* – kobieta podeszła do komputera, postukała w klawiaturę, zapisała coś na kartce i wróciła. – *Herr* Hubert Vogel mieszka przy Bauer Strasse, niedaleko Starego Rynku, kilka kroków stąd. To emerytowany policjant. Drugi pan Vogel, Heinrich, mieszka na farmie, trzy kilometry od Murnau. Podaje, że jest z zawodu przewodnikiem górskim i instruktorem wspinaczki. Czy to osoby, których państwo szukacie?

– Być może. Czy ma pani ich numery telefonów?

– *Ja*. Chyba tak.

Kobieta wróciła do komputera i spisała numery. Jennifer poczuła, że krew zaczyna jej szybciej krążyć w żyłach, gdy zobaczyła, że ostatnie trzy cyfry numeru telefonu Heinricha Vogla to 705.

– Jak dojechać do farmy Heinricha Vogla?

Kobieta spojrzała w notatki.

– To niedaleko, jakieś dziesięć minut stąd samochodem, ale farma leży na odludziu, w pobliżu północnych stoków Wasenhornu. Zaraz państwu powiem, jak tam dojechać, i powinniście bez problemu trafić. Farma nazywa się Berg Edelweiss.

54

Heinrich Vogel zdrapał nożem kuchennym mokre błoto z gumiaków i wrzucił grudy do ognia. Nasiąknięta wodą ziemia zasyczała w płomieniach, a on podszedł do monitora telewizji przemysłowej. Było pusto, monitor pokazywał sam front domu. Podniósł ze stołu lornetkę i podszedł do okna. Cienka warstwa mgły pokrywała łąki i doliny, unosiła się wirem nad pastwiskiem, nad nią wyłaniały się majestatyczne szczyty Alp, a Wasenhorn był na pierwszym planie. Vogel czuł w kościach, że oni tam są. Odłożył lornetkę i nalał sobie kieliszek sznapsa, żeby uspokoić nerwy.

Zawsze. Od samego początku.

Zawsze, od samego początku wiedział, że igra z ogniem. Od pierwszego dnia, kiedy wdał się w ten nieszczęsny interes, wiedział, że będą z tego same kłopoty. Zgubiła go chciwość. Ale już dwa lata zachowywał tajemnicę i gdyby mógł o tym decydować, zachowałby ją do końca życia. Wychylił kieliszek i poczuł, że alkohol pali mu gardło. Odstawił szkło na kuchenny stół i wytarł usta wierzchem dłoni.

Spojrzał na ganek, na którym siedziały dwa potężne, czujne dobermany. Obcy jeszcze się nie pojawili, ale przyjdą. To była tylko kwestia czasu.

Niech przychodzą.

Miał w kieszeni pistolet gotowy do strzału, jeżeli będzie trzeba, będzie strzelał. Dobermany nagle zawarczały, a Vogel zamarł w miejscu. Psy miały niewiarygodnie wyczulone zmysły, reagowały na obcych znacznie wcześniej, nim coś się pojawiało na monitorze. Czyżby kogoś wyczuły?

– Ferdie! Hans! *Sitzen sie da!*

Psy posłuchały i przysiadły nieruchomo na tylnych łapach. Vogel usłyszał dźwięk silnika samochodu i podszedł do okna.

Jennifer jechała z Murnau, podziwiając przepiękne alpejskie widoki. Po dwóch kilometrach dojechali do wąskiego traktu odchodzącego od głównej drogi.

McCaul spojrzał na szkic.

– Skręcaj w lewo.

Jennifer skierowała się na polną drogę. Czuła rosnący niepokój. Przejechali jeszcze kilometr i dotarli do otwartych drewnianych wrót, na których zobaczyli metalową skrzynkę na listy z napisem „Berg Edelweiss". W głębi stał duży, zbudowany w typowym szwajcarskim stylu dom, obok znajdowały się zabudowania gospodarcze. Nad zroszoną trawą unosiła się poranna mgiełka. Zatrzymując volkswagena, Jennifer nie potrafiła się pozbyć psychicznego i fizycznego napięcia.

– I co teraz?

– Mówisz trochę po niemiecku, więc ty zaczniesz – McCaul wyciągnął Berettę i zajrzał do magazynka. – Ale spokojnie, dobrze? Może się okazać, że to zły trop.

– A jeżeli nie?

McCaul włożył pistolet do kieszeni.

– Mamy tylko dwa naboje, więc trzymaj kciuki, żebyśmy nie wdepnęli w jeszcze gorsze bagno.

55

Jennifer zaparkowała volkswagena na żwirowym podjeździe. Z tyłu, za domem, zobaczyła stodołę i garaż na dwa samochody. Drzwi do garażu były otwarte, z daleka było widać starego, brązowego mercedesa i wiekowy, czerwony traktor z powgniataną karoserią, niewiarygodnie zabłocony. Dwa potężne czarne psy siedziały przed frontowymi drzwiami do domu i całą uwagę skupiały na gościach. Nie ruszały się ani nie wydawały dźwięku, tylko łypały na nich nieprzyjaźnie.

McCaul powiedział:

– Dobermany są cholernie zajadłe. Jeżeli ruszą w twoim kierunku, stój nieruchomo i nawet nie drgnij, bo gotowe ci skoczyć do gardła.

– Dziękuję za słowa pocieszenia, Frank – Jennifer usłyszała drżenie w swoim głosie.

McCaul wyszedł z samochodu.

– Trzymaj się za mną i idź powoli.

Zrobili kilka kroków i psy zawarczały, odsłaniając kły. Jennifer zatrzymała się, a McCaul chwycił ją mocno za ramię.

– Stań i nie ruszaj się.

Dobermany wyglądały naprawdę przerażająco, ale nie poruszyły się ani o milimetr, jak gdyby jakaś niewidzialna siła przykuła je do ziemi. McCaul ruszył, żeby postawić następny krok, ale psy zawarczały i podniosły się, gotowe do ataku.

– *Sitz*, Ferdie! *Sitz*, Hans!

W drzwiach pojawił się mężczyzna i psy natychmiast posłuchały jego komendy. Wyglądał na około pięćdziesiąt lat, miał bujne, siwiejące włosy, ubrany był w podniszczoną kurtkę roboczą, prawą dłoń trzymał w kieszeni. Jennifer zobaczyła, że na czubku nosa brakuje mu kawałka ciała, wyglądał dziwnie i niepokojąco.

– *Sprechen Sie Englisch?* – spytała Jennifer.

Mężczyzna obrzucił ich wrogim spojrzeniem, ale Jennifer pomyślała, że to dlatego, że dwoje zupełnie obcych ludzi wchodzi na jego posiadłość. Zawiesił wzrok na McCaulu, a potem spojrzał znów na nią.

– Tak, mówię po angielsku – odezwał się w końcu.

– Szukamy Heinricha Vogla.

Psy zawarczały, a mężczyzna rzucił im komendę po niemiecku. Oba natychmiast ucichły.

– Ja jestem Heinrich Vogel. Czego chcecie?

– *Herr* Vogel, rozmawiałoby nam się znacznie wygodniej, gdyby pan odwołał psy.

Vogel miał silny niemiecki akcent, ale poza tym jego angielszczyzna była bez zarzutu.

– Weszliście na mój teren bez zaproszenia. O co wam chodzi?

– Gdybyśmy mogli porozmawiać w środku, *Herr* Vogel, obiecuję, że nie zabierzemy panu dużo czasu. A to bardzo ważne.

– Kim pani jest?

– Nazywam się Jennifer March, a to jest Frank McCaul. Oboje jesteśmy Amerykanami.

– Jeżeli szukacie przewodnika na Wasenhorn, powinniście zwrócić się do kogoś innego. Akurat teraz jestem zajęty.

– Nie potrzebujemy przewodnika. Ale musimy porozmawiać.

Vogel zmarszczył czoło.

– O czym?

– Bardzo proszę, *Herr* Vogel, byłabym bardzo wdzięczna, gdybyśmy mogli porozmawiać w środku i gdyby pan odwołał psy.

Vogel nie spuszczał z nich oczu, jak gdyby próbował ocenić ryzyko związane z wpuszczeniem obcych ludzi do domu, potem wydął wargi i gwizdnął przeciągle. Dobermany pobiegły do domu, a ich pan nieznacznym skinieniem głowy wskazał otwarte drzwi.

– Proszę za mną.

Przeszli do kuchni. Vogel wpuścił ich do środka przed sobą. Kiedy tylko weszli do domu, znowu pojawiły się dobermany i Jennifer poczuła się nieswojo. Psy w milczeniu zajęły stanowiska pod drzwiami, jak gdyby chciały im odciąć drogę odwrotu.

Kuchnia miała typowo szwajcarski wystrój: duży, sosnowy

kredens, w narożniku tradycyjna węglowa kuchnia. Na środku stał ciężki, dębowy stół, a na nim leżały porozrzucane gazety i duża wojskowa lornetka. Na ścianie obok kredensu zamontowano monitor telewizji przemysłowej, pokazujący obraz sprzed domu. Jennifer nie dziwiły te środki ostrożności – Vogel robił wrażenie człowieka bardzo podejrzliwego.

Na kredensie zauważyła kilka zdjęć w drewnianych ramkach. Jedno z nich przedstawiało grupę czterech mężczyzn, wszyscy byli ubrani jak na wspinaczkę, stali na skalnej półce i patrzyli w obiektyw aparatu. Jednym z alpinistów był Heinrich Vogel. Obok stał ciemnowłosy mężczyzna o szczupłej twarzy, zaciśniętych ustach i gęstych, czarnych brwiach. Miał na sobie niebieską, watowaną kurtkę. Jennifer pomyślała, że skądś zna tę twarz.

Vogel pokazał gestem, żeby usiedli z nim przy stole.

– O co chodzi? – spytał.

Jennifer zaczęła od historii ze znalezieniem ciała na Wasenhornie.

– Może pan o tym słyszał, *Herr* Vogel? Włoska policja sądzi, że ten mężczyzna przeleżał w lodzie dwa lata.

Vogel spojrzał na monitor, a potem przeniósł wzrok na swoich gości.

– *Ja*, słyszałem, coś gadali w miasteczku. Ale co to ma wspólnego ze mną?

– Policja znalazła przy ciele coś, co mogłoby pana zainteresować – podsunął McCaul. – Mogę to panu pokazać, *Herr* Vogel?

– Pewnie.

Jennifer wyjęła z torebki kartkę. Prawa ręka Vogla uparcie tkwiła w kieszeni marynarki. Wziął od niej kartkę lewą ręką, przeczytał ją dokładnie i zmarszczył czoło.

– Widzi pan, że ktoś wyraźnie napisał H. Vogel – wyjaśniała Jennifer. – Pod spodem słowa „Berg Edelweiss", a potem trzy cyfry. Te same cyfry, co trzy ostatnie w numerze pana telefonu.

Vogel nagle się nastroszył.

– Tak wygląda.

– Może by nam pan pomógł wyjaśnić, dlaczego przy zwłokach znaleziono tę kartkę, *Herr* Vogel?

– Nie mam pojęcia – przyglądał się im badawczo. – Jesteście z policji?

– Nie, ja jestem prywatnym detektywem – odparł McCaul.

Vogel był trochę zdezorientowany.

– A dlaczego się w ogóle interesujecie tą sprawą?

– O tym możemy porozmawiać później. Jak pan sądzi, dlaczego przy zwłokach znaleziono pańskie nazwisko i adres?

Vogel jeszcze raz rzucił okiem na monitor, wyjrzał przez okno, potem niespokojnie oblizał wargi.

– Jestem instruktorem wspinaczki skałkowej i przewodnikiem górskim, często zabieram ludzi na Wasenhorn. Może ten człowiek kiedyś korzystał z moich usług. Jak on się nazywa?

– Policja nie zidentyfikowała ciała – odparł McCaul. – I prawdopodobnie już nie zidentyfikuje. Kostnica w Turynie, gdzie przechowywano zwłoki, została wczoraj zniszczona. Spowodował to wybuch.

Vogel przesunął się o centymetr na krześle.

– *Ja*, czytałem o tej eksplozji dzisiaj rano – podniósł ze stołu szwajcarską gazetę i wskazał palcem pierwszą stronę.

– Widzicie? Mówią, że zginęło pięć osób. W gazecie piszą, że to może być robota terrorystów.

Jennifer rozpoznała na zdjęciu dymiące ruiny komendy policji w Turynie, pod zdjęciem był krótki komentarz po niemiecku.

– Co jeszcze piszą w gazecie?

– Niewiele. Tylko tyle, że policja wciąż prowadzi śledztwo. Ale to bardzo dziwne. Naprawdę nie rozumiem, dlaczego ten mężczyzna miałby mieć przy sobie notatkę z moim nazwiskiem i adresem.

Jennifer miała nieodparte wrażenie, że Vogel łże jak najęty.

– Czy pan prowadzi legalną działalność, *Herr* Vogel?

– *Legalną?* Co pani ma na myśli?

– Jest pan przewodnikiem. Czy to legalna i zarejestrowana działalność?

– Tak, oczywiście. Prawo szwajcarskie jest w tych kwestiach bardzo surowe.

– Więc domyślam się, że prawo wymaga, żeby pan miał rejestr wszystkich osób, z którymi pan pracował i które zabierał w góry?

– No... Tak...

– To znaczy, że ma pan gdzieś zapiski z ich nazwiskami?

– No, oczywiście...

– Więc może mógłby pan zajrzeć i sprawdzić, co robił pan w okolicach piętnastego kwietnia dwa lata temu?

– Dlaczego?

– Policja uważa, że ofiara zmarła mniej więcej wtedy.

– Czy chce pani przez to powiedzieć, że ja wyprowadziłem go w góry?

– Nie, wcale nie. Ale jest szansa, że ofiara kiedyś korzystała z pańskich usług, tak jak pan nam to przedstawia, a wtedy z pańskich zapisków będzie można coś wywnioskować i ustalić jej tożsamość.

Vogel nic nie odpowiedział i tu wtrącił się McCaul:

– *Herr* Vogel, policja na pewno będzie panu chciała zadać te same pytania. Przecież nic pan nie traci, jeśli pan nam pomoże.

Vogel milczał. Był zdenerwowany, miał kłopoty z podjęciem decyzji. Wstał niechętnie i wyjął rękę z kieszeni. Jennifer zobaczyła, że brakuje mu koniuszków trzech palców.

– Odmrożenia – wyjaśnił Vogel, gdy zauważył jej spojrzenie. – Operacja oczywiście pomogła, ale było już za późno, żeby uratować wszystkie palce.

– Bardzo mi przykro.

– *Nein*, to ja powinienem przeprosić za to, że byłem zbyt podejrzliwy, kiedy was zobaczyłem na progu. Ale, widzicie państwo, mieszkam tu sam, a w dzisiejszych czasach trzeba być ostrożnym. Teraz przepraszam, zobaczę, czy uda mi się znaleźć księgi.

Vogel nagle jakby świadomym wysiłkiem woli zrobił się sympatyczniejszy. Wyszedł z pokoju, słyszeli jego kroki w holu, a dobermany nie spuszczały oczu z jego gości.

McCaul wyjął z kieszeni Berettę i odbezpieczył broń.

– Jak wróci, ja będę z nim rozmawiał.

Jennifer patrzyła na pistolet.

– O co chodzi?

McCaul podniósł leżącą na stole lornetkę.

– Zrozum. Wygląda na to, że Vogel spodziewa się gości. Coś tu śmierdzi, Jennifer. Widziałaś, jak co chwilę patrzył na monitor? Ten facet jest na skraju załamania nerwowego. A instynkt mi podpowiada, że wie więcej, niż chce powiedzieć. Może już czas zagrać trochę ostrzej.

– Ale jak?

– Jeśli trzeba, warto spróbować lekkiej perswazji. Nie chcę mu zrobić krzywdy, ale te pieski wyraźnie mają ochotę rozerwać nas na strzępy i na pewno to zrobią, gdy krzywo popatrzę na Vogla, więc na wszelki wypadek wolę być przygotowany.

Wsadził broń z powrotem do kieszeni.

Jennifer wstała, ale dobermany tylko wodziły za nią wzrokiem, nie próbując ruszyć się z miejsca.

– Co robisz? – spytał McCaul.

Przyłożyła palec do ust, żeby był cicho, i przeszła przez pokój. Psy bacznie obserwowały każdy jej ruch. Stanęła przed kredensem i spojrzała na zdjęcie grupy mężczyzn.

– Możesz mi powiedzieć, o co chodzi?

Jennifer pokazała palcem na fotografię. Jej uwagę przykuwał ciemnowłosy mężczyzna o szczupłej twarzy i gęstych brwiach.

– Popatrz.

McCaul podszedł do niej.

– O co chodzi?

– Ta twarz mi kogoś przypomina. Popatrz na jego oczy, Frank. I na usta. Wiem, że już go gdzieś widziałam... O, Boże drogi!

– Co się stało?

– Ten człowiek w lodzie. To on! Nie widzisz podobieństwa?

McCaul przyglądał się zdjęciu. Usłyszeli warczenie psów. Kiedy się odwrócili, w drzwiach stał Vogel, ściskając w dłoni pistolet. McCaul chciał sięgnąć po Berettę, ale psy się zjeżyły, gotowe do ataku.

– Niech pan wyciągnie rękę z kieszeni – Vogel zwrócił się do McCaula i machnął pistoletem w kierunku Jennifer. – Proszę sięgnąć bardzo powoli i wyjąć broń.

Jennifer usłuchała, ręka jej się trzęsła, kiedy wyjmowała Berettę z kieszeni McCaula.

– Niech pani położy pistolet na stole.

Odłożyła Berettę, Vogel sięgnął i wsunął ją sobie do kieszeni.

– Dlaczego... – Jennifer szepnęła. – Dlaczego pan nam grozi?

– Chyba wiecie, dlaczego – Vogel machnął pistoletem, wskazując na krzesło. – Siadać i trzymać ręce na widoku. Ruszcie się, a zabiję bez wahania.

56

Na czole Kelso widniał pot, gdy naciskał na hamulec i parkował przed ratuszem w Murnau. Mark zauważył wąskie zaułki, malownicze alpejskie domy i sklepy. Po uliczkach kręcili się turyści. Kelso gestem nakazał Fellowsowi i Grimesowi zostać w samochodzie, a potem wymierzył palec w Marka.

– Idziesz ze mną.

Wpadł jak rozjuszony byk przez drzwi ratusza, a Mark podążył za nim.

W kuchni panowała cisza. Vogel miał krople potu na czole i raz po raz spoglądał w monitor telewizji przemysłowej.

Ciszę przerwał głos Jennifer.

– *Herr* Vogel, dlaczego pan nas straszy? Nie przyjechaliśmy tutaj po to, żeby zrobić panu krzywdę, my tylko szukamy informacji.

– Niech pani nie kłamie, przyjechaliście z bronią.

– Pistolet jest tylko dla naszej ochrony. Jeżeli pan zechciałby posłuchać, możemy wszystko wyjaśnić.

– *Still!* Niech pani będzie cicho. Ani słowa!

Jennifer wstała z krzesła. Psy zawarczały i pokazały zęby, ale ona nie zważała na niebezpieczeństwo. Była zdeterminowana i chciała się za wszelką cenę dowiedzieć, co Vogel wie o zniknięciu jej ojca.

– Nie, to ja chcę, żeby pan posłuchał, co mam panu do powiedzenia.

McCaul pociągnął ją za ramię.

– Jennifer, nie przeciągaj struny, bo nie wiadomo, jak to się skończy.

Nie posłuchała McCaula i pokazała palcem na fotografię stojącą na kredensie.

– Jeden z tych ludzi na zdjęciu to ofiara lodowca Wasenhorn, prawda, *Herr* Vogel? Wie pan, jak się nazywa. Ale nie był sam na lodowcu, kiedy zginął. Był z nim mój ojciec. A może o tym pan też wie?

– Pani ojciec? O czym pani mówi?

– Mój ojciec zaginął dwa lata temu. Policja znalazła jego paszport przy zwłokach tego odnalezionego na lodowcu i dlatego jesteśmy tutaj. Mam w torbie jego zdjęcie. Jeżeli bym mogła panu pokazać...

Oczy Vogla zalśniły podejrzliwie.

– Nie, niech pani tutaj przysunie torbę, powoli.

Jennifer położyła na stole swój podręczny bagaż, a Vogel grzebał w niej przez moment wolną ręką, aż znalazł zdjęcie.

– Mój ojciec nazywał się Paul March. Czy pan go zna, panie Vogel?

Vogel zbladł, przyglądając się zdjęciu. Nie odłożył broni, ale nagle zmienił się wyraz jego twarzy, już nie był podejrzliwy, tylko zaciekawiony, kiedy podniósł głowę i spojrzał na Jennifer.

– Niech pani mi szczegółowo wyjaśni, dlaczego tu przyjechaliście.

Kelso i Mark podeszli do biurka, przy którym siedziała młoda urzędniczka. Była zajęta załatwianiem sprawy jakiegoś starszego Szwajcara, ale Kelso przepchnął się przed niego i zwrócił się wprost do kobiety.

– Czy pani mówi po angielsku, *Fraulein*?

– Tak, ale musi pan czekać na swoją kolejkę.

– To sprawa niecierpiąca zwłoki. Widziała pani tę kobietę? – Kelso położył na biurku zdjęcie Jennifer.

Urzędniczka przyjrzała się zdjęciu i odparła.

– *Ja.* Rozmawiałam z nią dzisiaj rano. Była tu i szukała informacji. Dlaczego?

Kelso zrobił przygnębioną minę i włożył zdjęcie do kieszeni.

– Jestem jej ojcem. Wydarzył się straszliwy wypadek samochodowy. Ktoś z rodziny jest poważnie ranny i muszę natychmiast odnaleźć moją córkę.

– Bardzo... Bardzo mi przykro. Była tu pół godziny temu z jakimś mężczyzną, szukając adresu mieszkańca naszego kantonu. Zajrzałam do rejestru meldunkowego i dałam jej potrzebne dane.

– Kogo dokładnie szukała? – spytał Mark.

– Prawdę mówiąc, interesowała się tylko jedną osobą, Heinrichem Voglem. Powiedziałam jej, jak dotrzeć do jego farmy.

Kelso niemal odetchnął z ulgą.

– Jak znajdziemy tego pana Vogla?

Kiedy Jennifer skończyła mówić, w kuchni słychać było tylko tykanie zegara. Twarz Vogla pobladła, ręce mu się trzęsły.

– Zna pan człowieka, który zginął na Wasenhornie, prawda? – spytała Jennifer.

– *Ja*, znam go.

– Kto to jest?

– To mój brat, Peter – wyznał Vogel zduszonym głosem. Wyglądał na wstrząśniętego, jakby po tym wszystkim nie potrafił wziąć się w garść.

– Co pana brat robił na Wasenhornie?

– Nie wiecie, prawda? Naprawdę nic nie wiecie.

– Czego nie wiemy? Czy to pan go zabił? Dlatego pan się boi, *Herr* Vogel?

– Zabić go? – powiedział Vogel. – Dlaczego miałbym go zabijać?

– Co się stało z pana bratem na lodowcu?

– Wieczór przed śmiercią Peter przyjechał tutaj z dwoma mężczyznami, których odebrał ze stacji w Brig. Jeden nazywał się Karl Lazar, a drugi to był ten, tutaj... – Vogel postukał palcem w zdjęcie. – Ten mężczyzna, niby pani ojciec. Nie znałem go, ale znałem Karla Lazara. Przez wiele lat jeździł do Murnau na narty i tak się poznaliśmy.

– Po co tu przyjechali?

– Lazar poprosił mnie i brata, żebyśmy ich przeprowadzili... Nie, kazał nam, żebyśmy ich przeprowadzili przez lodowiec do Włoch. Widać było, że są czymś bardzo zdenerwowani. A zwłaszcza pani ojciec. Jeszcze bardziej niż Lazara szarpały go nerwy. Ale dopiero później dowiedziałem się, że próbują uciec od przyjaciół z rosyjskiej mafii.

Jennifer była zdumiona.

– Nie rozumiem.

– Myślałem, że przyjechaliście tu mnie zabić. Myślałem, że jesteście z nimi. Dlatego byłem taki ostrożny. Ale ma pani tę fotografię i już wiem, dlaczego tu przyjechaliście.

– Jesteśmy jednymi z nich? Co panu mówi ta fotografia? – Jennifer nie miała zielonego pojęcia, o czym bełkotał Vogel, spojrzała na McCaula, który wyglądał na równie zaskoczonego. – *Herr* Vogel, musi pan nam powiedzieć, kim jest Karl Lazar i co mój ojciec robił w jego towarzystwie.

– Mówiłem wam, próbowali przejść przez zieloną granicę. Lazar był z rosyjskiej mafii.

– Ale dlaczego był z nim mój ojciec?

Vogel nagle zaczął się rozglądać. Wstał i podszedł do monitora.

– Nie ma czasu na wyjaśnienia. Niedługo tu będą, jestem pewien. Teraz rozumiem, dlaczego obserwowali dom. To przez was. A jak tu przyjadą, to nas wszystkich pozabijają. Musicie natychmiast wyjeżdżać.

– O czym pan mówi? Kto przyjdzie? Kto nas wszystkich pozabija?

Ściskając pistolet w dłoni, Vogel ruszył w kierunku okna. W ułamku sekundy McCaul skoczył na równe nogi i wywrócił stół. Mebel zwalił się z hukiem i przewrócił Vogla, Jennifer zatoczyła się do tyłu, ale McCaul nie poprzestał na tym. Popychając stół przed sobą, nacierał jak byk na arenie na psy, które ruszyły do ataku. Grzmotnął je blatem, wypychając za drzwi. Zaparł drzwi stołem i odwrócił się.

Vogel wciąż trzymał w ręku pistolet i za wszelką cenę próbował się podnieść z podłogi, ale McCaul rzucił się na niego i wyrwał mu broń z ręki. Wystrzelił dwa razy w sufit, ale ogłuszający huk nie uciszył dobermanów. Rzucały się na stół, warczały i szczekały, próbując przeskoczyć nad blatem do kuchni.

– Powstrzymaj je! – krzyknął McCaul. – Powstrzymaj je albo przysięgam na Boga, że je zastrzelę!

– *Sitz*, Ferdie! *Sitz*, Hans! – krzyknął Vogel.

Psy warczały, niechętnie poddając się poleceniu, potem ucichły i usiadły.

– Każ im wyjść na dwór. Już!

– *Draussen! Draussen sofort!*

Psy pobiegły truchtem do holu. McCaulowi udało się w końcu zamknąć drzwi, zaparł je mocno stołem, ale w tym czasie Vogel sięgnął do kieszeni po Berettę.

– Frank! – krzyknęła Jennifer. Rozległ się strzał, który dosięgnął McCaula w ramię. Uderzenie było tak mocne, że McCaul upadł do tyłu. Jennifer rzuciła się na Vogla, próbując wyrwać mu pistolet z dłoni. W końcu McCaulowi udało się wstać i sam wydarł broń z ręki Szwajcara.

– Proszę... Proszę... Nie zabijajcie mnie – błagał Vogel. – Nie chciałem nikomu zrobić krzywdy.

– Jeżeli tak, to bardzo dziwnie się zachowujesz, kolego.

– Chciałem tylko się obronić. Daję słowo...

McCaul chwycił się dłonią za ramię.

– Rozejrzyj się, może znajdziesz coś, żeby zatrzymać krwawienie.

Jennifer znalazła ścierkę kuchenną i mocno obwiązała nią ramię McCaula. Po chwili krew przestała cieknąć.

– Jak to wygląda? Pokaż.

Przyjrzała się ranie i zobaczyła dwa otwory w miejscach, gdzie kula przeszyła marynarkę i przeszła przez drugą część ramienia. McCaul zwrócił się do Vogla.

– Chyba będziemy musieli sobie uciąć dłuższą pogawędkę, kolego.

Usłyszeli dźwięk silnika samochodu i Vogel wyraźnie się przestraszył.

– Przyjechaliście... za późno. Już tu są. Mówiłem wam, że tu będą.

Jennifer podeszła do okna i zobaczyła wielkie czarne BMW wjeżdżające pełną prędkością przez bramę, a potem z rykiem silnika podjeżdżające pod sam dom. Czuła, że serce jej przyspiesza i bije mocniej, gdy samochód podjechał bliżej i rozpoznała rysy twarzy pasażerów.

– On ma rację, Frank. Ktoś tu jedzie.

– Kto?

– Ci dwaj.

57

Jennifer dostrzegła czarne BMW zatrzymujące się na żwirowym podjeździe przed domem. McCaul podszedł do okna i stanął tuż obok niej. Ciągnął za sobą Vogla. Zobaczył akurat, jak otwierają się drzwi i z samochodu wysiada dwóch mężczyzn. Jeden z nich był blondynem z pociągu. Miał plaster przyklejony na czole i rozmawiał z kimś przez telefon komórkowy. Tym razem jego wspólnikiem był wysportowany mężczyzna około trzydziestki, z pistoletem maszynowym w dłoniach. McCaul zwrócił się do Vogla:

– Kim są ci faceci?

– Ja... Ja nie wiem.

– Co? Nie wiesz!? – ryknął McCaul.

– Może to ci sami, którzy od trzech dni obserwują dom, od dnia, kiedy w gazetach pojawiły się doniesienia o znalezieniu ciała w górach. Jeździli za mną. Różnymi samochodami. Śledzili mnie, kiedy się wybierałem do miasteczka, ale zawsze trzymali się w pewnej odległości. Musieli być głupi, jeżeli myśleli, że ich nie widziałem.

– A jak pan sądzi, kim oni są?

– Rosyjska mafia. Ci sami, z którymi współpracował Lazar.

– Dlaczego obserwują dom?

Vogel ucichł, a McCaul był wyraźnie wściekły.

– Będziesz musiał nam jeszcze dużo wyjaśnić.

Jennifer zobaczyła, że blondyn skończył rozmowę przez komórkę. Wyciągnął pistolet, skinął na swojego kompana i ruszyli do przodu.

– Frank, oni podchodzą bliżej.

McCaul odszedł od okna.

– Posłuchaj mnie, Vogel. Jeden z tych gości już dwa razy próbował nas sprzątnąć. Teraz przyjechał dokończyć robotę. Musisz nam powiedzieć, co tu się, do cholery, dzieje.

Na czoło Vogla wystąpił pot, ale uparcie milczał.

– Czego oni chcą? – nalegała Jennifer. – Co mój ojciec miał wspólnego z rosyjską mafią?

Zanim Vogel odpowiedział, McCaul wtrącił się do rozmowy podenerwowany.

– Zostaw go, Jennifer, teraz nie ma na to czasu. Dobrze byłoby, gdybyś nam pokazał jakieś tylne wyjście.

– Tędy... Chodźcie tędy... – Vogel wskazał nerwowo drzwi z tyłu kuchni.

– Dokąd prowadzą te drzwi?

– Do piwnicy, a potem na zewnątrz, do stodoły i do garażu.

McCaul otworzył drzwi i weszli do ciasnego, ciemnego korytarza. Włączył światło i gdzieś w dole rozjarzyła się żarówka, oświetlając stopnie prowadzące do piwnicy i drewutni. Wzdłuż ścian ułożono drewniane klocki.

– Czy mercedes w garażu jest sprawny?

– Tak.

– Gdzie są kluczyki?

– Tam, gdzie zawsze, w stacyjce.

– Jest stąd jakaś droga wyjazdowa? – zapytała Jennifer.

– Stąd da się wyjechać tylko leśnym duktem. Zaczyna się tuż za stodołą, a pół kilometra dalej wychodzi na główną drogę.

McCaul wyraźnie się pocił.

– Będziemy musieli zaryzykować. Idziesz z nami.

Vogel nagle zaczął się bać.

– Proszę... Nie róbcie mi krzywdy.

McCaul syknął:

– A to dobre, przecież to ty przed chwilą wpakowałeś we mnie kulkę. Ale powiem ci, że masz większe szanse przeżycia, jeżeli będziesz się trzymał z nami.

– Moje... Moje psy. Muszę je zawołać.

McCaul odbezpieczył Berettę i wskazał gestem dłoni schody do piwnicy.

– Nie ma czasu. Ruszamy.

Dwaj mężczyźni zatrzymali się przy drzwiach do budynku. Blondyn strzelił palcami, a jego wspólnik natychmiast zajął stanowisko przy futrynie. Kiedy sięgnął po klamkę, ze środka dobiegł skowyt i wycie. Żeby się upewnić, co ma robić, zerknął na blondyna, który odbezpieczył pistolet i skinął głową, że wszystko jest w porządku. Nacisnął klamkę.

McCaul zamknął drzwi do piwnicy, a kiedy pospiesznie schodzili, Jennifer spytała Vogla:

– Co się stało tej nocy, kiedy zabrał pan mojego ojca w góry?

– Ostrzegałem Lazara, że to szaleństwo przechodzić nocą przez lodowiec, że ryzykują życiem, ale nie chcieli słuchać. Mieli broń i powiedzieli, że zastrzelą mnie i Petera, jeżeli nie przeprowadzimy ich przez granicę. Lazar zażądał sprzętu wspinaczkowego dla siebie i dla pani ojca i trzech dużych plecaków. Gdy już się przebrali, zobaczyłem, jak do dwóch plecaków wciskają jakieś aktówki, a swoje rzeczy wkładają do trzeciego. Potem ruszyliśmy przed północą, świecąc latarkami.

– Niech pan mówi dalej.

– Dotarliśmy po dwóch godzinach do lodowca i nagle pogoda się załamała. Zerwała się straszna zawieja, w śnieżycy nie było widać dalej niż na parę metrów. Wtedy usłyszałem krzyk i Peter zniknął. Wiedziałem, że wpadł do szczeliny.

– Co się stało z moim ojcem?

– Zgubiłem go i Lazara w śnieżnej zawiei, ale w ogóle mnie nie obchodziło, co z nimi będzie. Chciałem tylko zejść w dół i wrócić do domu – Vogel podniósł odmrożoną rękę. – Cztery godziny schodziłem z lodowca i kosztowało mnie to palce i połowę nosa, ale miałem szczęście, bo przeżyłem.

Doszli do końca schodów. Po drugiej stronie piwnicy były jeszcze jedne drzwi. Usłyszeli na górze szczekanie dobermanów, czyjś krzyk i cztery strzały. Vogel jęknął.

– Moje psy... Strzelają do moich psów!

– Będziemy następni w kolejce, jeżeli stąd nie znikniemy – McCaul podał Berettę Jennifer. – Strzelałaś kiedyś z takiego pistoletu?

– Nie.

– Jeżeli ktoś zejdzie po schodach, po prostu wyceluj w niego i naciśnij spust, tak jak w pistolecie maszynowym, z którego strzelałaś w pociągu, ale pamiętaj, że masz tylko jeden nabój – McCaul odciągnął zasuwę w drzwiach. – Mówicie cicho. Wrócę najszybciej, jak tylko będę mógł.

– Dokąd idziesz?

– Rozejrzeć się na zewnątrz.

Blondyn i jego wspólnik otworzyli frontowe drzwi i weszli do środka. Ledwo zrobili krok, gdy rzuciły się na nich dwa warczące dobermany. Mężczyzna z pistoletem maszynowym wrzasnął z bólu, gdy jeden z psów zatopił zęby w jego ramieniu, zmuszając go do rzucenia broni.

Blondyn wystrzelił szybko raz za razem, trafiając drugiego psa w locie – zwierzę, skowycząc, padło na podłogę – a potem odwrócił się i wpakował dwie kule w dobermana, który nie puszczał ramienia jego wspólnika. Zabił zwierzę w ułamku sekundy. W holu było mnóstwo krwi, a ranny przyciskał ramię jęcząc z bólu.

Blondyn oddał mu broń i powiedział z obrzydzeniem:

– Idioto! Idź od tyłu – rozkazał. – Wiesz, co robić.

Jego wspólnik wyszedł i pobiegł na tyły domu. Blondyn podniósł broń i ruszył w głąb holu.

58

Nagle dźwięk strzałów ucichł, a od ciszy panującej w całym domu aż dźwięczało w uszach. Jennifer była pewna, że tam, na górze, mężczyźni nie stoją w miejscu, ale nie słyszała kroków. Trzymała kurczowo Berettę, nie wiedząc, czy będzie potrafiła jeszcze raz do kogoś strzelić, nawet jeżeli będzie musiała. McCaul wciąż nie wracał, a ona czuła rosnącą niepewność. Vogel nie mógł się opanować.

– Te cholery pozabijały mi psy. Zabili Ferdiego i Hansa...

– Bardzo proszę, *Herr* Vogel, niech pan tak głośno nie mówi.

– Jesteście szaleni, jeśli macie nadzieję, że wyjdziecie stąd żywi. Znajdą nas i zatłuką.

– Dlaczego pan nie powiedział policji, co się stało z pana bratem? – spytała Jennifer oskarżycielskim szeptem.

Vogel popatrzył na nią, jakby była szalona.

– Jak bym mógł? O wiele prościej było oznajmić ludziom w miasteczku, że Peter przeprowadził się do Zurychu. W przeciwnym razie sam bym sobie sznur ukręcił.

– Co to znaczy?

– Kilka lat temu Lazar wynajmował mnie jako kuriera i chodziłem z różnymi rzeczami przez zieloną granicę. Co kilka miesięcy przechodziłem przez Wasenhorn do Włoch, tam odbierałem przesyłkę i wracałem przez lodowiec. Nie powinienem nigdy wiązać się z tym mafijnym zabójcą.

– Jakie przesyłki?

– Zawsze wielki plecak pełen pieniędzy. Współpracownicy Lazara przesyłali w ten sposób pieniądze do banku w Zurychu i tam je prali. Wiem, że to nielegalne, ale co mnie to obchodzi. Rosjanie świetnie płacili.

– Co to znaczy „wyprane"? Zalegalizowane?

– Oczywiście. Tak mi mówił Lazar.

– Czy mój ojciec był w to wmieszany?

– A skąd mam to wiedzieć? Wiedziałem tylko, że mam przed sobą dwóch desperatów, którzy usiłują uciec z wielką fortuną na plecach.

– Niech pan to wyjaśni.

– Kiedy wyszliśmy w góry, na lodowiec, Lazar powiedział nam, że on i pani ojciec ukradli rosyjskiej mafii ogromną fortunę. Powiedział, że Peterowi i mnie bardzo hojnie zapłacą za pomoc, ale że musimy trzymać gębę na kłódkę. My jednak mieliśmy przeczucie, że kiedy już ich przeprowadzimy przez zieloną granicę, będą chcieli nas zamordować. Dlatego właśnie uciekłem przy pierwszej sposobności.

Jennifer usłyszała, że na górze skrzypi podłoga. Ile czasu minie, zanim znajdą piwnicę? Serce biło jej jak oszalałe. Nie wiedziała, co myśleć o słowach Vogla.

– Mówi pan, że mój ojciec tej nocy był przestraszony. Co to znaczy przestraszony? Czego się bał?

– Był niepewny tego, co się stanie. Tak mi się przynajmniej wydawało. Obaj się czegoś bali, zwłaszcza pani ojciec.

– Rozmawiał pan z nim?

– Nie. Z nami mówił tylko Lazar.

Jennifer znów usłyszała jakiś odgłos, jakby dźwięk buta szurającego po drewnianej podłodze. Mężczyźni przeszukiwali pokoje. Będą *musieli* za chwilę odnaleźć drzwi do piwnicy.

– *Herr* Vogel, muszę wiedzieć, czy mój ojciec mógł przeżyć tę śnieżycę.

– To niemożliwe. Nawiane zaspy miały po metr wysokości. On i Lazar w żaden sposób nie znaleźliby drogi przy takiej pogodzie.

– Ale panu się udało.

– Tylko cudem.

– Nie wrócił pan, żeby poszukać ciał?

– *Ja*, sześć tygodni później, kiedy już się lepiej czułem. Nie było żadnego śladu ciał i wcale mnie to nie dziwiło. Prawdopodobnie tak jak Peter wpadli do jakieś szczeliny i ślad po nich zaginął.

– Myli się pan. Jeden z nich przeżył i pięć dni później dotarł do klasztoru pod wezwaniem Korony Cierniowej.

– To niemożliwe! Nikt nie mógł przeżyć pięciu dni w tych zaspach.

– Niedaleko jest bacówka. Tam można było znaleźć schronienie. Vogel nie był przekonany.

– Niech mi pani wierzy, że czepia się złudnej nadziei. Pani ojciec zamarzłby na śmierć. Ale nie mogę pokazać pani zwłok, więc żadnego dowodu nie ma, jeżeli szuka pani dowodów. Ja ciała nie znalazłem.

Vogel nagle umilkł. Jennifer poczuła, że serce bije jej mocniej, bo u szczytu schodów ktoś zaczął naciskać klamkę. Potem usłyszała inny dźwięk i okręciła się na pięcie. Drzwi prowadzące na dół otwierały się powoli. Uniosła Berettę i przygotowała się do strzału.

– To ja – szepnął znajomy głos i do piwnicy wszedł McCaul.

– Są na górze, Frank. Próbują otworzyć drzwi.

Na twarzy McCaula widać było strużki potu, a klamka u szczytu schodów znów się poruszyła.

– No, to już po herbacie. Z tyłu za domem jest facet z karabinem maszynowym. Właśnie do nas idzie.

59

Mark mocniej przycisnął pedał gazu. Pędzili drogą na wschód od Murnau, a Kelso niespokojnie wpatrywał się w mapę. Grimes i Fellows trzymali się tuż za nimi. Z prawej i z lewej strony odchodziły od drogi wąskie, leśne trakty, a każdy wyglądał tak samo jak poprzedni. Mark kompletnie nie wiedział, gdzie jest.

– Którędy teraz?

– Pierwszą w lewo.

Mark skręcił kierownicą ostro w lewo na następnym skrzyżowaniu i wpadli na wyboistą, błotnistą przecinkę leśną, po chwili droga kończyła się ścianą potężnych świerków. Dalej nie dało się jechać.

– Nie widzę tu nigdzie ani domu, ani zabudowań gospodarczych, Kelso. Na pewno dobrze skręciliśmy?

Kelso jeszcze raz nerwowo spojrzał na mapę.

– Cholera.

– Co, znowu się zgubiliśmy?

– Ta farma musi gdzieś tu być. Zawracamy.

Jennifer znów usłyszała, że klamka na półpiętrze się porusza, a po chwili rozległ się odgłos skrzypiących drzwi.

Ktoś próbuje je otworzyć.

Byli zamknięci w pułapce, zablokowani z obu stron, nie było dokąd uciekać, ona była owładnięta panicznym strachem.

– Jest stąd jeszcze jakieś wyjście?

– Gdyby było, już bym was tam zaprowadził – głos Vogla drżał. – Jesteśmy skończeni, nie rozumie pani? Jak mamy się bronić przed pistoletami maszynowymi?

– Stańcie oboje przy ścianie i ani mru-mru – rozkazał McCaul.

– Co chcesz zrobić?

– Rób, co ci każę, Jennifer – McCaul wyjął latarkę z kieszeni, włączył ją i podszedł do żarówki wiszącej na suficie. Stanął na palcach i osłaniając dłoń rękawem kurtki, odkręcił lekko żarówkę. Piwnica pogrążyła się w atramentowo czarnych ciemnościach, tylko dzięki słabemu blaskowi latarki w ogóle dało się coś widzieć.

Jennifer i Vogel przywarli plecami do ściany, a McCaul podniósł palec do ust, dając znak, żeby byli cicho, potem podniósł ze stosu drewna ciężki klocek, ustawił się za drzwiami i wyłączył latarkę.

Odgłosy dobiegające z półpiętra były coraz wyraźniejsze, potem usłyszeli stłumioną rozmowę. Kilka sekund później drzwi do piwnicy otworzyły się nieznacznie, a wąski promień światła rozświetlił ciemność. Zobaczyli lufę pistoletu maszynowego. Drzwi otworzyły się szerzej, jeden z napastników wyszedł na schody ostrożnie, skulony, ściskając w dłoniach pistolet maszynowy. W tym momencie drzwi na półpiętrze poruszyły się nieznacznie, a mężczyzna spojrzał w górę zaniepokojony.

– Dimitrij? – zawołał cicho.

McCaul wyskoczył z cienia z kłodą drewna w rękach i zadał mężczyźnie potężny cios w plecy. Ten krzyknął i upuścił pistolet maszynowy, a McCaul uderzył go jeszcze raz, tym razem w kark. Mężczyzna jęknął i opadł bezwładnie na podłogę.

Kiedy McCaul chwycił pistolet maszynowy, na szczycie schodów pojawił się blondyn. Vogel spanikował i wystrzelił jak z procy w kierunku drzwi z drugiej strony piwnicy, przebiegł obok Jennifer, wołając błagalnie:

– Nie zabijajcie mnie!

Dobiegł do drzwi, gdy blondyn wystrzelił z pistoletu i trafił go w plecy. McCaul uniósł pistolet maszynowy i odpowiedział serią, pociski wyrywały tynk ze ścian półpiętra. Blondyn zrozumiał, że McCaul ma przewagę ognia i próbował się wycofać z drzwi, ale ten strzelił jeszcze raz, posyłając jeszcze jedną serię w ścianę nad głową mężczyzny.

– Rzuć broń na glebę! – wrzasnął McCaul. – Na glebę albo już nie żyjesz!

Blondyn rzucił broń. McCaul w ułamku sekundy był na górze. Chwycił mężczyznę za połę kurtki i popchnął go w dół.

Blondyn, potykając się na schodach, zbiegał do piwnicy, na dole się wywrócił i wylądował na podłodze. Był zdezorientowany, kiedy McCaul do niego podbiegł.

– Wstawaj!

Blondyn wyprostował się i McCaul przeszukał go, żeby sprawdzić, czy nie ma broni. Jennifer rozejrzała się wokół. Leżący przy drzwiach napastnik, którego McCaul uderzył kłodą, był wciąż nieprzytomny. W piwnicy unosił się kwaśny zapach prochu, a podziurawione kulami ciało Vogla leżało na podłodze.

Podeszła, żeby sprawdzić jego puls, ale nic nie poczuła. Była jak odrętwiała.

McCaul okręcił jeńca tak, żeby stał twarzą do schodów.

– Nie wiem, kim jesteś, koleś, ale musisz mi odpowiedzieć na parę pytań. Teraz na górę, krok za krokiem i stopień po stopniu.

McCaul przyciągnął krzesło kuchenne i popchnął na nie blondyna.

– Zaczniemy od tego, kim jesteś, Dimitrij.

– Pierdol się – odparł mężczyzna.

– Dlaczego próbowaliście mnie zabić? – spytała Jennifer.

– Jeśli bym chciał, zabiłbym cię już dawno temu, głupia suko.

Jennifer nie ustępowała.

– Dla kogo pracujecie, czego ode mnie chcecie?

Mężczyzna skrzywił się, patrząc na McCaula.

– No, już, strzelaj, ale niczego się ode mnie nie dowiesz.

McCaul stracił cierpliwość, chwycił go za klapy i postawił go na równe nogi.

– Zadała ci pytanie.

Blondyn uniósł do góry brodę i milczał. McCaul nie mógł opanować gniewu. Uderzył go w szczękę, potem jeszcze raz i jeszcze raz. Kiedy szykował się do następnego ciosu, Jennifer chwyciła go za ramię.

– Nie, przestań, Frank!

McCaul puścił blondyna, który zwalił się na krzesło ledwie żywy, głowa bezwładnie opadła mu na bok, z kącika ust sączyła się krew.

– Ten gość nam nic nie powie. Tylko tracimy czas.

Przeszukał ubranie mężczyzny i znalazł jeszcze jeden telefon komórkowy i kluczyki do samochodu, potem przeszedł przez pokój i jednym szarpnięciem wydarł ze ściany przewody telefoniczne Vogla.

– Po co to zrobiłeś?

– Chcę mieć pewność, że nasz przyjaciel nie będzie mógł nigdzie zadzwonić, jak już dojdzie do siebie.

McCaul wziął Jennifer pod ramię, zaprowadził do piwnicy i przeszukał kieszenie drugiego napastnika. Mężczyzna był wciąż nieprzytomny. McCaul znalazł jego portfel i wsadził do torby podręcznej Jennifer, wyciągnął pasek ze spodni mężczyzny i zawiązał mu ręce za plecami, a następnie podszedł do ciała Vogla. Szwajcar patrzył nic niewidzącym wzrokiem w pustkę. McCaul ukląkł nad nim, położył palce na powiekach i zamknął mu oczy.

– Biedak nie miał żadnych szans. Nic tu po nas. Chodźmy do samochodu.

Trzy minuty później blondyn odzyskał przytomność. Rozmasował sobie twarz i kuśtykając podszedł do okna. Zobaczył, że volkswagena nie ma, przeszukał kieszenie i stwierdził, że ktoś zabrał kluczyki do ich samochodu. Zszedł do piwnicy, potem do drzwi i do mercedesa w garażu. Stwierdził, że kluczyki są w stacyjce, wsiadł za kierownicę, włączył silnik i podjechał tyłem do drzwi do piwnicy. Rozpiął pasek i rozwiązał ręce drugiemu mężczyźnie, który ledwie patrzył na oczy. Jego kompan wsadził go na tylne siedzenia mercedesa, wrócił na miejsce kierowcy, dodał gazu, wrzucił bieg i pojechał w kierunku Murnau. Trzy kilometry dalej, jadąc sześćdziesiąt na godzinę, zauważył kątem oka opla i volkswagena, które z dużą prędkością pędziły w przeciwnym kierunku.

60

McCaul zobaczył stację benzynową i zjechał z drogi. Zaczęło boleć go ramię. Zdjął kurtkę, a Jennifer obejrzała ranę. Już nie krwawiła, ale była zaczerwieniona i nie wyglądała ładnie.

– Powinniśmy poszukać lekarza, Frank.

– Wykluczone. Jeśli się pojawię w przychodni z raną postrzałową, będziemy mieć na karku gliny. To jest w miarę czysta rana. Znajdziemy później aptekę i porządnie ją opatrzymy.

– Zawsze jesteś taki uparty?

– To u mnie rodzinne. Zobaczmy, co mamy w tej twojej torbie?

Przeszukali portfele napastników, znajdując banknoty szwajcarskie i euro, ale żadnych dokumentów.

– Pewnie się uczą na własnych błędach. Tu nie ma nic, co by zdradzało, kim są ci ludzie, ani fałszywych, ani prawdziwych dokumentów – McCaul przyjrzał się telefonowi napastnika. – To samo, co wtedy. Zablokowany, trzeba znać kod dostępu – rzucił telefon ze złością na fotel samochodu. – Według mnie, jesteśmy w martwym punkcie, a do tego w dość groźnym położeniu. Masz swój paszport?

– W torbie. Dlaczego pytasz?

– Tutaj ślad się urywa, a wiemy tylko tyle, ile nam powiedział Vogel. Sądzę, że powinniśmy pierwszym samolotem polecieć do Stanów i dowiedzieć się, co się stało z kasetką twojego ojca. Mam przeczucie, że kluczem do tego, czego szukamy, jest właśnie zawartość kasetki. A może przy okazji dowiemy się, kto tutaj pociąga za sznurki.

Jennifer wiedziała, że McCaul ma rację.

– A jeżeli obserwują lotnisko?

McCaul spojrzał na mapę.

– Jeżeli zawrócimy na wschód i pojedziemy do Genewy, możemy złapać połączenie do Stanów. Jesteśmy teraz krok przed nimi, może więc uda się nam wyprowadzić ich w pole, zanim blondas ogłosi alarm. Ale wiesz, co mnie najbardziej zastanawia? Jeżeli mu uwierzyć, że nie miał zamiaru cię wykończyć, w każdym razie jeszcze nie teraz, to jaki ma motyw? Wiem, że jesteś zmęczona, ale musimy zdobyć się na wysiłek i jeszcze trochę pomyśleć. Zastanów się. Muszą *czegoś* chcieć, Jennifer. Słyszałaś kiedyś, żeby ojciec wspominał o rosyjskiej mafii?

– Nie, nigdy. – Jennifer nie znajdowała żadnej odpowiedzi na jego pytanie. Była znów zdezorientowana, niepewna, czuła, że niedługo się zupełnie załamie. Niekończące się zabójstwa i poczucie, że jest się tropioną zwierzyną, że ścigają ją ludzie, którzy nie mają żadnych zahamowań i żadnego przekonującego powodu, żeby ją nękać, w końcu wzięły górę. „Jeżeli to się zaraz nie skończy, chyba naprawdę zwariuję" – stwierdziła, balansując na skraju rozpaczy. Objęła głowę dłońmi.

McCaul dotknął jej ramienia.

– Chyba już czas wracać do domu.

Mark zauważył, że gdy Kelso wyłączył silnik, nagle zrobiło się zupełnie cicho. Na farmie nie było cicho, było niesamowicie cicho. Na podjeździe stało czarne BMW 530 ze szwajcarską rejestracją. Stodoła i garaż wyglądały na puste, drzwi frontowe do domu były otwarte na oścież i wszędzie było cicho jak w grobie.

Grimes i Fellows wysiedli z samochodu i ruszyli za Markiem i Kelso, który rozejrzał się na boki i powiedział:

– Ryan i ja idziemy od frontu. Wy dwaj – od tyłu. I na Boga, bądźcie ostrożni!

Grimes ruszył z wyciągniętą bronią na tyły domu, Fellows tuż za nim. Kelso odbezpieczył pistolet, Mark również przygotował broń i czekali w niepewności przy samochodzie. Po kilku minutach, które wydawały się całą wiecznością, Grimes w końcu wyłonił się z domu, wyszedł frontowymi drzwiami z bronią opuszczoną przy boku, z jego spojrzenia nie można było nic wyczytać.

– Lepiej sami zobaczcie.

61

– Przypuszczam, że zginął niecałą godzinę temu. Wygląda, jakby szedł do drzwi, kiedy dostał pięć strzałów w plecy.

Mark ukląkł przy zwłokach i przyjrzał się ranom. Już wiedział, że ofiara w najmniejszym stopniu nie przypomina McCaula, ale Kelso przykucnął, żeby się bliżej przyjrzeć. Pierwszy szok, który przeżyli, to widok dobermanów posiekanych kulami i hol cały we krwi. Mark skrzywił się, przechodząc nad psami. Grimes prowadził go przez zniszczone drzwi, które ktoś wyłamał z zawiasów. Kiedy szli zniszczonymi schodami do piwnicy, zobaczyli leżące przy drzwiach ciało. Kelso skończył badanie zwłok, wstał i odezwał się do Fellowsa:

– Sprawdzałeś na górze?

– Pusto. Z rzeczy osobistych, które znaleźliśmy w sypialni, wynika, że gość mieszkał sam.

– Z jakich rzeczy osobistych?

– Z fotografii, rachunków i ubrań. Grimes znalazł to w szufladzie w sypialni – Fellows pokazał im prawo jazdy ze zdjęciem nieboszczyka na nazwisko Heinrich Vogel. – Znaleźliśmy w sypialni kilka innych rzeczy.

– Jakich?

– Korespondencję. Papier listowy. Wygląda na to, że nasz przyjaciel Vogel był instruktorem narciarskim i przewodnikiem górskim.

Kelso przyjrzał się prawu jazdy, a potem włożył je do kieszeni.

– Poproszę Langley o sprawdzenie tego pana. Myślę, że żadnych rewelacji tu nie ma, ale założę się, że trafiliśmy na naszego „wieszaka".

– Znaleźliście coś jeszcze? – Mark zwrócił się do Fellowsa.

– Kilkanaście łusek po dziewięciomilimetrowych nabojach w piwnicy i na półpiętrze.

– Czy są jakieś ślady bytności Jennifer i McCaula?

– Nie. Ale na podłodze w kuchni znaleźliśmy ślady krwi.

– Idźcie sprawdzić to BMW – rozkazał Kelso. – Zobaczcie, czy było własnością tego Vogla.

Marka zżerał niepokój, kiedy Grimes i Fellows wyszli.

– Gdzie ona jest, Kelso?

Kelso badał splamioną krwią podłogę i dziury po kulach w ścianie.

– Nie jestem jasnowidzem, Ryan. Ale wygląda na to, że tutaj też mieliśmy krwawą jatkę i osobiście mam coraz mniej nadziei.

Mark rzucił się przez pokój, chwycił go za klapy i przycisnął do ściany.

– Cholera, dlaczego od początku nie mogłeś powiedzieć Jennifer prawdy? Grałeś w te swoje głupie gry i narażałeś ją na niebezpieczeństwo. To wszystko twoja wina, Kelso. Wszystko twoja wina. Ale jedno ci obiecuję, przy pierwszej sposobności rozdmucham tę sprawę. Roztrąbię wszystko i przydupię cię za to, co zrobiłeś. Ciebie i całą twoją CIA.

Kelso poszarzał na twarzy.

– Nie radzę ci, bo znajdziesz się po uszy w takim gównie, że nawet nie masz pojęcia.

– Naprawdę? No, to zobaczymy.

– Weź te łapy ode mnie.

Mark wypuścił go z uścisku, wciąż gotował się ze złości, przeszedł na drugą stronę pomieszczenia, żeby przyjrzeć się śladom krwi. Kelso zobaczył, jak wychodzi na podwórko, potem podnosi głowę, patrzy na sufit i marszczy czoło. Wszedł z powrotem do piwnicy i ruszył schodami do góry. Kelso był o krok za nim.

– Co ty, kurwa, robisz, Ryan?

– Modlę się.

– Co?

Ale Mark go nie słuchał i pędem biegł do góry po schodach.

Kelso wszedł za nim do kuchni.

– Mógłbyś mi wyjaśnić, co ty wyrabiasz, Ryan? Ale może ja gadam do siebie?

– Już ci mówiłem, modlę się – Mark szedł za przewodem elektrycznym prowadzącym od monitora telewizji przemysłowej i Kelso nagle oświeciło.

– Od frontu jest kamera – powiedział Mark. – I jeszcze jedna na dachu. Były tak skierowane, że muszą obejmować całą tylną i przednią część podwórza. Jeżeli te kamery działają, to podają albo obraz na żywo, bez odtwarzania, albo wszystko rejestruje magnetowid. Modlę się, żeby to był system z zapisem obrazu, bo to znaczy, że mamy szansę dowiedzieć się czegoś o tym, co tu się wydarzyło.

Mark szedł dalej za przewodem elektrycznym, który doprowadził go do szafki przy umywalce. Otworzył drzwi szafki i krzyknął:

– Mamy cię!

W środku stał magnetowid, a w nim taśma wideo.

Genewa

Miasto wyglądało wyjątkowo pięknie w wiosennym słońcu, olbrzymia fontanna Jet d'Eau ustawiona na jeziorze tryskała wodą wprost w powietrze, krople spadały w dół, mieniąc się jak milion maleńkich brylantów. Tramwaje turkotały po brukowanych ulicach, mijając luksusowe sklepy, a eleganckie kawiarnie i pracownie jubilerskie emanowały atmosferą szwajcarskiej solidności i stabilności. Jennifer wydawało się to takie normalne. Po rozlewie krwi, którego była świadkiem, bardzo trudno było uwierzyć, że to wszystko dzieje się naprawdę.

McCaul jechał wzdłuż jeziora, potem skręcił w Rue Versonnex i zaparkował przed wspaniałym Hotel du Lac, najbardziej luksusowym w Genewie.

– Po co się tu zatrzymujemy?

McCaul pokazał ekskluzywne biuro podróży tuż obok hotelu.

– Potrzebne nam bilety na samolot i chyba lepiej kupić je tutaj, niż stać w kolejce na lotnisku. Jeżeli obserwują terminal, będziemy przynajmniej mieć większą szansę, że nas nie zauważą.

– Obyśmy się tylko wydostali ze Szwajcarii.

McCaul opróżnił portfele napastników i przeliczył gotówkę. Okazało się, że w przeliczeniu na dolary jest tego ponad pięć tysięcy.

– To powinno wystarczyć na bilety, a może, jak się nam poszczęści, będziemy mogli podróżować klasą biznes. Trzymaj kciuki, żeby był jakiś lot do Stanów.

Zniknął we wnętrzu biura podróży i piętnaście minut później pojawił się z powrotem na ulicy.

– I? – zapytała Jennifer, kiedy wsiadł za kierownicę.

– Mamy niewielkiego pecha. Nie ma bezpośredniego lotu do Nowego Jorku, samolot wylatuje dopiero jutro rano. Ale możemy polecieć do Nowego Jorku przez Paryż, liniami Air France, samolot wylatuje z Genewy za godzinę – pomachał plikiem biletów lotniczych. – Jeśli się pospieszymy, to jeszcze zdążymy.

62

Berg Edelweiss

Puścili taśmę i zobaczyli Jennifer i McCaula przyjeżdżających od frontu, a później wyjeżdżających polną drogą z tyłu domu. Ujrzeli też dwóch uzbrojonych napastników, którzy wysiadali z BMW i zbliżali się do domu; potem widzieli, jak blondyn ciągnie swojego towarzysza do mercedesa i odjeżdża. Cały epizod trwał może dwadzieścia minut, od przyjazdu Jennifer i McCaula do odjazdu rannych napastników. Z odczytu czasu na monitorze Mark wykalkulował, że volkswagen Jennifer i McCaula odjechał stąd zaledwie piętnaście minut przed ich przyjazdem.

Kelso przyglądał się uważnie napastnikom.

– Nie znam tych gości, ale poproszę Langley o ustalenie ich tożsamości na podstawie taśmy. Przewiń, Ryan, i jedziemy.

Następną godzinę Mark zapamiętał jako nieprzerwany, szaleńczy wyścig. Najpierw pognali do Murnau, licząc, że po drodze zobaczą volkswagena Jennifer, ale nie mieli szczęścia. Pół godziny przeczesywali ulice, następnie pojechali na północ, do Zurychu, wciąż próbując namierzyć volkswagena, chociaż z każdą chwilą zadanie robiło się coraz bardziej beznadziejne, aż Kelso w końcu się poddał. Wyciągnął telefon komórkowy i kazał Fellowsowi skręcić na stację benzynową, a on sam pilnie telefonował do Langley.

Genewa

McCaul zostawił samochód na parkingu lotniska w Genewie. Zatrzymali się w alejce sklepów na terminalu. Jennifer kupiła w aptece maść na rany, plaster i gazę, parę tanich okularów do czytania i trochę kosmetyków. Tuż obok, w sklepie z upominkami, zaopatrzyli się w dwie torby podróżne, kapelusik tyrolski, okulary słoneczne, czapeczkę bejsbolową i wełniany szalik. Przebrania były naiwne, ale tylko na to było ich stać w ciągu trzydziestu pięciu minut przed odlotem samolotu. McCaul założył kapelusik i okulary do czytania, a Jennifer zapytała:

– Może powinnyśmy opatrzyć ci ranę?

– Teraz nie ma na to czasu. Zajmiemy się tym na pokładzie. Jeżeli obserwują terminal, będą szukali mężczyzny i kobiety. Trzymaj się blisko, ale na tyle daleko, żeby nie wyglądało, że jesteśmy razem. Kiedy dojdziemy do stanowiska Air France, odprawimy się osobno.

McCaul podał jej bilety. Jennifer założyła okulary przeciwsłoneczne i czapeczkę bejsbolową, owinęła też szyję szalikiem, żeby ukryć część twarzy.

– Mamy jakiś plan, jeżeli znowu wpadniemy w tarapaty?

– Wrzeszcz i biegnij co sił, a ja będę próbował ich odpędzić.

– Tylko tyle?

– Zostawiłem pistolety w samochodzie, dlatego na wiele więcej nas nie stać. Chyba jednak nie będą próbowali cię porwać na zatłoczonym lotnisku, na którym jest pełno ochrony. Chociaż mogę się mylić po tym, co się zdarzyło w pociągu.

– Dzięki, McCaul.

– Trzymasz się jakoś?

– Oczywiście, świetnie się bawię.

– Bądź jakieś dziesięć kroków przede mną. Spróbujmy nie wyglądać jak dwójka uciekinierów z aresztu.

Podchodzili do stanowiska odpraw Air France. Jennifer czuła, że serce wali jej młotem. Miała wciąż wrażenie, że z ukrycia obserwują ją jakieś oczy, ale udało im się odprawić bez żadnych problemów, po czym natychmiast ruszyli w kierunku odprawy paszportowej i hali odlotów. Jennifer poczuła ulgę, kiedy kwadrans później razem z McCaulem stali przy schodkach do samolotu Air France do Paryża, skąd mieli przesiadkę na lot do Nowego Jorku.

Czterdzieści kilometrów od lotniska, w samochodzie prującym z ogromną szybkością autostradą A21 do Genewy, Mark nie potrafił ukryć emocji i próbował nie patrzeć co chwilę na zegarek. Opel jechał ponad sto kilometrów na godzinę. Kelso konferował przez telefon komórkowy z kwaterą główną CIA w Langley. Komputerowcy z Langley odkryli, że dokładnie sześć minut po dwunastej komputer linii lotniczych w Paryżu odnotował, że Frank McCaul i Jennifer March kupili dwa bilety w genewskim biurze podróży. Bilety na samolot Air France do Paryża, który wylatuje z lotniska w Genewie o dwunastej czterdzieści pięć. Potem łapali połączenie do Nowego Jorku.

Kelso wreszcie wyłączył telefon.

– Gotowe. Będę miał agentów w cywilu, którzy usiądą im na ogonie od momentu, kiedy wylądują w Nowym Jorku.

Mark był spięty i nie mógł się uspokoić. Wciąż miał w pamięci jatkę na farmie.

– Zakładasz, że wsiądą bezpiecznie do samolotu. Ale jeżeli tamci obserwują lotnisko? Jeżeli ich dopadną, zanim wejdą na pokład?

– To nasz jedyny słaby punkt – zgodził się Kelso. – Módlmy się więc lepiej, żeby im starczyło szczęścia. W Langley próbują się włamać do komputera linii lotniczych, będziemy wszystko wiedzieli w momencie, kiedy wejdą na pokład. Potem przejmą ich moi ludzie w Paryżu.

– Jacy ludzie w Paryżu?

Kelso był pełen emocji.

– Jestem przekonany, że odkryli coś ważnego, w przeciwnym razie nie spieszyliby się tak do domu. Dlatego załatwiłem, że jeszcze trzech moich agentów z placówki w Paryżu wejdzie do ich samolotu na lotnisku Charles'a de Gaulle'a i przypilnuje ich aż do Nowego Jorku.

– A co my mamy robić? Będziemy siedzieć na dupie i czekać na następny samolot?

Kelso spojrzał na zegarek.

– Jennifer i McCaul powinni wylądować w Paryżu co najmniej godzinę przed startem samolotu do Stanów, więc w Langley zarezerwowali nam prywatny odrzutowiec do Nowego Jorku. Jeżeli nam się poszczęści, będziemy na nich czekać na lotnisku Kennedy'ego.

– A potem co?

– Może miałeś rację, Ryan – przyznał Kelso. – Może już czas skończyć tę całą szaradę i powiedzieć jej, co jest grane.

Część V

63

Lou Garuda zjawił się w komendzie głównej policji nowojorskiej przy Police Plaza o dziesiątej i pojechał windą na trzynaste piętro. Danny Flynn był zwalistym, wiecznie żującym koniuszek cygara detektywem, filarem i opoką wydziału do spraw zorganizowanej przestępczości. Wyszedł po Garudę do holu i zaprosił go do swojego pokoju.

– Siadaj. Co cię tu sprowadza, Lou? Rozumiem, że nie jest to wizyta towarzyska?

– Potrzebuję informacji o rosyjskiej Czerwonej Mafii. Wypadłem z obiegu, pomyślałem więc, że zwrócę się do eksperta. Powiedz mi, czy czerwoni działają również w Nowym Jorku?

Flynn wyjął paczkę orzeszków z szuflady, wziął jednego do ust i zaczął żuć.

– Gdzie ty żyjesz, Lou? Chłopie, Czerwona Mafia działa wszędzie, to są poważni zawodnicy i grają we wszystko, w co się da. Prostytucja, oszustwa podatkowe, oszustwa komputerowe, przemyt narkotyków, co tylko chcesz.

– Słyszałeś kiedyś o rodzinie Morskaja?

Flynn uniósł w górę krzaczaste, szare brwi i odpowiedział dopiero po chwili:

– Skąd to pytanie? Zorganizowana przestępczość to nie twoja działka.

– Potrzebuję faktów o rodzinie Morskaja. Nazwiska, w czym robią... No, wiesz.

Flynn pokręcił głową, rzucił paczkę orzeszków na biurko i otrzepał dłonie.

– Nie dzielimy się takimi informacjami z nikim poza naszym

wydziałem, chyba że pracujesz nad jakąś konkretną sprawą. Powinieneś o tym wiedzieć, Lou.

– Ale to w tajemnicy, kumpel kumplowi, masz moje słowo, Danny...

– Nie ma tak dobrze. Takie są reguły gry.

Flynn wstał i poskrobał się po tyłku, potem odwrócił się i stanął przed metalową szafką na dokumenty, pogrzebał między teczkami i wyjął gruby skoroszyt. Położył go na biurku przed Garudą.

– Idę się napić kawy. Zamykam drzwi na klucz i wracam za dwadzieścia minut. O tym, że zostawiłem tę teczkę na biurku, w ogóle, kurwa, nie wiem. Kapujesz?

– Dzięki, Danny, mój chłopcze.

– Mogę spytać, co tu jest grane?

– Jak tylko się zorientuję, na pewno do ciebie zadzwonię.

64

Boeing 747 linii Air France wspiął się ponad pułap chmur burzowych nad Paryżem, a kiedy doszedł do wysokości przelotowej, wyrównał i rozpoczął ośmiogodzinny lot nad Atlantykiem. Jennifer po raz pierwszy od czterdziestu ośmiu godzin czuła, że może się odprężyć. Dotarli do Paryża bez żadnych przeszkód i teraz byli bezpieczni na pokładzie samolotu lecącego do domu. To wprost niesamowita ulga.

Dwadzieścia minut po starcie McCaul mrugnął do niej i położył rękę na ramieniu.

– O co chodzi? – spytała Jennifer.

– Zaczyna mi trochę dokuczać rana. Pójdę sobie założyć opatrunek.

– Potrzebujesz pomocy?

– Dziękuję, nie trzeba. Dam sobie radę. Przynajmniej nie zaczęła jeszcze krwawić. Może byś się trochę przespała?

Jennifer była wyczerpana i spięta.

– Masz rację, spróbuję.

McCaul wstał i dotknął jej ramienia.

– Możesz się teraz odprężyć, Jennifer. Znajdujemy się na wysokości jedenastu tysięcy metrów. Jesteśmy całkowicie bezpieczni.

Głęboki sen wymazał następne pięć godzin z życiorysu Jennifer. Kiedy się obudziła i przeciągnęła, byli już tylko dwie godziny od Nowego Jorku. McCaul siedział przy niej rozbudzony, popijając colę.

– Jak się spało?

– Spałam jak kamień. A jak twoje ramię?

– Mogło być gorzej, ale chyba za wcześnie na stwierdzenie, że jesteśmy bezpieczni.

– O czym ty mówisz!?

McCaul był niespokojny.

– Obserwuje nas trzech pasażerów i założę się o stówę, że nas śledzą.

– Którzy to?

– Teraz nie patrz, ale dwaj to faceci, siedzą razem, osiem rzędów przed nami. Jeden ma ciemne włosy i jest ubrany w szary garnitur, drugi ma granatową kurtkę i okulary. Trzecia osoba to blondynka w czarnej garsonce, siedzi jakieś dwanaście rzędów za nami, w rzędzie trzydziestym szóstym.

– Skąd ta pewność, że nas śledzą?

– Dwoje przechodziło naszym przejściem, kiedy spałaś. Nie chcieli się zdradzić, ale rozpoznaję, jak ktoś patrzy. Nie ma się co łudzić, to zawodowcy, Jennifer.

– Dlaczego mi tego wcześniej nie powiedziałeś?

– Nie chciałem cię martwić.

– Teraz mnie zmartwiłeś.

– Nie bój się, nie spróbują żadnych sztuczek, dopóki jesteśmy na pokładzie. Przejdź się do toalety i przyjrzyj się tym dwóm gościom. Jak będziesz wracać, idź do kuchni na końcu samolotu i poproś stewardessę o coś do picia. Zobaczysz tę kobietę, ale nie patrz na nich, a zwłaszcza unikaj kontaktu wzrokowego. Nie chcę, żeby podejrzewali, że gramy w otwarte karty.

Jennifer wydostała się ze swojego miejsca i poszła przejściem między fotelami do toalety. Kiedy przechodziła obok rzędu szesnastego, nie miała śmiałości odwrócić się i sprawdzić, czy się nie myli, ale kątem oka zobaczyła mężczyznę w szarym garniturze. Miał około czterdziestki, był muskularny, z rzednącymi, rudymi włosami, wyglądał, jakby każdą wolną godzinę spędzał w siłowni.

Toaleta była wolna, więc Jennifer weszła i obmyła twarz zimną wodą. Kiedy wyszła trzy minuty później, czuła, że trzęsą się pod nią kolana, przechodziła, patrząc wprost na obu mężczyzn. Rudy w garniturze nie podniósł głowy, ale popatrzył na nią ten, który siedział obok. Miał na sobie granatową kurtkę, kraciastą koszulę i okulary, włosy przystrzyżone na zapałkę w stylu wojskowym. Wyglądał jak turysta, a nie pasażer klasy biznes. Rzucił na nią przelotne spojrzenie, kiedy szła w kierunku kuchni.

Podchodząc do rzędu trzydziestego szóstego, Jennifer zobaczyła kobietę w czarnej garsonce, o krótkich blond włosach. Przeglądała jakiś kolorowy magazyn. Jennifer złapała jej spojrzenie tylko na ułamek sekundy, ale to wystarczyło. *McCaul ma rację. Ona mnie obserwuje.*

Czuła skurcz w żołądku, kiedy ze szklanką wody w dłoni siadała obok McCaula.

– Skąd mogli wiedzieć, że jesteśmy właśnie w tym samolocie? I lecimy tym rejsem?

– Nie mam pojęcia. Ale są dobrzy, to im trzeba oddać. Nie zdejmuj okularów, nie będą wiedzieli, czy na nich patrzysz czy nie. A jak tylko wylądujemy, nie odstępuj mnie na krok.

– A jak ich zgubimy?

– To pytanie też chodzi mi po głowie. Ale tym razem chyba wpadłem na niezły pomysł.

McCaul nacisnął guzik wzywający personel pokładowy i po kilku chwilach w przejściu między fotelami pojawiła się stewardessa.

– *Monsieur?*

– Czy macie w samolocie system telefonii satelitarnej?

– *Oui.* Ale tylko w pierwszej klasie.

– Proszę mnie tam zaprowadzić. To sprawa niecierpiąca zwłoki.

65

Trzydzieści minut po Boeingu 747 linii Air France wystartował wyczarterowany odrzutowiec Gulfstream G450 i teraz leciał na wysokości dwunastu i pół tysiąca metrów nad Atlantykiem. Mark siedział w fotelu na przedzie ciasnej kabiny samolotu, obok Kelso, który ostatnie piętnaście minut poświęcił na konferencję telefoniczną. Rozmawiał przez telefon satelitarny, planując kolejny ruch.

– Według planu, lądujemy na lotnisku Kennedy'ego o piątej po południu – wyjaśnił. – Co znaczy, że jesteśmy prawie trzydzieści pięć minut po ich przylocie. Załatwiłem wszystko tak, że przejdziemy bez kłopotów przez odprawę paszportową i celną.

– A co się stanie z Jennifer i McCaulem, kiedy wyląduje ich samolot?

– Jak tylko znajdą się w hali przylotów, zostaną wzięci pod naszą opiekę. Jeżeli trzeba będzie użyć siły, to jej użyjemy. Zatrzymamy ich do chwili naszego przyjazdu.

– A co potem?

– Powiem wszystko Jennifer i spróbuję się dowiedzieć, co odkryła. Ale nasze zadanie jest skończone, Ryan. Po wylądowaniu twój udział w całej sprawie już się kończy.

– Posłuchaj, Kelso. Chcę być przy tej rozmowie z Jennifer.

– Wykluczone. Takie wydałem instrukcje i tutaj niczego nie wynegocjujesz.

Jennifer bezwiednie skuliła ramiona, kiedy koła Boeinga Air France dotknęły pasa startowego lotniska Kennedy'ego w Nowym Jorku. Dziesięć minut później samolot kołował do rękawa i usłyszała szczęk rozpinanych pasów. Gdy otworzyły się drzwi do samolotu i pasażerowie ustawili się w kolejce do wyjścia, McCaul wyciągnął ich torby ze schowka nad siedzeniami.

Wchodząc między fotele, Jennifer założyła okulary przeciwsłoneczne. Widziała, że dwaj mężczyźni wyciągają bagaż ze schowków i zauważyła, że rudy popatrzył na nią z ukosa, zanim ruszył w kierunku wyjścia, Nagle poczuła strach.

– Trzymaj się blisko – szepnął McCaul i wziął ją za ramię, a później poprowadził w kierunku drzwi.

Nie mieli nic oprócz bagażu ręcznego, dlatego byli pierwsi w kolejce do kontroli paszportowej. Po sprawdzeniu paszportów szli do odprawy celnej, ale w połowie drogi McCaul nagle odciągnął Jennifer w kierunku toalet.

– Czekaj tu i udawaj, że szukasz czegoś w torbie.

– Co ty kombinujesz?

– Zaufaj mi i rób, co mówię.

Jennifer udawała, że przetrzepuje torbę podróżną. Po jej lewej stronie znajdowały się stalowe drzwi z klawiaturą obok futryny. Na drzwiach widniał napis: „WEJŚCIE DLA PERSONELU. WSTĘP WZBRONIONY". Spojrzała w prawo i zauważyła kilku uzbrojonych i umundurowanych policjantów przy punkcie odprawy celnej. Po chwili dostrzegła trójkę pasażerów z samolotu, stojących obok filaru. Blondynka była najbliżej, dwóch mężczyzn kilka kroków za nimi, wszyscy troje starali się nie rzucać w oczy. Jennifer usłyszała nutę paniki we własnym głosie.

– Są pięćdziesiąt metrów za nami, Frank.

– Widzę ich. Dookoła jest pełno glin i nic nie będą chcieli zrobić, aż wejdziemy do hali przylotów. Ale spłatamy im figla i tutaj ich zgubimy.

– Jak?

McCaul wskazał gestem na stalowe drzwi.

– Wejdziemy tędy.

Jennifer była zaskoczona. Trzeba znać kod, żeby otworzyć drzwi.

– Mógłbyś mi powiedzieć, jak to zrobimy?

– Mamy pomoc z zewnątrz – McCaul znalazł numer w telefonie komórkowym i zaczął rozmawiać. – Cholera, gdzie jesteś, Marty? Czekamy tam, gdzie mi mówiłeś, przy wejściu dla personelu. Lepiej rusz tyłek. Mamy paru gości na ogonie i musimy się szybko zwijać.

McCaul wyłączył telefon, Jennifer spojrzała na niego zdenerwowana.

– Z kim rozmawiałeś?

– Powiem ci później.

– Czy to ma coś wspólnego z tymi telefonami z samolotu?

McCaul był jednak zbyt zajęty i patrzył jej przez ramię.

– Boję się, że w każdej chwili mogą ruszyć.

Spojrzała w tę samą stronę, co on. Dwaj mężczyźni i kobieta wciąż czekali przy filarze. Chyba widzieli, że coś się kroi, ale nie byli pewni, co mają robić. Serce podeszło Jennifer do gardła, kiedy nagle usłyszała jakiś dźwięk. Obejrzała się przez ramię, widząc, że z tyłu otwierają się drzwi dla personelu. Za drzwiami stał okrąglutki mężczyzna z bujnym, czarnym wąsem. Był w mundurze pracownika lotniska, miał na głowie czapkę z daszkiem, pod pachą służbowy skoroszyt, a na szyi łańcuszek z identyfikatorem i zdjęciem. Nazwisko na identyfikatorze brzmiało Marty Summers.

– Gdzie ty byłeś, Marty?

– Szybciej nie mogłem. Musimy to zrobić błyskawicznie, więc ruszaj się, kolego.

Mężczyzna mówił z akcentem z Bronxu. Gestem kazał im wejść do środka. Chwilę później Jennifer poczuła, że McCaul wpycha ją przez drzwi. Obejrzała się i zobaczyła dwóch mężczyzn i blondynkę biegnących w ich kierunku, ale było za późno, bo drzwi zamknęły się im przed nosem.

– Marty, jesteś lepszy niż James Bond.

Marty uśmiechnął się pod wąsem.

– McCaul, przysługa za przysługę. A teraz w drogę.

66

Kiedy Marty prowadził ich korytarzem, Jennifer usłyszała za sobą walenie w drzwi, ale nie obejrzała się. Była zdumiona, że tak łatwo udało im się uciec.

– Marty pracuje w ochronie lotniska – wyjaśnił McCaul. – Mamy szczęście, bo był mi winien przysługę. Kiedyś przyłapałem jego żonę w łóżku z facetem, który pracował na lotnisku w biurze wynajmu samochodów Hertza i strzeliłem im kilka fotek, żeby został dowód. Prawda, Marty?

– Pewnie. Dziwka puszczała się z połową lotniska. Powiedziałem tej suce adieu, i to była najlepsza rzecz, którą w życiu zrobiłem. Co to za dupki siedziały ci na ogonie?

– To długa historia. A wóz?

Marty podał McCaulowi kluczyki.

– Zostawiłem go na parkingu numer trzy, wyjdziesz z windy na czwartym piętrze. Niebieski chevrolet impala.

– Jesteś słodziutki.

– I proszę, przyprowadź go w jednym kawałku. Żadnych wgnieceń ani rys. Jeszcze będę go dwa lata spłacał, więc jedź ostrożnie, dobra?

– Obiecuję.

Weszli do innego korytarza i McCaul spytał:

– Kiedy wyjdziemy z tego labiryntu?

– Wyluzuj, jesteśmy prawie na miejscu.

Samolot odrzutowy Gulfstream wylądował trzydzieści minut po Boeingu 747 linii Air France i Kelso był pierwszy w drzwiach. Kiedy pędzili po schodach na płytę lotniska, zadzwonił jego telefon komórkowy. Odebrał, a jego głos zrobił się od razu nieprzyjazny, aż się gotował z wściekłości.

– Chyba żartujesz? Jak, do cholery, mogło do tego dojść? Chcę,

żeby przeszukali całe lotnisko, żeby obserwowali wszystkie wyjścia i wejścia. Po prostu ich znajdź, rozumiesz? Oczywiście, że się
nie będę wyłączał.

– Co się dzieje? – zapytał Mark.

Kelso był wściekły i nie odrywał telefonu od ucha.

– Nie do wiary. Jacyś idioci wszystko schrzanili, to się dzieje.
Jennifer i McCaul musieli podejrzewać, że są obserwowani i po
prostu wymknęli się moim ludziom.

– Chcesz powiedzieć, że ich zgubiliście?

– Złamali procedury bezpieczeństwa lotniska. I znikli. Jakby
się zapadli pod ziemię.

Jennifer była zupełnie zdezorientowana. Labirynt korytarzy
ciągnął się w nieskończoność. W końcu dotarli do następnych
drzwi dla personelu z kolejną klawiaturą przy framudze. Marty
wstukał kod, zamek szczęknął, drzwi się otworzyły i nagle byli na
zewnątrz w pełnym świetle dnia. Jennifer doszła do wniosku, że
są gdzieś po drugiej stronie budynku, od strony hali przylotów.

– Na parking traficie bez trudu. Skręcicie w prawo i zaraz go
zobaczycie. Bardzo mi było miło panią poznać. Powodzenia, Frank.

– Marty, jesteśmy ci bardzo wdzięczni.

– Nie ma sprawy. Tylko ostrożnie z tym moim chevroletem.

Mężczyzna o imieniu Marty przyglądał się, stojąc w drzwiach,
McCaulowi i Jennifer, którzy szli w kierunku parkingu. Uśmiechnął
się szeroko, zdjął z głowy czapkę od munduru i wrzucił ją do
kubła na śmieci. Potem znalazł numer w telefonie komórkowym
i usłyszał głos w słuchawce.

– Mów.

W jego głosie już nie było słychać akcentu z Bronksu. Marty
brzmiał jak zupełnie inny człowiek.

– Idą w kierunku chevroleta.

– Jak poszło?

– Dała się nabrać. Nick i ja trzymaliśmy się scenariusza
i wszystko poszło zupełnie gładko. Żadnych niespodzianek.

– Świetnie. No, to kończymy tę robotę.

67

Celem następnej wizyty Lou Garudy było biuro na Dolnym Manhattanie. Windą pojechał na szóste piętro. Pokój, którego szukał, znalazł na samym końcu korytarza.

Na szklanych drzwiach złote litery głosiły: „Frank McCaul, Prywatny Detektyw".

Garuda zapukał do drzwi, a gdy nikt nie otwierał, poszedł korytarzem do następnego pomieszczenia biurowego. Drzwi były otwarte. Za biurkiem siedziała kobieta w średnim wieku i pisała coś na komputerze. Napis na jej drzwiach wyjaśniał wszystko: „Carole Lippman, Usługi Biurowe". Kobieta spojrzała na niego znad klawiatury i uśmiechnęła się.

– W czym można panu pomóc?

– Frank McCaul, prywatny detektyw, który ma biuro trochę dalej. Teraz go nie ma, prawda?

– Pojechał kilka dni temu do Szwajcarii. Jego syn miał tragiczny wypadek w Alpach.

– Ojej, bardzo mi przykro. Dobrze zna pani Franka?

– Tak, urzędujemy w tym samym korytarzu już od kilku lat. Załatwiam większość jego korespondencji. Chce się pan zwrócić do niego z jakimś zleceniem?

Garuda uśmiechnął się i pokazał odznakę.

– Nie, jestem z policji w Long Beach. Czy mógłbym pani zadać kilka pytań na temat pana McCaula?

Godzinę później Garuda zjeżdżał z autostrady w Hempstead na Long Island. Dotarł do spokojnej dzielnicy willowej i znalazł adres w głębi ślepej uliczki. Dom Franka McCaula był pomalowany w odcienie szarości i kremu, obok stał garaż, a na ścianie pod szczytem dachu wisiał kosz do gry w piłkę. Na drugim końcu uliczki dzieciaki jeździły na desce, po przeciwnej stronie ulicy jakiś facet pracował w ogródku, ale na Garudę nikt nie zwracał większej uwagi. Zamknął samochód, podszedł niespiesznie do werandy McCaula i zadzwonił do drzwi. Żadnej odpowiedzi. Przyciskał dzwonek przez dziesięć sekund, żeby się upewnić, że rzeczywiście nikogo nie ma, ale słyszał tylko odległy dźwięk dzwonka gdzieś w głębi domu. Ani żywej duszy.

Dom był osłonięty grubym żywopłotem i z ulicy nikt go nie mógł zobaczyć. Odwrócił się, postukał kilka razy w drzwi i zawołał:

– Jest tam kto?

Żadnej odpowiedzi. Dom jest pusty. Garuda otworzył portfel i wyjął z niego maleńki scyzoryk z zestawem wypiłowanych ostrzy. Kilka lat temu skonfiskował to narzędzie włamywaczowi. Włożył jedno z cieniutkich ostrzy do zamka, poruszał nim trochę, pomanipulował, aż poczuł, że zapadki szczęknęły, a zamek otworzył się jak za dotknięciem magicznej różdżki. *Dobrze, zobaczymy, kto zacz, ten pan Frank McCaul.*

Garuda ruszył korytarzem, minął wygodny pokój frontowy i doszedł do dużej kuchni na tyłach domu. Przeszukał kilka szuflad kuchennych, ale znalazł tylko noże, widelce i kilka starych rachunków za gaz i prąd, więc przeniósł się do pokoju frontowego. *Nic szczególnego tu nie ma.* Telewizor i wideo, radio stereofoniczne, książki na półkach, kilka na temat procedur policyjnych i daktyloskopii.

Na ścianach zobaczył kilka zdjęć, przedstawiały przede wszystkim gościa, który chyba był Frankiem McCaulem, na niektórych widział młodego chłopaka – jako dzieciaka, nastolatka i jako młodego człowieka. Na kilku zdjęciach był w kasku, ubrany jak na wspinaczkę, a w tle widniały góry. Na żadnym nie było kobiety. Garuda schował jedno zdjęcie do kieszeni, potem przeszedł do góry, gdzie znalazł wąski korytarzyk i trzy sypialnie. W jednej było mnóstwo staroci, najwidoczniej McCaul używał jej jako składzika. Już miał przeszukać pozostałe sypialnie, kiedy w holu na dole usłyszał czyjeś kroki, a po chwili zaskrzypiały schody.

Wyrwał z kabury swojego Glocka i wyszedł na półpiętro.

68

Schodami wchodził jakiś facet. W średnim wieku, łysiejący.

– Stój tam, gdzie jesteś, kolego – Garuda rozpoznał sąsiada, którego przedtem widział w ogródku po drugiej stronie ulicy. Facet uniósł w dłoni parę skórzanych rękawic roboczych. Wyglądał na zaniepokojonego, kiedy ujrzał obcego człowieka z wymierzonym weń pistoletem. Zrobił kilka kroków w dół po schodach, a Garuda pokazał mu odznakę.

– Policja. Co pan tu robi?

Z oczu mężczyzny zniknął lęk, kiedy zobaczył odznakę.

– Ja mógłbym pana o to samo zapytać.

– A kto pyta?

– Nazywam się Norrie Sinclair. Mieszkam po drugiej stronie ulicy. Zobaczyłem, że pan wchodzi do środka, i nie wiedziałem, co się dzieje. Mamy tutaj dobrze działający system pomocy sąsiedz-kiej, jeżeli chce pan wiedzieć.

– No, to mnie cieszy.

Garuda schował broń. Nie musiał temu gościowi niczego wyjaśniać i bardzo dobrze, bo nie miał nakazu przeszukania i na dobrą sprawę popełnił przestępstwo, włamując się do domu de-tektywa. *Ale o to się będziemy martwić kiedy indziej.*

– Tutaj mieszka Frank McCaul, prawda?

– Tak jest. Zazwyczaj to ja doglądam domu, kiedy Frank wyjeżdża.

– Tak? Kiedy pan go ostatni raz widział, panie Sinclair?

– Kilka dni temu. Musiał wyjechać za granicę. Zginął jego syn, Chuck, wie pan.

– Słyszałem. Kiedy dokładnie Frank wyjechał?

– W niedzielę po południu poleciał bezpośrednio do Zurychu. Był bardzo przybity i nie potrafił nad sobą zapanować. Ktoś przyjechał go stąd odebrać. Chyba, żeby go zabrać na lotnisko. Ale niech mi pan powie, co tu się dzieje, jest pan jego znajomym, czy co...?

Garuda zmarszczył brwi.

– Powiedział pan, że w niedzielę. Jest pan pewien? Poleciał bezpośrednim lotem do Zurychu?

– Oczywiście, że jestem pewien. Powiedział mi też, że musi zidentyfikować ciało Chucka – Sąsiad patrzył na Garudę tak, jakby ten miał nierówno pod sufitem. – Ale co się stało, czy Frank wpadł w jakieś tarapaty?

Garuda się skrzywił.

Nie, poza tym, że zgodnie z tym, co mówił Mark, Frank McCaul przyjechał do Szwajcarii we wtorek. Wygląda na to, że gdzieś zgubił jeden dzień z kalendarza.

– Na pewno się pan nie myli? To była niedziela?

– Oczywiście.

– A kto po niego przyjechał?

– Dwóch facetów w czarnym buicku.

– Widział pan ich?

– Nie, ale widziała ich Thelma, moja żona,. Widziała, jak Frank z nimi wyjeżdża. Od tego czasu się tu nie pojawił. Zapowiada się, że dość długo go nie będzie.

– Czy Thelma widziała już kiedyś tych facetów?

– Nie. Prawdę mówiąc, nie przyglądała im się.

– I to było w niedzielę po południu?

– Czyś pan ogłuchł? Ile razy mam powtarzać?

– Czy ona może przypadkiem zapisała numer rejestracyjny tego buicka, panie Sinclair?

Sąsiad rzucił podejrzliwe spojrzenie na Garudę.

– Dlaczego miałaby zapisywać jakieś numery? A mógłby mi pan powiedzieć, jak pan się tu dostał?

– Drzwi wejściowe były otwarte.

Sąsiad obejrzał się w kierunku ganku i podrapał się w głowę.

– To dziwne. Wczoraj sprawdzałem i były zamknięte. Może pan mi jeszcze raz poda swoje nazwisko i stopień służbowy.

Garuda szedł już po schodach w kierunku drzwi.

– Detektyw Smith. Dziękuję panu bardzo za rozmowę.

69

Mark stał przed halą przylotów na lotnisku Kennedy'ego i patrzył, jak Kelso kłóci się z jakimiś trzema nieznajomymi – blondynką w czarnej garsonce i dwoma mężczyznami. Jeden facet był rudy, drugi ostrzyżony na zapałkę i w okularach. Mark domyślił się, że są z CIA i chociaż nie słyszał rozmowy, z gestykulacji wynikało jasno, że Kelso ich ruga. Potem rzucił im kilka rozkazów. Grupa rozpierzchła się po terminalu, on sam podszedł do Marka i powiedział z goryczą w głosie:

– Jakiś facet otworzył im drzwi służbowe w hali odpraw celnych i nasi przyjaciele się zmyli.

– Jaki facet?

Kelso zgrzytnął zębami ze złości.

– A skąd mam, do cholery, wiedzieć? Nikt nie widział jego twarzy. To mógł być ktokolwiek, jakiś idiota zatrudniony na lotnisku albo ktoś, kto celowo pomógł im w ucieczce.

– I wciąż są w budynku?

– Tego nie wiemy, ale daleko nie mogli odjechać. Będziemy musieli przeszukać cały terminal.

Nagle pojawili się Grimes i Fellows, a Kelso wezwał ich do siebie.

– Obstawcie parkingi. Pozostali niech przeszukają terminal, kolejki do autobusu i metra. Ja sprawdzę biuro wynajmu samochodów. Musimy się z tym uwinąć maksymalnie w piętnaście minut i spotykamy się z powrotem tutaj.

Kiedy obaj agenci odwrócili się na pięcie i ruszyli wypełniać swoje zadania, Kelso zwrócił się do Marka:

– Sprawdź bar, restaurację i toalety męskie. Może będą się chcieli przebrać, miej więc oczy szeroko otwarte. Dotyczą cię te same ustalenia, jeżeli nie znajdziesz ich w ciągu kwadransa, wracaj od razu tutaj.

– A jeżeli już wyjechali z lotniska?

Kelso był purpurowy ze złości.

– Nie wkurzaj mnie, Ryan. I bez tego skacze mi ciśnienie.

Mark wjechał ruchomymi schodami na taras i ruszył między stoliki w restauracji. Rodziny przy obiedzie, pasażerowie czekający na połączenie i biznesmeni wychylający w pośpiechu filiżankę herbaty, ale ani śladu kogokolwiek, kto wyglądałby choć trochę jak Jennifer lub McCaul. Podobnie w barze. Przeszedł też przez toalety męskie i przez kafejkę, ale nie miał szczęścia.

Kiedy minął aparat telefoniczny, zauważył mężczyznę odwróconego do niego plecami, pochylonego nad słuchawką. Miał na sobie czarny kapelusz i był tej samej budowy co McCaul, ale kiedy się odwrócił, Mark stwierdził, że ma około sześćdziesiątki i koloratkę, a na twarzy brodę przyprószoną siwizną. Przebranie czy nie, to nie był McCaul. *Przecież się nie zapadli pod ziemię.*

Sto metrów dalej na tarasie zobaczył blondynkę i jej rudowłosego współtowarzysza, nerwowo błądzących wzrokiem po morzu pasażerów. Od razu było widać, że im też szczęście nie dopisuje. Mark odwrócił się i stwierdził, że duchowny odkłada słuchawkę i odchodzi. Zdał sobie sprawę, że ma pierwszą szansę od dwudziestu czterech godzin, żeby porozmawiać z Garudą. Podszedł do telefonu i sięgnął do kieszeni po drobne.

Garuda odebrał telefon po drugim sygnale.

– Gdzie ty się, cholera, podziewasz, Mark? Miałeś mi oddzwonić.

– Jestem w hali przylotów na lotnisku Kennedy'ego. Wylądowaliśmy jakieś dwadzieścia minut temu i mam tu straszny młyn, więc słuchaj, bo muszę się streszczać. Wyniuchałeś coś o rodzinie Morskaja, tak jak cię prosiłem?

– Tak, pogadałem z Dannym Flynnem. Wygląda to dokładnie tak, jak mówiłeś. Nie afiszują się i działają głównie z zagranicy.

– Zamieniam się w słuch.

– Potem, tak jak prosiłeś, pogrzebałem trochę w życiorysie McCaula. Mam jego zdjęcie z legitymacji prywatnego detektywa i prawa jazdy, byłem u niego w domu na Long Island. Wszystko się niby zgadza, ale jedna rzecz mi trochę śmierdzi i tego nie bardzo rozumiem.

– Co śmierdzi?

– Nie przez telefon, Mark. Powiem ci, jak się spotkamy. Mam kilka pytań do ciebie, naprawdę musimy porozmawiać.

– Lou, proszę cię... – Mark powiedział błagalnie. – Ty nic nie rozumiesz.

– Masz, cholera, rację, nie rozumiem. Kiedy mi w końcu zaczniesz coś wyjaśniać? Niucham dla ciebie, główkuję, należy mi się więc chyba jakieś wyjaśnienie. I nie zapominaj o tym, że przede wszystkim ja pracowałem nad tą sprawą kilka lat temu.

– Spróbuję ci to niedługo wyjaśnić, ale proszę cię, powiedz mi, co śmierdzi. Naprawdę muszę wiedzieć.

Garuda westchnął.

– Powiedziałeś, że McCaul poleciał do Szwajcarii we wtorek.

– No, i?

– Jego sąsiad mówi, że McCaul pojechał na lotnisko w niedzielę i że przyjechali po niego jacyś dwaj goście w czarnym buicku. Co znaczy, że powinien przyjechać do Szwajcarii w poniedziałek rano, a wypłynął tam dopiero we wtorek, mamy więc do wyjaśnienia cały dzień, który mu wypadł z kalendarza. Ma to jakiś sens?

– Nie.

– Dla mnie też nie. Oczywiście mogli go na lotnisko zabrać znajomi, ale tuż obok biura McCaula jest biuro usługowe i kobieta, która tam pracuje, mówi, że McCaul na sto procent zarezerwował bezpośredni lot do Zurychu w niedzielę wieczorem. Poprosiłem dobrą znajomą na lotnisku Kennedy'ego, żeby sprawdziła rezerwację. Ktoś zrezygnował z biletu McCaula na lot w niedzielę wieczorem na godzinę przed startem samolotu i zmienił rezerwację na lot następnego dnia, co znaczy, że rzeczywiście przyjechał do Zurychu we wtorek rano. Ale to wszystko wydaje mi się dość podejrzane.

Mark niemal czuł, jak w głowie pracują mu trybiki.

– Na to wygląda. To wszystko?

– Tak – powiedział Garuda. – A może byś mi teraz powiedział, o co, do cholery, w tym wszystkim chodzi?

Mark zobaczył nagle blondynkę i rudzielca podchodzących do ruchomych schodów, za nimi szedł Grimes, nie spuszczali oczu z twarzy pasażerów na półpiętrze.

– Słuchaj, muszę już lecieć, Lou.

– Poczekaj, poczekaj, nie tak szybko – zaprotestował Garuda. – Już mi się zaczęło wydawać, że nad czymś razem pracujemy. Mogłem sam szperać i słowa ci nie pisnąć. Wiesz co? Myślę, że w końcu mam jakiś ślad w sprawie Marchów.

– Jaki ślad?

– Coś, na co my, durne gliny, nawet wtedy nie wpadliśmy. Firma Prime była własnością firmy-matki na Kajmanach, która obraca brudnymi pieniędzmi. Mówiąc dokładniej, brudnymi pieniędzmi mafii ze wschodniej Europy. Ty też się rozglądasz w tych rewirach, prawda? Myślę, że może to ma coś wspólnego ze zniknięciem Paula Marcha. Że to ma coś wspólnego z rodziną Morskaja i z Czerwoną Mafią. Ale co w tym wszystkim robi prywatny detektyw McCaul, zabij mnie, ale nie wiem.

Mark przez chwilę milczał, a potem powiedział:

– Lou, naprawdę teraz nie mogę o tym rozmawiać.

Usłyszał irytację w głosie Garudy:

– Wiesz co? Może już czas, żebym się sam zabrał za tę sprawę. Bo ty mi nie pomagasz, to na pewno. Więc wal się!

Garuda trzasnął słuchawką. Mark zauważył, że Grimes i pozostali poszli w przeciwnym kierunku, nie spuszczając wzroku z twarzy przechodniów. Czy go zauważyli?

Pomyślał: „Jak Garuda dowiedział się o powiązaniu z Kajmanami?" A informacje o McCaulu bardzo go zaniepokoiły. Nie wiedział, co myśleć, odnosił wrażenie, że jest złapany w jakieś potworne wnyki – to było jak urywek złego snu. Poczuł szaloną chęć ucieczki. Nagle zdał sobie sprawę, jak bardzo go to wszystko wyczerpało, zarówno emocjonalnie, jak i psychicznie, ale wiedział, że musi znaleźć Jennifer. Wszystko jedno, co będzie, ale musi ją znaleźć. Przyszła pora, żeby Kelso zaczął śpiewać. Mark czuł, że wzbiera w nim złość i ruszył ruchomymi schodami w kierunku wyjścia.

70

McCaul włączył reflektory w samochodzie. Była piąta po południu, ale słońce schowało się gdzieś za ciężką masą chmur wiszących nad miastem. Jechali już pół godziny. Jennifer zobaczyła sylwetki wieżowców, kiedy dojeżdżali do Manhattanu. Nie mogła uwierzyć, że jest z powrotem w Nowym Jorku, nie mogła uwierzyć, jakie mieli szczęście, że udało im się uciec. Od momentu, gdy wyjechali z lotniska Kennedy'ego, co pięć minut oglądała się za siebie, ale w masie samochodów podczas popołudniowego szczytu nie sposób było stwierdzić, czy ich ktoś śledzi, czy nie.

– Nie martw się, Jennifer. Tym razem udało nam się wymknąć z potrzasku.

– Skąd ta pewność? Dotąd znajdowali nas wszędzie, gdzie byliśmy.

– Patrzę w lusterko wsteczne. Nikt nam nie siedzi na ogonie.

Jennifer miała nadzieję, że Frank ma rację. Robiło się coraz ciemniej, chmury z każdą chwilą były cięższe i czarniejsze, wyglądało na to, że Nowy Jork czeka burza.

– Dlaczego jedziemy w tę stronę?

– To chyba jest najkrótsza droga do Long Beach.

– Frank, najpierw muszę zobaczyć się z Bobbym. Nie widziałam go od kilku dni i muszę się upewnić, czy dobrze się czuje. Cauldwell to tylko dziesięć minut drogi do nadłożenia. Proszę.

McCaul westchnął i nagle okazał zniecierpliwienie.

– W porządku, ale czy mogłabyś poprowadzić?

– Dlaczego?

– Muszę coś przemyśleć, a poza tym muszę zadzwonić.

– Do kogo?

– Do znajomego.

Zjechał z jezdni, wysiadł z samochodu, a Jennifer usiadła

379

za kierownicą. McCaul wrócił do samochodu i usiadł obok niej. Jennifer przygotowywała się do ruszenia z miejsca, a on otworzył schowek. Zapaliło się wewnętrzne światło, zobaczyła pistolet automatyczny i telefon komórkowy. McCaul wyjął pistolet, położył na kolanach i znalazł numer w telefonie komórkowym.

Jennifer gapiła się na pistolet.

– Po co tutaj... Co tutaj robi ten pistolet?

– Zamknij się na chwilę.

– Nie rozumiem...

– Powiedziałem, zamknij się – McCaul miał krople potu na czole i wyglądał, jakby był ogromnie zdenerwowany. Jennifer usłyszała kliknięcie w telefonie, ale nie wiedziała, z kim McCaul rozmawia.

– To ja. Jadę do Cove End. Spotkajmy się tam za pół godziny.

Wyłączył telefon, a Jennifer wpatrywała się w niego zdumiona. Miała przeczucie, że coś poszło straszliwie nie tak, bo McCaul jak za dotknięciem czarodziejskiej różdżki zmienił się w zupełnie innego człowieka. W tonie jego głosu usłyszała chłód, kiedy podnosił broń z kolan.

– Włącz silnik.

– Frank? Frank, co się dzieje?

– Przestań mówić do mnie Frank. Rób, co mówię. Włącz silnik i jedź na Long Beach.

71

Mark znalazł Kelso czekającego przed halą przylotów. Rozmawiał przez komórkę. Nagle spośród innych samochodów wyjechała czarna limuzyna, za jej kierownicą siedział Fellows, i zatrzymała się przy krawężniku. Kelso wyłączył telefon, podszedł do Marka i powiedział głosem pełnym goryczy:

– Tracimy czas, a po nich nie ma ani śladu. Właź do limuzyny. Pozostali agenci na wszelki wypadek zostaną na lotnisku i będą dalej szukać.

– Mówiłeś mi, że sprawdziłeś tego McCaula.

Kelso usłyszał irytację w głosie Marka i popatrzył na niego nieufnie.

– No, sprawdziłem. I co z tego?

– Przeprowadziłem własne dochodzenie i okazuje się, że z panem McCaulem nie wszystko pasuje. Albo mnie okłamywałeś, Kelso, albo zrobiłeś poważny błąd.

Kelso się skrzywił.

– O czym ty mówisz? Z kim rozmawiałeś?

Mark nie mógł opanować wściekłości.

– To nieważne. Tu się dzieje coś naprawdę dziwnego, a ja chcę wiedzieć, co, i to teraz. Natychmiast.

W tym momencie Grimes wyszedł z hali przylotów i trafił wprost na scenę ich sprzeczki. Fellows wysiadł z limuzyny. Mieli trochę niepewne miny, bo ludzie zaczęli przystawać na chodniku i gapić się na nich. Kelso był wyraźnie zażenowany tą sytuacją i zwrócił się do Marka:

– To nie miejsce na takie rozmowy, więc nie podnoś głosu. Jeżeli chcesz rozmawiać, wchodź do samochodu.

– Nigdzie nie idę, dopóki nie dowiem się prawdy – wrzeszczał Mark. – Rozumiesz, prawdy! I przestań mi mydlić oczy, przestań mi łgać i mataczyć. Gadaj, i to już, teraz. Co ty kombinujesz, Kelso, i to twoje całe CIA?

Kelso był straszliwie rozzłoszczony.

– Właź do samochodu!

– Chrzań się. Nigdzie nie idę, dopóki mi wszystkiego nie wyjaśnisz.

Potem wszystko potoczyło się bardzo szybko. Kelso skinął głową i dwóch jego ludzi unieruchomiło Marka. Fellows położył mu rękę na ustach, a Grimes wykręcił ramię do tyłu. Kelso otworzył tylne drzwi do samochodu i wcisnęli Marka na siedzenie. Kiedy Grimes unieruchamiał go na tylnym siedzeniu, Mark zobaczył, że Kelso pokazuje legitymację przechodniom zgromadzonym na chodniku.

– Policja, ten człowiek został aresztowany. Proszę się rozejść, nie ma tu nic do oglądania.

Kelso wszedł do tyłu, zwinął dłoń w pięść i wymierzył Markowi cios w twarz.

– Ty idioto. To jest za darcie pyska przed ludźmi. Wiesz co, Ryan? W tej chwili chętnie wsadziłbym ci kulę w ten głupi łeb, bez chwili wahania i bez żadnych wyrzutów sumienia.

Szczęka paliła Marka żywym ogniem, walczył z Grimesem. Fellows wsiadł za kierownicę, włączył silnik i limuzyna z piskiem opon ruszyła sprzed lotniska.

Kelso był dalej wciąż rozwścieczony.

– Kiedy sobie wbijesz w tę durną mózgownicę, że usiłujemy przede wszystkim ochronić Jennifer? Twoje zachowanie i to, co robisz, tylko nas opóźnia. Nie widzisz tego, nie rozumiesz, czy jesteś po prostu zwyczajnie głupi? – Kiwnął na Grimesa. – Skuj go.

Grimes wyciągnął kajdanki i założył je Markowi na nadgarstki.

– A teraz – powiedział Kelso – chcę wiedzieć wszystko o McCaulu. I chcę wiedzieć, do kogo dzwoniłeś z lotniska.

72

Otworzyły się niebiosa i z ciężkich chmur lunęły potoki wody. Zimny, lodowaty deszcz bił o szyby, jakby za oknami oszalało milion maleńkich werbli. Byli na autostradzie, jechali na wschód wzdłuż Long Island. Jennifer włączyła wycieraczki. Próbowała nie przekraczać osiemdziesięciu kilometrów na godzinę.

– Kim jesteś?

– Możesz do mnie mówić Nick Staves.

– Dlaczego... Dlaczego udawałeś McCaula?

Staves wsadził pistolet do wewnętrznej kieszeni kurtki.

– Żeby móc się do ciebie zbliżyć. Ochronić cię przed ludźmi, którzy chcieli cię zabić, kiedy się dowiedzą tego, na czym im zależy.

– Kto chce mnie zabić i czego chcą się dowiedzieć?

– Porozmawiamy o tym, kiedy dojedziemy do Cove End.

Jennifer poczuła zawrót głowy. Puściła kierownicę i chevrolet zaczął zjeżdżać z drogi. Staves chwycił ręką kierownicę i skierował auto z powrotem na jezdnię.

– Spokojnie. Nie po to dotarłem tak daleko, żebyśmy oboje zginęli w wypadku samochodowym. Patrz, gdzie jedziesz, na Boga.

Jednak Jennifer nie mogła się skupić, czuła, że zaraz się załamie.

– Już nie potrafię... Już nie potrafię tak dalej, naprawdę nie wiem, co tu się dzieje. Kompletnie nic z tego nie rozumiem.

– Zrozumiesz, Jennifer. A teraz jedź.

Ludzie Kelso już nie musieli przytrzymywać Marka. Przyłożył rękę do szczęki i wymacał guza wielkości orzecha.

– Dokąd mnie zabieracie?

Kelso powiedział:

– Wkurzasz mnie, Ryan. Grimes zauważył, że rozmawiasz z kimś przez telefon na lotnisku. Więc gadaj, z kim, i to już.

Gniew Marka narastał.

– Nie możesz tak postępować, Kelso. Łamiesz prawo, trzymając mnie tutaj wbrew mojej woli. To jest porwanie.

– Teraz ja jestem prawem! Gadaj, z kim rozmawiałeś, albo wpakujesz się po uszy w gówno.

Mark czuł się zdezorientowany, rozzłoszczony i bezradny.

– Nie rozumiem, Kelso, dlaczego mnie okłamywałeś na temat McCaula.

W oczach Kelso zobaczył wrogość i przez chwilę myślał, że zaraz na niego skoczy i mu przywali. Ale nie, siedział i parował złością.

– Nie kłamałem. Nie mam pojęcia, o czym mówisz. Teraz odpowiadaj na moje pytania.

– Może byś mi najpierw zdjął te kajdanki w geście dobrej woli?

Kelso skinął na Grimesa.

– Rozkuj go.

Grimes zdjął mu kajdanki, a Mark rozmasował sobie nadgarstki.

– Poprosiłem kolegę, żeby sprawdził tego McCaula.

– Po co?

– Bo ci nie ufam. Zawsze coś przede mną ukrywasz.

– To o tym rozmawiałeś przez telefon w Brig?

Mark skinął głową.

– Mój kumpel podjechał do domu McCaula na Long Island i odkrył coś bardzo dziwnego.

Kelso uniósł brwi.

– Co takiego?

– Powiedziałeś mi, że McCaul poleciał do Szwajcarii we wtorek. A jego sąsiad mówi, że wyjechał w niedzielę i że zabrali go spod domu jacyś dwaj mężczyźni w ciemnym buicku.

Kelso zesztywniał. Wyciągnął z kieszeni kopertę, w której była fotografia McCaula i włączył światło w samochodzie.

– Przyjrzyj się jeszcze raz. To zdjęcie McCaula z jego licencji.

Kiedy Mark studiował zdjęcie, Kelso spytał:

– Jesteś pewien, że to ten gość, którego widziałeś?

– To zdjęcie nie jest za dobre, ale chyba tak. Pamiętaj, że widziałem go tylko krótko, kątem oka.

– To znaczy, że mogłeś się mylić?

– Mogłem, ale obaj mniej więcej tak samo wyglądają, mają ten sam kolor włosów i podobne fryzury...

Kelso pokręcił głową, widać było, że czymś się martwi.

– To nic nie znaczy, Ryan. Chwila u fryzjera, byle jaka farba do włosów i masz ten sam efekt.

– Mówiłem ci, że widziałem gościa tylko w przelocie...

– Prawdę mówiąc, im więcej myślę o obecności McCaula na miejscu wypadku Jennifer, tym bardziej dochodzę do wniosku, że to wszystko było zbyt łatwe. To mogło być ustawione, McCaul może nie być tym, za kogo się podaje. Teraz to dla mnie jasne.

Mark zbladł.

– Przecież to ty powiedziałeś, że dokładnie go sprawdziłeś.

– Sprawdziłem jego przeszłość, Ryan. Ale dopóki nie stwierdzimy osobiście, że to rzeczywiście ten sam człowiek, nie możemy mieć stuprocentowej pewności.

– A więc jeżeli to nie McCaul, to kto?

73

– Jestem z CIA.

Jennifer gapiła się na mężczyznę nazwiskiem Nick Staves.

– Co takiego?!

– Z Centralnej Agencji Wywiadowczej w Langley w stanie Wirginia.

– Wiem, co to jest CIA. Ale co się stało z prawdziwym Frankiem McCaulem?

– Przenieśliśmy go w bezpieczne miejsce, a ja pożyczyłem sobie jego tożsamość.

– Dokąd go przenieśliście?

– McCaulem opiekują się nasi ludzie w wynajętym domu niedaleko Nowego Jorku. Musieliśmy go trzymać z dala od głównego nurtu wydarzeń, aż się to wszystko nie skończy. Wierzysz, Jennifer?

– Ja... Ja już sama nie wiem. Kto chce mnie zabić?

– Jack Kelso. Powiedział ci kiedyś, że jest znajomym ojca, ale kłamał.

Jennifer była zdumiona.

– Mów dalej.

– Widzę, że nie wiesz, co oznacza kryptonim „Sieć pajęcza", więc od tego zacznijmy. Kelso pracuje w CIA, a kilka lat temu prowadził tajną operację pod taką właśnie nazwą. Operacja była wymierzona w firmę Prime International Securities.

– Dlaczego?

– Firma była w istocie własnością innego przedsiębiorstwa, firmy-matki zarejestrowanej za granicą, a kontrolowanej przez rodzinę Morskaja z rosyjskiej mafii. Zyski inwestowali w Stanach Zjednoczonych, przelewając pieniądze z zagranicznych banków i tak właśnie CIA się o tym dowiedziała. Operacja „Sieć pajęcza" miała na stałe uciąć łeb ich interesom w Stanach.

– Rosyjska mafia była właścicielem Prime?

Staves skinął głową.

– Używali jej do prania brudnych pieniędzy. Twój ojciec nie miał pojęcia, że firma, w której pracuje, jest zaangażowana w działalność przestępczą, potem dopiero pojawił się Kelso, powiedział mu prawdę i przekonał go, żeby pomógł CIA zgromadzić konkretne dowody, dzięki którym będzie można przyskrzynić właścicieli Prime.

– Dlaczego mój ojciec miałby się na to zgodzić?

– Przede wszystkim Kelso wiedział, że twój ojciec miał pewien sekret.

Przez następny kilometr jazdy Staves opowiedział jej o przeszłości ojca i o jego odsiadce.

– Kelso kazał, jako część układu między nimi, zlikwidować wszelkie akta i zapisy dotyczące sprawy sądowej i wyroku. Tak to załatwił, żeby wyglądało, że Joseph Delgado nigdy nie istniał. Właśnie dlatego gliny nie mogły nic znaleźć, kiedy sprawdzały to nazwisko.

Jennifer kręciło się w głowie od tych rewelacji. Była załamana, gdy się dowiedziała, że jej ojciec ma przeszłość kryminalną. W głębi serca czuła, że to dobry człowiek, tylko źli ludzie i zbieg okoliczności zepchnął go na złą drogę. Wzmianka o Josephie Delgado uzmysłowiła jej, dlaczego wtedy ojciec ją uderzył w twarz. Poczuła, że łzy płyną jej po policzkach, ale próbowała powstrzymać się od płaczu.

– Co mój ojciec robił w Szwajcarii?

– Otrzymał instrukcje, żeby wypłacić z konta w Zurychu pięćdziesiąt milionów i przekazać tę kwotę gangsterowi z rodziny Morskaja nazwiskiem Karl Lazar. Ale to wszystko zostało sprytnie ustawione. Kelso wciągnął go w sieć kłamstw.

– Co to znaczy?

– On i kilku skorumpowanych agentów CIA zawarło cichą umowę z Karlem Lazarem. Chcieli ukryć pięćdziesiąt milionów i podzielić tę sumę między siebie, a twojego ojca wrobić w kradzież. Chcieli go zabić, pozbyć się ciała i zrobić to tak, żeby wyglądało, jakby zniknął. Wówczas całe zło spadłoby na Paula Marcha.

– Ale dlaczego?

– Z czystej chęci zysku. Jeżeli plan by zadziałał, zbiliby fortunę. Karl Lazar, strasząc twojego ojca bronią, miał go zmusić, żeby przeszedł z nim przez lodowiec Wasenhorn, tam chciał zamordować jego i braci Voglów, rzucić ciała w szczelinę, a potem podzielić się łupem z Kelso i z jego ludźmi. Na nieszczęście dla nich zaczęła się burza i wszystko wymknęło się spod kontroli. Resztę znasz.

– Dlaczego... Dlaczego nic mi wcześniej nie powiedziałeś? Dlaczego kazałeś mi przez to wszystko przechodzić?

– Działałem zgodnie z rozkazami CIA. Im mniej wiedziałaś, tym lepiej, to znaczy dopóki nie znajdziemy dyskietki i nie przyskrzynimy Kelso. CIA firmowała jego operację, ale mieliśmy podejrzenia, że Kelso nas oszukuje. Nie mogliśmy dać mu tego poznać, nie mogliśmy powiedzieć nikomu z jego ekipy, bo ktoś mógłby się wygadać. A prawdę mówiąc, przekonaliśmy się na pewno o wszystkim dopiero w ciągu ostatnich kilku dni.

– My?

– Gość, który pomógł nam uciec z lotniska, należy do mojej ekipy. Mieli rozkaz się nie ujawniać, ale gdybyśmy ich potrzebowali, byli tylko na wyciągnięcie ręki.

Jennifer wciąż nie mogła ułożyć tego wszystkiego w logiczną całość. Było tyle pytań bez odpowiedzi.

– A kto zabił moją matkę?

– Kelso. Chciał, żeby atak na twoją rodzinę wyglądał tak, jakby to była część tego samego planu gry, który jakoby twój ojciec wymyślił przed zniknięciem, żeby jeszcze bardziej go pogrążyć.

– A co... Co się stało z moim ojcem?

– Prawdopodobnie zginął tej nocy, gdy rozpętała się burza, a jego ciało jest wciąż gdzieś na lodowcu. To jedyne rozsądne wyjaśnienie, Jennifer.

– A jednak ktoś ocalał...

– Tego nie wiemy na pewno. Facet, który pojawił się w klasztorze, mógł być kimś zupełnie innym.

– To był mój ojciec. Na pewno.

– Torturujesz się tą myślą, Jennifer. On nie mógł ocaleć. Nie w takiej śnieżycy.

Poczuła tak ogromny przypływ żalu, że nie potrafiła się skupić na prowadzeniu samochodu. Zatrzymała wóz, położyła głowę na kierownicy i zaczęła płakać. Łkała i nie mogła się opanować. Staves położył jej delikatnie dłoń na ramieniu.

– Przepraszam cię. Wyobrażam sobie, jak musisz...

– Nie, nie wyobrażasz sobie. Nie masz zielonego pojęcia!

– Ale wierzysz mi, Jennifer, prawda?

Wytarła oczy.

– Teraz, akurat teraz, nie wiem, komu i w co wierzyć.

– To zrozumiałe. To wszystko stało się tak nagle – Staves odsunął rękę, sięgnął do kieszeni i wyciągnął legitymację. Otworzył ją i Jennifer zobaczyła logo CIA z jednej strony, a z drugiej strony zdjęcie. Widniał na nim mężczyzna siedzący obok niej. Według legitymacji był to Nicolas Staves, a dokument wyglądał autentycznie.

– Chciałem tylko, żebyś mi uwierzyła. Usłyszałaś już dość kłamstw od Kelso.

Jennifer cała się trzęsła, oddając mu legitymację.

– Chciałabym ci ufać.

– A może pozwoliłabyś mi poprowadzić? Widzę, że teraz nie jesteś w stanie siedzieć za kierownicą. A ja ci wyjaśnię, co Mark Ryan i Kelso wyczyniali przez te wszystkie dni.

– Mark? Coś wyczyniał? O czym ty mówisz?

– Powiem ci, co wiem.

74

Limuzyna jechała w kierunku Manhattanu. Zaczęło padać, strumienie lodowatego deszczu biły o dach.

Kelso zwrócił się do Marka.

– A dokładnie do kogo dzwoniłeś, Ryan?

– To nie jest takie ważne, bo Jennifer znowu zginęła, a jest z nią ktoś, kto może chcieć ją wykończyć...

Kelso naciskał.

– Chciałbym usłyszeć nazwisko osoby, do której dzwoniłeś.

– Powiem ci, jak będzie po wszystkim. A na razie powinno ci wystarczyć, że nie pisnąłem słowa o twojej operacji.

– Widzę, że w tym, co mówisz, jest ziarno prawdy, Ryan. Czy pytałeś jeszcze o inne rzeczy, o których ja powinienem wiedzieć?

– Nie.

– Na pewno?

– Na sto procent. A może byś mi powiedział, jak znajdziemy Jennifer?

– Dojdziemy do tego.

– Jest jeszcze coś innego, co mnie niepokoi, a co ty mógłbyś mi wyjaśnić.

– Co takiego?

– Nie wyjaśniłeś mi, jak bandyci z rodziny Morskaja dowiedzieli się o dyskietce.

– To prawda, nigdy ci o tym nie mówiłem – Kelso uśmiechnął się nieznacznie, a potem obrócił się do tyłu. – Zjedź z drogi, Fellows.

Fellows posłuchał polecenia. Deszcz bił niemiłosiernie o dach limuzyny. Kelso wyciągnął pistolet, przykręcił tłumik do lufy i wymierzył broń w Marka.

– Mam nadzieję, że mówisz mi prawdę.

Mark zbladł.

– Co ty, do cholery, robisz?

Nawet Grimes miał niepewną minę i spytał Kelso:

– Ja też chciałbym zadać to samo pytanie.

– Niestety, sprawy przybrały nieprzyjemny obrót.

Mark był zdumiony, kiedy Kelso nagle przesunął lufę Glocka. Broń raz cicho wystrzeliła. Kula trafiła Grimesa w klatkę piersiową, zabijając go na miejscu, agent padł na tylne siedzenie.

– Co, na Boga... – Fellows zaczął coś mówić, obracając się na siedzeniu kierowcy zupełnie zdezorientowany. Kelso strzelił raz jeszcze, prosto w głowę agenta, którego ciało wyrwało się w górę, a potem upadło bezwładnie na kierownicę.

Mark był w szoku, nic z tego nie rozumiał. Instynkt kazał mu się bronić i już miał się rzucić na Kelso, ale nagle Glock był znowu wymierzony prosto w jego serce.

– Nie bądź idiotą.

– Czy ty zwariowałeś, Kelso?

– Zaczynasz mnie wkurzać, Ryan, więc rób, co ci każę – Kelso przechylił się nad swoim siedzeniem i sprawdził puls Grimesa, potem przesunął jego ciało na podłogę i wyszedł z samochodu. – Wyłaź. Wyciągnij Fellowsa, przenieś go na tył i połóż go na podłodze.

Mark posłuchał rozkazu, a Kelso cały czas trzymał go na muszce. Wywlókł zakrwawione zwłoki Fellowsa zza kierownicy, złożył je na tył limuzyny i przetoczył na ciało Grimesa.

– Teraz siadaj za kierownicą i odpalaj silnik – rozkazał Kelso, zatrzaskując tylne drzwi.

Mark czuł, że jest cały mokry, gdy wchodził do samochodu. Kelso wciąż mierzył do niego z Glocka. Wsiadł od strony pasażera i zatrzasnął drzwi.

– Co się tutaj dzieje? Dlaczego ich zastrzeliłeś, a mnie nie?

– Teraz jesteś zakładnikiem szczęścia.

– Czyjego?

– Mojego.

75

Staves skręcił na autostradę prowadzącą do Long Beach. Jennifer wyglądała na świat przez smagane deszczem okno. Burza się nasilała. Przez ostatnie pięć kilometrów wspólnej podróży próbowała poskładać w głowie wszystkie części układanki tak, żeby do siebie pasowały. Staves przerwał milczenie:

– Miałaś rację, widziałaś Marka w Turynie. Śledził cię na rozkaz Kelso.

Jennifer była w szoku, nie mogła dojść do siebie, kiedy się dowiedziała, że Mark ją oszukał, że robił coś za jej plecami i śledził ją we Włoszech i Szwajcarii. Z drugiej strony, zdawała sobie sprawę, jak bardzo musiało mu na niej zależeć i ta myśl skłoniła ją do pytań na temat jej własnych uczuć. Jeżeli miałaby sobie uczciwie powiedzieć, to czy i ona nie czuła do niego czegoś więcej? Ale gdzie w tym wszystkim było jej uczucie do Nicka Stavesa? Teraz, w tym momencie, na te pytania nie potrafiła udzielić sobie żadnej rozsądnej odpowiedzi. Chociaż, mimo szoku, Nick wciąż na pewno był dla niej pociągającym mężczyzną.

– Jak się tego wszystkiego dowiedzieliście?

– Założyliśmy podsłuch w domu Marka. On i Kelso śledzili cię od momentu, kiedy wylądowałaś z Szwajcarii.

– Dlaczego?

– Kelso potrzebował kogoś, kto jest ci bliski, na wypadek, gdybyś odkryła jakieś dowody na jego udział w tej sprawie. I założę się, że wiem, jak chciał wykorzystać Marka.

– Jak?

– Zaraz potem, jak pojechałaś zidentyfikować ciało, zamierzał chyba skłonić Marka do ujawnienia się. Miał powiedzieć, że przyjechał za tobą do Europy, bo się o ciebie martwił. Kiedy już byłby blisko ciebie, Kelso uzyskałby wiadomości z pierwszej ręki, ale wtedy ja wkroczyłem na scenę i pokrzyżowałem mu plany. Mark jest przekonany, że Kelso chce cię chronić.

– A czego Kelso właściwie chce?

– Na początku chciał tylko chronić własny tyłek i przekonać się, co się stało z jego częścią pieniędzy, ale teraz, kiedy wie, że istnieje dyskietka, będzie chciał ją przejąć. I chyba ma ją zamiar sprzedać rodzinie Morskaja i w ten sposób jakoś sobie wynagrodzić stratę swojej części z pięćdziesięciu milionów. Uważam również, że to on kazał zamordować Chucka McCaula.

– Ale z jakiego powodu?

– Kelso stąpał po cienkim lodzie, kiedy w górach odkryto ciało i był gotów na wszystko, żeby się dowiedzieć, czy odkryto również jakieś dowody, które mogły wskazywać na jego udział w przestępstwie. Uważam, że on sam albo jeden z jego ludzi spotkał się z Chuckiem McCaulem, żeby stwierdzić, jakiego typu dowody znajdowały się w plecaku. Potem chłopaka zamordowano, prawdopodobnie po to, żeby zatrzeć ślady.

Jennifer była jak w transie, wręcz chora z niepokoju. Spojrzała jeszcze raz na Nicka Stavesa. *A jeżeli wszystko, co mi mówi, to też kłamstwo? Jeżeli z jego strony czyha jakieś niebezpieczeństwo?* Chciała wierzyć wszystkiemu, co mówi Nick, chciała mu zaufać i znów poczuć się przy nim bezpieczna, ale teraz już nie mogła być niczego pewna.

– Coś nie tak, Jennifer?

– Nie... Nic.

– Powiedziałaś, że nie wiesz, gdzie ojciec ukrył kasetkę. Musisz jednak jeszcze raz pomyśleć, zastanowić się i może ci się coś przypomni. Jeżeli jest jakaś szansa, że kasetka jest gdzieś w domu, albo że ojciec zostawił ci jakąś wskazówkę, która mogła prowadzić do miejsca, gdzie ją ukrył, koniecznie musimy ją znaleźć, zanim znajdzie ją Kelso. Rozumiesz, prawda?

– Tak... Tak.

– On będzie za wszelką cenę chciał zdobyć dyskietkę. I nie łudź się, nie będzie sam. Będzie miał ludzi do pomocy. Zawodowców, najlepszych, jakich można kupić za pieniądze.

– A... A twoi ludzie?

– Wezwę ich. Będą cały czas przy nas czuwać – Staves wyciągnął telefon komórkowy i wybrał jakiś numer, potem słuchał i marszczył brwi, jakby się czymś zmartwił.

Jennifer spytała:

– Co się dzieje?

– Nikt nie odbiera. Ale nie przejmuj się, za chwilę jeszcze raz spróbuję.

– Przejmuję się. Jeżeli mam wierzyć we wszystko, co mi mówiłeś o Kelso, to znaczy, że jest to człowiek zdolny do najgorszych czynów. Nawet do tego, żeby zablokować twoje rozmowy.

– Wątpię, czy to akurat potrafi – uspokajał ją Staves. – Sądzę, że to jakaś usterka techniczna spowodowana burzą. Posłuchaj, Jennifer, niedługo będzie po wszystkim, szybciej, niż myślisz. Potem będziemy mogli wyrównać rachunki z Kelso. Ale teraz najważniejsza rzecz to dowiedzieć się, gdzie twój ojciec ukrył kasetkę. Uważasz, że warto by przeszukać dom twoich rodziców? Na pewno wiesz, gdzie są miejsca, w których mógł ją ukryć?

– Chyba... Chyba tak.

Kiedy jechali w deszczu, Staves wyciągnął do niej rękę i delikatnie dotknął jej dłoni.

– Pomożesz mi?

– Tak...

Ulewa szalała, kiedy wjeżdżali na drogę prowadzącą do Cove End. Dom był pogrążony w ciemnościach, a brama wjazdowa stała otworem. Staves wprowadził chevroleta na żwirowy podjazd i zaparkował. Byli na miejscu.

Na autostradzie, osiem kilometrów od Long Beach, limuzyna jechała prawie sto trzydzieści kilometrów na godzinę. Deszcz bił niemiłosiernie o przednią szybę. Napięcie było nie do zniesienia. Mark koncentrował się na tym, żeby nie spuszczać wzroku z mokrej nawierzchni. Kelso powiedział:

– Następnym zjazdem na Long Beach, a potem kieruj się na Cove End.

– Dlaczego tam?

– Zadajesz za dużo pytań, Ryan.

– Jennifer jest w domu swoich rodziców? To wszystko ma coś wspólnego z dyskietką, prawda?

Kelso uśmiechnął się pod nosem.

– O co ci chodzi, Ryan? Żebym cię wziął za rączkę jak przedszkolanka i pokazał, jak połączyć punkciki na kartce prostą kreską? Skręcaj następnym zjazdem.

– Zależy mi na odpowiedziach, Kelso. To ty jesteś odpowiedzialny za śmierć Paula Marcha, prawda? Założę się, że to ty go we wszystko wrobiłeś.

Uśmieszek Kelso zamienił się w szeroki uśmiech.

– Widzę, że ci się powoli rozjaśnia w głowie.

– Zrobiłeś tak, żeby wyglądało, że to March ukradł te pięćdziesiąt milionów, ale to ty je zwinąłeś.

– Jesteś blisko. Ja i Lazar. Zawarliśmy układ, ale, niestety, te pięćdziesiąt milionów znikło na Wasenhornie, kiedy Lazar i March zapadli się pod ziemię. O ile wiem, forsa jest prawdopodobnie tak głęboko w tej rozpadlinie lodowej, że nikt nigdy jej nie znajdzie. Podobnie jak ciał Marcha i Lazara.

– Ale to nie tak miało być, prawda?

Kelso pokręcił głową.

– Niezupełnie. Lazar miał wyjść z tego z pięćdziesięcioma milionami, ja dostałbym połowę, a March razem z Voglami mieli zamarznąć w jakiejś szczelinie w lodowcu.

– Nie szukałeś później tych pięćdziesięciu milionów?

Kelso zacisnął usta.

– To była najsłabsza część planu. Lazar nie powiedział mi, gdzie chce przekraczać granicę. Pozostawiłem tę decyzję w jego rękach i to był mój wielki błąd. Zanim wypłynęło ciało Marcha, nie miałem pojęcia, gdzie szukać ani co się stało z Lazarem.

Mark widział już wszystko bardzo jasno.

– Wybuch w kostnicy, zamordowanie Caruso, zabójstwa w klasztorze... To wszystko twoja sprawka. Udawałeś, że ktoś inny jest za to odpowiedzialny, a działałeś tak, żeby nie padł na ciebie nawet cień podejrzenia i zacierałeś wszelkie ślady zaangażowania w sprawę śmierci Paula Marcha.

– Jesteś bystrzejszy niż myślałem.

– Sprokurowałeś nawet historyjkę o Czerwonej Mafii, o tym, że Lazar albo March przeżyli, albo że rosyjscy gangsterzy próbują ci przeszkodzić w śledztwie, ale to wszystko ty sam organizowałeś, Kelso. Próbowałeś odwrócić wszelkie podejrzenia i tak sprytnie zacierałeś ślady, że nawet twoi przełożeni z CIA nie mieli pojęcia, co kombinujesz.

– Jestem pod wrażeniem. Niezły jesteś, Ryan. Może nawet byłbyś materiałem na agenta CIA.

– Ale po co to wszystko? Żeby zatrzeć ślady?

– Masz pojęcie, ile jest warta ta dyskietka? Mówimy tu o kwocie co najmniej pięćdziesięciu milionów. Klan Morskaja na pewno zapłaci takie pieniądze, żeby uciec przed wymiarem sprawiedliwości.

– A co potem? Chcesz zniknąć, zapaść się pod ziemię, żeby nikt nie mógł cię znaleźć?

Kelso skinął głową.

– Nikt mnie nie znajdzie, nawet Langley.

– Nie byłbym tego taki pewien.

– Uwierz mi, Ryan, po trzydziestu latach pracy w CIA wiem, jak zacierać za sobą ślady.

– Po co to wszystko, Kelso?

– Jeśli szukasz motywu, mogę ci podać co najmniej tuzin. Niechęć. Zazdrość. Chciwość. To na początek. Człowiek się po jakimś czasie męczy, kiedy widzi bandziorów takich jak ci z rodziny Morskaja, którzy kasują miliony. My udajemy tych dobrych, codziennie narażamy życie, ale nic z tego nie mamy. A na końcu czeka cię tylko złoty zegarek i gówniana emeryturka. Człowiek zaczyna myśleć, że może by jakoś wykorzystać te wszystkie sztuczki, których się całe życie uczył w CIA. Dobra odpowiedź?

– A gdzie jest ta dyskietka?

Kelso znów się uśmiechnął.

– Mam przeczucie, że Jennifer pomoże mi odpowiedzieć na to pytanie. Muszę tylko znaleźć odpowiedni impuls, żeby pobudzić pamięć naszej pani mecenas.

– Jaki impuls?

– Niedługo się dowiesz.

Leroy Brown w życiu nie widział tych dwóch na oczy, ale kiedy goście wyciągnęli blachy i pokazali legitymacje policji nowojorskiej, to im uwierzył. Jeden z nich był blondynem i miał siniaka na szczęce. A kiedy Leroy prowadził ich korytarzem do swojego kumpla w Cauldwell, zapytał:

– A o co tu chodzi, panowie, po co chcecie rozmawiać z Bobbym? Blondyn idący obok Leroya miał zatroskaną minę.

– Jego siostra, Jenny, miała wypadek samochodowy. Dobra wiadomość jest taka, że żyje, a zła, że jest mocno pokiereszowana.

– Co? Kiedy to się stało?

– Dzisiaj po południu na autostradzie. Taksówka, którą jechała z lotniska, miała wypadek.

– O, cholera, to straszne. Bobby nikogo innego nie ma na świecie, tylko Jenny. Zdenerwuje się, jak się o tym dowie, nie?

– Niestety, my tylko wykonujemy nasze obowiązki. Mały będzie musiał pojechać z nami. Jenny prosiła, żeby go przywieźć.

– Wie pan, co do tego nie jestem pewien. Bobby ostatnio był bardzo nieswój, a ja nie mam prawa oddawać go w ręce policji – Leroy zatrzymał się przed przeszklonymi drzwiami.

Mężczyźni zajrzeli do środka i zobaczyli Bobby'ego na wózku inwalidzkim przy oknie, rysującego coś na kartce papieru.

– To on?

– Tak, to Bobby. Ale jak mówiłem, nie mam prawa wypuszczać go bez zgody siostry.

– Niech pan się nie martwi, mam wszystkie potrzebne uprawnienia – blondyn wyciągnął pistolet i uderzył Leroya w skroń. Potężny pielęgniarz był oszołomiony ciosem, ale był niezwykle mocno zbudowany i mimo uderzenia trzymał się na nogach, upadł dopiero, kiedy drugi mężczyzna przyłożył mu pałką w tył głowy. Wtedy Leroy zemdlał.

Przeciągnęli nieprzytomnego po podłodze. Jeden z nich otworzył schowek na miotły, wrzucili go do środka i zamknęli drzwi.

– Chodźmy po małego.

Lou Garuda był wkurzony. Potwornie wkurzony. Wrócił do mieszkania późnym popołudniem i zobaczył, że Angelina wciąż na niego czeka, leży naga na łóżku, ma szelmowski uśmieszek na twarzy, jej smagła skóra pięknie kontrastuje z bielą prześcieradła i jest gotowa dać mu tyle pocieszenia, ile będzie potrzebował.

– Grzeję ci łóżeczko od rana. Chodź tutaj, Lou.

Zirytował go Ryan, nie wiedział, dlaczego mu nie pomaga. Ryan potrafił człowieka naprawdę wkurzyć, więc Lou położył się obok Angeliny i na chwilę oddał się przyjemności. Ale jednak sercem i myślą był gdzie indziej. W połowie westchnął, odsunął się od Angeliny i zapalił papierosa.

– Co jest, kotku?

Garuda gniewnie zaciągnął się papierosem.

– Wszystko jest, cholera, nie tak. Chodzi o tę sprawę, o której ci mówiłem. O tego gościa znalezionego na lodowcu.

– Co się dzieje?

– Coś dziwnego, Angelino, coś bardzo dziwnego, a ja nie potrafię dojść, o co w tym wszystkim, kurwa, chodzi.

Angelina zobaczyła, że jest myślami nieobecny, a to oznaczało, że coś go gnębi. Miał krople potu na czole.

– Jezu, Lou, jesteś całkowicie wykończony. Nie możesz chociaż na pięć minut zapomnieć o tej swojej robocie? Ja tu nie przychodzę wysłuchiwać o twojej pracy, pamiętasz? Jestem tu dla przyjemności, a ostatnio tej przyjemności za wiele nie mam.

– Wiem, kochanie. Ale od tego wszystkiego łeb mi pęka.

Angelina drapała go delikatnie po plecach, potem przesunęła rękę na pośladek i chichocząc ścisnęła palcami.

– Chodź tu do mnie i zobaczysz, że zaraz o wszystkim zapomnisz. Za pięć minut nie będziesz o niczym pamiętał. Będziesz myślał tylko o twojej Angelinie.

Ale Garuda już gasił papierosa, wciągał spodnie i kierował się ku drzwiom.

– Kochanie, muszę iść. Zadzwonię do ciebie później, OK?

– Dokąd chcesz iść?

– Uwielbiam cię, złotko.

– Lou...!

Dźwięk brzmiał tak, jakby ktoś uprawiał seks – słychać było tylko jęki. Garuda nie wiedział, czy to jęki rozkoszy czy bólu. Zaczęło się od tego, że wsiadł do samochodu i po prostu ruszył przed siebie, próbując sobie wszystko ułożyć w głowie, zrozumieć, co tu jest w ogóle grane, jaki ma wykonać następny ruch. A potem postanowił pojechać do Cauldwell, z trzech powodów. Po pierwsze, żeby się upewnić, że z dzieciakiem wszystko w porządku, po drugie, na wypadek, gdyby Mark Ryan postanowił odwiedzić Bobby'ego (jeśliby tak się stało, Garuda chciał dokończyć rozmowę twarzą w twarz), a po trzecie, prawdę mówiąc, chciał jeszcze raz porozmawiać z Bobbym. Dokładnie nie wiedział, po co, bo pytać dzieciaka, czy słyszał, jak jego stary rozmawia o Czerwonej Mafii albo czy wie o zagranicznych właścicielach Prime, to kretyństwo, ale doszedł do wniosku, że warto zaryzykować, bo już nic innego nie miał.

Ale w najśmielszych marzeniach nie przewidywał, co będzie dalej.

Szedł korytarzem w kierunku pokoju Bobby'ego i usłyszał, że ktoś jęczy. Dźwięki dobiegały ze schowka na miotły. Co jest grane? Może sprzątaczka i woźny ćwiczyli pozycje Kamasutry podczas przerwy na herbatę? Albo jakiś pacjent przypadkiem zamknął się w środku, może był przestraszony albo coś sobie zrobił? Co by to nie było, jęki się nasiliły, kiedy Garuda przechodził obok schowka, teraz miał wrażenie, że kogoś naprawdę coś bardzo boli.

– Jest tam kto? – zawołał Garuda.

W odpowiedzi usłyszał jeszcze głośniejszy jęk, głos był głęboki i męski. Garuda chwycił za klamkę, ale drzwi były zamknięte, potem zobaczył klucz na podłodze po drugiej stronie korytarza. Podniósł go, włożył do zamka, otworzył schowek i zobaczył Leroya stłamszonego w maleńkiej przestrzeni. Z głębokiego rozcięcia na głowie ciekła mu krew, białka jego oczu w ciemnościach schowka wyglądały jak dwie piłeczki golfowe.

– Co ci się stało, kolego?

Leroy jęknął, dotknął ręką głowy, a głos, który z siebie wydał, brzmiał tak, jakby przed chwilą ktoś mu przywalił cegłą.

– Gliny... mnie rąbnęły.

– Co?

– Jezus, mówię ci, czuję się, jakby mnie przejechał walec. Sprowadź mi lekarza.

W ciągu kilku sekund Garuda wyciągnął od Leroya resztę opowieści. Ponieważ uważał, że było kilka cennych straconych sekund, powiedział: „O, kurwa!" i ruszył pędem korytarzem. Przebiegał obok drzwi pożarowych wychodzących na ogród, kiedy jakieś sto metrów dalej, na parkingu, zobaczył dwóch facetów wciskających Bobby'ego na tylne siedzenie granatowego buicka, i odjeżdżających z piskiem opon.

– Cholera!

Garuda nie miał przy sobie broni służbowej, pistolet zostawił w samochodzie, a razem z nim komórkę. Mógł tylko popatrzeć, jak buick odjeżdża pełnym gazem w kierunku bramy, a potem znika na ulicy, zostawiając za sobą chmurę spalin. Nie było nawet czasu, żeby sprawdzić jego rejestrację.

Ale jedno było pewne – musiał się skontaktować z Markiem. I to szybko. Spocony jak mysz biegł w kierunku swojego samochodu.

78

Jennifer wysiadła z chevroleta wprost w strugi ulewnego deszczu. Z przodu szedł Nick Staves, przyświecając latarką. Kiedy doszli na werandę, byli oboje przemoknięci do suchej nitki.

– Lepiej ja otworzę. Daj mi klucz.

Jennifer pogrzebała w torbie podróżnej, podała mu klucz, a Staves otworzył drzwi frontowe. Kiedy weszli do holu, zadzwonił alarm. Jennifer chciała włączyć światło.

– Nie, lepiej niech zostanie zgaszone – Staves wytarł krople deszczu z twarzy. – Idź, wyłącz alarm, Jennifer.

Świecił latarką, a Jennifer wciskała kod na panelu systemu alarmowego. Po chwili brzęczenie ucichło.

– A twoi ludzie?

Staves próbował zadzwonić z telefonu komórkowego i znów zmarszczył czoło.

– Coś nie tak?

– Wciąż nie mam zasięgu. Nic z tego nie rozumiem.

– Możesz się z nimi jakoś inaczej skontaktować?

– Masz tutaj telefon stacjonarny?

– Nie, jest odłączony.

Staves zacisnął szczęki zaniepokojony.

– Nie martw się, moi ludzie są niedaleko. Kazałem im tu przyjechać. Będę jeszcze próbował.

Błyskawica oświetliła okna i cały hol na ułamek sekundy wypełniło błękitne światło wyładowania elektrycznego. W ciszy pustego domu, która nastąpiła po grzmocie pioruna, Jennifer zamarła. Nie mogła zrobić ani kroku. Wszystko było nagle obce i groźne wśród szalejącej burzy, która przywołała lawinę wspomnień. Pomyślała: *Nie wiem, czy dam radę.*

Staves chyba wyczuł jej lęk, wyciągnął rękę i dotknął ramienia.

– Nie ma się czego bać, Jennifer. Jak uważasz, gdzie powinniśmy zacząć szukać?

– Może najpierw w gabinecie ojca, potem na strychu i w piwnicy. Na końcu przeszukamy garaż na motorówkę niedaleko przystani.

Kiedy Jennifer przekraczała próg gabinetu, w całym domu panowały ciemności. W zatoce szalał wiatr, panoramiczne okno wychodzące na morze co chwilę rozświetlały błyskawice. Po omacku szukała kontaktu i wreszcie włączyła światło.

– Poszukaj w biurku, a ja zobaczę na półkach – zaproponował Staves.

Pokój wyglądał tak, jak Jennifer go zapamiętała, chociaż nie było już tam książek ojca, jego rzeczy osobistych, zdjęć, biurka z drewna jabłoni i skórzanego fotela. *Duchy. W całym domu są duchy.* Zmusiła się do otwierania szuflad i przeszukiwania ich jedna po drugiej, a Staves wziął się za puste półki, wymacując skrytki i schowki, ale po dziesięciu minutach się poddał.

– To na nic. Musimy spróbować w innych pokojach. Ale lepiej się pospieszmy. Kiedy wymknęliśmy się z lotniska, Kelso na pewno się zastanawiał, dokąd pojedziemy.

– Co chcesz przez to powiedzieć?

– Domyślam się, że wie, jaki mamy plan, i że już jest w drodze.

Szukali na strychu, potem w piwnicy, ale niczego nie znaleźli, więc nie tracąc czasu weszli do kuchni. Staves otworzył tylne drzwi prowadzące na zewnątrz i do środka wdarł się huraganowy wiatr, omal nie zwalając ich z nóg. Ułamek sekundy później światła zgasły, a w kuchni zapanowała ciemność.

Staves włączył latarkę.

– Na pewno burza uszkodziła linie elektryczne.

Jennifer patrzyła na zmywane deszczem, ciemne przestrzenie ogrodu, gniewnie łopoczące na wietrze gałęzie drzew, nocne niebo rozświetlone błyskawicami, fale gwałtownie bijące o pomost przy przystani.

– Możemy zginąć, jeżeli tam pójdziemy.

– Trzymaj się mnie i nie puszczaj mojej ręki. Nie chcę, żeby fale zmyły cię z pomostu. Gotowa?

– Chyba tak.

Staves postawił kołnierz kurtki i pociągnął Jennifer prosto w deszcz.

– Tutaj zaparkuj – rozkazał Kelso.

Mark zatrzymał wóz przy krawężniku, dwieście metrów od Cove End. Po drugiej stronie widział dom swoich rodziców, nigdzie nie było świateł. Daleko by nie uciekł, gdyby próbował się wymknąć. Kelso wciąż mierzył do niego z pistoletu.

– Nie gaś silnika, ale wyłącz światła. I nie ociągaj się, bo szybko tracę cierpliwość, a wtedy ty możesz stracić życie.

Mark posłuchał, a Kelso powiedział:

– Teraz jedź naprzód, ale bardzo powoli.

Mark zastosował się do polecenia, jechał jak za pogrzebem, a kiedy samochód był pięćdziesiąt metrów od Cove End, Kelso wydał mu następne polecenie:

– Tu się zatrzymaj i wyłącz silnik.

Samochód stanął, a Mark przekręcił kluczyk w stacyjce. Zapanowała cisza, usłyszał ryk burzy i poczuł gwałtowne uderzenia wiatru, które kiwały samochodem.

Kelso przyglądał się bacznie Cove End. Cały dom był pogrążony w ciemnościach. Spojrzał na zegarek.

– Jesteśmy za wcześnie.

– Co to znaczy?

– Że czekamy.

– Na co?

– Na telefon. Będziemy wiedzieli, kiedy rozpocząć hollywoodzkie wejście.

– Nie rozumiem.

– Zrozumiesz w swoim czasie, Ryan.

79

Na drewnianym pomoście było ciemno. Fale biły o nabrzeże, a kiedy Staves, napierając ramieniem, otwierał drzwi do garażu na przystani, Jennifer czuła, że już jest przemoczona do suchej nitki. Oświetlił latarką motorówkę, poświecił na półki z pordzewiałymi narzędziami i zapasowymi częściami do silnika.

– Wejdź do łodzi, Jennifer. Przeszukaj każdy zakątek i zajrzyj do wszystkich schowków.

Jennifer weszła do łodzi i zaczęła przeczesywać maleńką kabinę i sterówkę, a Staves oświetlał latarką silnik i próbował coś wymacać dłońmi w ciemnościach. Kiedy nic nie znalazł, podszedł do półek, zaczął zrzucać narzędzia i ułożone tam części zapasowe. Miał groźny wyraz twarzy, Jennifer przestraszyła się jego oczu. Kiedy wszystkie półki były puste, nagle rozzłoszczony kopnął kadłub łodzi.

– Gdzie, do kurwy nędzy, jest ta kasetka? Myśl, Jennifer! Gdzie ona może być? Gdzie?

Gdy wyszła z łodzi, Staves bez słowa ostrzeżenia rzucił się na nią i chwycił ją za włosy. Okręcił je wokół swojej dłoni, a potem uderzył ją otwartą ręką w twarz, Jennifer zatoczyła się pod ścianę.

– Zadałem ci, kurwa, pytanie!

Jennifer była zbyt oszołomiona tym wybuchem gniewu, żeby cokolwiek odpowiedzieć. Drżała na całym ciele, kiedy doprowadzała się do ładu. Coś było nie tak, coś poszło strasznie niedobrze, teraz dopiero zdała sobie z tego sprawę. Skóra na policzku paliła ją żywym ogniem, była tak zszokowana, że nie mogła wydusić z siebie słowa, a Stavesa ogarnął teraz szał. Usłyszała w jego w głosie potworny gniew, kiedy podszedł i stanął tuż przy niej.

– Czegoś mi nie mówisz. Ta kasetka musi być gdzieś w domu. Gadaj, do cholery, gdzie ona jest?

– Już ci mówiłam... Naprawdę nie wiem.

Jakiś instynkt kazał rzucić się Jennifer do drzwi, ale Staves podbiegł za nią i chwycił ją za nadgarstek.

– Dokąd, cholero, leziesz?

Twarz miał wykrzywioną szaleństwem i w tamtej chwili Jennifer nie miała wątpliwości, że to człowiek zdolny do wszystkiego.

– Boli mnie... Puść. Proszę...

Wyciągnął ją siłą na dwór, potem przez trawnik w kierunku kuchni, nie zwracając uwagi na protesty.

– Przymknij się, głupia babo.

Kiedy doszli do drzwi kuchennych, Staves starł krople deszczu z twarzy, wyciągnął telefon komórkowy i wystukał jakiś numer.

– To ja. Dajcie mi go tutaj, teraz. Natychmiast. Przyprowadźcie go na tyły domu.

Skończył i kilka sekund później Jennifer zobaczyła reflektory samochodu zbliżającego się do podjazdu. Wóz zatrzymał się i wyszedł z niego okrąglutki mężczyzna z czarnym wąsem. Jennifer rozpoznała go. To był Marty z lotniska. Jego współtowarzysz wyszedł z tyłu i Jennifer przeżyła kolejny szok – zobaczyła blondyna, ich prześladowcę z farmy Vogla. Wyciągali kogoś z tylnego siedzenia samochodu, ale w deszczu i w ciemności Jennifer nie mogła dojrzeć twarzy. Mężczyźni ciągnęli jeńca w kierunku domu, głowę miał opuszczoną na bok, nogi ciągnęły się po żwirze. Nagle Jennifer poznała, kto to.

– Bobby...!

Ruszyła w kierunku brata, ale Staves chwycił ją brutalnie za włosy.

– Wnieście go do środka – rozkazał swoim podwładnym i nie puszczając Jennifer, wykonywał kolejną rozmowę przez komórkę, tym razem wrzeszcząc bez opamiętania.

– Próbowałem ostatni raz i się nie udało, Kelso. Nic się, kurwa, nie udało. Ta suka nie wie, gdzie jest kasetka. Co mam teraz robić? OK, ale nie chcę, żeby to się ciągnęło całą noc.

Skończył rozmowę i popatrzył Jennifer prosto w oczy.

– Chyba już czas, żebyśmy ze sobą szczerze pogadali.

80

Mark siedział za kierownicą limuzyny, kiedy zadzwonił telefon. Kelso, który przez chwilę słuchał w milczeniu, był najpierw wyraźnie rozzłoszczony, a potem wściekły. W końcu powiedział:
– Czekajcie, już wchodzę. Mam ze sobą Ryana.
Kiedy skończył rozmowę, w oczach miał ledwie tłumioną furię. Wycelował broń w Marka.
– Wyłaź z wozu.
– Dlaczego?
Kelso machnął pistoletem, pokazując lufą ścieżkę prowadzącą do Cove End.
– Nie zadawaj pytań. Wchodzimy do domu od kuchni.

– Już dobrze, Bobby. Jestem z tobą. Wszystko w porządku. Powiedz mi, czy nie zrobili ci krzywdy?
Dwóch mężczyzn wciągnęło Bobby'ego do kuchni i usadziło go przy stole obok Jennifer. Oczy miał zapuchnięte od płaczu, a na twarzy siniaka.
Kiedy Jennifer go przytuliła, całym ciałem chłopca wstrząsnęło łkanie, a ona poczuła przemożną chęć ochronienia go.
– Kiwnij głową, że wszystko w porządku. Zrób to dla mnie, Bobby, proszę. Muszę wiedzieć, czy coś cię boli, czy wszystko dobrze.
Nie mogła stwierdzić, czy był zdenerwowany i wyprowadzony z równowagi tym, że czuje lęk albo ból, czy jedno i drugie. Wyglądał jak zdezorientowane dziecko, ale kiedy ocierała mu oczy rękawem, w końcu niepewnie skinął głową.
– Na pewno wszystko w porządku?
Bobby znów skinął głową, lecz tym razem w jego oczach było tylko zdziwienie, a Jennifer zdała sobie sprawę, że brat nie miał pojęcia, co się tutaj dzieje.

– Twój mały braciszek jest bardzo dzielny, prawda, Bobby?

– Ty gnoju! Zrobiliście mu krzywdę!

– No, i co się królewiczowi stało? – złośliwy uśmiech wykrzywił twarz Stavesa, kiedy podnosił kciuk w kierunku swoich wspólników. – Kelso już jedzie i ma towarzystwo. Jeden z was niech się ładuje do samochodu. Oczy i uszy dookoła głowy! Drugi do tyłu, przed kuchnię. Nie opuszczać stanowisk, dopóki was nie odwołam.

Jennifer próbowała pocieszać Bobby'ego, kiedy mężczyźni wyszli. Chwilę później usłyszała dźwięk włączanego silnika, a ich samochód wycofywał się z podjazdu. Staves grzebał w kuchennych szufladach, jak gdyby czegoś szukał, ale kiedy się okazało, że nic tam nie ma, podsunął sobie krzesło, ustawił oparciem do przodu i usiadł na nim. Był znowu spokojny, ale Jennifer bała się, że lada moment znów chwyci go wściekłość.

– Kim jesteś? Czemu mi to robisz? – spytała. Kilka sekund później usłyszała kroki za drzwiami.

Staves uśmiechnął się.

– Wyluzuj. Za chwilę odpowiemy na wszystkie pytania.

81

Jennifer znowu usłyszała kroki i otworzyły się drzwi kuchenne. Wszedł Mark, za nim Kelso, który trzymał go na muszce. Mark miał w oczach wyraz ponurej determinacji. Już podchodził do Jennifer, ale Kelso szturchnął go lufą.

– Siadaj przy stole.

Wepchnął Marka na krzesło, potem zatrzasnął drzwi i odezwał się do Jennifer:

– Widzę, że poznałaś mojego wspólnika. Nick jest niezłym aktorem, chyba się z tym zgodzisz. W CIA był jednym z najlepszych speców od przebieranek, oszustw i dywersji.

Staves uśmiechnął się pod nosem.

– Więc jak oceniasz moje przedstawienie? Chyba zrobiłem tylko jeden poważniejszy błąd. Źle oceniłem tempo wypływania płynu hamulcowego z przewodu, kiedy majstrowałem przy twoim dżipie. Wcześniej zaplanowałem to tak, żebyś miała problemy z hamulcami zaraz po wyjeździe z hotelu i żebyś musiała się zatrzymać, a ja odegram rycerza na białym koniu i przyjdę ci z pomocą. Potem chciałem wkupić się w twoje zaufanie i opowiedzieć ci historyjkę o tym, jak to ktoś niby chce cię zabić. Ale zacząłem się naprawdę martwić, kiedy musiałem za tobą jechać aż na szczyt tej góry, a potem wpakować się w twój wóz, żeby ci ocalić skórę. Ale, z drugiej strony, w końcu wszystko się udało.

Mark odezwał się do Jennifer:

– Eksplozja w kostnicy, śmierć Caruso i jego żony, jatka w klasztorze – to wszystko ich robota, wszystko było ustawione. Chcieli, żeby nikt nie znalazł śladu ich ręki, żeby nikt się nie domyślił, że mają coś wspólnego ze śmiercią twojego ojca.

Potem zwrócił się do Kelso.

– Ty jesteś po prostu chciwy. A on? Domyślam się, że to wcale nie jest McCaul?

– Masz rację. Nazywa się Staves i pracuje w CIA. A jeżeli chcesz się koniecznie dowiedzieć, jakie ma motywy, to powiedzmy, że mój plan emerytalny wydał mu się znacznie bardziej atrakcyjny niż emeryturka, którą proponuje Wuj Sam – Kelso wyszczerzył zęby i zwrócił się do Jennifer. – Twój przyjaciel jest dobry, muszę mu to oddać. Prawie wszystko mu się udało zgadnąć.

– A pozostali, ci dwaj, którzy porwali Bobby'ego i cała reszta? – spytała Jennifer.

– Faceci ze spluwami do wynajęcia, nic więcej. Kiedy się pracuje w CIA, chcąc nie chcąc poznaje się najlepszych w branży. Zawodowców, którzy zrobią to, co im każesz, jeżeli oczywiście dobrze im zapłacisz. Na nieszczęście dla tego, którego zabiłaś w pociągu, facet popełnił błąd, bo miał cię tylko postraszyć, ale prawdopodobnie za bardzo się wczuł w rolę. Powinien być ostrożniejszy.

Mark spojrzał gniewnym wzrokiem na Kelso.

– Po co? Po co udawaliście, że chcecie dopaść Jennifer, gdy w tym samym czasie Staves zachowuje się tak, jakby chciał ją chronić?

– Taktyka CIA stara jak świat. Wystaw kogoś na niebezpieczeństwo, a potem zrób tak, żeby wyglądało, że mu pomogłeś, a w dziewięćdziesięciu dziewięciu przypadkach na sto powierzy ci swoje życie, a jak będziesz miał szczęście, zdradzi ci największe tajemnice – Kelso uśmiechnął się, przyciągnął sobie krzesło i usiadł. – Taki był plan. Jennifer uwierzyła Stavesowi i zaczęła go traktować jako swojego obrońcę i powiernika. Udało nam się zmylić przeciwnika i dostaliśmy dodatkową nagrodę w postaci śladu, który doprowadził nas do Vogla. Ale przede wszystkim dowiedzieliśmy się, co się stało z Lazarem i Marchem, a także o istnieniu kasetki. To był, prawdę mówiąc, niesamowity plan, nawet jeżeli, nie chwaląc się, sam go wymyśliłem.

– A gdzie było miejsce dla mnie? – spytał Mark.

Teraz Kelso uśmiechał się już od ucha do ucha.

– Byłeś naszym wsparciem, naszym zabezpieczeniem na wypadek, gdyby Jennifer nie poczuła sympatii do Stavesa. Początkowo zakładaliśmy, że będziesz z nią jeździł i może się do niej zbliżysz. Może nawet ją przelecisz, a potem, jeżeli będziemy musieli, zabijemy cię na jej oczach, żeby udowodnić, że nie żartujemy i będziemy mogli ją urabiać jak wosk. Będzie tak przerażona, że powie nam wszystko, co będziemy chcieli wiedzieć. Ale kiedy Jennifer powiedziała, że nie chce, żebyś z nią jechał, włączyliśmy plan awaryjny, to znaczy zaczęliśmy cię traktować jako nasze zabezpieczenie w Europie. Myślała nawet, że twój opel ją śledzi, więc, chcąc nie chcąc, nawet ją wystraszyłeś. Jak mówiłem, to był doskonały plan.

Jennifer wpatrywała się z nienawiścią w Kelso, gdy zaczęła układać sobie w głowie wszystkie elementy łamigłówki.

– Co się stało z prawdziwym Frankiem McCaulem?

– Niestety, nie żyje. Podobnie jak nasz młody alpinista Chuck, którego śmierć grała niemałą rolę w naszym oszustwie.

– Jesteś bez serca. Jesteś do cna zły, Kelso.

– Ale może niedługo będę bardzo bogaty.

– Zabiłeś moją matkę. Postrzeliłeś Bobby'ego.

Kelso spojrzał z ukosa na Nicka Stavesa i uniósł brwi.

– Powiedziałeś jej?

Staves skinął głową.

– O tym, jak razem z Lazarem wystawiliśmy jej starego, też.

– Niestety, to wszystko prawda – Kelso oznajmił spokojnie Jennifer. – To nie było nic osobistego, czysty biznes, po prostu coś, co trzeba było zrobić.

W tym momencie Jennifer poczuła, że ma ochotę się rzucić na Kelso i zabić go gołymi rękami. W chwili wściekłości skoczyła w jego kierunku, ale chwycił ją za nadgarstek i wykręcił jej rękę. Mark skoczył na równe nogi i ruszył w kierunku Kelso, ale Staves był szybszy i już mierzył z pistoletu w kierunku Marka.

– Siedziałbym na dupie, gdybym był na twoim miejscu.

Bobby, patrząc na to wszystko oczami szeroko otwartymi ze strachu, zaczął płakać.

– To nie było najmądrzejsze. Widzisz, zdenerwowałaś braciszka. Teraz siedź tam, gdzie siedzisz, aż ci nie powiem, że masz wstać – popchnął ją na krzesło, a ona odwróciła się i przytuliła do Bobby'ego.

– Daj mi klucz – rzucił Kelso.

Jennifer otworzyła torbę i podała mu srebrny kluczyk. Kelso przez chwilę patrzył na kluczyk, podrzucił go w dłoni, a potem, odwracając dłoń, położył go zdecydowanym ruchem na blacie stołu.

– Trudno uwierzyć, że to maleństwo przysporzyło nam tyle kłopotów.

Jennifer powiedziała niechętnie:

– Czego się mnie czepiasz? Nie mam pojęcia, gdzie jest ta kasetka.

Kelso z uśmiechem wyciągnął pistolet z kieszeni, wyjął czarny, metalowy tłumik i przykręcił go do lufy.

– Wiesz, co? Nie chce mi się z tobą więcej gadać.

82

Kelso wycelował pistolet w głowę Jennifer.

– Myślałem, że coś przede mną ukrywasz. Ale próbowaliśmy wszystkich sztuczek, żeby ci rozwiązać język, i nic nie poskutkowało, więc chyba jednak mówisz prawdę.

Kelso uśmiechnął się pod nosem, potem ostrożnie położył pistolet na blacie kuchennym i rozsiadł się wygodnie na krześle.

– Jestem jednak przekonany, że kasetka może być gdzieś na terenie tej posiadłości. Wiesz, dlaczego tak myślę? Dwa lata temu kazałem sprawdzić wszystkie banki w stanie Nowy Jork, żeby się upewnić, czy twoi rodzice nie mają gdzieś skrytki depozytowej. Okazało się, że nie. I co nam to mówi? Albo twój ojciec pozbył się tej kasetki, albo ją gdzieś ukrył. Jeżeli byłbym na jego miejscu i miałbym coś tak cennego, ukryłbym to w naprawdę bezpiecznym miejscu, chciałbym taką rzecz mieć pod ręką. Co o tym sądzisz, Jennifer? Zgadzasz się ze mną?

– Już ci mówiłam, że nie wiem, gdzie...

Kelso walnął pięścią w stół i Jennifer zamilkła w pół zdania.

– Pewnie, i to nie raz. Ale pamiętasz, co Staves powiedział – że trzeba ci odświeżyć pamięć? Więc lepiej weź się natychmiast za to odświeżanie, bo jeżeli szybko czegoś nie wymyślisz, po naszej małej pogawędce najpierw zabiję Ryana. Potem zabiję Bobby'ego. Wpakuję mu kulkę w łeb. Potem zabiję ciebie. Trzy ciche strzały i będzie po wszystkim. Ale jeżeli pomożesz mi odnaleźć kasetkę, kto wie? Może ty, Bobby i Ryan zobaczycie jutro wschód słońca. Jasne?

– Kłamiesz. I tak nas wszystkich pozabijasz.

Usta Kelso złożyły się w nieprzyjemny, wymuszony uśmiech. Podniósł pistolet.

– W takim razie będziesz miała wybór między długim, bolesnym umieraniem, a szybką śmiercią. Ty decydujesz. Jestem pewien, że nie chciałabyś, żeby Bobby cierpiał.

Bobby krzyknął przestraszony, a Jennifer przytuliła go do siebie, żeby go uspokoić. Czuła się bezradna, była chora ze strachu i wiedziała, że jej brat jest na granicy załamania nerwowego. Z zimnych, błękitnych oczu Kelso wyzierała całkowita obojętność. Jennifer wiedziała, że mówi poważnie. Nie miała co do tego najmniejszych wątpliwości.

– Wyrażam się jasno?

– Tak.

Kelso wstał.

– Dobrze. Widzisz, jest pewna rzecz, która mi dopiero teraz przyszła do głowy. Wszyscy coś przeoczyliśmy. No, spytaj mnie, co to takiego?

– Co to takiego? – spytała Jennifer.

Kelso uśmiechnął się i wymierzył pistolet prosto w głowę Bobby'ego.

– Nikt jeszcze nie zapytał twojego brata, czy wie, co się stało z kasetką. Jak myślisz? Czy Bobby może coś wiedzieć?

Bobby wił się pod lufą Kelso, lgnąc do Jennifer.

– Proszę, nie rób mu krzywdy... – błagała.

Kelso wydął usta i zamyślił się.

– Powiem ci, co zrobię. Chcę, żebyście się wszyscy we trójkę dobrze namyślili, żebyście sobie pogadali i żebyście mi dali jakąś sensowną odpowiedź. Uważam, że twój braciszek będzie bardziej skłonny do rozmowy, kiedy nie będzie się czuł bezpośrednio zagrożony, więc Nick i ja zostawimy was w spokoju, a wy myślcie. No, i co, dobry pomysł?

– T-tak.

– Dobrze, że się chociaż w jednym zgadzamy. Aha, jeszcze coś, prawie bym zapomniał. Do ciebie mówię, Ryan. Z kim rozmawiałeś, dzwoniąc z lotniska?

Mark nie odpowiadał, a Kelso dodał:

– Chyba naprawdę chcesz, żebym zrobił krzywdę temu dzieciakowi tylko po to, żeby ci udowodnić, że mówię poważnie. No, powiedz?

Mark odezwał się niechętnie.

– Z gliną, z moim kumplem, Lou Garudą. Pracował nad

sprawą Paula Marcha dwa lata temu, kiedy był w policji Long Beach.

– A co ten Garuda wie o tym, co się teraz dzieje?

– Bardzo niewiele.

– No, to się jeszcze zobaczy, ale wszystko w swoim czasie – Kelso opuścił broń i zwrócił się do Stavesa. – Gdzie jest jej komórka?

– Zgubiła.

– Telefony w domu działają?

– Nie.

– Są jakieś noże w szufladach kuchennych?

– Nie. Sprawdziłem. Szuflady są puste.

– Dobrze.

Kelso skinął głową na Stavesa, który zapalił papierosa, a potem otworzył drzwi do kuchni. Do środka wdarł się podmuch wiatru i Staves wyszedł. Widzieli go przez okno, kołnierz miał postawiony. Chodził tam i z powrotem w deszczu i w podmuchach wiatru, zaciągając się gwałtownie papierosem i patrząc na nich przez szybę.

Kelso podszedł do drzwi wewnętrznych, ale kiedy je otwierał, spojrzał na nich wszystkich groźnie.

– Nick będzie was obserwował z ogrodu. Ja będę w holu. I jeszcze słowo ostrzeżenia: mam swoich ludzi i z przodu, i z tyłu domu, więc nigdzie nie ma wyjścia. Macie siedzieć przy stole i nie ruszać się. Spróbujcie ucieczki albo zadzwońcie po pomoc, zacznijcie się bić, wrzeszczeć albo krzyczeć i już po was. Czy wszystko jasne? – Kelso spojrzał na zegarek. – Macie dziesięć minut na udzielenie sensownej odpowiedzi i ani sekundy więcej. Potem, jeżeli nie dostanę kasetki, zabiję was. Wszystkich po kolei, zaczynając od Bobby'ego.

83

Słychać było tylko wicher szalejący za oknem. Jennifer widziała gałęzie drzew w ogrodzie, miotające się szaleńczo na wietrze. Burza nie ustępowała. Kelso wyszedł z kuchni, trzaskając drzwiami, widziała zziębniętego Nicka Stavesa, chodzącego tam i z powrotem pod oknem kuchennym. Co kilka sekund zaglądał do środka przez szybę, a potem wracał na wartę, dotrzymując towarzystwa blondynowi.

Mark powiedział:

– Wybacz mi, Jennifer, myślałem, że ci pomagam.

Zaczął znów coś mówić, ale Jennifer przyłożyła palec do ust.

– O tym już ani słowa, Mark.

– Ale powinienem był bardziej uważać na Kelso.

– Nie mówmy o tym. Proszę. Teraz to nie jest takie ważne.

Mark rozglądał się po kuchni.

– Czy Staves miał rację, że w szufladach nie ma noży? Nie ma tu nic, czego mógłbym użyć jako broni?

– Nie. Kazałam wszystkie noże i sprzęty kuchenne wyrzucić kilka miesięcy po tym, jak – już miała powiedzieć: „jak Kelso zamordował moją matkę", ale się zawahała i stłumiła rosnącą wściekłość. Była rozpalona do białości z gniewu, jej nienawiść do Kelso była tak mocna, że Jennifer czuła fizyczne mdłości – ...po śmierci mamy.

Mark zauważył małą gaśnicę wiszącą na ścianie, a potem wskazał ręką drzwi po prawej stronie.

– Dokąd prowadzą te drzwi?

– Do spiżarni. To nie jest żadne wyjście. Tam są tylko półki.

Mark powiedział:

– Gaśnica jest zbyt nieporęczna i nie można jej ukryć. Potrzebuję czegoś mniejszego. Czegoś ostrego, czym mógłbym zadać cios.

– Nic mi nie przychodzi do głowy – Jennifer poczuła, że Bobby ściska ją za ramię. Był tak zagubiony, tak bezradny. Wiedziała, że chłopiec znowu jest na granicy płaczu, a szczerze mówiąc, ona również ledwo powstrzymywała łzy. Patrzyła na Bobby'ego, na jego twarz i myślała: „Co za człowiek mógł strzelić do dziecka? Kto mógł skazać pięknego, normalnego, młodego chłopaka na inwalidztwo, strzelić mu w plecy bez cienia wyrzutów sumienia? Jakim trzeba być bydlakiem, żeby zniszczyć całą rodzinę, kierując się tylko chciwością?" Jeżeli ktoś dałby jej teraz do ręki broń, bez namysłu zastrzeliłaby i Kelso, i Stavesa.

Czuła łzy w oczach, kiedy Mark dotknął jej ramienia.

– Jenny.

Była tak pogrążona we własnych myślach i emocjach, że niemal nie usłyszała Marka.

– Jenny, Bobby próbuje ci coś powiedzieć.

Otrząsnęła się z apatii i zobaczyła, że Bobby mówi jej coś językiem migowym. Jenny, owładnięta gniewem, targana żalem, patrzyła na niego nic nierozumiejącymi oczami, nie zauważyła nawet ruchów jego dłoni. Zmarszczyła brwi.

– Nie rozumiem. Powiedz to jeszcze raz.

Bobby powtórzył wiadomość i tym razem Jennifer udało się odcyfrować jej znaczenie.

– Co on mówi? – spytał Mark niecierpliwie.

– Że trochę się boi.

– Tylko trochę?

Bobby znów poruszył dłońmi, a Jennifer przetłumaczyła.

– Nie, bardzo się boi.

– To witaj w naszej drużynie – powiedział Mark i położył dłoń na ramieniu Bobby'ego.

Bobby miał oczy czerwone od płaczu. Jennifer powiedziała do niego:

– Wiem teraz, co stało się z tatą i dlaczego zginęła mama. Chcę ci wszystko opowiedzieć, Bobby, ale teraz nie mamy na to czasu. Ale wiesz, że ci ludzie, których widzieliśmy, to źli ludzie, zdajesz sobie z tego sprawę, prawda Bobby?

Bobby skinął głową. Znów w ruch poszły jego dłonie: „Czy oni zabili mamę i tatę?"

Jennifer poczuła w sercu ukłucie bólu, ale wiedziała, że musi mu odpowiedzieć.

– Tak.

Ręce Bobby'ego opadły na stół. Jennifer spytała:

– Rozumiesz, co oni mówili? Że chcą nas zabić, jeżeli nie powiemy im, gdzie jest kasetka?

Bobby jeszcze raz skinął głową. Jennifer nie potrafiła opanować emocji i otarła oczy.

– Wiesz, o której kasetce mówię, Bobby? To ta kasetka, którą miał tato.

Bobby zmarszczył czoło. Instynkt podpowiadał Jennifer, że jej brat nie wie, o czym ona mówi. Najprawdopodobniej w ogóle nigdy tej kasetki nie widział. Odpowiedział jej i tym razem ręce pracowały wolniej, jakby się nad czymś zastanawiał. Jennifer zmarszczyła brwi i spojrzała w kierunku lodówki.

– Co się dzieje? – spytał Mark. – Co on mówi?

– Mówi, że pod zamrażarką jest jakiś nóż kuchenny.

– Skąd o tym wie?

– Mówi, że utknął tam kilka lat temu i że mama nie potrafiła go wyciągnąć. Mówi, że może ten nóż jeszcze tam jest.

Mark rzucił okiem na lodówkę, a potem na okno. Staves wciąż chodził tam i z powrotem. Przez sekundę zaglądał do środka, ich oczy się spotkały, a potem wrócił na patrol, paląc papierosa.

– Nóż jest dobry, ale lepszy byłby pistolet. Czy mama i tato mieli w domu pistolet? – Mark teraz się pocił, próbując szybko ogarnąć perspektywę, że za chwilę może dostać w ręce jakąś broń.

– Nie – odparła Jennifer. – Nienawidzili broni.

– Gdybyśmy mogli przedostać się na drugą stronę ulicy, to u moich rodziców prawie na pewno znajdziemy rewolwer. Mój ojciec zawsze miał rewolwer w biurku przy łóżku. Chyba że ktoś z mojej rodziny go stamtąd wyjął, ale jestem prawie pewien, że pistolet wciąż tam jest...

Mark zawahał się, a Bobby w tym samym momencie znów zaczął coś pokazywać Jennifer, która zbladła jak ściana.

– Jesteś pewien, Bobby?

– Co ten chłopak mówi? – spytał Mark.

– Mówi, że chyba wie, gdzie jest kasetka.

84

Garudę uderzyła pewna myśl, kiedy wsiadał do swojego porsche na parkingu w Cauldwell tuż po tym, jak dwaj napastnicy
odjechali z Bobbym. Był głupi, sądząc, że może zadzwonić do
Marka. Nie miał jego numeru komórkowego. Mark mu go nie dał.
Lou, ty palancie!

Czuł się głupio i tak to Garudę rozzłościło, że noga mu się
zrobiła ciężka i przyspieszył, wyjeżdżając porsche 944 z Cauldwell. Silnik zawył jak dzika bestia, kiedy sportowy samochód
w poślizgu wyjeżdżał z bramy na główną drogę, skręcił w prawo
i włączył się w ruch na jednokierunkowej jezdni. Garuda wkurzał
się, prując prawie kilometr na wschód, klnąc w żywy kamień,
kiedy wciąż nie było śladu po granatowym buicku, drąc sto sześćdziesiąt kilometrów godzinę na prostych, aż (*alleluja!*) zobaczył
buicka z tymi dwoma facetami, blondyn z przodu, za kierownicą,
a ten wąsaty z tyłu, z Bobbym.

Był jeszcze tylko jeden mały problem. Co robić dalej?

Garuda czuł, że krople potu ściekają mu z czoła, kiedy zbliżał
się do buicka i sięgnął po telefon komórkowy, ale potem zobaczył, że tablica rejestracyjna jest zachlapana błotem i absolutnie
nieczytelna. Postanowił na razie nie dzwonić po wsparcie policyjne – musiał się dowiedzieć, dokąd te dwa pajace jadą. Lepiej
poczekać i zobaczyć, co z tego wyniknie. Przynajmniej będzie
wiedział, z kim ma do czynienia. Jedno było pewne – porwanie
dziecka na wózku inwalidzkim w biały dzień to akt czystej desperacji, a Garuda pomyślał: „Założę się, że to ma coś wspólnego
z Czerwoną Mafią".

Zaczęła się ulewa, burza z piorunami rozszalała się na dobre,
a on jechał za buickiem, trzymał się mniej więcej sto metrów
z tyłu, wiedząc, że porsche może w każdej chwili dopędzić czte-

rodrzwiowy rodzinny samochód... Był z siebie bardzo zadowolony. To znaczy – dopóki nie wjechali na Reardon Avenue i buick przejechał przez skrzyżowanie. Niemal w jednej chwili światła się zmieniły i on miał czerwone. Garuda przycisnął pedał gazu, ale było za późno. Światła z przeciwnej strony były już zielone i Garuda zobaczył przed sobą ciężarówkę, która wyjechała mu przed nosem na skrzyżowanie.

Przycisnął pedał gazu prawie do podłogi i w poślizgu przejechał przez jezdnię, w ostatniej chwili hamując i cudem unikając zderzenia z ciężarówką. Kierowca zatrąbił, ale Garuda tylko zaklął i pokazał mu gestem, co o nim myśli.

– Kretyn!

Potem czekał wściekły na środku skrzyżowania, aż przejadą inne samochody i znów miał zielone światło. Droga była wolna, a on zazgrzytał zębami i zaklął, patrząc na mokrą, pustą jezdnię przed sobą...

Szlag by to trafił!

Zgubił buicka.

85

Jennifer odczekała, aż Bobby skończy przekazywać jej wiadomość, a potem popatrzyła na niego zdumiona.

– Jesteś pewien, Bobby?

Skinął głową i Mark zapytał zniecierpliwiony:

– Gdzie jest kasetka?

– Tydzień przed zniknięciem taty Bobby spał w swoim pokoju, kiedy obudził go jakiś hałas. Już świtało i wyjrzał przez okno. Zobaczył, że tato chodzi po pomoście.

– No, i?

– Miał pod pachą szarą, metalową kasetkę.

– Jesteś tego pewien, Bobby? – drążył Mark.

Bobby skinął głową.

– Mów dalej.

Jennifer powiedziała:

– Tato wyglądał na niezdecydowanego, jakby próbował postanowić, gdzie ukryć kasetkę albo może się jej pozbyć.

Mark zmarszczył czoło.

– I co w końcu zrobił?

– Bobby powiedział, że wszedł do garażu przy przystani, a potem wyszedł z jakimś plastikowym workiem. Był związany długą, niebieską, nylonową liną i wyglądało na to, że w środku jest coś ciężkiego, jak gdyby wsadził kasetkę do worka. Potem zszedł po drabince z pomostu do wody i Bobby stracił go z oczu. Ale kiedy kilka minut później wyszedł z powrotem na górę, nie miał już przy sobie worka.

– Wrzucił ją do wody?

– Bobby nie wie.

– Widziałeś to wszystko, Bobby?

Bobby znowu skinął głową. Mark był skołowany.

– Jeżeli ojciec chciałby ją wrzucić do wody, dlaczego schodził na dół po drabince? Dlaczego po prostu nie wrzucił jej do morza?

Jennifer pomyślała chwilę i pokręciła głową.

– Nie wiem. Może nie chciał, żeby ktoś usłyszał plusk. A może miał przy drabince przycumowaną motorówkę i chciał później wyrzucić kasetkę do morza.

– Czy rzeczywiście miał tam zacumowaną motorówkę?

– Bobby nic nie widział. Mówi, że mogła być zacumowana, bo tato często wypływał wcześnie rano na ryby, ale nie jest pewien, bo położył się spać. Potem nigdy mu nie przyszło do głowy, żeby spytać taty, co robił.

Mark pokręcił głową.

– Jeżeli dyskietka była w kasetce, to nie wierzę, że ojciec chciałby się jej pozbyć. Była zbyt ważna, więc prawdopodobnie ją ukrył, ale gdzie?

Jennifer spojrzała w okno i nie wiedziała, co powiedzieć. Rozpraszał ją Staves, który maszerował tam i z powrotem, jak zwierzę w klatce. Odchodził od okna w kierunku pomostu na jakieś dziesięć kroków, potem zawracał, podchodził do okna i sprawdzał, co się dzieje w kuchni. Jennifer przeniosła wzrok na wzburzone, ciemne wody zatoki, odwróciła się i powiedziała do Marka.

– Jakieś sto metrów dalej w zatoce są plastikowe boje. Ostrzegają rybaków przed ostrymi skałami, które znajdują się blisko powierzchni wody.

– Nad czym się zastanawiasz?

– Jeżeli ojciec wrzucił worek do wody, to mógł przywiązać go do jednej z boi, aby oznaczyć jego położenie.

– To na pewno jest możliwe – ale Mark nie był przekonany. Patrzył, jak Staves odchodzi od okna.

Jennifer zapytała:

– Coś nie tak?

Mark szepnął:

– Nie możemy tak siedzieć i czekać, aż Kelso wróci. Musimy coś zrobić. Pilnuj Stavesa, Jennifer. Jeżeli zobaczy, że się ruszyłem, daj mi znać.

– Co chcesz zrobić?

– Zobaczę, czy uda mi się znaleźć ten nóż.

– Ostrożnie, Mark.

– Oczywiście.

Odczekał, aż Staves odejdzie w kierunku pomostu, potem ukląkł i wsadził rękę z lewej strony pod lodówkę, próbując coś wymacać.

– Czujesz coś? – spytała Jennifer.

– Nie.

– Spróbuj z drugiej strony.

Mark wsunął rękę głębiej między dno lodówki i podłogę, obcierając skórę, kiedy przesuwał rękę w prawo.

– Nic nie czuję.

– Szybko! Staves się odwraca – ostrzegła go Jennifer.

Sekundę później Mark poczuł coś wąskiego i metalowego. Oparł się ramieniem o lodówkę, lekko ją uniósł wsunął koniuszki palców tak daleko, jak się dało, aż wyciągnął ten przedmiot. To nie był nóż kuchenny, ale zardzewiały nożyk do ziemniaków.

– Mark... Jezu, pospiesz się!

Pochylony dotarł do stołu i wsunął ostrze do kieszeni w tej samej chwili, kiedy Staves podszedł zajrzeć przez okno.

– Udawajmy, że jesteśmy pogrążeni w rozmowie – Jennifer zobaczyła Stavesa kątem oka. Przez chwilę wpatrywał się w nich przez szybę, ale kilka sekund później wrócił na swoje stanowisko. Ruszył w kierunku pomostu.

Mark westchnął głęboko.

– Miejmy nadzieję, że nie zauważył, co kombinuję.

Jennifer powiodła wzrokiem za Stavesem i zobaczyła, że wycofał się w kierunku pomostu i tam spotkał się z blondynem. Nagle ją olśniło.

– A jeżeli kasetka jest wciąż przy pomoście?

– To znaczy co?

– Jeżeli tato przywiązał ją pod pomostem albo poniżej linii wody? Mógł przymocować worek do jednego z pali, na których opiera się pomost. Tam przecież nikt nigdy by nie zajrzał.

Mark wpatrywał się w pomost. Co chwilę spychana przez

wiatr od morza ściana wody rozbijała się o pomost i przelewała nad deskami.

– Zakładając, że worka nie porwał jakiś sztorm, muszę przyznać, że jest to świetne miejsce na ukrycie czegoś. Ile mamy jeszcze czasu?

Jennifer spojrzała na zegarek.

– Jakąś minutę.

Usłyszeli kroki za drzwiami w kuchni, prowadzącymi do wnętrza domu. Wyglądało na to, że Kelso za chwilę wróci. Setki myśli kłębiły się Markowi w głowie, rzucił okiem na czerwoną gaśnicę, a potem szepnął:

– Chodzi o to, czy im powiedzieć o kasetce? Mam pewien pomysł. Będziemy mogli sobie kupić trochę czasu, ale musicie oboje robić dokładnie to, co wam każę.

– No, to mów.

Mark wyjaśnił im szczegóły, Jennifer powiedziała:

– Ale Kelso nas zabije, jeżeli mu nie powiemy.

– Przeciwnie, zabije nas, jeżeli mu powiemy.

Drzwi otworzyły się z impetem i do kuchni wpadł Kelso. W dłoni trzymał pistolet. Jakby na umówiony znak, w tej samej chwili od strony ogrodu wszedł Staves. Był strasznie zmarznięty i z ulgą zamykał za sobą drzwi, walcząc z podmuchem wiatru.

Kelso spytał:

– No, i co, byli grzeczni?

Staves miał niepewną minę i machnął pistoletem w kierunku Marka.

– Może się mylę, ale mam wrażenie, że Ryan wstawał z krzesła.

Kelso podniósł brwi.

– Co ty na to, Ryan?

– Nie mam pojęcia, o czym on mówi.

– Przeszukaj go – rozkazał Kelso.

Staves kazał Markowi wstać, potem rzucił nim o ścianę, przeszukał mu kieszenie i ubranie. Znalazł zardzewiały nóż do ziemniaków i podniósł go w górę tak, żeby Kelso mógł zobaczyć znalezisko.

– No, no. Ktoś tu był niegrzeczny.

Kelso zaciskał szczęki z wściekłości.

– Wydawało ci się, że jesteś sprytny, Ryan, prawda?

– Okazuje się, że nie.

Kelso uderzył go zwiniętą pięścią w szczękę i pokazała się krew. Kiedy Mark zataczał się do tyłu po uderzeniu, Staves kopnął go w żołądek. Mark jęknął, nie mogąc złapać tchu, a potem upadł na podłogę.

– Wstawaj.

Mark z trudem zebrał się w sobie i wstał, trzymał się za brzuch, krew sączyła mu się z pękniętej wargi. Kelso podszedł do niego, wymierzył pistolet w skroń Marka i spytał Jennifer:

– Czy ktoś ma jeszcze dla nas jakieś niespodzianki? Ostrzegam was, że jeżeli Staves was przeszuka i okaże się, że ktoś kłamał, Ryan dostaje kulkę w łeb i to nieodwołalnie. No, mamy jeszcze jakieś niespodzianki?

– Nie – powiedziała z przekonaniem Jennifer.

Kelso zwrócił się do Marka:

– Skłamałeś, Ryan. Może powinienem dla przykładu cię kropnąć, tu i teraz.

Zacisnął palec na języczku spustowym, ale bez ostrzeżenia przesunął pistolet tak, że lufa celowała wprost w Bobby'ego. Patrzył na Jennifer:

– A może powinienem najpierw kropnąć Bobby'ego. Żebyś wiedziała, że naprawdę nie żartuję. No, gadać mi zaraz, co wiecie o kasetce? Czas wam się skończył.

– Chyba... Chyba wiem, gdzie ona może być – odparła Jennifer.

Na chwilę zapadła cisza, a potem oczy Kelso rozbłysły tryumfem.

– Dobra, to do dzieła. Zacznijcie mówić.

Garuda przez następne dziesięć minut próbował znaleźć buicka. Burza rozpętała się na dobre, grzmiało i błyskało. Przejechał całą długość Reardon Avenue, ale nie było śladu ani samochodu, ani jego pasażerów.

Niech to jasny szlag trafi!

Poszukiwania utrudniał fakt, że przez zalewaną strugami deszczu szybę prawie nic nie widział i od czasu do czasu musiał opuszczać okno od strony kierowcy, żeby w ogóle coś zobaczyć. Doszedł do wniosku, że porywacze musieli skręcić w jakąś boczną uliczkę, a może nawet wjechali do podziemnego parkingu. Sprawdził trzy boczne uliczki, potem za każdym razem cofał się na główną drogę, wypatrywał podziemnych parkingów, ale niczego nie znalazł. Był przemoczony do suchej nitki, bo deszcz wlewał się przez otwarte okna samochodu, a dziesięć minut później doszedł w końcu do wniosku, że to nie ma sensu i musi poprosić o wsparcie. Jednak w taki wieczór, jak ten, wiedział że to czysta teoria. Nie łudził się, że inni policjanci szybko odnajdą buicka.

Nawet, cholera, nie miał numerów rejestracyjnych i w zasadzie ten samochód mógł być wszędzie. Co gorsza, nie było nawet jak powiadomić Marka o tym, co się stało z Bobbym. Wiedział jednak, że musi coś zrobić.

Podjechał do krawężnika i wystukał numer w telefonie komórkowym.

87

– Co ty opowiadasz? Że kasetka jest gdzieś w zatoce, obciążona i przywiązana do boi? Nie chce mi się w to wierzyć. Łżesz. Kelso był wściekły, kiedy przez okno kuchenne wyglądał na wody zatoki. Jennifer wątpiła, czy w ogóle coś widzi w ciemności. Burza szalała coraz mocniej, wyglądało tak, jakby wiatr miał za chwilę połamać kołyszące się w jego podmuchach drzewa. Kelso odwrócił się gwałtownie od okna, podszedł do Bobby'ego i stanął nad jego głową:

– Lepiej by było, żebyś mówił prawdę.

– On nie kłamie – zapewniła Jennifer. – Mówi, że powiedział ci wszystko, co wie.

– Z tobą nie rozmawiam – Kelso przeszył ją groźnym spojrzeniem, potem znów zwrócił się do Bobby'ego. – Lepiej, żeby to była prawda, słyszysz?

Bobby skinął głową.

Kelso odwrócił się do Jennifer:

– Jeżeli to nieprawda, to z radością skończę dziś coś, co kiedyś zacząłem.

Jego twarz przybrała złowrogi wyraz, gdy odpinał górne guziki koszuli, poluzowywał krawat i pokazał ślady szwów po ranie zadanej nożem tuż poniżej szyi.

– Pamiętasz? Na pewno pamiętasz. Miałem szczęście, że mnie wtedy nie zabiłaś.

Jennifer patrzyła na Kelso z nieskrywaną nienawiścią, ale on nic sobie z tego nie robił. Podszedł do okna.

– Czy łódź twojego ojca jest sprawna?

– Nie wiem – powiedziała Jennifer hardo.

– Nie chcę twoich, kurwa, „nie wiem". Tak czy nie?

– Tą łodzią nikt nie wypływał od kilku lat, więc nie jestem w stanie tego stwierdzić.

Staves z niedowierzaniem spytał Kelso.

– Chcesz wypływać tą łodzią w taką pogodę? Tam przecież szaleje huragan.

Kelso lufą pistoletu wskazał na Marka.

– To nie my, Ryan popłynie, ale musimy poczekać, aż burza trochę przycichnie. Na oko potrwa to jeszcze kilka godzin, potem będzie mógł sprawdzić boje i zobaczyć, czy do którejś jest przymocowany worek.

– A co my będziemy robić, czekać? – spytał Staves.

Zanim odpowiedział, Kelso wyjrzał do ogrodu.

– Powiedz swojemu koledze, żeby wrócił do środka, bo zamarznie na śmierć. Potem zabierz Ryana do garażu przy przystani i zobaczcie, czy motorówka jest sprawna. Jeżeli trzeba będzie benzyny, to spuścimy trochę z samochodu, ale sprawdźcie, czy silnik działa. Jeśli nie, będziemy musieli wymyślić jakiś plan awaryjny. Gdyby Ryan próbował jakichś sztuczek, od razu strzelaj.

Staves wyjął z kieszeni latarkę i otworzył drzwi do ogrodu. Podmuch wiatru wdarł się do kuchni. Poświecił kilka razy latarką, sprowadzając blondyna, a kiedy ten wszedł do kuchni, powiedział:

– Na razie tu zostań. Ryan, ruszaj dupę.

Staves wypchnął Marka na dwór. Znowu zawył wiatr i trzasnął drzwiami, a kiedy je zamknęli, Jennifer patrzyła na Marka i Stavesa, którzy, walcząc z deszczem i wichurą, szli w kierunku drewnianego pomostu, kuląc głowy przed jego huraganowymi uderzeniami. Kilka chwil później znikli w szalejącej ulewie i ciemnościach.

Staves co chwilę szturchał Marka w plecy lufą pistoletu. Najpierw Mark czuł tylko przenikliwe zimno. Lodowaty, słony wiatr ciął mu policzki jak rzemienny bicz. Fale oceanu rozbijały się gwałtownie o brzeg. Kiedy doszli do garażu nad pomostem, Mark otworzył ramieniem drzwi. Weszli do środka. Staves zapalił górne światło i wskazał motorówkę.

– Sprawdź ją, ale pamiętaj – jeżeli spróbujesz jakichś sztuczek, to cię zastrzelę.

Mark otarł wodę z twarzy.

– Chciałbym cię o coś zapytać, Staves. Czy naprawdę wierzysz temu Kelso? Przecież cię zabije, tak jak zabił Grimesa i Fellowsa. Ten facet to psychol, nie można mu za grosz ufać.

– Próbujesz ze mną ubić jakiś interes, Ryan?

– A jak myślisz?

W odpowiedzi Staves uniósł pistolet i uderzył Marka kolbą w twarz.

– Już masz odpowiedź. A teraz do roboty.

Po pięciu minutach przeglądu technicznego okazało się, że motorówka nie nadaje się do wypłynięcia na wodę. W baku były resztki paliwa, ale o łódź nikt nie dbał i wyglądało na to, że silnik jest zatarty. Co gorsza, w kadłubie było kilka dziur.

– To strata czasu. Utonie, zanim porządnie wypłynie na wodę. Wsiadać do czegoś takiego to samobójstwo.

Staves z wściekłością kopnął w kadłub.

– Do jasnej cholery!

– Mam pewną propozycję, Staves, i radzę ci jej wysłuchać.

Staves spojrzał na niego wściekły.

– Chyba ci już dałem pierwsze ostrzeżenie?

– To bardzo ważne. Daję ci szansę dorwania tej kasetki przed Kelso. Chcesz mnie posłuchać czy nie?

– O czym ty gadasz? – Staves był zaniepokojony.

– Jest coś, o czym Bobby zapomniał wspomnieć. Coś, co może być dla nas początkiem pięknej przyjaźni. Proponuję interes.

– Jaki interes?

– W zamian za to, że nas puścisz wolno, ty dostaniesz kasetkę.

W oczach Stavesa pojawił się wyraz nieufności.

– Gadaj, co masz do powiedzenia.

– Kasetka może wcale nie jest przymocowana do boi. Może być gdzie indziej.

– Gdzie?

– Pod pomostem.

Kiedy Mark wszystko mu wyjaśnił, zobaczył, że Staves jest wściekły.

– Nie powiedziałeś nam wszystkiego?

– A co ty byś zrobił na moim miejscu? Doszedłem do wniosku, że mam większą szansę pomóc Jennifer i Bobby'emu, jeżeli będę rozmawiał o tym tylko z tobą. Jestem stuprocentowo pewny, że z Kelso nie miałbym żadnych szans. Boję się, że też nie masz z nim żadnych szans. Instynkt mi podpowiada, że nie mieścisz się w ramach jego planu emerytalnego. Proponuję ci następujący układ – ty bierzesz kasetkę, jeżeli tam jest, i nas wypuszczasz. Nie będziesz się musiał niczym dzielić z Kelso.

Staves zawahał się i przez chwilę się zastanawiał, zanim odpowiedział.

– To twoje „jeżeli" to bardzo wielkie „jeżeli". A „jeżeli" jej tam nie ma? „Jeżeli" jest przymocowana do którejś z boi, tak jak mówiłeś?

– To idziemy na ten sam układ.

Staves wydął wargi, był niepewny.

– Zobaczymy.

– Potrzebuję czegoś więcej, Staves.

– Powiedziałem: zobaczymy – Staves wyciągnął z motorówki pomarańczową linę cumowniczą i rzucił ją Markowi. – Masz, obwiąż się dookoła pasa i zobacz, czy węzeł nie puści.

– Po co?

– Ty zejdziesz pod pomost i zobaczysz, czy worek tam rzeczywiście jest. Nie chcę, żeby cię fale zmyły – Staves uśmiechnął się szeroko. – Przynajmniej do momentu, kiedy znajdziemy to, czego szukamy.

Mark poczuł, że mały, drewniany budynek zadrżał od potężnego uderzenia olbrzymiego grzywacza o brzeg.

– Ale słyszałeś, co mówił Kelso, musimy poczekać, aż burza zelżeje. Wychodzić w morze przy tej pogodzie to szaleństwo.

– Zmiana planu. Teraz będziesz robił, co ja ci każę.

88

Danny Flynn żuł końcówkę cygara i przedzierał się przez stosy papierów i dokumentów, kiedy na jego biurku zadzwonił telefon. Przełączył aparat na tryb głośnomówiący.

– Flynn. Słucham.

Lało jak z cebra. Nad Manhattanem szalała burza, błyskawice co chwila rozświetlały horyzont, a Flynn zastanawiał się, czy wytrzymają to linie wysokiego napięcia i czy będzie miał wymówkę, żeby wyjść wcześniej do domu. Hałas w tle były tak silny, że z trudnością rozumiał słowa swojego rozmówcy, ale rozpoznawał głos Lou Garudy i w zasadzie zrozumiał, co Garuda ma do powiedzenia. Odezwał się do niego niechętnie.

– Ty jesteś nawalony, Lou.

– Jestem trzeźwy jak błogosławiona Hildegarda. Słyszałeś, co ci powiedziałem?

– Słyszałem. Jesteś pewien, że te dwa palanty, które porwały dzieciaka, mają coś wspólnego z Czerwoną Mafią?

– Danny, nie jestem pewien niczego, oprócz tego, że siedzę w samochodzie na Long Island, walą na mnie z nieba strugi deszczu, a mój kumpel gliniarz, Mark Ryan, prosił mnie, żebym pomyszkował i dowiedział się czegoś o rodzinie Morskaja. Oczywiście, że widziałem, jak porywają tego dzieciaka, ale ci dwaj goście mogli być, kurwa, nawet z Marsa. Danny, tu się dzieje coś dziwnego, wierz mi. Coś naprawdę dziwnego.

– Ale z czym to może mieć związek?

– Z dziwną sprawą sprzed kilku lat. Zniknął facet nazwiskiem Paul March, a jego żona została zamordowana. Pamiętasz?

– Nie, ale co ten facet ma wspólnego ze mną?

– Jechałem za tym buickiem do Reardon Avenue, potem go zgubiłem.

– No, i?

– Więc muszę cię poprosić o przysługę.

– Znowu? A teraz o jaką ci chodzi?

– O dużą, Danny. O cholernie dużą przysługę.

89

Z zewnątrz dochodziło upiorne wycie wiatru. Stąd nie dało się zobaczyć ani Marka, ani Stavesa na pomoście, a targana wichurą ciemność była czarniejsza niż smoła. Jennifer czuła wielki niepokój. A jeśli plan Marka się nie powiedzie i Staves go zabije? Albo jeżeli utonie, nurkując po kasetkę? A co, jeżeli Bobby umrze, bo przecież jej brat też bierze w tym udział? Wiedziała, że następne pięć minut i to, jak ona zrealizuje swoją część planu, zdecyduje o losie całej ich trójki, te pięć minut będzie oznaczało życie lub śmierć. Próbowała zapomnieć o strachu i głaskała Bobby'ego po głowie, a on się do niej tulił. Tyle mu chciała teraz powiedzieć. Miał prawo znać prawdę, wiedzieć, dlaczego Kelso zamordował jego rodziców, ale nie było na to czasu. Może nigdy już nie będzie na to czasu.

Rozum podpowiadał jej, że ona i Bobby zginą, niezależnie od tego, co spróbują zrobić. Zmusiła się jednak do skupienia myśli na tym, co ma zrobić. Czuła, że w jej sercu rośnie nienawiść do Kelso i że za chwilę wybuchnie. „Trzymaj się planu" – powiedział jej Mark. Jennifer stawiała sobie pytanie: „A jeżeli plan się nie powiedzie?"

Popatrzyła na zegarek – Marka nie było dokładnie trzy minuty. Już czas. Ścisnęła Bobby'emu dłoń i jej własne palce poszły w ruch. Przekazywała mu językiem migowym wiadomość, że zaraz się zacznie: „Gotów?"

W odpowiedzi on zrobił kilka ruchów palcami: „Gotów!"

Kelso odwrócił się od okna, zobaczył gest Bobby'ego i zmarszczył czoło.

– Co ten gówniarz robi?

– Mówi, że potrzebuje lekarstwa.

– Jakiego lekarstwa?

– Nie czuje się dobrze. Potrzebuje dilantyny, żeby zapobiec atakowi padaczkowemu. To się zdarza w sytuacjach stresowych.

– Trudno. Będzie musiał sobie bez tego poradzić.

Jennifer powiedziała z goryczą:

– Mój brat może umrzeć, jeżeli nie dostanie tabletek. Ale może ty masz takie twarde serce, że nic cię to nie obchodzi. Pamiętaj, że Bobby jest ostatnią osobą, która widziała tę kasetkę, a jeszcze jej nie znaleźliśmy.

Kelso zastanawiał się przez chwilę.

– Gdzie są te jego głupie lekarstwa?

– Chyba mam fiolkę tabletek w torebce, w samochodzie przed domem.

– Chyba?

– Zawsze noszę przy sobie lekarstwa dla Bobby'ego, na wszelki wypadek. Powinny być w mojej torebce.

Kelso wsadził pistolet za pasek i powiedział do blondyna:

– Zastrzel ich, jeżeli będą próbowali jakichś głupich sztuczek.

Wyszedł i zatrzasnął za sobą drzwi kuchenne.

Blondyn przysunął sobie krzesło i usiadł, pistolet położył niespiesznie na kolanach. Jennifer pamiętała dokładnie, co Mark jej powiedział i co ona i Bobby mają robić, a teraz zaczęła się modlić, żeby plan się powiódł. Grali o wysoką stawkę.

Zastrzel ich, jeżeli będą próbowali jakichś głupich sztuczek...

Teraz było jednak już zbyt późno. Bobby nagle zaczął się trząść, jego ciało opanowały konwulsje, upadł bezwładnie na podłogę. Jennifer spanikowała i chciała przy nim uklęknąć, ale blondyn ją odsunął.

– Co się, kurwa, dzieje z tym gówniarzem?

– Ma napad padaczki. Bardzo pana proszę, potrzebny mi ręcznik. Czy mogę iść po ręcznik?

Jennifer odwróciła się w kierunku zlewu, ale blondyn odepchnął ją i powiedział zaniepokojony:

– Siedź tam, gdzie siedzisz. Ja pójdę.

Blondyn ruszył przez kuchnię w kierunku zlewu i w tym momencie Jennifer wykorzystała nadarzającą się okazję. Sięgnęła ręką i zdjęła ze ściany spiżarni gaśnicę. Kiedy blondyn odwrócił się ze ścierką kuchenną w ręce, Jennifer wycelowała mu dyszą gaśnicy w twarz i nacisnęła rączkę. I nic.

O, Boże... Nie tak to sobie zaplanowała. Chciała, żeby piana oślepiła mężczyznę, ale nie wylała się nawet kropla. I wtedy zdała sobie sprawę dlaczego. W panice zapomniała wyciągnąć zawleczkę. *Boże! Oby to był sen.*

Blondyn był wściekły.

– Ty durna dziwko!

Kiedy rzucał na ziemię ścierkę i wyciągał broń, Jennifer zamachnęła się gaśnicą i uderzyła go w szczękę. Rozległ się metaliczny dźwięk, a blondyn jęknął z bólu, krew trysnęła z rozciętej skóry twarzy, a on zachwiał się i upadł na podłogę. Jednak wciąż był przytomny i jedną ręką przyciskał przecięcie na twarzy, a drugą na ślepo próbował złapać Jennifer za nogę. Tym razem uderzyła gaśnicą z całej siły prosto w czaszkę. Rozległ się nieprzyjemny łomot i zgrzyt łamanych kości. Mężczyzna jęknął i więcej się nie poruszył.

Jennifer patrzyła przerażona na to, co zrobiła, i dopiero po chwili podeszła do mężczyzny i podniosła jego pistolet. Bobby już przestał udawać. Zrobił dokładnie to, co kazał mu Mark, ale teraz był śmiertelnie blady i Jennifer wyczuła, że akt przemocy, którego był świadkiem, przeraził go i zupełnie wytrącił z równowagi.

– Proszę cię, Bobby, nie mamy czasu, żeby się denerwować, więc musisz robić dokładnie to, co powiedział Mark – wskazała ręką drzwi do spiżarni. – Czekaj tam, aż...

Miała powiedzieć: „aż nie wrócę", ale kogo chciała nabrać? Nie wiedziała, czy w ogóle wróci. Teraz wszystko zależało od szczęścia, od tego, jak szybko pobiegnie i od odpowiedzi na pytanie, które bała się sobie zadać. *Czy będę zdolna zrobić to, co muszę zrobić, na czas, zanim Kelso wszystkich nas pozabija?*

– Zostań tam, aż będziesz mógł bezpiecznie wyjść. Ale nie wychodź tak długo, jak będziesz mógł.

Przekręciła gałkę wąskich drzwi do spiżarni i zobaczyła maleńki kawałek podłogi otoczony drewnianymi półkami, na którym ledwo można było stanąć.

– Nie wolno ci się poruszyć ani wydać żadnego dźwięku. Wiem, że będziesz się bał, zwłaszcza jak usłyszysz strzały, ale błagam, zrób to, co ci mówię. Jeżeli będziesz się głośno zachowywał albo Kelso i jego ludzie dowiedzą się, że tu jesteś, możemy wszystko stracić.

Jennifer czuła, że ma na twarzy krople potu, kiedy pomagała

Bobby'emu umościć się w maleńkiej, ciasnej spiżarni i usadzała go na podłodze. Znów wyglądał jak dziecko. Był mały, bezradny, miał lęk w oczach i patrzył na nią z dołu, trzęsąc się na całym ciele. Chciała uklęknąć i objąć brata, ale nie było już czasu na pożegnania, czuła, że porywa ją jakiś szał, wiedziała, że Kelso za chwilę wróci – w torebce nie miała żadnych leków – i musiała szybko ulotnić się z kuchni, zanim wróci Staves. Pójdzie przez hol do drzwi frontowych i wybiegnie na ulicę.

– Przyrzekasz, że nie będziesz się ruszał?

Bobby skinął głową.

– Zamknij oczy. Spróbuj sobie wyobrazić, że chowasz się tutaj, tak jak się chowaliśmy, kiedy byliśmy dziećmi, pamiętasz?

Bobby jeszcze raz skinął głową i mocno zacisnął powieki.

– Teraz zamknę te drzwi, Bobby. Spróbuj się nie bać, bardzo cię proszę.

Zamknęła drzwi do spiżarni i usłyszała szczęk zapadki. Potem przyszła jej do głowy pewna myśl. Jeżeli blondyn miał telefon komórkowy, może od razu zadzwonić na 911. Podeszła do niego i zaczęła nerwowo przeszukiwać jego kieszenie, aż w końcu znalazła komórkę...

Dzięki Bogu.

Włączyła ją i po krótkiej chwili, która wydawała jej się nieskończonością, ekranik wyświetlacza się rozjarzył. Wybrała numer 911 i nacisnęła przycisk z zieloną słuchawką. *Proszę, odbierzcie...*

Niemal natychmiast na linii usłyszała głos kobiety:

– Dyżurny policji jeden-jeden-osiem-cztery. O co chodzi? Jaka dzielnica?

– Proszę... – mówiła pospiesznie Jennifer. – Nazywam się Jennifer March. Jacyś ludzie próbują zabić mnie i mojego brata...

Zanim udało jej się wypowiedzieć jeszcze jedno słowo, usłyszała kroki w holu przed kuchnią i spanikowała. Rzuciła telefon. Uderzył o kafelki na podłodze i rozpadł się, bateria wypadła i leżała teraz obok aparatu. *O, Boże.*

Wracał Kelso. Wiedziała, że musi natychmiast wychodzić z kuchni, natychmiast, w tej sekundzie.

Widziała poruszającą się klamkę.

Było już za późno.

90

– To jest zbyt niebezpieczne, Staves – Mark skończył wiązać węzeł na linie cumowniczej, którą owinął się wcześniej w pasie. Drugi jej koniec był przymocowany do szczebla drabinki prowadzącej na pomost. Przyglądał się falom i policzył, że czas między jednym a drugim potężnym grzywaczem wynosi zaledwie siedem sekund. Drewno trzeszczało pod naporem wody i Mark zastanawiał się, ile stopni uda mu się zejść po drabinie, zanim woda wyrwie mu z rąk szczeble i uderzy o pal pomostu, potem połknie, a on już nigdy nie wyłoni się z odmętów.

Staves wymierzył w niego pistolet i podał mu latarkę.

– To niedobrze. Zejdź na dół i rozejrzyj się, co jest pod pomostem.

– Ale już ci mówiłem...

– Zamknij dziób i rób, co ci każę. Ruszaj!

Latarka miała na końcu plastikową pętlę, którą Mark założył na nadgarstek. Zapalił latarkę i poczekał, aż następna fala uderzy i zacznie odpływać. Kiedy rozpoczynał niebezpieczne zejście w dół po drabinie, z tej perspektywy widok zatoki był przerażający.

– To szaleństwo, Staves! – krzyknął.

– Nie zatrzymuj się – wrzasnął Staves, a ryk fal niemal całkowicie stłumił jego głos.

Mark doszedł do szóstego szczebla, kiedy kolejna fala uderzyła w pomost. Lodowata ściana wody zwaliła się mu na głowę i plecy, trzymał się jeszcze mocno szczebli metalowej drabiny, ale kiedy fala odsuwała się, pociągnęła go za sobą z całą siłą, a Mark – jak ciężarek na końcu wahadła – podążył za falą. Ześliznął się, jego stopy straciły oparcie, chwycił linę, żeby uratować życie i ledwo co udało mu się przyciągnąć z powrotem do drabinki.

Już był zmoczony do suchej nitki, kiedy następna fala uderzyła go cztery stopnie niżej. Tym razem udało mu się nie stracić chwytu i oparcia pod nogami. Był już na tyle blisko, że widział skrzyżowane belki pod pomostem. Ale było ciemno i nawet w świetle latarki nie dało się prawie nic zobaczyć, bo fale nieustannie uderzały w pomost od spodu. Poczekał, aż zrobi się tam pusta przestrzeń przed nadejściem następnej fali. Zaświecił latarką w przestrzeń między belkami.

Pusto.

Spróbował trochę dalej.

Nic.

Fala uderzyła nim w drabinę jak szmacianą lalką. Jakoś udawało mu się trzymać liny, poczekał, aż popchnie go następna masa wody, a kiedy fala odeszła, znowu poświecił pod pomostem. Nic. Ale sekundę później światło latarki od czegoś się odbiło. Chciało mu się skakać z radości, kiedy zobaczył czarny worek przymocowany do jednej z poprzecznych belek konstrukcyjnych. Plastik błyszczał od słonej wody.

Serce waliło mu jak młotem, kiedy z trudem, szczebel po szczeblu, piął się po drabinie, a potem gramolił się na pomost. Był przemarznięty do szpiku kości. Kaszlał, pluł słoną wodą, prawie nic nie słyszał, bo wszystkie dźwięki topił ryk fal i wiatru. Staves wrzeszczał do niego:

– No, i co?

– Jest... Tam, pod spodem. Znalazłem czarny worek przywiązany do belki.

W oczach Stavesa zabłysła iskra radości.

– Dlaczego tego cholerstwa nie przyniosłeś?

– Bo nie mogłem – worek jest przywiązany do poprzecznej belki konstrukcyjnej, a ja muszę mieć coś do przecięcia liny. Nóż albo nożyce ogrodowe.

Twarz Stavesa ociekała wodą, kiedy sięgał po coś do tylnej kieszeni i za chwilę wyciągał scyzoryk. Otworzył go i ukazało się ostrze. Kiedy podawał Markowi nóż, w oczach miał ostrzeżenie i ślad lęku. Wymierzył lufę pistoletu w głowę Marka.

– Ostrzegam cię, Ryan. Spróbuj jakiejś sztuczki z tym nożem, a cię zastrzelę. Rozumiesz? Teraz idź po worek.

Kiedy poruszyła się klamka, Jennifer skryła się za drzwiami. Serce waliło jej jak oszalałe, a ona ściskała kolbę pistoletu w obu dłoniach. Na początku chciała pobiec do domu Marka i stamtąd zadzwonić, ale teraz okazało się, że nie ma na to czasu. Przygotowała się. Wiedziała, że musi zastrzelić Kelso. To był jedyny sposób. Setki chaotycznych myśli przewinęły się przez jej głowę w ciągu kilku krótkich sekund.

„Trzymaj pistolet nieruchomo, kiedy będziesz mierzyć, a potem naciśnij spust" – powtarzała w myślach. Ale ręce trzęsły się jej ze strachu. Czy będzie potrafiła znowu kogoś zastrzelić, z bliskiej odległości i z zimną krwią? Pragnęła zemsty, pragnęła, żeby Kelso zapłacił najwyższą cenę za to, że zniszczył jej życie rodzinne, zabił matkę i strzelał do jej brata, ale to, co miała teraz zrobić, oznaczało poniżenie się do jego poziomu, a ta myśl nie była wcale pocieszająca.

Kelso wszedł do kuchni. Jennifer patrzyła teraz na tył jego głowy. Miała tylko ułamek sekundy, żeby coś zrobić i wymierzyła pistolet w punkt tuż nad podstawą czaszki.

Proszę cię, Boże, proszę, pozwól mi go zabić pierwszym strzałem.

Zamknęła oczy, nacisnęła spust i broń eksplodowała jej w rękach.

91

Wydawało się jej, że wszystko dzieje się jak w zwolnionym filmie. Kiedy umilkł dźwięk strzału, Jennifer otworzyła oczy i zobaczyła, że siła uderzenia popchnęła Kelso do przodu.

Serce waliło jej jak młotem, wszystkie mięśnie w ciele drgały, kiedy zdała sobie sprawę, co zrobiła. Kelso poleciał na blat kuchenny, potem upadł na podłogę, na twarzy miał wyraz niepomiernego zdziwienia, ale jeszcze żył, przyciskał dłoń do szyi, krew sączyła między jego palcami. Prawie nie myśląc, co robi, Jennifer jeszcze raz wycelowała w głowę i nacisnęła spust.

Pistolet eksplodował z potężnym odrzutem, tym razem strzał trafił Kelso w rękę, przecinając na pół palec, odrywając staw kciuka, który ledwo się trzymał na ścięgnie i resztkach mięśni.

Kelso ryknął, ale teraz już był w ruchu, już wstał i toczył się w kierunku drzwi kuchennych jak ranny niedźwiedź, a szok zamienił się we wściekłość. Jennifer z przerażeniem stwierdziła, że udało jej się tylko musnąć jego kark. Teraz wymierzyła w tułów i jeszcze raz wystrzeliła. Nie trafiła go. Nagle Kelso wstał i wycofał się przez drzwi kuchenne. Nie wiadomo, skąd w jego dłoni pojawił się pistolet. Oddał dwa szybkie strzały, później jeszcze dwa, kule wbijały się w tynk nad głową Jennifer.

– Kurwo! – wrzasnął, a potem jeszcze raz wystrzelił. – Ty głupia kurwo!

Jennifer przerażona rozglądała się, gdzie by się schować, kiedy kula drasnęła ją w ramię. Było to takie uczucie, jak gdyby ktoś przypalał ją gorącym żelazem, wrzasnęła i upuściła pistolet. Nie było czasu, żeby znów go podnieść, wszystko działo się zbyt szybko i wiedziała, że musi natychmiast uciekać z kuchni, zanim jakiś rykoszet przebije drzwi spiżarni i zabije Bobby'ego. Kelso jeszcze raz wystrzelił, a kula świsnęła gdzieś nad jej głową.

Skoczyła w kierunku holu i po kilku sekundach była już przy drzwiach frontowych.

Wiedziała, że nie ma powrotu. Musi się trzymać planu Marka.

Idź do domu moich rodziców i zadzwoń na dziewięćset jedenaście. Może w którejś szufladzie komody znajdziesz pistolet...

Pozostała jej teraz tylko ta opcja i musiała ryzykować. Bardzo się jednak bała zostawić Bobby'ego.

Proszę cię, Boże, miej pieczę nad Bobbym. Pozwól mu żyć.

Miała nadzieję, że uda mu się pozostać w ukryciu w spiżarni, ale będzie przerażony słysząc strzały, i miała poczucie, że go opuszcza.

Teraz nie czas na grzebanie się we własnej duszy.

Biegła przez trawnik w strugach deszczu. Zdyszana, już w połowie ulicy, ośmieliła się obejrzeć za siebie i zobaczyła, że Kelso, zataczając się, wychodzi przez drzwi frontowe, przyciska rękę do rany na szyi. Przez ułamek sekundy patrzyła mu prosto w oczy. Potem ruszył jak sprinter wprost za nią.

Danny Flynn miał kompletnie spaprany wieczór. W końcu okazało się, że nie pójdzie wcześniej do domu, na pewno nie po tym, jak Lou Garuda wybłagał, żeby zrobił, co w jego mocy i znalazł chłopaka Marchów.

Flynn wydał polecenie służbowe jednemu ze śledczych, żeby ogłosić komunikat – każdy wóz patrolowy w Nowym Jorku ma wypatrywać granatowego buicka z dwoma mężczyznami i porwanym siedemnastoletnim chłopcem nazwiskiem Bobby March. Flynn jednak nie miał zbytnich nadziei, przynajmniej do teraz, bo dziesięć minut temu otrzymał pilny telefon od swojego podwładnego.

– Danny? Powinieneś o czymś wiedzieć. Jakaś kobieta zadzwoniła przed chwilą na dziewięćset jedenaście z komórki. Powiedziała, że nazywa się Jennifer March i że jacyś ludzie próbują zabić ją i jej brata. Jak tylko usłyszałem nazwisko March, postanowiłem do ciebie zadzwonić.

Flynn nerwowo złapał za notes.

– Co jeszcze powiedziała?

– Nic. Rozmowa została przerwana.

– Podaj mi jeszcze raz szczegóły.

Dwadzieścia sekund później Flynn odkładał słuchawkę i natychmiast sam wykręcał numer, tym razem do Garudy.

– Lou, mówi Danny. Gdzie ty się, cholera podziewasz?

– Ciągle jeżdżę po Reardon Avenue i próbuję namierzyć tego cholernego buicka. A gdzie mam być?

– Słuchaj, mam dla ciebie dobrą i złą wiadomość. Kilka minut temu dostaliśmy na dziewięćset jedenaście telefon od jakiejś kobiety. Dzwoniła z komórki. Mówiła, że nazywa się Jennifer March, była spanikowana i powiedziała, że ktoś chce zabić ją i jej brata. Potem rozmowa się urwała.

Garuda natychmiast nacisnął na hamulec.

– Gdzie ona jest, Danny?

– Tego nie wiemy. Była na linii zaledwie kilka sekund, a potrzeba dziewięć, żeby namierzyć komórkę. Operator sieci próbuje się zorientować, gdzie ona jest, ale jej telefon milczy. Jeżeli chcemy ją dokładnie namierzyć, będziemy musieli się modlić, żeby jeszcze raz zadzwoniła.

– Danny, ta baba może już nie zadzwonić!

– I to jest ta zła wiadomość.

Mark wiedział, że za chwilę utonie. Wciągał wielkimi haustami słone powietrze w płuca, fale uderzały w niego bezlitośnie, za wszelką cenę starał się nie wypuścić z rąk liny. Staves stał na pomoście i trzymał go na muszce. Mark wiedział, że szanse na ucieczkę są niewielkie. Miał nadzieję, że uda mu się podejść Stavesa na tyle blisko, żeby go popchnąć albo pociągnąć za sobą do wody, ale agent był bardzo ostrożny i trzymał się na dystans. Mark wiedział, że odcięcie liny i próba ucieczki morzem nie wchodzi w grę. Woda aż się gotowała od piany i czuł, że utonie, zanim pokona pierwsze dwadzieścia metrów. Musiał jednak coś wymyślić, jak się wgramoli z powrotem na pomost.

Już mu się udało przeciąć linę, która mocowała czarny worek do belki, ale nie wypuszczał scyzoryka Stavesa z dłoni. Worek był ciężki, w środku było jakiś prostopadłościan, to mogła być kasetka, a on przytrzymywał ją przy piersi, z trudem pnąc się po drabinie. Lodowata słona woda obmywała go raz po raz od stóp do głów.

Staves ryknął:

– Najpierw rzuć nóż. Potem właź na górę. Nie upuść tego cholernego worka.

A niech to szlag!

Mark miał nadzieję, że Staves, oślepiony radością, że ma kasetkę, zapomni chociaż na chwilę o nożu.

– Rzuć go, Ryan – powtórzył Staves.

Mark wrzucił nóż na pomost. Staves zaczął zwijać linę, podciągając Marka do góry. Kiedy dotarł do szczytu drabiny, ukląkł wyczerpany na pomoście. Miał teraz jedyną szansę na to, żeby rzucić się na Stavesa i zaryzykować, że do niego strzeli. To niebezpieczne, ale jaki ma wybór?

Staves pochylił się, żeby podnieść worek. Mark przygotował się, żeby na niego ruszyć, ale nagle rozległ się strzał. Dźwięk wśród ryku wiatru i fal był słabo słyszalny, ale potem rozległ się następny i jeszcze jeden, cała kanonada.

Strzały dochodziły od strony domu. Jennifer... Bobby... Mark próbował wstać, ale w jednej chwili Staves porwał worek i kopnął go z powrotem do wody.

– Do zobaczenia, cwaniaczku.

Staves strzelił tylko raz, kiedy Mark spadał do huczącego wściekle oceanu, fale wciągnęły do w odmęty. Wtedy Staves odwrócił się i ruszył jak szalony w kierunku domu.

92

Jennifer czuła na twarzy uderzenia deszczu. Biegła tak szybko, jak tylko mogła. Do domu Ryanów było jeszcze czterdzieści metrów, przez ścianę ulewnego deszczu już widziała zarys białych drzwi. Stopnie prowadzące na werandę i zarys ganku. Na niebie zagrzmiało od uderzenia pioruna, a jej serce zabiło mocniej, kiedy odważyła się spojrzeć wstecz. Kelso biegł przez ulicę.

Boże jedyny...! On mnie zabije!

Trzydzieści metrów do drzwi.

Dwadzieścia.

Piętnaście.

Krople deszczu biły prosto w twarz i w oczy. Za bardzo się bała obejrzeć przez ramię, była pewna, że Kelso za chwilę ją dogoni.

Dziesięć metrów.

Wbiegła po schodach na werandę, przewróciła doniczkę z kwiatami i znalazła pod nią klucz, dokładnie tak, jak mówił Mark. Niezdarnie włożyła go do zamka, przekręciła i otworzyła drzwi frontowe. Kiedy weszła do holu, zapaliła światło i całe wnętrze ożyło. Zobaczyła przed sobą schody. Bez namysłu pobiegła w ich kierunku.

Kelso dobiegł do holu kilka sekund później. Był zlany potem i deszczem, trzymał się kurczowo za szyję, z której sączyła się krew, wyglądał, jakby dostał obłędu, był jak dzikie zwierzę, które chwyciło trop świeżej krwi. Zauważył mokre ślady na stopniach i zazgrzytał zębami.

– Ty suko. Już po ciebie idę.

Natychmiast popędził na schody.

Gdzie jest duża sypialnia? Jennifer widziała przed sobą sześcioro drzwi. Półpiętro wyglądało inaczej niż w domu jej rodziców, wszystkie drzwi były zamknięte i nie wiedziała, które wybrać. „Wybierz najbliższe".

Otworzyła drzwi i znalazła się w małym pomieszczeniu, prawdopodobnie sypialni Marka albo jednego z jego braci. Otworzyła następne drzwi. Ta sypialnia była większa niż poprzednia, wychodziła na ogród z tyłu domu, ale to nie była ta największa, której szukała. Usłyszała jakiś hałas w holu na dole, ciężki oddech kogoś, kto wchodził na werandę.

Kelso.

Nie wiedząc, co robić, otworzyła następne drzwi i wpadła do środka, do dużego pokoju, ale nie zapalała światła. Słyszała za sobą kroki na schodach. Kelso ją ścigał.

Rozglądała się w panice po pokoju. Okna nie były zasłonięte, ściany co chwilę zalewało niebieskie światło błyskawic. Zobaczyła małe biurko z ciemnego drewna, przy nim krzesła, na blacie zdjęcia rodzinne w ramkach i telefon. Była w największej sypialni. Nie ma czasu sięgać po telefon. Musi znaleźć broń.

Kroki Kelso były coraz bliżej, teraz biegł po schodach. Rzuciła się do biurka odsunęła krzesło. Sześć szuflad. W której jest rewolwer? W prawej czy w lewej? W górnej czy w dolnej? Mark powiedział, że nie jest pewien, czy broń tam jeszcze będzie. A jak jej tu nie ma? Nie chciała nawet myśleć o takiej możliwości i szarpnąwszy uchwyt, otworzyła lewą górną szufladę.

Pusta.

Zajrzała do górnej prawej.

Pusta.

Kelso był już na półpiętrze... Usłyszała, jak otwiera któreś drzwi, kilka sekund później następne.

Proszę cię, Boże, pomóż mi znaleźć ten pistolet.

Otworzyła jeszcze jedną szufladę. Poczuła zapach drewna. Grzebała jak szalona w drobiazgach w szufladzie, ale nie było tam broni, tylko spinacze, gumki i ołówki.

Usłyszała jakiś dźwięk i odwróciła się przez ramię. Czy to jej wyobraźnia, czy rzeczywiście ktoś naciska na klamkę?

Jak w obłędzie wyszarpnęła kolejną szufladę. Znalazła tylko zszywacz.

I następną.

Pusta.

Otworzyła już wszystkie szuflady, ale broni tam nie było...

Może ją gdzieś przeoczyła?

Znów zaczęła szukać, ale w ułamku sekundy drzwi otworzyły się z impetem.

93

Do sypialni wdarło się jaskrawe światło z półpiętra i we framudze drzwi zobaczyła zarys postaci Kelso. Twarz miał w cieniu, ale Jennifer usłyszała, że oddycha z trudem. Usłyszała jego głos pełen wściekłości i bólu:

– No, proszę. Czy to nie ta suka, która do mnie strzelała i dźgnęła mnie nożem?

Jennifer zrobiła krok do tyłu w kierunku biurka, oddech miała urywany i przyspieszony. Była śmiertelnie przerażona, jak przykuta do ziemi.

– Nie ma sensu nigdzie dzwonić, złotko. Dużo czasu minie, zanim policja tutaj dotrze – Kelso wszedł do środka, na twarzy miał wyraz zadowolenia, kiedy zmaterializował się spośród cieni. Przyłożył rękę do szyi, potem ją oderwał i zobaczył, że na palcach ma świeżą purpurę, a jeden z nich jest prawie odstrzelony w stawie. Jego oczy rozjarzyły się wściekłością.

– Wygląda na to, że masz nieładny zwyczaj robienia mi krzywdy. Gdzie jest Bobby?

Jennifer nie odpowiedziała. Kelso zapalił światło i posłał jej pełne złości spojrzenie, potem podszedł bliżej.

– Nie martw się, znajdę go. Ale najpierw ty i ja musimy dokończyć to, co kiedyś zaczęliśmy.

Jennifer była sparaliżowana strachem. Kelso był już niecały metr od niej, czuła na twarzy jego kwaśny oddech. Za oknem zagrzmiało i cały świat na sekundę rozświetliła błyskawica.

– Proszę... Proszę, nie... – błagała.

– Co? Mam cię nie gwałcić? – Kelso uśmiechnął się szeroko. – A wiesz, że ostatnio nawet mi się podobało. Tym razem dam ci porządną lekcję. Muszę przyznać, że bardzo się na to cieszę – Kelso potarł policzek wierzchem dłoni. – I wiesz co? Później ni powiesz, gdzie jest Bobby. Powiesz mi, a postaram się go zabić ak, żeby nie cierpiał. Oczywiście jeżeli znajdę go sam, to twojego braciszka będzie bardzo bolało, rozumiesz?

Jennifer oparła się plecami o biurko, nie wiedziała, co robić. W desperacji schowała rękę za siebie i znowu szukała w którejś zufladzie. Poczuła pod palcami jakieś papiery, ale nie było broni. *Mark się mylił, tu nie ma pistoletu, a ja zaraz umrę.*

Kelso był coraz bliżej. Jennifer nie miała dokąd uciekać, kiedy iego dłoń zacisnęła się na jej piersi, potem przesunęła się wyżej i nagle ścisnęła ją za gardło. Jennifer walczyła, ale on zaciskał uścisk.

– Nie ruszaj się!

Skurczyła się wewnętrznie z przerażenia, kiedy usta Kelso były już tylko centymetry od jej twarzy, a on szeptał:

– Przestań się ciskać, bo ci zrobię krzywdę.

Jennifer wsunęła rękę do następnej szuflady i nerwowo próbowała coś znaleźć. Znów spinacze... Wtedy koniuszkami palców poczuła coś twardego i metalowego. Tępego na jednym końcu, ostrego jak sztylet na drugiej.

Nie pistolet, ale otwieracz do listów albo nożyczki?

Wszystko jedno, najważniejsze, że można będzie posłużyć się tym jako bronią.

Twarz Kelso była już przy jej twarzy, czuła na skórze jego nieświeży oddech, a kiedy zbliżył się do niej na tyle blisko, żeby ją pocałować, powiedział zduszonym głosem:

– Może tym razem tobie też się spodoba? Co, Jennifer?

– Usmaż się w piekle, Kelso.

Uśmiech zniknął mu z twarzy, kiedy Jennifer uniosła w górę wolną dłoń, otworzył w przerażeniu usta, widząc mosiężny otwieracz do listów. Ułamek sekundy później Jennifer zatopiła go jak sztylet w jego piersi. Ciało Kelso wyprężyło się, on sam zrobił krok do tyłu, upuścił broń, miał w oczach szaleństwo, przyciskał miejsce, w które zadała mu cios. Jennifer chwyciła pistolet leżący na podłodze, wymierzyła i nacisnęła spust.

Kula wdarła się w klatkę piersiową Kelso, a on skłonił się nagle w bok jak marionetka, której ktoś znienacka odciął sznurki.

Jennifer strzeliła znowu, później jeszcze raz, przygważdżając jego ciało do ściany, aż w końcu jej napastnik runął na podłogę. Strzelała bez opamiętania, aż usłyszała pusty dźwięk uderzenia iglicy w powietrze. Upadła na kolana, próbując opanować łzy, a cały zdławiony lęk i gniew w końcu pękły jak tama w jej duszy.

Potem usłyszała dźwięk. Zduszony, charkotliwy dźwięk.

Kelso wciąż oddychał. *On jeszcze żyje.* Prawie wszystkie kule dosięgły jego ciała, ale to nie wystarczyło, żeby go zabić.

Sekundę później usłyszała czyjeś kroki na schodach.

94

Jennifer obejrzała się, kiedy jakaś postać weszła przez drzwi. Czy to Mark? A może policja? To był Staves, miał pistolet w jednej ręce i mokry, czarny plastikowy worek w drugiej. Jennifer w panice podniosła swój pistolet i nacisnęła spust.

Głuchy odgłos uderzenia iglicy w próżnię.

Zupełnie zapomniała, że magazynek jest pusty. Na twarzy Stavesa pojawił się uśmiech. Spojrzał na ciało Kelso.

– No, to chyba już nie będę się musiał z nikim dzielić. – Podniósł broń, przygotowując się do strzału. – Wierz mi, nic do ciebie nie mam, skarbie, to tylko coś, co po prostu trzeba zrobić.

Gdzieś z oddali usłyszeli wycie syren policyjnych i Staves się zawahał. Przez krótką chwilę Jennifer zastanawiała się, czy ktoś przyjdzie ją ocalić, ale wiedziała, że jest za późno na rycerza na białym koniu. Już miała zacisnąć powieki i czekać na kulę, która tym razem na pewno ją zabije, kiedy na półpiętrze pojawił się jakiś cień. Ktoś tam był, w holu, z tyłu, za plecami Stavesa. Rozległ się grzmot pioruna, sekundę później rozbłysk wyładowania elektrycznego i zobaczyła Marka, a właściwie zarys jego postaci, który podkradał się powoli do drzwi. Był cały przemoknięty, wokół pasa miał obwiązaną linę cumowniczą, obie dłonie zaciskał na kolbie pistoletu.

W jego oczach widziała gniew, usłyszała ten sam gniew w jego głosie, kiedy krzyknął:

– Staves!

Jennifer wydawało się, że wszystko, co się później działo, toczyło się jak film w zwolnionym tempie. Staves przykucnął, odwracając się na pięcie, wytrącony z równowagi, a kiedy zamierzał wycelować, Mark już wystrzelił. Jeden strzał trafił Stavesa w serce, potem Mark strzelał szybko raz za razem, trafiając go dwukrotnie w głowę i zabijając na miejscu.

95

Była ósma wieczorem, deszcz już przestał padać, tumany czarnych chmur odpłynęły z wieczornego nieba, gwiazdy świeciły jasnym blaskiem. Jennifer przytuliła i pocieszyła Bobby'ego, opowiedziała policji wszystko, co wie, a kiedy zmęczona nie mogła znieść więcej przesłuchań, powiedziała, że chce być sama i poszła na pomost.

Burza odsunęła się gdzieś dalej, a lodowate, atlantyckie wiatry wywiały deszczowe chmury daleko w morze. Usiadła na krawędzi pomostu. Chwilę później podszedł do niej umundurowany policjant i założył jej pelerynę na ramiona. Powiedział, że nie chce, żeby zamarzła na śmierć. „Jest chłodny wieczór" – powiedział i zapytał, czy mógłby ją odprowadzić z powrotem do domu, ale odparła że nie, że chce tu jeszcze chwilę zostać, więc zostawił ją na pomoście i poszedł.

Czuła na twarzy lekką bryzę, słyszała wodę chlupoczącą pod stopami, fala była jeszcze dość spora i w tej właśnie chwili zrozumiała, że doszła już do końca drogi. Nagle zdała sobie sprawę, że jest tak zmęczona, jak chyba nie była jeszcze nigdy w życiu. Usłyszała czyjeś kroki, ale się nie obejrzała.

– Złapiesz tu grypę – Mark usiadł koło niej i opuścił nogi z pomostu. Już jej wszystko opowiedział. O tym, jak Staves go nie trafił, jak wpadł do wody, jak lina, którą był obwiązany w pasie, a która wciąż była przywiązana do drabinki, ocaliła go przed utonięciem. Kiedy wydostał się z wody, obszedł dom od frontu i zobaczył Marty'ego, drugiego z ludzi Kelso, idącego w kierunku werandy domu jego rodziców. To było w momencie, gdy podjechało porsche Garudy i dwa wozy patrolowe. Policję wezwali sąsiedzi, którzy usłyszeli strzały. Człowiek Kelso nie miał szans. Rzucił pistolet i poddał się; Mark złapał jego broń i pobiegł za Stavesem do domu.

– Będę jeszcze musiał sporo wyjaśnić Garudzie. Ale co z tobą? Jak sobie z tym wszystkim radzisz?

Otarła oczy.

– Będzie dobrze.

– Z Bobbym wszystko w porządku. Jest zdezorientowany, ale dojdzie do siebie. A teraz pytał, gdzie jesteś i prosił mnie, żebym cię znalazł.

– Potrzebuję trochę czasu dla siebie. Rozumiesz, Mark?

– Oczywiście. Chciałem ci tylko powiedzieć, że Kelso nie przeżył. Zmarł w drodze na salę operacyjną.

Jennifer skinęła głową, ale nie odpowiedziała. Mark objął ją ramieniem, a ona położyła głowę na jego piersi. Teraz czuła się przy nim bezpieczna. Kiedy ją obejmował, gładząc po włosach, zdała sobie sprawę, że nie potrafiła nic zrobić ze swoim życiem, bo czekała, aż jej ojciec wróci i przytuli ją tak, jak teraz przytulał ją Mark.

– Widzę, że jeszcze musisz trochę pobyć sama – powiedział.

Nie chciała, żeby zabierał ramię, nie chciała tracić nic z tego poczucia bezpieczeństwa, które jej dawał, ale Mark chyba uznał, że musi uporządkować myśli. Odsunął ramię, ale nie puszczał jej dłoni.

– Jeszcze przez chwilę chciałabym być sama. A co z rodziną Morskaja?

– Nie będą się interesować ani tobą, ani Bobbym. Dyskietką zajmie się wydział do spraw przestępczości zorganizowanej, więc Czerwona Mafia będzie się zastanawiać, gdzie się ukryć i jak się uchronić od zarzutów o działalność przestępczą, bo policja na pewno dobierze się im do skóry.

Przygryzła wargi i odsunęła z twarzy kosmyk włosów.

– Wiem, że ojciec nigdy by nas nie dał skrzywdzić. Wiem, że nie wystawiłby nas świadomie na niebezpieczeństwo. Byłam tego pewna. Ale wiesz co? Nie chcę, żeby leżał w zapomnieniu, zamarznięty na kość, za siedmioma górami. Tego sobie nie wyobrażam.

Mark ścisnął jej rękę.

– Zrobię wszystko, co będę mógł, żeby odnaleziono jego ciało. Przyrzekam.

Jennifer skinęła w milczeniu głową, wiedząc, że Mark nie rzuca słów na wiatr.

– Jest jeszcze ktoś, o kim wciąż myślę.

– Kto taki?

– Ta młoda kobieta na lotnisku, Nadia Fiedowa.

– Tak?

– Wiedząc, że rodzina Morskaja będzie przede wszystkim zajęta odpieraniem ataków prokuratury i policji, pomyślałam sobie, że pewnie o niej zapomną.

– Co chcesz przez to powiedzieć, Jenny?

– Jeżeli uda mi się ją przekonać, żeby zeznawała jako świadek koronny, pomożesz jej wyjść na prostą tak, żeby nie musiała wracać do więzienia?

Uśmiech rozjaśnił twarz Marka.

– Łatwo się nie poddajesz, prawda? I przyznaj, że wykorzystałaś tę sytuację, bo teraz ci nie mogę odmówić.

– Ona jest niewinna, Mark. I nie zasługuje na to, żeby płacić za przestępstwo, do którego ją zmuszono.

– Porozmawiam z panią prokurator i zobaczę, czy uda mi się ją przekonać. Ale pod jednym warunkiem.

– Jakim?

– Jeżeli ja kiedykolwiek wpadnę w tarapaty, chcę, żebyś to ty mnie broniła w sądzie. Zgoda?

– Zgoda. Zrobisz coś jeszcze dla mnie, Mark?

– Co?

– Sprowadź tutaj Bobby'ego. Muszę mu coś powiedzieć.

– Na pewno chcesz z nim tutaj rozmawiać?

Jennifer przytaknęła.

– Tutaj wychodziliśmy posiedzieć z tatą.

– Spróbuję załatwić jakiś wózek, zapytam lekarza z pogotowia – Mark powoli wysuwał rękę z jej dłoni, potem wstał i spojrzał jej prosto w oczy. – Ja też się łatwo nie poddaję, przecież wiesz.

– Wiem.

– Jeżeli będziesz potrzebowała oprzeć się na jakimś ramieniu albo będziesz chciała z kimś porozmawiać o byle czym, dzwoń o każdej porze.

Usłyszała jego słowa i wiedziała, że nie są jej obojętne.

– Jesteś zawsze pierwszą osobą, do której dzwonię. I mam dziwne uczucie, że zawsze nią będziesz, Mark.

Skinął głową. Ponownie się odwrócił, zanim odszedł.

– Musimy jeszcze o wielu rzeczach na spokojnie porozmawiać. Ale później.

Jennifer usłyszała jego kroki na pomoście – szedł, stukając obcasami po deskach tak, jak kiedyś jej ojciec. Ciągle jej go brakowało. Brakowało jego głosu, brakowało późnych popołudni, kiedy idzie ścieżką, a ona biegnie i rzuca mu się w ramiona. Brakowało jej tego wszystkiego i tęskniła za tyloma rzeczami, których już nie ma. Ten ból wciąż doskwierał, nie wiedziała, czy kiedykolwiek minie.

W głębi serca była przekonana, że kiedyś będzie musiała oswoić nawiedzające ją demony. Była na zawsze usidlona w pułapce przeszłości, ta przeszłość ciążyła jej jak żelazny łańcuch. Nieustannie dręczyły ją wspomnienia – teraz wiedziała, dlaczego. Kiedyś miała tylko marzenia. Miała tylko wspomnienia z życia dzielonego z mamą i tatą, a gdy ich utraciła, pozostały jedynie wspomnienia wspólnego życia.

Chwilę później usłyszała za sobą jakiś dźwięk i odwróciła się. Na pomoście stał Mark, przed sobą miał wózek Bobby'ego. Bez słowa kiwnął głową, odwrócił się i poszedł z powrotem do domu, zostawiając ich samych. Jennifer podeszła do brata, uklękła i spojrzała mu w twarz. Wciąż był trochę zdezorientowany i zagubiony, kiwał się w tył i w przód na wózku. Od strony zatoki powiała lekka bryza i zmierzwiła mu włosy, a Jennifer pogłaskała go po głowie i poprawiła fryzurę.

– Pamiętasz, jak tu kiedyś przychodziliśmy wieczorami, siadaliśmy i rozmawialiśmy z tatą?

Bobby skinął głową.

Jennifer wzięła go za rękę.

– Nadejdzie czas, już niedługo, gdy ty i ja będziemy musieli porozmawiać, nie tylko o tym, co się stało dzisiaj wieczorem, ale o wszystkim, co się wydarzyło. O tych wszystkich rzeczach, o których nigdy nie mówiliśmy, bo były zbyt bolesne. Wiesz o tym, prawda? Wiesz, że to jedyny sposób, że tylko tak możemy poradzić sobie z przeszłością i jakoś żyć dalej.

Bobby skinął głową, a ona ścisnęła jego dłoń.

– Tak, kochanie?

Chciała mu jeszcze tyle powiedzieć, zapewnić go, że wszystko będzie dobrze, że niezależnie od tego, co się stanie, zawsze będą razem, że są związani na zawsze, krew z krwi i kość z kości, ale wiedziała, że Bobby już to zrozumiał. Objęła go. Nagle zaczął płakać. Przytuliła go do siebie, oparła policzek na jego ramieniu i przywarli do siebie ciasno, kołysząc się, owiewani zimnym, atlantyckim wiatrem. Przytulali się, jak gdyby jedno miało tylko drugie na całym bożym świecie, jak gdyby już nigdy nie mieli się wypuścić z objęć.